ISBN 978-0-428-21415-9
PIBN 11307081

1 MONTH OF
FREE
READING

at
www.ForgottenBooks.com

By purchasing this book you are eligible for one month membership to ForgottenBooks.com, giving you unlimited access to our entire collection of over 700,000 titles via our web site and mobile apps.

To claim your free month visit:

www.forgottenbooks.com/free1307081

Ludwig Feuerbach's

sämmtliche Werke.

Achter Band.

Leipzig,

Verlag von Otto Wigand.

1851.

Vorlesungen

über das

Wesen der Religion.

Nebst Zusätzen und Anmerkungen.

Von

Ludwig Feuerbach.

———

Leipzig,
Verlag von Otto-Wigand.
1851.

Vorwort.

- - Die Vorlesungen, die ich hier dem Drucke übergebe, wurden vom 1. December des Jahres 1848 an bis zum 2. März 1849 in der Stadt — nicht an der Universität — Heidelberg auf Veranlassung dortiger Studenten, jedoch vor einem gemischten Publikum gehalten.

Ich reihe sie meinen „sämmtlichen Werken" als den achten Band an, weil der Schluß mit dem Wesen des Christenthums ein sinnloser, dem Plan, der Idee, die meiner Gesammtausgabe zu Grunde liegt, durchaus widersprechender wäre. Dieser zufolge habe ich das Wesen des Christenthums zu meiner ersten, d. h. frühsten Schrift gemacht, und daher absichtlich die Gesammtausgabe mit den „Erläuterungen und Ergänzungen zum Wesen des Christenthums" begonnen. Da nun aber dasselbe doch auch in die Gesammtausgabe mit aufgenommen werden mußte, so erscheint es jetzt dem Druck nach als mein letztes Werk, mein letzter Wille und Gedanke. Dieser trügerische Schein muß daher aufgehoben, das Christenthum auf den Platz zurückgedrängt werden, der ihm in Wahrheit gebührt. Dies geschieht aber durch diese Vorlesungen, welche sich an die „Ergänzungen" des ersten Bandes anschließen — die im „Wesen der Religion" in aller Kürze ausgesprochenen Gedanken ausführen, entwickeln, erläutern.

Da ich bekanntlich kein Christ bin, folglich nicht zu den Wieder-käuern gehöre, denn „ein Christ, sagt Luther, käuet wiederum, wie die Schafe thun", so habe ich zwar diese Vorlesungen im Ganzen so drucken lassen, wie sie gehalten worden sind, aber sie doch mit neuen Beweis-stellen, Entwickelungen und Bemerkungen ausstaffirt und, so viel als möglich, Alles ausgemerzt, was mir als bloße Wiederkäuung erschien, so selbst eine ganze Vorlesung, die sich auf meine „Grundsätze der Phi-losophie" bezog. Gleichwohl habe ich die ersten Vorlesungen, welche nichts enthalten, was sich nicht, wenn auch nur zerstreut und mit an-dern Worten, in meinen Schriften gedruckt findet, stehen lassen, aber nur in der Voraussetzung, daß diese Vorlesungen auch in Hände kom-men, in denen sich nicht meine übrigen, am wenigsten meine philoso-phischen Schriften befinden.

Daß diese Vorlesungen erst jetzt erscheinen, wird nicht befremden. Was ist jetzt zeitgemäßer als eine Erinnerung an das Jahr 1848? Bei dieser Erinnerung muß ich jedoch zugleich bemerken, daß diese Vorlesungen meine einzigen öffentlichen Thätigkeitsäußerungen in der sogenannten Revolutionszeit gewesen sind. An allen, sowohl politischen als un-politischen Bewegungen und Verhandlungen jener Zeit, welchen ich bei-wohnte, betheiligte ich mich nur als kritischer Zuschauer und Zuhörer, und zwar aus dem einfachen Grund, weil ich an erfolg- und folglich kopflosen Unternehmungen keinen thätigen Antheil nehmen kann, ich aber schon am Anfang aller jener Bewegungen und Verhandlungen ihren Ausgang voraus sah oder doch voraus empfand. Ein bekannter Franzose hat unlängst die Frage an mich gestellt: warum denn ich mich nicht an der revolutionären Bewegung von 1848 betheiligt hätte? Ich antwortete: Herr Taillandier! wenn wieder eine Revolution ausbricht und ich an ihr thätigen Antheil nehme, dann können Sie zum Entsetzen Ihrer gottesgläubigen Seele gewiß sein, daß diese Revolution eine siegreiche, daß der jüngste Tag der Monarchie und Hierarchie gekommen ist. Leider werde ich diese Revolution nicht erleben. Aber gleichwohl nehme ich thätigen Antheil an einer großen und siegreichen Revolution, einer Revolution aber, deren wahre Wirkungen und Resultate sich erst im Laufe von Jahrhunderten entfalten; denn wissen Sie, Herr Taillandier! nach meiner Lehre, welche keine Götter und folglich auch keine Wunder auf dem Gebiete der Politik kennt, nach meiner Lehre, von der Sie aber so viel wie gar Nichts wissen und verstehen, ob Sie sich gleich anmaaßen, mich zu beurtheilen, statt zu studiren, sind Raum und Zeit die Grundbedingungen alles Seins und Wesens, alles Denkens und Handelns, alles Gedeihens und Gelingens. Nicht weil es dem Parlament an Gottesglauben fehlte, wie man lächerlicher Weise in der baierischen Reichsrathkammer behauptet hat — die Meisten wenigstens waren Gottesgläubige, und der liebe Gott richtet sich doch auch nach der Majorität — sondern weil es keinen Orts- und Zeitsinn hatte, deswegen nahm es ein so schmähliches, so resultatloses Ende.

Die Märzrevolution war überhaupt noch ein, wenn auch illegitimes, Kind des christlichen Glaubens. Die Constitutionellen glaubten, daß der Herr nur zu sprechen brauche: es sei Freiheit! es sei Recht! so ist auch schon Recht und Freiheit; und die Republikaner glaubten, daß man eine Republik nur zu **wollen** brauche, um sie auch schon ins Leben zu rufen; glaubten also an die Schöpfung scilicet einer Republik aus **Nichts**. Jene versetzten die christlichen Wort= wunder, diese die christlichen Thatwunder auf das Gebiet der Politik. Nun wissen Sie aber doch, Herr Taillandier! wenigstens so viel von mir, daß ich ein absolut Ungläubiger bin. Wie können Sie also mei= nen Geist mit dem Geiste des Parlaments, mein Wesen mit dem Wesen der Märzrevolution in Verbindung bringen?

Bruckberg, 1. Januar 1851.

Ludwig Feuerbach.

Erste Vorlesung.

Indem ich hiermit meine Vorlesungen über „das Wesen der Religion" eröffne, muß ich vor Allem bekennen, daß es nur der Ruf, der ausdrückliche Wunsch eines Theils der hier studirenden Jugend ist, der mich, und zwar nach langem Widerstreben, zu diesem Schritt bestimmt hat.

Wir leben in einer Zeit, wo es nicht, wie einst in Athen, nöthig ist, ein Gesetz zu geben, daß Jeder bei einem Aufstande Partei nehmen müsse, wo Jeder, auch der in seiner Einbildung Unparteiischste, selbst wider Wissen und Willen ein, wenn gleich nur theoretischer Parteimann ist, in einer Zeit, wo das politische Interesse alle andern Interessen verschlingt, die politischen Ereignisse uns in einer fortwährenden Spannung und Aufregung erhalten, in einer Zeit, wo es sogar Pflicht ist, — namentlich für uns unpolitische Deutsche — Alles über der Politik zu vergessen; denn wie der Einzelne nichts erreicht und leistet, wenn er nicht die Kraft hat, das, worin er etwas leisten will, eine Zeit lang ausschließlich zu betreiben, so muß auch die Menschheit zu gewissen Zeiten über einer Aufgabe alle anderen, über einer Thätigkeit alle anderen vergessen, wenn sie etwas Tüchtiges, Vollendetes zu Stande bringen will. Die Religion, der Gegenstand dieser Vorlesungen, hängt nun allerdings mit der Politik aufs Innigste zusammen; aber unser hauptsächlichstes Interesse ist gegenwärtig nicht die theoretische, sondern praktische Politik. Wir wollen uns unmittelbar, handelnd an der Politik betheiligen; es fehlt uns die Ruhe, der Sinn, die Lust zum Lesen und Schreiben, zum Lehren und Lernen. Wir haben uns lange genug mit der Rede und Schrift beschäftigt und befriedigt; wir verlangen, daß endlich das Wort Fleisch, der Geist Materie werde; wir haben ebenso wie den philosophischen, den politischen Idealismus satt; wir wollen jetzt politische Materialisten sein. Zu diesem allgemeinen, in der Zeit liegenden Grund meines Widerstrebens gegen das Dociren gesellen sich nun aber noch andere persönliche Gründe. Ich bin, von meiner theoretischen Seite betrachtet, von Natur weniger zum Lehrer, als zum Denker, zum Forscher bestimmt. Der Lehrer ermüdet nicht und darf nicht ermüden Etwas tausendmal zu sagen, mir aber genügt es, Etwas nur einmal gesagt zu haben, wenn ich wenigstens das Bewußtsein habe, es recht gesagt zu haben. Mich interessirt und fesselt ein Gegenstand nur so lange, als er mir noch Schwierigkeiten macht, als ich noch nicht mit ihm im Reinen bin, als ich mit ihm gleichsam noch zu kämpfen habe; habe ich ihn aber überwunden, so eile ich zu einem andern, einem neuen Gegenstand; denn mein Sinn ist nicht auf ein bestimmtes Fach, einen bestimmten Gegenstand eingeschränkt; er interessirt sich für alles Menschliche. Allerdings bin ich nichts weniger, als ein wissenschaftlicher Geizhals oder Egoist, der nur für sich sammelt und sorgt; nein! was ich für mich thue und denke, muß ich auch für Andere denken und thun. Allein ich habe doch nur das Bedürfniß so lange Andere über Etwas zu belehren, als ich in ihrer Belehrung zugleich mich selbst belehre. Mit dem Gegenstand dieser Vorlesungen, der Religion, bin ich aber längst im Reinen, ich habe ihn in meinen Schriften nach allen seinen wesentlichsten oder wenigstens schwierigsten Seiten erschöpft. Ich bin ferner weder eine schreib- noch redselige Natur. Ich kann eigentlich nur reden und schreiben, wenn der Gegenstand mich in Affect, in Begeisterung versetzt. Aber der Affect, die Begeisterung hängt nicht vom Willen ab, und richtet sich nicht nach der Uhr, stellt sich nicht zu bestimmten, festgesetzten Tagen und Stunden ein. Ich kann überhaupt nur darüber reden und schreiben, worüber es mir der Mühe werth scheint zu reden und zu schreiben. Des Redens und Schreibens werth ist mir aber nur das, was entweder sich nicht von selbst versteht, oder nicht schon von Andern erschöpft ist. Ich greife daher von einem Gegenstande, selbst in der Schrift, immer nur d a s auf, worüber sich Nichts, wenigstens nichts mich Befriedigendes, Erschöpfendes in anderen Büchern findet, das Uebrige lasse ich bei Seite liegen. Mein Geist ist daher allerdings ein aphoristischer, wie mir meine Kritiker vorwerfen, aber ein aphoristischer in ganz anderem Sinne, und aus ganz anderen Gründen, als sie meinen: ein aphoristischer Geist, weil ein kritischer, d. h. das Wesen vom Schein, das Nothwendige vom Ueberflüssigen unterscheidender Geist. Ich habe endlich viele Jahre, zwölf volle Jahre, in ländlicher Einsamkeit verlebt, beschäftigt einzig mit Studien und schriftstellerischen Arbeiten, und habe darüber die Gabe der Rede, des mündlichen Vortrags verloren, oder doch auszubilden verabsäumt, denn ich habe nicht daran gedacht, daß ich je wieder, — ich sage w i e d e r, denn ich hatte allerdings in früheren Jahren Vorlesungen an einer baierischen Universität gehalten —, am allerwenigsten in einer Universitätsstadt das mündliche Wort als Organ meiner Wirksamkeit ergreifen würde. Die Zeit, in der ich der akademischen Laufbahn in meinem Geiste für immer Adieu sagte und auf dem Lande lebte, war eine so schrecklich traurige und düstere Zeit, daß ein solcher Gedanke nimmer in mir aufkommen konnte. Es war dies jene Zeit, wo alle öffentlichen Verhältnisse so vergiftet und verpestet waren, daß man seine geistige Freiheit und Gesundheit nur dadurch wahren konnte, daß man auf jeden Staatsdienst, auf jede öffentliche Rolle, selbst die eines Privatdocenten verzichtete, wo alle Beförderungen zum Staatsdienst, alle obrigkeitliche Erlaubniß, selbst die Venia docendi nur der Preis des politischen Servilismus und religiösen Obscurantismus war, wo nur das schriftliche wissenschaftliche Wort frei war; aber auch nur frei in einem höchst beschränkten Maß und nur

1*

frei, nicht aus Achtung vor der Wissenschaft, sondern vielmehr nur aus Geringschätzung wegen ihrer sei's nun wirklichen oder vermeintlichen Einflußlosigkeit und Gleichgültigkeit für das öffentliche Leben. Was war also in dieser Zeit zu thun, zumal wenn man sich bewußt war, dem herrschenden Regierungssystem entgegenge'setzte Gedanken und Gesinnungen zu hegen, als daß man in die Einsamkeit sich zurückzog und des schriftlichen Worts bediente, als des einzigen Mittels, wodurch man sich, freilich auch mit Resignation und Selbstbeherrschung, der Impertineuz der despotischen Staatsgewalt entziehen konnte. Es war übrigens keineswegs nur politischer Abscheu, der mich in die Einsamkeit verbannte und zum schriftlichen Wort verdammte. Wie ich mit dem politischen Regierungssysteme der Zeit in fortwährender innerlicher Opposition lebte, so war ich auch mit den geistigen Regierungssystemen, d. h. den philosophischen und religiösen Lehrsystemen zerfallen. Um aber über die Gegenstände und Ursachen dieses Zwiespalts mit mir ins Reine und Klare zu kommen, dazu bedurfte ich anhaltender, allseitig ungestörter Muße. Wo findet man aber diese mehr, als auf dem Lande, wo man von allen bewußten und unbewußten Abhängigkeiten, Rücksichten, Eitelkeiten, Zerstreuungen, Intriguen und Klatschereien des Städtelebens befreit, nur auf sich selbst verwiesen ist? Wer glaubt, was Andere glauben, lehrt und denkt, was Andere denken und lehren, kurz wer in sei es nun wissenschaftlich oder religiös gläubiger Gemeinschaft mit Andern lebt, der braucht sich nicht von ihnen auch leiblich zu trennen, der hat nicht das Bedürfniß der Einsamkeit, wohl aber der, der seinen eigenen Weg geht, oder gar mit der gesammten gottesgläubigen Welt bricht und nun diesen Bruch rechtfertigen und begründen will. Dazu gehört freie Zeit und freier Raum. Unkenntniß der menschlichen Natur ist es, wenn man glaubt, daß man an jedem Orte, in jeder Umgebung, in jedem Verhältniß und Staube frei denken und forschen könne, daß dazu nichts weiter erfordert werde, als der eigene Wille des Menschen. Nein! zum wahrhaft freien, rücksichtslosen, extraordinären Denken, soll dieses wenigstens ein fruchtbares, entscheidendes Denken sein, wird auch ein extraordinäres, freies, rücksichtsloses Leben erfordert. Und wer geistig auf den Grund der menschlichen Dinge kommen will, der muß auch sinnlich, körperlich auf den Grund derselben sich stellen. Dieser Grund ist aber die Natur. Nur im unmittelbaren Verkehr mit der Natur genest der Mensch, legt er alle überspannten, alle über- oder widernatür-lichen Vorstellungen und Einbildungen ab.

Aber eben, wer Jahre lang in der Einsamkeit lebt, wenn auch nicht in der abstracten Einsamkeit eines christlichen Anachoreten oder Mönchs, sondern in einer humanen Einsamkeit, und nur durch die Schrift mit der Welt in Correspondenz steht, der verliert die Lust und Gabe der Rede; denn es ist ein gewaltiger Unterschied zwischen dem mündlichen und schriftlichen Wort. Das mündliche bezieht sich auf ein bestimmtes, gegenwärtiges, wirkliches Publikum, das schriftliche aber auf ein unbestimmtes, abwesendes, für den Schriftsteller nur in der Vor-stellung existirendes Publikum; das Wort hat zu seinem Gegenstand Menschen, die Schrift Geister, denn die Menschen, für die ich schreibe, sind ja für mich nur im Geiste, in der Vorstellung existirende Wesen. Die Schrift ermangelt daher aller der Reize, Freiheiten, und so zu sagen geselligen Tugenden, die dem mündlichen Wort zukommen; sie gewöhnt den Menschen an strenges Denken, gewöhnt ihn nichts zu sagen, was sich nicht vor der Kritik rechtfertigen läßt; aber macht ihn eben dadurch auch wortkarg, rigoros, bedenklich in der Wahl seiner Worte, unfähig, sich mit Leichtigkeit auszudrücken. Ich mache Sie, meine Herren, hier-auf aufmerksam, hierauf, daß ich den schönsten Theil meines Lebens nicht auf dem Katheder, sondern auf dem Lande, nicht in der Universi-tätsaula, sondern im Tempel der Natur, nicht in Salons und Audienz-zimmern, sondern in der Einsamkeit meiner Studirstube zugebracht habe, damit Sie nicht mit Erwartungen an meine Vorlesungen kommen, in denen Sie sich getäuscht finden, nicht einen beredten, glänzenden Vor-trag von mir erwarten.

Da die Schrift bisher allein das Organ meiner öffentlichen Wirksamkeit war, da ich ihr die schönsten Stunden und besten Kräfte meines
Lebens geopfert, da ich in ihr allein meinen Geist bethätigt habe, ihr
allein meinen Namen und Ruf verdanke, so ist es wohl natürlich, daß
ich meine Schriften auch zur Grundlage und Richtschnur dieser Vorlesungen mache, meinen Schriften die Rolle des Textes, meinem Munde
die des Commentators gebe, es zur Aufgabe meiner Vorlesungen also
mache, auszuführen, zu erläutern, zu beweisen, was ich in meinen
Schriften ausgesprochen. Ich halte dies für um so geeigneter, als ich
in meinen Schriften mit der größten Kürze und Schärfe mich auszusprechen gewohnt bin, nur auf das Wesentlichste und Nothwendigste
mich beschränke, alle langweiligen Vermittlungen übergehe, alle selbst-
verständlichen Zwischen- und Folgesätze dem eigenen Verstande des Lesers
überlasse, eben dadurch aber mich den größten Mißverständnissen aus-
setze, wie die Kritiker meiner Schriften sattsam beweisen. Ehe ich aber
die Schriften nenne, die ich zum Text dieser Vorlesungen nehme, halte
ich es für zweckmäßig, zunächst eine kurze Uebersicht über meine sämmtlichen literarischen Arbeiten zu geben. Meine Schriften lassen sich unterscheiden in solche, welche die Philosophie überhaupt, und solche, welche
insbesondere die Religion oder Religionsphilosophie zum Gegenstande
haben. Zu jenen gehören: meine Geschichte der neueren Philosophie von
Bacon bis Spinoza; mein Leibnitz; mein P. Bayle, ein Beitrag zur
Geschichte der Philosophie und Menschheit; meine philosophischen
Kritiken und Grundsätze. Zu den andern gehören: meine Gedanken
über Tod und Unsterblichkeit, das Wesen des Christenthums, endlich
die Erläuterungen und Ergänzungen zum Wesen des Christenthums.
Ungeachtet dieses Unterschieds meiner Schriften, haben aber alle streng
genommen nur Einen Zweck, Einen Willen und Gedanken, Ein Thema.
Dieses Thema ist eben die Religion und Theologie und was damit zu-
sammenhängt. Ich gehöre zu den Menschen, welche eine fruchtbare
Einseitigkeit bei weitem einer unfruchtbaren, nichtsnutzigen Vielseitigkeit

und Vielschreiberei vorziehen, zu den Menschen, welche ihr ganzes Leben hindurch nur e i n en Zweck im Auge haben, und auf diesen Alles concentriren, welche zwar sehr viel und sehr Vieles studiren und immerfort lernen, aber nur Eines lehren, nur über Eines schreiben, in der Ueberzeugung, daß nur diese Einheit die nothwendige Bedingung ist, Etwas zu erschöpfen und in der Welt durchzusetzen. Demgemäß habe ich denn auch in allen meinen Schriften nie die Beziehung auf die Religion und Theologie außer Acht gelassen, stets den Hauptgegenstand meines Denkens und Lebens, freilich je nach der Verschiedenheit der Jahre und des Standpunkts verschieden, behandelt. Bemerken muß ich jedoch, daß ich in der ersten Ausgabe meiner Geschichte der Philosophie, keineswegs aus politischer Rücksicht, sondern aus jugendlicher Caprice und Antipathie, alle unmittelbaren Beziehungen auf die Theologie im Druck ausgelassen, daß ich aber in der zweiten, in meine gesammelten Schriften aufgenommenen Ausgabe, diese Lücken, jedoch nicht von meinem frühern, sondern jetzigen Standpunkt aus, ausgefüllt habe. Der erste Name, der nun hier in Beziehung auf die Religion und Theologie zur Sprache kommt, ist Bacon von Verulam, der Vater der modernen Philosophie und Naturwissenschaft, wie er nicht ohne Grund von Vielen genannt wird. Er gilt Vielen für das Muster eines frommen, christlichen Naturforschers, weil er feierlich bekannte, die profane Kritik, die er auf dem Gebiete der Naturwissenschaft geltend machte, nicht auf das Gebiet der Religion und Theologie anwenden zu wollen, nur in menschlichen Dingen ein Ungläubiger, in göttlichen aber ein unbedingt, ein unterthänigst Gläubiger zu sein. Von ihm stammt der berühmte Satz: „die oberflächliche Philosophie führt von Gott ab, die tiefere Philosophie zu Gott zurück", ein Satz, der, wie so viele andere Sätze vergangener Denker, einst allerdings eine Wahrheit war, aber jetzt keine mehr ist, obwohl er von unseren Historikern, die zwischen Vergangenheit und Gegenwart keinen Unterschied machen, auch jetzt noch geltend gemacht wird. Ich zeigte nun aber in meiner Darstellung, daß Bacon die Principien, die

er im Glauben, in der Theologie bekenne, in der Physik verneine, daß
die alte Weise die Natur zu betrachten, die Teleologie (d. h. die Lehre
von den Absichten oder Zwecken in der Natur) eine nothwendige Folge
des christlichen Idealismus sei, welcher die Natur aus einem mit Absicht
und Bewußtsein wirkenden Wesen ableitet, daß er die christliche Religion
aus ihrer alten weltumfassenden Stellung, die sie bei den wahrhaft
Gläubigen im Mittelalter eingenommen, verdrängt, daß er nur als Pri-
vatmann, nicht aber als Physiker, als Philosoph, als geschichtlich wirkende Person sein religiöses Prinzip bethätigt habe, es also ganz falsch
sei, Bacon als christlich religiösen Naturforscher zur Devise zu machen.
Der zweite für die Religionsphilosophie interessante Mann ist Bacon's
jüngerer Zeitgenosse und Freund, Hobbes, hauptsächlich wegen seiner
politischen Ansichten berühmt. Er ist unter den modernen Philosophen
derjenige, auf den man das Schreckenswort: Atheist zuerst angewendet
hat. Die gelehrten Herren haben übrigens im vorigen Jahrhundert
darüber gestritten, ob er wirklich Atheist sei. Ich habe aber den Streit
so geschlichtet, daß ich ihn eben so sehr für einen Theisten, als Atheisten
erkläre, indem er allerdings, wie überhaupt die moderne Welt, einen
Gott statuire, aber dieser Hobbes'sche Gott so viel wie keiner sei, indem
alle Wirklichkeit bei ihm die Körperlichkeit, die Gottheit also, da er keine
körperlichen Prädicate derselben angeben könne, seinem philosophischen
Prinzip nach nur ein Wort, aber kein Wesen sei. Die dritte bedeutende
Person, die aber in religiöser Beziehung keine wesentliche Verschiedenheit
darbietet, ist Cartesius. Sein Verhältniß zur Religion und Theologie
habe ich jedoch erst im Leibnitz und Bayle behandelt, weil nämlich erst
nach der Erscheinung meines ersten Bandes Cartesius als das Muster
eines religiösen und zwar katholisch religiösen Philosophen proclamirt
wurde. Ich aber zeigte auch von ihm, daß Cartesius der Philosoph
und Cartesius der Gläubige zwei ganz sich widersprechende Personen
sind. Die für die Religionsphilosophie bedeutendsten, originellsten Erscheinungen, die ich im ersten Bande behandelt habe, sind Jacob Böhm

und Spinoza, beide dadurch unterschieden von den genannten Philosophen, daß sie uns nicht nur den Widerspruch des Glaubens und der
Vernunft darstellen, sondern beide ein selbstständiges reli-
gionsphilosophisches Prinzip aufstellen. Der erste, Jacob
Böhm, ist der Abgott der philosophirenden Theologen oder Theisten,
der andere, Spinoza, der Abgott der theologischen Philosophen oder
Pantheisten. Den Ersteren haben seine Verehrer in neuester Zeit als
das probateste Heilmittel gegen das Gift meiner Lehre, die eben der Inhalt dieser meiner Vorlesungen sein wird, angepriesen. Ich habe aber
Jacob Böhm erst neuerdings wieder bei meiner zweiten Auflage zum
Object des gründlichsten Studiums gemacht. Mein abermaliges Studium hat mich jedoch zu keinem anderen Resultate geführt, als dem
schon früher ausgesprochenen, nämlich daß das Geheimniß seiner Theo-
sophie einerseits eine mystische Naturphilosophie, andererseits eine
mystische Psychologie ist; daß also in ihm geschweige eine Wider-
legung, vielmehr eine Bestätigung meiner Anschauung, wornach sich
die gesammte Theologie in Natur- und Menschenlehre zerlegt, zu finden
ist. Den Schluß in meinem ersten Bande bildet Spinoza. Er ist der
Einzige unter den neuern Philosophen, der die ersten Elemente zu einer
Kritik und Erkenntniß der Religion und Theologie gegeben hat; der
Erste, der in positiven Gegensatz mit der Theologie trat; der Erste, der
es auf eine classische Weise ausgesprochen, daß die Welt nicht als eine
Wirkung oder ein Werk eines persönlichen nach Absichten und Zwecken
wirkenden Wesens angesehen werden könne; der Erste, der die Natur
in ihrer universellen, religionsphilosophischen Bedeutung geltend machte.
Ihm habe ich daher meine Bewunderung und Verehrung mit Freuden
dargebracht; nur habe ich das an ihm getadelt, daß er das nicht nach
Zwecken, nicht mit Willen und Bewußtsein wirkende Wesen, noch be-
fangen in den alten theologischen Vorstellungen, als das vollkommenste,
als das göttliche Wesen bestimmte und daher sich den Weg zu einer
Entwicklung abschnitt, das bewußte, menschliche Wesen nur als einen

Theil, nur als einen Modus, wie sich Spinoza in seiner Sprache ausdrückt, statt als den Gipfel der Vollendung des bewußtlosen Wesens
erfaßte.

Der Antipode Spinoza's ist Leibniß, dem ich einen besonderen
Band gewidmet habe. Wenn Spinoza die Ehre gebührt, die Theologie
zur Magd der Philosophie gemacht zu haben, so gebührt dagegen dem
ersten deutschen Philosophen der neueren Zeit, nämlich Leibniß, die Ehre
oder Unehre, die Philosophie wieder unter den Pantoffel der Theologie
gebracht zu haben. Dieses that besonders Leibniß in seinem berühmten
Werk: die Theodicee. Leibniß schrieb bekanntlich dieses Buch aus Galanterie gegen eine in ihrem Glauben durch Bayle's Zweifel beunruhigte
preußische Königin. Aber die eigentliche Dame, für die es Leibniß
schrieb, der er den Hof machte, ist die Theologie. Aber gleichwohl
machte er es den Theologen nicht recht. Leibniß hielt es überall mit
beiden Parteien und eben dadurch befriedigte er keine. Er wollte Niemand beleidigen, Niemand verletzen; seine Philosophie ist eine Philosophie diplomatischer Galanterie. Selbst die Monaden, d. h. die Wesen,
aus welchen nach ihm alle in die Sinne fallenden Wesen bestehen, üben
keinen physischen Einfluß auf einander aus, damit ja keiner Etwas zu
Leid geschehe. Aber wer nicht, wenn auch unabsichtlich, beleidigen und
verletzen will, dem fehlt alle Energie, alle Thatkraft; denn man kann
keinen Fuß bewegen, ohne Wesen zu zertreten, keinen Tropfen Wasser
genießen, ohne Infusorien zu verschlucken. Leibniß ist ein Mittelsmann
zwischen der mittelalterlichen und neueren Zeit, er ist, wie ich ihn
nannte, der philosophische Tycho de Brahe, aber eben wegen dieser seiner
Unentschiedenheit noch heute der Abgott aller unentschiedenen, energie-
losen Köpfe. Schon in der ersten, 1837 erschienenen Ausgabe machte
ich daher den theologischen Standpunkt Leibniß's, und zugleich auf seine
Veranlassung die Theologie überhaupt zu einem Objecte der Kritik.
Der Standpunkt, von dem aus ich diese Kritik fällte, war übrigens
eigentlich der spinozistische oder abstract philosophische, nämlich der, daß

ich zwischen dem theoretischen und praktischen Standpunkt des Menschen strenge unterschied, und jenen der Philosophie, diesen der Theologie und Religion zueignete. Auf dem praktischen Standpunkt, sage ich, bezieht der Mensch die Dinge nur auf sich, auf seinen Nutzen und Vortheil, auf dem theoretischen bezieht er die Dinge auf sich selbst. Nothwendig ist daher, sage ich dort, ein wesentlicher Unterschied zwischen der Theologie und Philosophie; wer beide vermischt, vermischt wesentlich verschiedene Standpunkte und bringt daher nur eine Mißgeburt zu Stande. Recensenten dieser Schrift haben sich gewaltig aufgehalten über diese Unterscheidung; sie haben aber übersehen, daß schon Spinoza in seinem theologisch politischen Tractat von demselben Standpunkt aus die Theologie und Religion betrachtet und kritisirt hat, ja daß selbst Aristoteles, wenn er anders die Theologie zum Gegenstand seiner Kritik gemacht hätte, sie nicht anders hätte kritisiren können. Uebrigens ist dieser Standpunkt, von dem aus ich damals die Theologie kritisirte, keineswegs der Standpunkt meiner späteren Schriften, keineswegs mein letzter und absoluter, sondern nur ein relativer, historisch bedingter Standpunkt. Ich habe daher in der neuen Ausgabe meiner „Darstellung und Kritik der Philosophie Leibnitz's" die Theodicee und Theologie Leibnitz's, eben so wie seine damit zusammenhängende Pneumatologie oder Geisteslehre einer neuen Kritik unterworfen.

Zweite Vorlesung.

Wie Leibnitz der Antipode Spinoza's, so ist der Antipode Leibnitzens namentlich in theologischer Beziehung der französische Gelehrte und Skeptiker: Pierre Bayle. Das Audiatur et altera pars — gilt nicht nur in der Jurisprudenz, sondern auch in der Wissenschaft überhaupt. Diesem Spruche gemäß ließ ich daher auf den gläubigen, wenigstens denkgläubigen deutschen Philosophen den ungläubigen oder doch zweifelnden französischen Philosophen in der Reihe meiner Schriften folgen. Uebrigens war die Ursache dieser Schrift keineswegs nur ein wissenschaftliches, sondern auch ein praktisches Interesse. Wie überhaupt meine Schriften ihre Entstehung dem Gegensatz gegen eine Zeit verdanken, in der man gewaltsam die Menschheit in die Finsterniß vergangener Jahrhunderte zurückscheuchen wollte, so auch mein Bayle. Er erschien zu der Zeit, wo namentlich in Baiern und Rheinpreußen der alte Kampf des Katholicismus und Protestantismus aufs heftigste und häßlichste wieder entbrannt war. Bayle war einer der ersten, ausgezeichnetsten Kämpfer für Aufklärung, Humanität und Toleranz, frei von den Fesseln, ebensowohl des katholischen als protestantischen Glaubens. Durch eine solche Stimme aus der Vergangenheit eine bethörte und erboste Gegenwart zu belehren und zu beschämen, das war der Zweck meines Bayle. Das erste Kapitel handelt vom Katholicismus, als dessen Wesen ich wegen seiner Klöster, wegen seiner Heiligen, wegen seines Priestercöli=

bats u. f. w. im Unterfchiede vom Proteftantismus den Widerfpruch von Fleifch und Geift; das zweite vom Proteftantismus, als
deffen Wefen ich im Unterfchiede vom Katholicismus den Widerfpruch von Glauben und Vernunft bezeichnete; das dritte vom Widerfpruch der Theologie mit der Philofophie, der Wiffenfchaft überhaupt;
denn der Theologie, fage ich, fei nur das ihr Heilige wahr, der Philofophie aber nur das Wahre heilig, die Theologie ftütze fich auf ein befonderes Prinzip, auf ein befonderes Buch, in dem fie alle, wenigftens
dem Menfchen nothwendigen und heilfamen Wahrheiten enthalten wähnt;
fie fei daher nothwendig engherzig, exclufiv, intolerant, bornirt; die
Philofophie, die Wiffenfchaft aber ftütze fich nicht auf ein befonderes
Buch, fondern finde die Wahrheit nur im Ganzen der Natur und Gefchichte, ftütze fich auf die Vernunft, die wefentlich univerfell, nicht auf
den Glauben, der wefentlich particulär fei. Das vierte Kapitel handelt
von dem Gegenfatz oder Widerfpruch zwifchen der Religion und Moral
oder von Bayle's Gedanken über den Atheismus. Bayle behauptet
nämlich, daß der Menfch auch ohne Religion moralifch fein könne, weil
die meiften Menfchen mit und trotz ihrer Religion unmoralifch feien und
lebten, daß der Atheismus durchaus nicht nothwendig mit Immoralität
verbunden fei, daß der Staat daher recht gut aus Atheiften beftehen
könne. Solches fprach fchon 1680 Bayle, während noch vor einem
Jahre auf dem vereinigten preußifchen Landtag fich ein freiherrlicher Ab-
geordneter nicht fchämte zu erklären, daß er allen religiöfen Bekennt-
niffen, nur nicht den Atheiften die Anerkenntniß des Staats und die
Befugniß zur Ausübung politifcher Rechte gewährt wiffen wolle. Das
fünfte Kapitel handelt ausdrücklich von der Selbftftändigkeit der Moral,
ihrer Unabhängigkeit von religiöfen Dogmen und Meinungen; was im
vierten Kapitel aus Beifpielen der Gefchichte und des gemeinen Lebens,
das wird hier aus der Natur der Sache bewiefen. Das fechfte Kapitel
handelt von dem Widerfpruch der chriftlichen Dogmen mit der Vernunft,
das fiebente Kapitel von der Bedeutung des Widerfpruchs zwifchen

Glauben und Vernunft in Bayle. Bayle lebte nämlich in jener Zeit, wo der Glaube noch eine solche Autorität war, daß der Mensch selbst das, was er seiner Vernunft nach für falsch und absurd erkannte, doch noch glauben zu können sich einbildete oder zu glauben zwang. Das achte Kapitel handelt von Bayle's Bedeutung und Verdienst als Polemiker gegen die religiösen Vorurtheile seiner Zeit; das neunte Kapitel endlich von Bayle's Charakter und Bedeutung für die Geschichte der Philosophie.

Mit Bayle schließen sich meine historischen Arbeiten. Die spätern, die neuesten Philosophen habe ich nur als Kritiker, nicht als Historiker zum Gegenstande meiner Schriften gemacht. Indem wir an die neueste Philosophie treten, begegnet uns sogleich ein gewaltiger Unterschied zwischen den früheren und spätern Philosophen. Während nämlich die früheren Philosophen Philosophie und Religion ganz von einander trennten, ja geradezu einander entgegensetzten, indem die Religion auf göttlicher Weisheit und Auctorität, die Philosophie nur auf menschlicher beruhe, oder indem, wie Spinoza sich ausdrückt, die Religion nur den Nutzen, die Wohlfahrt des Menschen, die Philosophie aber die Wahrheit bezwecke, so kommen dagegen die neuesten Philosophen mit der Identität der Philosophie und Religion, wenigstens ihrem Inhalte, ihrem Wesen nach. Diese Identität war es nun, gegen welche ich auftrat. Schon im Jahre 1830, wo meine Gedanken über Tod und Unsterblichkeit erschienen, rief ich daher einem Dogmatiker aus der Hegel'schen Schule, welcher behauptete, daß nur ein formeller Unterschied zwischen Religion und Philosophie sei, daß die Philosophie nur in den Begriff erhebe, was die Religion in der Form der Vorstellung habe, die Verse zu:

„Wesen ist selber die Form;" drum tilgst du den Inhalt des Glaubens,
Wenn du die Vorstellung tilgst, seine geeignete Form.

Ich machte daher der Hegel'schen Philosophie den Vorwurf, daß sie das Wesentliche der Religion zum Unwesentlichen, und umgekehrt das Unwesentliche zum Wesentlichen mache. Das Wesen der Religion sei gerade eben das, was die Philosophie zur bloßen Form mache.

Eine Schrift, die hier in dieser Beziehung besonders zu nennen, ist eine kleine, im Jahre 1839 erschienene Broschüre: „Ueber Philosophie und Christenthum." Ungeachtet aller Vermittelungsversuche, sagte ich hier, sei die Differenz zwischen Religion und Philosophie eine unaustilgbare, denn diese sei eine Sache des Denkens, der Vernunft, jene aber eine Sache des Gemüths und der Phantasie. Die Religion enthalte aber nicht nur, wie Hegel behauptete, gemüthliche Phantasiebilder speculativer Gedanken, sondern vielmehr ein vom Denken unterschiedenes Element und dieses sei nicht die bloße Form, sondern das Wesen derselben. Dieses Element können wir mit e i n e m Worte Sinnlichkeit nennen, denn auch das Gemüth und die Phantasie wurzeln ja in der Sinnlichkeit. Diejenigen, die sich an dem Worte: Sinnlichkeit stoßen, weil der Sprachgebrauch nur die Begehrlichkeit darunter versteht, bitte ich zu bedenken, daß nicht nur der Bauch, sondern auch der Kopf ein sinnliches Wesen ist. Sinnlichkeit ist bei mir nichts Andres als die wahre, nicht gedachte und gemachte, sondern existirende Einheit des Materiellen und Geistigen, ist daher bei mir eben so viel als wie Wirklichkeit. Um diesen eben angegebenen Unterschied zwischen der Religion und Philosophie klar und deutlich zu machen, erinnere ich hier nur beispielsweise an eine Lehre, die diesen Unterschied ganz besonders zeigt. Die alten Philosophen lehrten, zum Theil wenigstens, die Unsterblichkeit, aber nur die Unsterblichkeit des denkenden Theiles in uns, nur die Unsterblichkeit des Geistes im Unterschiede von der Sinnlichkeit des Menschen. Einige lehrten sogar ausdrücklich, daß selbst das Gedächtniß, die Erinnerung erlösche und nur das reine Denken, eine freilich in der Wirklichkeit gar nicht existirende Abstraction, nach dem Tode übrig bleibe. Diese Unsterblichkeit aber ist eben eine abstracte, abgezogene und darum nicht die religiöse. Das Christenthum verwarf daher diese philosophische Unsterblichkeit und setzte an deren Stelle die Fortdauer des ganzen, wirklichen, leiblichen Menschen; denn nur diese ist eine Fortdauer, in der das Gemüth und die Phantasie Stoff finden, aber blos deßwegen, weil sie eine sinnliche ist. Was aber von dieser Lehre insbesondere gilt, das gilt von der Religion überhaupt. Gott selbst ist ein sinnliches Wesen, ein Gegenstand der Anschauung, der Vision, zwar nicht der körperlichen, aber der geistigen, d. h. der Phantasieanschauung. Wir können daher den Unterschied zwischen der Philosophie und Religion kurzweg darauf reduciren, daß die Religion sinnlich, ästhetisch ist, während die Philosophie etwas Unsinnliches, Abstractes ist. Obgleich ich nun aber schon in meinen frühern Schriften als das Wesen der Religion im Unterschiede von der Philosophie die Sinnlichkeit erkannte, so konnte ich doch die Sinnlichkeit der Religion nicht anerkennen. Erstens, weil sie eine der Wirklichkeit widersprechende, eine nur phantastische und gemüthliche ist. So ist der Leib, um wieder das angeführte Beispiel beizubehalten, welchen die Religion im Gegensatz gegen die philosophische Unsterblichkeit geltend macht, nur ein phantastischer und gemüthlicher Leib, ein „geistiger" Leib, d. h. ein Leib, der so viel wie kein Leib ist. Die Religion ist daher die Anerkennung, die Bejahung der Sinnlichkeit im Widerspruch mit der Sinnlichkeit. Ich konnte sie aber zweitens auch deßwegen nicht anerkennen, weil ich selbst noch in dieser Beziehung auf dem Standpunkt des abstracten Denkers stand, noch nicht die volle Bedeutung der Sinne erfaßt hatte. Ich war mir wenigstens noch nicht entschieden klar hierüber. Zur wahren vollständigen Anerkennung der Sinnlichkeit gelangte ich einerseits durch ein erneutes tieferes Studium der Religion, andererseits durch das sinnliche Studium der Natur, wozu mir mein Landleben die schönste Gelegenheit darbot. Erst in meinen späteren philosophischen und religionsphilosophischen Schriften kämpfe ich daher mit Entschiedenheit eben so wohl gegen die abstracte Unmenschlichkeit der Philosophie, als gegen die phantastische, illusorische Menschlichkeit der Religion. Erst in ihnen setze ich mit vollem Bewußtsein an die Stelle des abgezogenen, nur gedachten Wesens der Welt, welches man

Gott nennt, das wirkliche Welt- oder Naturwesen, an die Stelle des vom Menschen abgezogenen, der Sinne beraubten Vernunftwesens der Philosophie den vernunftbegabten wirklichen, sinnlichen Menschen. Unter meinen religionsphilosophischen Schriften geben die beste Uebersicht über meine geistige Laufbahn, meine Entwickelung und deren Resultate meine „Gedanken über Tod und Unsterblichkeit", indem ich diesen Gegenstand dreimal, 1830, wo ich eben mit diesen Gedanken zuerst als Schriftsteller auftrat, 1834 unter dem Titel „Abälard und Heloise" und 1846 „vom Standpunkt der Anthropologie" behandelte. Die ersten Gedanken über diesen Gegenstand schrieb ich als abstracter Denker, die zweiten im Widerspruch zwischen dem Elemente des Denkens und der Sinnlichkeit, die dritten auf dem Standpunkte des mit den Sinnen versöhnten Denkers, oder, die ersten schrieb ich als Philosoph, die zweiten als Humorist, die dritten als Mensch. Aber gleichwohl enthalten die „Gedanken über Tod und Unsterblichkeit" schon in abstracto, d. h. in Gedanken, was meine späteren Schriften in concreto, d. h. ausgeführt und entwickelt enthalten. Wie ich in meinen späteren, meinen letzten Schriften dem Menschen die Natur voraussetze, so polemisirte ich auch schon in jener Schrift gegen eine naturlose, absolute, und folglich ohne Ende fortdauernde Persönlichkeit, kurz gegen die phantastische, über das Maaß der Wirklichkeit ins Schrankenlose ausgedehnte Persönlichkeit, wie sie in dem gewöhnlichen Gottes- und Unsterblichkeitsglauben gefaßt wird. Der erste Abschnitt heißt in dem Auszug aus dieser Schrift in meiner Gesammtausgabe „der metaphysische oder speculative Grund des Todes." Er handelt von dem Verhältniß der Persönlichkeit zum Wesen oder zur Natur. Die Schranke der Persönlichkeit ist die Natur, heißt es dort dem Sinne, wenn auch nicht gerade den Worten nach, jedes Ding außer mir ist ein Zeichen meiner Endlichkeit, ein Beweis, daß ich kein absolutes Wesen bin, daß ich an der Existenz anderer Wesen meine Gränze habe, daß ich folglich keine unsterbliche Person bin. Diese zunächst im Allgemeinen oder metaphysisch ausgesprochene Wahrheit wird nun weiter durchgeführt in den anderen Abschnitten. Der folgende heißt: „der physische Grund des Todes". Zum Wesen der Persönlichkeit des Menschen, der Persönlichkeit überhaupt, heißt es hier, gehört wesentlich räumliche oder zeitliche Bestimmtheit. Ja, der Mensch ist nicht nur überhaupt ein räumliches, sondern auch ein wesentlich irdisches, von der Erde unabsonderliches Wesen. Wie thöricht daher, einem solchen Wesen ewige überirdische Existenz einräumen zu wollen! Ich faßte diesen Gedanken in folgende Verse zusammen:

Wo du erwachtest zum Licht, da wirst du einstens auch schlummern;
Nimmer entlässet die Erd' Einen aus ihrem Gebiet.

Der dritte und letzte Abschnitt ist überschrieben: „der geistige oder psychologische Grund des Todes". Der einfache Grundgedanke ist: die Persönlichkeit ist nicht nur eine leiblich oder sinnlich, sondern auch geistig bestimmte und begränzte Persönlichkeit; der Mensch hat eine bestimmte Bestimmung, Stellung, Aufgabe in der großen Gemeinde der Menschheit, in der Geschichte; aber eben damit verträgt sich auch nicht eine endlose Fortdauer. Er dauert nur in seinen Werken, in seinen Wirkungen fort, die er innerhalb seiner Sphäre, seiner geschichtlichen Aufgabe hervorbrachte. Dies allein ist die sittliche, die ethische Unsterblichkeit. Dieser Gedanke im dritten und letzten Abschnitt ist auch der nur mehr durchgeführte Grundgedanke meiner „humoristisch-philosophischen Aphorismen". Die geistige, die ethische oder moralische Unsterblichkeit ist die allein, die der Mensch in seinen Werken besitzt. Das, was er mit Leidenschaft liebt und treibt, das ist die Seele des Menschen. Die Seele des Menschen ist so verschieden, so bestimmt, als die Menschen selbst sind. Die Unsterblichkeit im alten Sinne des Wortes, jenes ewige, gränzenlose Sein paßt daher nur auf eine unbestimmte, vage Seele, die gar nicht in Wirklichkeit existirt, die nur eine menschliche Abstraction und Einbildung ist. Ich habe aber diese Gedanken, die Grundgedanken jener Schrift uur. im Besondern, nur an dem Beispiel des Schriftstellers nachgewiesen, dessen unsterblicher Geist lediglich der Geist seiner Schriften sei. Zum dritten und letzten Mal behandelte ich die Unsterblichkeit in meiner Abhandlung: „die Unsterblichkeitsfrage vom Standpunkt der Anthropologie". Der erste Abschnitt handelt von dem allgemeinen Unsterblichkeitsglauben, von dem Glauben, wie er sich bei allen oder meisten Völkern im Zustande ihrer Kindheit oder Unbildung findet. Hier zeige ich, daß die Unsterblichkeitsgläubigen dem Glauben der Völker ihre eignen Vorstellungen unterschieben, daß dieselben in Wahrheit nicht an ein anderes, sondern nur an dieses Leben glauben, daß das Leben der Todten nur das Leben im Reiche der Erinnerung, der lebendige Todte nur das personificirte Bild des Lebendigen von dem Todten sei; ich zeige ferner, daß, wenn man einmal eine persönliche oder individuelle Unsterblichkeit will, man sie nur im Sinne der einfachen Naturvölker glauben muß, bei welchen der Mensch nach dem Tode ganz Derselbe ist, wie vor dem Tode, dieselben Leidenschaften, Beschäftigungen und Bedürfnisse hat, denn von ihnen läßt sich der Mensch nicht abtrennen. Der zweite Abschnitt handelt von der subjectiven Nothwendigkeit des Unsterblichkeitsglaubens, d. h. von den inneren, psychologischen Gründen, welche im Menschen den Glauben an seine Unsterblichkeit erzeugen. Der Schlußsatz dieses Abschnittes ist, daß die Unsterblichkeit eigentlich nur für träumerische, müßige, über ihr Leben in der Phantasie hinausschweifende, aber nicht für thatkräftige, mit den Gegenständen des wirklichen Lebens beschäftigte Menschen ein Bedürfniß sei. Das dritte Kapitel handelt von dem „kritischen Unsterblichkeitsglauben", d. h. von dem Standpunkt, wo man nicht mehr glaubt, daß die Menschen mit Haut und Haaren nach dem Tode fortexistiren, sondern zwischen einem sterblichen und unsterblichen Wesen des Menschen kritisch unterscheidet. Dieser Glaube falle aber selbst nothwendig, sage ich, dem Zweifel, der Kritik anheim; er widerspreche dem unmittelbaren Einheitsgefühle und Einheitsbewußtsein des Menschen, welches eine solche kritische Theilung und Zerspaltung des menschlichen Wesens ungläubig von sich weise. Der letzte Abschnitt handelt endlich von dem Unsterblichkeitsglauben, wie er jetzt noch bei uns gilt, von dem „rationalistischen Unsterblichkeitsglauben", welcher in seiner Halbheit und Zerrissenheit zwischen Glaube und Unglaube die Unsterblichkeit zwar scheinbar bejahe, in Wahrheit aber verneine, indem er dem Glauben den Unglauben, dem Jenseits das Diesseits, der Ewigkeit die Zeit, der Gottheit die Natur, dem religiösen Himmel den profanen Himmel der Astronomie unterschiebe.

Ich habe hiermit ein kurzes oberflächliches Inhaltsverzeichniß von diesen meinen Unsterblichkeits= und Todesgedanken gegeben, und zwar deßwegen, weil die Unsterblichkeit gewöhnlich und mit vollem Rechte einen Hauptabschnitt in der Religion und Religionsphilosophie bildet, ich aber von diesem Glauben absehen, wenigstens ihn nur insofern behandeln werde, als er mit dem Gottesglauben zusammenhängt oder vielmehr eins ist.

Dritte Vorlesung.

Ich komme nun an die Schriften von mir, welche den Inhalt und Gegenstand dieser Vorlesungen enthalten: meine Lehre, Religion, Philosophie oder wie Sie es sonst nennen wollen. Diese meine Lehre ist kürzlich die: — die Theologie ist Anthropologie, d. h. in dem Gegenstande der Religion, den wir griechisch Theos, deutsch Gott nennen, spricht sich nichts Andres aus als das Wesen des Menschen, oder: der Gott des Menschen ist nichts Andres als das vergötterte Wesen des Menschen, folglich die Religions= oder, was eins ist, Gottesgeschichte — denn so verschieden die Religionen, so verschieden sind die Götter, und die Religionen so verschieden, als die Menschen verschieden sind — nichts Andres, als die Geschichte des Menschen. So gut, um sogleich diese Behauptung an einem Beispiel, das aber mehr als ein Beispiel ist, zu erläutern und veranschaulichen, der griechische, römische, überhaupt heidnische Gott, wie selbst unsre Theologen und Philosophen zugeben, nur ein Gegenstand der heidnischen Religion, ein Wesen ist, welches nur im Glauben und in der Vorstellung eines Heiden, aber nicht eines christlichen Volkes oder Menschen Existenz hat, folglich nur ein Ausdruck, ein Bild des heidnischen Geistes und Wesens ist; so gut ist auch der christliche Gott nur ein Gegenstand der christlichen Religion, folglich auch nur ein charakteristischer Ausdruck des christlichen Menschen=Geistes und Wesens. Der Unterschied zwischen dem heidnischen Gott und dem chriſtlichen Gott iſt nur der Unterſchied zwiſchen dem heidniſchen und dem chriſtlichen Menſchen oder Volke. Der Heide iſt Patriot, der Chriſt Kosmopolit, folglich iſt auch der Gott des Heiden ein patriotiſcher, der Gott des Chriſten dagegen ein kosmopolitiſcher Gott, d. h. der Heide hatte einen nationalen, beſchränkten Gott, weil der Heide ſich nicht über die Schranke ſeiner Nationalität erhob, die Nation ihm über den Menſchen ging; der Chriſt aber hat einen univerſellen, allgemeinen, die ganze Welt umfaſſenden Gott, weil er ſelbſt ſich über die Schranke der Nationalität erhebt, die Würde und das Weſen des Menſchen nicht auf eine beſtimmte Nation einſchränkt. Der Unterſchied zwiſchen dem Polytheismus und Monotheismus iſt nur der Unterſchied zwiſchen den Arten und der Gattung. Der Arten ſind viele, aber die Gattung iſt nur Eines, denn ſie iſt es ja, worin die verſchiedenen Arten übereinſtimmen. So giebt es verſchiedene Menſchenarten, Raſſen, Stämme oder wie man es ſonſt nennen will, aber ſie gehören doch alle zu einer Gattung, zur Menſchengattung. Der Polytheismus iſt nun da zu Hauſe, wo ſich der Menſch nicht über den Artsbegriff des Menſchen erhebt, wo er nur den Menſchen ſeiner Art als ſeines Gleichen, als gleichberechtigtes, gleichbefähigtes Weſen anerkennt. In dem Begriff der Art liegt aber die Vielheit, folglich giebt es da viele Götter, wo der Menſch das Weſen der Art zum abſoluten Weſen macht. Zum Monotheismus erhebt ſich aber da der Menſch, wo er ſich zum Begriff der Gattung erhebt, worin alle Menſchen übereinſtimmen, worin ihre Art-, ihre Stammes-, ihre National-Unterſchiede verſchwinden. Der Unterſchied zwiſchen dem Einen, oder was eins iſt, allgemeinen Gott der Monotheiſten und den vielen, oder was etus iſt, beſonderen National-Göttern der Heiden oder Polytheiſten iſt nur der Unterſchied zwiſchen den vielen verſchiedenen Menſchen und zwiſchen dem Menſchen oder der Gattung, worin Alle Eins ſind. Die Sichtbarkeit, Handgreiflichkeit, kurz Sinnfälligkeit der polytheiſtiſchen Götter iſt nichts Andres als die Sinnfälligkeit der menſchlichen Art- und Nationalunterſchiede — der Grieche z. B.

unterscheidet sich ja sichtlich, handgreiflich von anderen Völkern — die Unsichtbarkeit, Unsinnlichkeit des monotheistischen Gottes ist nichts Anderes, als die Unsinnlichkeit, Unsichtbarkeit der Gattung, worin alle Menschen übereinstimmen, die aber nicht als solche sinnlich, handgreiflich existirt; denn es existiren ja nur die Arten. Kurz der Unterschied zwischen dem Polytheismus und Monotheismus reducirt sich auf den Unterschied zwischen Art und Gattung. Die Gattung ist allerdings unterschieden von der Art, denn in ihr lassen wir ja eben die Artunterschiede weg; aber deßwegen ist die Gattung nicht ein eignes selbstständiges Wesen; denn sie ist ja nur das Gemeinsame der Arten. So wenig der Gattungsbegriff des Steins ein so zu sagen übermineralogischer Begriff ist, ein Begriff, der über das Gebiet des Steinreichs hinausgeht, ob er gleich verschieden ist von dem Begriff des Kiesels, des Kalks, des Flußspaths, ja gar keinen bestimmten Stein ausschließlich bezeichnet, eben weil er alle befaßt; eben so wenig fällt auch der Gott überhaupt, der eine und allgemeine Gott, von dem alle die körperlichen, sinnlichen Eigenschaften der vielen Götter abgestreift sind, außer das Wesen der menschlichen Gattung; er ist vielmehr nur der vergegenständlichte und personificirte Gattungsbegriff der Menschheit. Oder deutlicher ausgedrückt: sind die polytheistischen Götter menschliche Wesen, so ist auch der monotheistische Gott ein menschliches Wesen, so gut als der Mensch, ob er gleich über die vielen, besonderen Menschenarten hinausgeht, über dem Juden, dem Griechen, dem Inder steht, deßwegen doch kein übermenschliches Wesen ist. Es ist daher nichts thörichter, als wenn man den christlichen Gott vom Himmel auf die Erde kommen läßt, den Ursprung der christlichen Religion aus der Offenbarung eines von Menschen unterschiedenen Wesens ableitet. Der christliche Gott ist eben so gut in und aus dem Menschen entsprungen als der heidnische. Ein anderer Gott als der heidnische ist er nur deßwegen, weil auch der christliche Mensch ein anderer ist, als der heidnische.

Diese meine Ansicht oder Lehre, nach welcher das Geheimniß der

Theologie die Anthropologie ist, nach welcher das Wesen der Religion, sowohl subjectiv als objectiv nichts Anderes offenbart und ausdrückt, als das Wesen des Menschen, entwickelte ich zuerst in meiner Schrift: „das Wesen des Christenthums", dann in einigen kleineren, auf dieses Buch sich beziehenden Schriften und Abhandlungen, wie z. B. „das Wesen des Glaubens im Sinne Luther's" 1844, „der Unterschied der heidnischen und christlichen Menschenvergötterung", endlich in der zweiten Ausgabe meiner Geschichte der Philosophie bei verschiedenen Gelegenheiten und in meinen Grundsätzen der Philosophie.

Meine im Wesen des Christenthums ausgesprochene Ansicht oder Lehre, oder bestimmter: meine Lehre, w i e ich sie in dieser Schrift ihrem Gegenstande gemäß aussprach und aussprechen konnte, hat übrigens eine große Lücke und gab daher zu den allerthörichtsten Mißverständnissen Anlaß. Weil ich im Christenthum, getreu meinem Gegenstande, von der Natur absah, die Natur ignorirte, weil das Christenthum selbst sie ignorirt, weil das Christenthum Idealismus ist, einen naturlosen Gott an die Spitze stellt, einen Gott oder Geist glaubt, der durch sein bloßes Denken und Wollen die Welt macht, außer und ohne dessen Denken und Wollen sie also nicht existirt, weil ich also im Wesen des Christenthums nur vom Wesen des Menschen handelte, unmittelbar mit demselben meine Schrift begann, eben weil das Christenthum nicht Sonne, Mond und Sterne, Feuer, Erde, Luft, sondern die das menschliche Wesen im Unterschied von der Natur begründenden Kräfte: Wille, Verstand, Bewußtsein als göttliche Kräfte und Wesen verehrt; so glaubte man von mir, daß ich das menschliche Wesen aus Nichts entspringen ließe, zu einem nichts voraussetzenden Wesen mache, und opponirte dieser meiner angeblichen Vergötterung des Menschen mit dem unmittelbaren Abhängigkeitsgefühl, mit dem Ausspruch des natürlichen Verstandes und Bewußtseins, daß ja der Mensch sich nicht selbst gemacht habe, daß er ein abhängiges, entstandenes Wesen sei, also den Grund seines Daseins außer sich habe, aus sich und über sich hinaus verweise auf ein anderes Wesen. Ihr habt vollkommen Recht, meine Herren! sagte ich in Gedanken zu meinen Tadlern und Spöttern; ich weiß eben so gut, wie Ihr, ja vielleicht noch besser, daß ein allein für sich und absolut gedachtes menschliches Wesen ein Unding, eine idealistische Chimäre ist. Aber das Wesen, welches der Mensch voraussetzt, worauf er sich nothwendig bezieht, ohne welches weder seine Existenz, noch sein Wesen gedacht werden kann, dieses Wesen, meine Herren! ist nichts Andres als die Natur, nicht Euer Gott. Diese im Wesen des Christenthums gelassene Lücke füllte ich nun zuerst 1845 in einer kleinen, aber inhaltsvollen Schrift aus: „das Wesen der Religion", eine Schrift, die, wie schon der Titel besagt, sich vom Wesen des Christenthums dadurch unterscheidet, daß sie nicht nur das Wesen der christlichen Religion für sich allein, sondern das Wesen der Religion überhaupt, folglich auch der vorchristlichen, heidnischen Naturreligionen behandelt. Hier hatte ich schon meinem Gegenstande nach einen viel größeren Spielraum, hier daher die Gelegenheit, den Schein idealistischer Einseitigkeit, den ich in den Augen meiner kritiklosen Kritiker im Wesen des Christenthums auf mich geladen, fallen zu lassen, hier Platz genug, um die Mängel im Wesen des Christenthums auszufüllen. Freilich habe ich sie auch hier nicht, wie sich von selbst versteht, im Sinne der Theologie und theistischen oder theologischen Philosophie ausgefüllt. Am deutlichsten läßt sich die Aufgabe und das Verhältniß dieser beiden Schriften zu einander also angeben. Die Theologen oder Theisten überhaupt unterscheiden zwischen den physischen und moralischen Eigenschaften Gottes — Gott aber ist, wie bereits gesagt, der Name, mit dem man im Allgemeinen den Gegenstand der Religion bezeichnet. Gott, sagt z. B. Leibnitz, muß doppelt betrachtet werden: physisch, als der Urheber der Welt, moralisch, als der Monarch, der Gesetzgeber der Menschen. Nach seinen physischen Eigenschaften, deren hauptsächlichste die Macht ist, ist also Gott die Ursache der physischen Wesen, der Natur, nach seiner moralischen Eigenschaft, deren hauptsächlichste die Güte ist, ist Gott die

Urſache der moraliſchen Weſen, der Menſchen. Im Weſen des Chriſtenthums war mein Gegenſtand nur Gott als moraliſches Weſen, nothwendig konnte ich daher im Weſen des Chriſtenthums kein vollſtändiges Bild meiner Anſchauung und Lehre geben. Die andere dort weggelaſſene Hälfte Gottes, ſeine phyſiſchen Eigenſchaften mußte ich daher in einer anderen Schrift geben, konnte ſie aber ſachgemäß, objectiv nur in einer ſolchen Schrift geben, wo auch die Naturreligion zur Sprache kommt, die Religion, welche hauptſächlich nur den phyſiſchen Gott zu ihrem Gegenſtande hat. Wie ich nun aber im Weſen des Chriſtenthums zeigte, daß Gott nach ſeinen moraliſchen oder geiſtigen Eigenſchaften betrachtet, Gott alſo als moraliſches Weſen nichts Andres iſt als das vergötterte und vergegenſtändlichte geiſtige Weſen des Menſchen, die Theologie alſo in Wahrheit in ihrem letzten Grund und Endreſultate nur Anthropologie iſt; ſo zeigte ich im Weſen der Religion, daß der phyſiſche Gott oder Gott, wie er nur als die Urſache der Natur, der Sterne, Bäume, Steine, Thiere, Menſchen, wiefern auch ſie natürliche phyſiſche Weſen ſind, betrachtet wird, gar nichts Andres ausdrückt als das vergötterte, perſonificirte Weſen der Natur, daß alſo das Geheimniß der Phyſikotheologie nur die Phyſik oder Phyſiologie iſt — Phyſiologie hier nicht in dem engeren Sinne, den ſie jetzt hat, ſondern in ihrem alten univerſellen Sinne, worin ſie überhaupt die Naturwiſſenſchaft bedeutete. Wenn ich daher meine Lehre zuvor in den Satz zuſammenfaßte: die Theologie iſt Anthropologie, ſo muß ich zur Ergänzung jetzt hinzuſetzen: und Phyſiologie. Meine Lehre oder Anſchauung faßt ſich daher in die zwei Worte: Natur und Menſch zuſammen. Das bei mir dem Menſchen vorausgeſetzte Weſeu, das Weſen, welches die Urſache oder der Grund des Menſchen iſt, welchem er ſein Entſtehung und Exiſtenz verdankt, das iſt und heißt bei mir nicht Gott — ein myſtiſches, unbeſtimmtes, vieldeutiges Wort — ſondern: Natur, ein klares, ſinnliches, unzweideutiges Wort und Weſen. Das Weſen aber, in dem die Natur ein perſönliches, bewußtes, verſtändiges Weſen wird, ist und heißt bei mir der Mensch. Das bewußtlose Wesen der Natur ist mir das ewige, unentstandene Wesen, das erste Wesen, aber das erste der Zeit, nicht dem Rang nach, das **physisch**, aber nicht **moralisch erste Wesen**; das bewußte menschliche Wesen ist mir das zweite, das der Zeit nach entstandene, aber dem Range nach erste Wesen. Diese meine Lehre, inwiefern sie zum Ausgangspunkt die Natur hat, auf die Wahrheit der Natur sich beruft, dieselbe gegen die Theologie und Philosophie geltend macht, stellt diese letztgenannte Schrift dar, aber angeknüpft an einen positiven, historischen Gegenstand: die Naturreligion, denn ich entwickele alle meine Lehren und Gedanken nicht in dem blauen Dunst der Abstraction, sondern stets auf dem Grund und Boden historischer, wirklicher, von meinem Denken unabhängiger Gegenstände und Erscheinungen, so also meine Anschauung oder Lehre von der Natur auf dem Grund und Boden der Naturreligion. Ich gab übrigens in dieser Schrift nicht nur die Essenz der Naturreligion, sondern zugleich eine kurze Skizze von dem ganzen Entwicklungsgang der Religion von ihren ersten Elementen an bis zu ihrem Schluß in der idealistischen Religion des Christenthums. Sie enthält daher nichts Andres als eine gedrängte geistige oder philosophische Religionsgeschichte der Menschheit. Ich betöne das Beiwort: geistige; denn eine eigentliche, förmliche Historie der Religion, eine solche Historie, wo die verschiedenen Religionen nach einander aufgezählt und abgeleitet werden, gewöhnlich überdies nach höchst willkürlichen Unterschieden einander über oder untergeordnet werden, eine solche Darstellung zu geben, war nicht mein Zweck. Außer dem großen Unterschiede von Natur- und Geistes- oder Menschenreligion, war es mir mehr um das Gleiche, Identische, Gemeinschaftliche der Religionen zu thun, als um ihre oft so kleinlichen, willkürlichen Unterschiede. Es war mir überhaupt in dieser Schrift nur darum zu thun, das Wesen der Religion zu erfassen, um die Geschichte nur in sofern, als die Religion nicht ohne sie gefaßt werden kann. Und selbst das Wesen der Religion verfolgte ich keineswegs in dieser Schrift, wie überhaupt in meinen

Schriften nur aus theoretischen oder speculativen, sondern wesentlich auch aus praktischen Gründen. Mir war es und ist es noch jetzt haupt=sächlich nur insofern um die Religion zu thun, als sie, wenn auch nur in der Einbildung, die Grunlage des menschlichen Lebens, die Grund=lage der Moral und Politik ist. Mir war es und ist es vor Allem darum zu thun, das dunkle Wesen der Religion mit der Fackel der Ver=nunft zu beleuchten, damit der Mensch endlich aufhöre, eine Beute, ein Spielball aller jener menschenfeindlichen Mächte zu sein, die sich von jeher, die sich noch heute des Dunkels der Religion zur Unterbrückung des Menschen bedienen. Mein Zweck war, zu beweisen, daß die Mächte, vor denen sich der Mensch in der Religion beugt und fürchtet, denen er sich nicht scheut selbst blutige Menschenopfer darzubringen, um sie sich günstig zu machen, nur Geschöpfe seines eigenen unfreien, furchtsamen Gemüthes und unwissenden, ungebildeten Verstandes sind, zu beweisen, daß überhaupt das Wesen, welches der Mensch als ein anderes von ihm unterschiedenes Wesen in der Religion und Theologie sich gegen=übersetzt, sein eigenes Wesen ist, damit der Mensch, da er doch unbe=wußt immer nur von seinem eigenen Wesen beherrscht und bestimmt wird, in Zukunft mit Bewußtsein sein eigenes, das menschliche Wesen zum Gesetz und Bestimmungsgrund, Ziel und Maaßstab seiner Moral und Politik mache. Und so wird es, so muß es auch geschehen. Wenn bis jetzt die unerkannte Religion, das Dunkel der Religion das oberste Princip der Politik und Moral war, so wird von nun an oder einst we=nigstens die erkannte, die in den Menschen aufgelöste Religion das Schicksal der Menschen bestimmen. Aber eben dieser Zweck, die Erkennt=niß der Religion zur Beförderung der menschlichen Freiheit, Selbstthätig=keit, Liebe und Glückseligkeit, bestimmte auch den Umfang meiner histo=rischen Behandlung der Religion. Alles, was für diesen Zweck gleich=gültig war, ließ ich beiseit liegen. Geschichtliche Darstellungen von den verschiedenen Religionen und Mythologieen der Völker ohne Er=kenntniß der Religion findet man ja in unzähligen Büchern.

Aber eben so, wie ich schrieb, werde ich lesen. Der Zweck meiner Schriften, so auch meiner Vorlesungen ist: die Menschen aus Theologen zu Anthropologen, aus Theophilen zu Philanthropen, aus Candidaten des Jenseits zu Studenten des Diesseits, aus religiösen und politischen Kammerdienern der himmlischen und irdischen Monarchie und Aristokratie zu freien, selbstbewußten Bürgern der Erde zu machen. Mein Zweck ist daher nichts weniger als ein nur negativer, verneinender, sondern ein positiver, ja ich verneine nur, um zu bejahen; ich verneine nur das phantastische Scheinwesen der Theologie und Religion, um das wirkliche Wesen des Menschen zu bejahen. Mit keinem Worte hat man größern Unfug in neuerer Zeit getrieben, als mit dem Worte negativ. Wenn ich auf dem Gebiete der Erkenntniß, der Wissenschaft etwas verneine, so muß ich dafür Gründe angeben. Gründe aber lehren, gewähren Licht, schaffen Erkenntniß in mir; jede wissenschaftliche Verneinung ist ein positiver Geistesact. Allerdings ist es eine Folge meiner Lehre, daß kein Gott ist, d. h. kein abstractes, unsinnliches, von der Natur und dem Menschen unterschiedenes Wesen, welches über das Schicksal der Welt und Menschheit nach seinem Wohlgefallen entscheidet; aber diese Verneinung ist nur eine Folge von der Erkenntniß des Wesens Gottes, von der Erkenntniß, daß dieses Wesen nichts Andres ausdrückt als einerseits das Wesen der Natur, andererseits das Wesen des Menschen. Allerdings kann man diese Lehre, weil Alles in der Welt einen Spitznamen haben soll, Atheismus nennen, aber man muß nur nicht vergessen, daß mit diesem Namen gar nichts gesagt ist, so wenig als mit dem entgegengesetzten Namen Theismus. Theos, Gott ist ein bloßer Name, der alles Mögliche befaßt, dessen Inhalt so verschieden ist, als die Zeiten und Menschen es sind; es kommt daher darauf an, was einer unter Gott versteht. So war z. B. noch im vorigen Jahrhundert die Bedeutung dieses Wortes von der christlichen Orthodoxie in so pedantisch enge Gränzen eingeschlossen, daß selbst Plato für einen Atheisten galt, weil er nicht die Schöpfung aus Nichts gelehrt, folglich den

Schöpfer von dem Geschöpf nicht gehörig unterschieden habe. So galt auch im 17. und 18. Jahrhundert Spinoza fast einstimmig für einen Atheisten, ja, wenn ich mich nicht in der Erinnerung täusche, in einem lateinischen Lexikon des vorigen Jahrhunderts wird sogar Atheist geradezu mit Assecla Spinozae übersetzt; aber das 19. Jahrhundert hat den Spinoza aus der Reihe der Atheisten gestrichen. So ändern sich die Zeiten und mit ihnen auch die Götter der Menschen. So wenig also damit etwas gesagt ist: „es ist ein Gott", oder „ich glaube einen Gott", so wenig ist damit gesagt: „es ist kein Gott, oder ich glaube keinen Gott". Es kommt lediglich, wie auf den Inhalt, Grund, Geist des Theismus, so auf den Inhalt, Grund, Geist des Atheismus an. Doch ich gehe nun zur Sache selbst über, d. h. zu meiner Schrift vom „Wesen der Religion", die ich zur Grundlage dieser Vorlesungen mache.

Vierte Vorlesung.

Der erste Paragraph im Wesen der Religion lautet kurz zusammengefaßt also: das Abhängigkeitsgefühl ist der Grund der Religion, der ursprüngliche Gegenstand dieses Abhängigkeitsgefühls ist aber die Natur, die Natur also der erste Gegenstand der Religion. Der Inhalt dieses Paragraphen zerfällt in zwei Theile. Der eine erklärt den subjectiven Ursprung oder Grund der Religion, der andere bezeichnet den ersten oder ursprünglichen Gegenstand der Religion. Zuerst von jenem Theile. Die sogenannten speculativen Philosophen haben sich darüber moquirt, daß ich das Abhängigkeitsgefühl zum Ursprung der Religion mache. Das Wort Abhängigkeitsgefühl steht nämlich bei ihnen in üblem Ruf, seitdem Hegel Schleiermacher gegenüber, welcher bekanntlich das Abhängigkeitsgefühl zum Wesen der Religion erhob, den Witz machte, daß demnach auch der Hund Religion haben müsse, weil er sich von seinem Herrn abhängig fühle. Die sogenannten speculativen Philosophen sind übrigens d i e Philosophen, welche nicht ihre Begriffe nach den Dingen, sondern vielmehr die Dinge nach ihren Begriffen einrichten. Und es ist daher ganz gleichgültig, ob meine Erklärung den speculativen Philosophen mund- und sinngerecht, es handelt sich nur darum, ob sie ihrem Gegenstande, ob sie der Sache gemäß ist. Eine solche ist aber die angegebene. Wenn wir die Religionen sowohl der sogenannten Wilden, von denen uns die Reisenden berichten, als der cultivirten Völker betrachten,

wenn wir in unſer eigenes, unmittelbar und untrüglich der Beobachtung
zugängliches Inuere bliden, ſo finden wir keinen anderen entſprechenden
und umfaſſenden pſychologiſchen Erklärungsgrund der Religion, als das
Abhängigkeits-Gefühl oder Bewußtſein. Die alten Atheiſten und ſelbſt
ſehr viele ſowohl alte, als neuere Theiſten haben die Furcht, welche aber
eben nichts Andres iſt als die populärſte, augenfälligſte Erſcheinung des
Abhängigkeitsgefühls, für den Grund der Religion erklärt. Allgemein be=
kannt iſt der Ausſpruch des römiſchen Dichters: Primus in orbe Deos fecit
Timor, d. h. die Furcht hat zuerſt auf der Welt die Götter geſchaffen.
Bei den Römern hat ſogar das Wort: Furcht, Metus, die Bedeutung
der Religion, und umgekehrt das Wort Religio bisweilen die Bedeutung
der Furcht, Scheu, daher ein Dies religiosus, ein religiöſer Tag bei ihnen
ſo viel iſt, als ein unglücklicher Tag, ein Tag, den man fürchtet. Selbſt
unſere deutſche Ehrfurcht — der Ausdruck der höchſten, der religiöſen
Verehrung — iſt, wie ſchon das Wort ſagt, aus Ehre und Furcht zuſam=
mengeſetzt. Die Erklärung der Religion aus der Furcht wird vor Allem
durch die Erfahrung beſtätigt, daß faſt alle oder doch ſehr viele rohe
Völker nur oder doch hauptſächlich die furcht= und ſchreckenerregenden
Erſcheinungen oder Wirkungen der Natur zum Gegenſtande der Religion
machen. Die roheren Völker z. B. in Afrika, im nördlichen Aſien und
in Amerika „fürchten, wie Meiners in ſeiner Allgemeinen Kritiſchen Ge=
ſchichte der Religionen aus Reiſebeſchreibungen anführt, die Flüſſe vor=
züglich an ſolchen Stellen, wo ſie gefährliche Strudel oder Fälle bilden.
Wenn ſie über ſolche Stellen hinfahren, ſo bitten ſie um Gnade oder
Verzeihung oder ſchlagen ſich an die Bruſt und werfen den zürnenden
Gottheiten Sühnopfer hin. Manche Negerkönige, die das Meer zu
ihrem Fetiſche gewählt haben, fürchten ſich vor demſelben ſo ſehr, daß
ſie es nicht einmal zu ſehen, viel weniger zu befahren wagen, weil ſie
glauben, daß der Anblick dieſer furchtbaren Gottheit ſie auf der Stelle tödten
würde.“ So ſollen auch, wie W. Marsden in ſeiner „natürlichen und
bürgerlichen Beſchreibung der Inſel Sumatra“ erzählt, die tiefer im

Lande wohnenden Redschang dem Meere, wenn sie es zum ersten Mal erblicken, Kuchen und Zuckergebäck opfern und es zugleich bitten, ihnen nichts Uebles zu thun. Die Hottentotten glauben zwar, wie sich die theistischen, von ihren religiösen Vorstellungen eingenommenen Reisebeschreiber ausdrücken, an ein höchstes Wesen, aber verehren es nicht; sie verehren dagegen den „bösen Geist", welcher nach ihrer Meinung der Urheber aller Uebel ist, die ihnen in der Welt begegnen. Ich muß jedoch bemerken, daß sich die Nachrichten der Reisebeschreiber, wenigstens der frühern, über die religiösen Vorstellungen der Hottentotten, wie überhaupt der Wilden, sehr widersprechen. Auch in Indien giebt es Gegenden, „wo der größere Theil der Einwohner keinen andern Religionsdienst als den der bösen Geister übt ... Jede dieser bösen Mächte führt ihren eigenen Namen und genießt je nach dem Maaße, wie man sie für grimmiger und mächtiger hält, einer sorgsameren Verehrung." (Stuhr: die Religionssysteme der heidnischen Völker des Orients.) Eben so verehren amerikanische Stämme, selbst solche, welche nach den theistischen Berichterstattern „ein höchstes Wesen" erkennen, nur die „bösen Geister" oder Wesen, denen sie alles Uebele und Böse, alle Krankheiten und Schmerzen, die sie treffen, zuschreiben, um sie durch diese Verehrung zu besänftigen, also aus Furcht. Die Römer hatten zu Gegenständen ihrer Religion sogar Krankheiten und Seuchen, das Fieber, den Getreidebrand, dem sie jährlich ein Fest feierten, den Kindertod unter dem Namen der Orbona, das Unglück — also Dinge, deren Verehrung offenbar keinen andern Grund hatte als die Furcht, wie selbst schon die Alten, z. B. Plinius der Aeltere bemerkte, und keinen andern Zweck, als sie unschädlich zu machen, wie gleichfalls auch schon die Alten bemerkten, z. B. Gellius, welcher sagt, daß man die einen Götter verehrt oder gefeiert habe, damit sie nützten, die andern versöhnt oder besänftigt, damit sie nicht schadeten. Ja die Furcht selbst hatte in Rom einen Tempel, eben so in Sparta, wo sie jedoch, wenigstens nach Plutarch, eine moralische Bedeutung hatte: — Furcht vor schimpflichen, schlechten Handlungen. Es bestätigt sich ferner die Erklärung der Religion aus der Furcht durch die Thatsache, daß selbst auch bei geistigen Völkern die höchste Gottheit die Personification der Naturerscheinungen ist, welche den höchsten Grad der Furcht in dem Menschen erzeugen, die Gottheit des Gewitters, des Blitzes und Donners. Ja es giebt Völker, bei welchen kein anderes Wort für Gott existirt, als der Donner, bei welchen also die Religion gar nichts Andres ausdrückt, als den niederschmetternden Eindruck, welchen die Natur durch den Donner vermittelst des Ohres, des Organs der Furcht, auf den Menschen macht. Selbst bei den genialen Griechen heißt bekanntlich der höchste Gott schlechtweg der Donnerer. Eben so war der Gott Thorr oder Donar, d. i. Donnergott bei den alten Germanen, wenigstens Nordgermanen, gleichwie auch bei den Finnen und Letten, der älteste und erste, am allgemeinsten verehrte Gott. Wenn der englische Philosoph Hobbes den Verstand aus den Ohren ableitet, weil er den Verstand mit dem hörbaren Worte identificirt, so kann man und zwar mit größerem Rechte auf Grund dieser Facta, nach welchen der Donner den Götterglauben den Menschen eingekeilt hat, das Trommelfell im Ohre als den Resonanzboden des religiösen Gefühls, das Ohr als die Bärmutter der Götter bestimmen. In der That, hätte der Mensch nur Augen und Hände, Geschmack und Geruch, so hätte er keine Religion, denn alle diese Sinne sind Organe der Kritik und Skepsis. Der einzige sich im Labyrinth des Ohrs ins Geister- oder Gespensterreich der Vergangenheit und Zukunft verlierende, der einzige furchtsame, mystische und gläubige Sinn ist das Gehör, wie schon die Alten richtig bemerkten, indem sie sagten: „Ein Augenzeuge gilt mehr als tausend Ohrenzeugen" und „die Augen sind zuverlässiger als die Ohren" oder: „was man sieht, ist gewisser als was man hört". Darum stützt sich auch die letzte, geistigste Religion, die christliche, mit Bewußtsein nur auf das Wort, wie sie sagt, das Wort Gottes, und folglich auf das Gehör. „Der Glaube, sagt Luther, kommt aus dem Anhören der Predigt vom Herrn".

„Nur allein das Gehör, sagt er an einer andern Stelle, wird in der
Kirche Gottes erfordert". Es erhellt hieraus, nebenbei bemerkt, wie
oberflächlich es ist, wenn man bei der Religion, namentlich ihren ersten
Erklärungsgründen, mit den hohlen Phrasen vom Absoluten, Uebersinnlichen und Unendlichen kommt, thut, als hätte der Mensch keine
Sinne, als kämen sie nicht bei der Religion in Rechnung. Ohne Sinne
ist überall sinnlos die Rede des Menschen. Doch zurück von dieser
Zwischenbemerkung. Es bestätigt sich ferner jene Erklärung dadurch,
daß selbst auch die Christen, welche doch, wenigstens theoretisch, der Religion einen rein übersinnlichen, göttlichen Ursprung und Charakter bei-
legen, hauptsächlich nur in d e n Vorfällen und Momenten des Lebens,
welche die F u r c h t des Menschen erregen, religiös gestimmt sind. Als
z. B. Se. Majestät der regierende König von Preußen, der von den
heutigen frommen Christen als der vorzugsweise „christliche König" bezeichnete und verehrte König, den vereinigten Landtag ausschrieb, so verordnete er, daß in allen Kirchen der Beistand des göttlichen Wesens angefleht werde. Was war aber der Grund dieser religiösen Regung und
Verordnung Sr. Majestät? Nur die Furcht, daß die bösen Gelüste der
Neuzeit die bei dem Entwurf des vereinigten Landtags, diesem Meisterstücke der christlich germanischen Staatskunst, gefaßten Pläne und Gedanken auf eine störende Weise durchkreuzen möchten. Als, um ein
anderes Beispiel zu geben, vor einigen Jahren die Ernte spärlich ausge-
fallen war, da wurde in allen christlichen Kirchen aufs Innigste und
Heißeste der liebe Gott um seinen Segen angefleht; da wurden selbst
besondere Bet- und Bußtage veranstaltet. Was war der Grund? die
F u r c h t vor Hungersnoth. Eben daher kommt es auch, daß die Christen alles mögliche Kreuz den Ungläubigen und „Gottlosen" auf den
Hals wünschen und daher, übrigens natürlich blos aus christlicher Liebe
und Seelsorge, die größte Schadenfreude haben, wenn ihnen ein Unglück
widerfährt, weil sie glauben, daß sie dadurch zu Gott bekehrt, gläubig,
religiös gestimmt werden. Die christlichen Theologen und Gelehrten

3*

überhaupt tabeln es zwar, wenigstens auf dem Katheder oder in der Schrift, wenn man solche Erscheinungen, wie die eben angeführten, als charakteristische Erscheinungen des religiösen Prinzips bezeichnet; aber zur Charakteristik der Religion, wenigstens der Religion im gewöhnlichen oder vielmehr geschichtlichen, die Welt beherrschenden Sinne des Wortes, gehört eben nicht, was in den Büchern, sondern was im Leben gilt. Die Christen unterscheiden sich nur dadurch von den sogenannten Heiden oder uncultivirten Völkern, daß sie die Ursachen der ihre religiöse Furcht erregenden Erscheinungen nicht zu besonderen Göttern, sondern zu einer besonderen Eigenschaft ihres Gottes machen. Sie wenden sich nicht an böse Götter; aber sie wenden sich an ihren Gott, wenn er, ihrem Glauben nach, zornig ist, oder damit er ihnen nicht böse werde, sie nicht strafe mit Uebel und Unheil. Wie also die bösen Götter fast die einzigen Verehrungsgegenstände der rohen Völker sind, so ist auch der zornige oder böse Gott der hauptsächlichste Gegenstand der Verehrung bei den christlichen Völkern, also auch bei ihnen der hauptsächlichste Grund der Religion die Furcht. Als Bestätigung dieser Erklärung führe ich endlich noch an, daß die christlichen oder religiösen Philosophen und Theologen dem Spinoza, den Stoikern, den Pantheisten überhaupt, deren Gott nichts Andres ist, bei Licht besehen, als das nackte Wesen der Natur, vorgeworfen haben, daß ihr Gott kein Gott, d. h. kein eigentlicher religiöser Gott sei, weil er kein Gegenstand der Liebe und Furcht, sondern nur ein Gegenstand des kalten, affectlosen Verstandes sei. Wenn sie daher gleich die Erklärung der alten Atheisten der Religion aus der Furcht verwarfen, so gestanden sie damit doch indirect ein, daß wenigstens die Furcht ein wesentlicher Bestandtheil der Religion sei. (¹)

Aber gleichwohl ist die Furcht nicht der vollständige, ausreichende Erklärungsgrund der Religion, nicht aber nur aus dem von Einigen geltend gemachten Grunde, weil die Furcht ein vorübergehender Affect ist; denn es bleibt ja der Gegenstand der Furcht, wenigstens in der Vor=

stellung, es ist ja das specifische Merkmal der Furcht, daß sie über die Gegenwart hinausschweift, daß sie vor dem möglichen, zukünftigen Uebel sich fürchtet, sondern deßwegen, weil auf die Furcht, wenn die augenblickliche Gefahr vorüber ist, ein entgegengesetzter Affect folgt, und dieses der Furcht entgegengesetzte Gefühl sich an denselben Gegenstand, bei auch nur einiger Aufmerksamkeit und Reflexion, anknüpft. Dieses Gefühl ist das der Erlösung von der Gefahr, von der Furcht und Angst, das Gefühl der Entzückung, der Freude, der Liebe, der Dankbarkeit. Die Furcht und Schrecken erregenden Erscheinungen der Natur sind ja auch meist die in ihren Folgen wohlthätigsten. Der Gott, der durch seinen Blitzstrahl Bäume, Thiere und Menschen zerschmettert, derselbe ist es auch, der durch seine Regengüsse die Felder und Fluren erquickt. Woher das Uebel, daher kommt auch das Gute, woher die Furcht, daher auch die Freude. Warum sollte also das menschliche Gemüth nicht auch in sich vereinigen, was selbst in der Natur nur eine und dieselbe Ursache hat? Nur Völker, die blos dem Augenblick leben, die zu schwach, zu stumpf oder zu leichtsinnig sind, um verschiedene Eindrücke zu verbinden, haben daher zu ihrer Mutter Gottes einzig die Furcht, zu Gegenständen ihrer religiösen Verehrung einzig böse, furchtbare Götter. Anders ist es bei den Völkern, welche nicht über den augenblickliche Furcht und Schrecken erregenden Eindrücken eines Gegenstandes seine guten, wohlthätigen Eigenschaften vergessen. Hier wird der Gegenstand der Furcht auch ein Gegenstand der Verehrung, der Liebe, der Dankbarkeit. So ist bei den alten Germanen, wenigstens den Nordgermanen, der Gott Thorr, der Donnerer, „der wohlthätige, gütige Vorkämpfer für die Menschen", „der Beschützer des Ackerbaues, der milde, menschenfreundliche Gott" (W. Müller, Geschichte und System der altdeutschen Religion), weil er als der Gott des Gewitters zugleich der Gott des befruchtenden Regens und Sonnenscheins ist. Es wäre daher höchst einseitig, ja eine Ungerechtigkeit gegen die Religion, wenn ich die Furcht allein zum Erklärungsgrund der Religion machte. Ich unterscheide mich von den früheren Atheisten und Pantheisten, welche in dieser Beziehung gleiche Ansichten mit den Atheisten hatten, wie namentlich Spinoza, eben wesentlich dadurch, daß ich von der Religion nicht nur negative Erklärungsgründe, sondern auch positive gebe, nicht nur die Unwissenheit und Furcht, sondern auch die der Furcht entgegengesetzten Affecte, die positiven Affecte der Freude, Dankbarkeit, Liebe und Verehrung zu Erklärungsgründen der Religion mache, behaupte, daß eben so wie die Furcht, auch die Liebe, die Freude, die Verehrung vergöttert. „Das Gefühl der überstandenen Noth oder Gefahr, sage ich in meinen Erläuterungen zum Wesen der Religion, ist ein ganz anderes als das der bestehenden oder befürchteten. Dort beziehe ich mich auf den Gegenstand, hier beziehe ich den Gegenstand auf mich, dort singe ich Lobgesänge, hier Klagelieder, dort danke, hier bitte ich. Das Nothgefühl ist praktisch, teleologisch, das Dankgefühl poetisch, ästhetisch. Das Nothgefühl ist vorübergehend, aber das Dankgefühl dauernd; es knüpft die Bande der Liebe und Freundschaft. Das Nothgefühl ist ein gemeines, das Dankgefühl ein edles Gefühl, jenes verehrt seinen Gegenstand nur im Unglück, dieses auch im Glück". Hierin haben wir eine psychologische Erklärung der Religion, nicht nur von ihrer gemeinen Seite, sondern auch von ihrer nobeln. Wenn ich nun aber weder die Furcht, noch die Freude oder Liebe allein als die Erklärungsgründe der Religion nennen will und kann, was finde ich für einen andern bezeichnenden, universellen, beide umfassenden Namen, als den des Abhängigkeitsgefühls? Die Furcht ist Todes-, die Freude Lebensgefühl. Die Furcht ist das Gefühl der Abhängigkeit von einem Gegenstande, ohne oder durch den ich Nichts bin, der es in der Gewalt hat, mich zu vernichten. Die Freude, die Liebe, die Dankbarkeit ist das Gefühl der Abhängigkeit von einem Gegenstande, durch den ich Etwas bin, der mir das Gefühl, das Bewußtsein giebt, daß ich durch ihn lebe, durch ihn bin. Weil ich durch die Natur oder Gott lebe und bestehe, darum liebe ich ihn; weil ich durch die Natur leide und vergehe, darum fürchte und scheue ich sie. Kurz, wer dem Menschen die Mittel oder Ursachen der Lebensfreude giebt, den liebt er, und wer ihm diese Mittel nimmt, oder die Macht hat, diese Mittel zu nehmen, den fürchtet er. Aber beides vereinet sich in dem Gegenstand der Religion, — dasselbe, was der Quell des Lebens, ist auch negativ — wenn ich es nicht habe, — der Quell des Todes. „Es kommt Alles von Gott, heißt es im Sirach, Glück und Unglück, Leben und Tod, Armuth und Reichthum". „Die Gözen, heißt es im Buch Baruch, ... soll man nicht für Götter halten oder so heißen, denn sie können weder strafen, noch helfen .... sie können die Könige weder verfluchen, noch segnen". Eben so redet der Koran in der sechs-undzwanzigsten Sure die Gözendiener an: „Erhören sie (die Gözen-bilder) euch denn auch, wenn ihr sie anruft? Oder können sie euch irgendwie nüzen oder schaden?" Das heißt: nur das ist ein Gegenstand religiöser Verehrung, nur das ein Gott, was fluchen und segnen, schaden und nüzen, tödten und beleben, erfreuen und er-schrecken kann.

Das Abhängigkeitsgefühl ist daher der einzige richtige universelle Name und Begriff zur Bezeichnung und Erklärung des psychologischen oder subjectiven Grundes der Religion. Allerdings giebt es in der Wirk-lichkeit kein Abhängigkeitsgefühl als solches, sondern immer nur be-stimmte, besondere Gefühle — wie z. B. (um die Beispiele aus der Naturreligion zu nehmen) das Gefühl des Hungers, des Unwohlseins, die Todesfurcht, die Trauer bei düsterm, die Freude bei heiterm Wetter, der Schmerz über verlorne Mühe, über gescheiterte Hoffnungen in Folge zerstörender Naturereignisse — worin sich der Mensch abhängig fühlt; aber die in der Natur des Denkens und Sprechens begründete Aufgabe ist es eben, auf solche allgemeine Namen und Begriffe die besondern Er-scheinungen der Wirklichkeit zurückzuführen.

Nachdem ich die Erklärung der Religion aus der Furcht berichtigt und ergänzt habe, muß ich noch eine andere psychologische Erklärung der Religion erwähnen. Griechische Philosophen sagten, daß die Bewunderung des regelmäßigen Laufs der Himmelsgestirne die Religion, d. h. die Verehrung der Gestirne selbst oder eines diesen Lauf regelnden Wesens erzeugt habe. Allein es erhellt auf der Stelle, daß diese Erklärung der Religion sich nur auf den Himmel, nicht auf die Erde, nur auf das Auge, nicht auf die übrigen Sinne, nur auf die Theorie, nicht auf die Praxis des Menschen bezieht. Allerdings waren die Gestirne auch Ursachen und Gegenstände der religiösen Verehrung, aber keineswegs als Object der theoretischen, astronomischen Betrachtungslust, sondern inwiefern sie als über das Leben des Menschen gebietende Mächte angesehen wurden, also Gegenstände der menschlichen Furcht und Hoffnung waren. Gerade an den Sternen haben wir ein deutliches Beispiel, daß nur dann ein Wesen oder Ding Gegenstand der Religion ist, wenn es ein Gegenstand, eine Ursache der Todesfurcht oder Lebensfreude ist, ein Gegenstand also des Gefühls der Abhängigkeit. Mit Recht heißt es daher in einer 1768 erschienenen französischen Schrift de l'Origine des principes religieux: „Der Donner und das Ungewitter, das Elend des Kriegs, die Pest und Hungersnoth, Seuchen und Tod haben den Menschen mehr von dem Dasein eines Gottes überführt (d. h. mehr religiös gestimmt, mehr von seiner Abhängigkeit und Endlichkeit überzeugt), als die beständige Harmonie der Natur und alle Demonstrationen der Clarke und Leibnitze". „Eine einfache und beständige Ordnung fesselt nicht die Aufmerksamkeit des Menschen. Nur Begebenheiten, die an das Wunderbare reichen, können sie wieder rege machen. Ich habe nie das Volk sagen hören: Gott bestraft den Trunkenen, weil er seine Vernunft und Gesundheit verliert. Doch wie oft habe ich die Bauern meines Dorfes vortragen hören: Gott bestrafe die Trunkenen, weil ein Betrunkener das Bein brach, als er nach Hause gehen wollte."

Fünfte Vorlesung.

Wir haben die Zurückführung der Religion auf das Abhängigkeitsgefühl durch historische Beispiele gerechtfertigt. Es rechtfertigt sich aber
auch diese Bestimmung vor dem gesunden Blick unmittelbar durch sich
selbst; denn es erhellt, daß Religion nur das Kennzeichen oder die
Eigenschaft eines Wesens ist, das sich nothwendig auf ein anderes Wesen
bezieht, kein Gott, d. i. kein bedürfnißloses, unabhängiges, unendliches
Wesen ist. Abhängigkeitsgefühl und Endlichkeitsgefühl ist daher eins.
Das für den Menschen empfindlichste, schmerzlichste Endlichkeitsgefühl
ist aber das Gefühl oder das Bewußtsein, daß er einst wirklich endet,
daß er stirbt. Wenn der Mensch nicht stürbe, wenn er ewig lebte, wenn
also kein Tod wäre, so wäre auch keine Religion. Nichts ist gewaltiger, sagt Sophokles in der Antigone, als der Mensch; er durch-
schifft das Meer, durchwühlt die Erde, bändigt die Thiere, schützt sich
gegen Hitze und Regen, weiß in Allem Mittel, — nur dem Tod kann
er nicht entfliehen. Mensch und Sterblich, Gott und Unsterblich ist
bei den Alten eins. Nur das Grab des Menschen, sage ich daher in
meinen Erläuterungen zum Wesen der Religion, ist die Geburtsstätte
der Götter. Ein sinnliches Zeichen oder Beispiel von diesem Zusammenhang des Todes und der Religion haben wir daran, daß im grauen
Alterthum die Todtengrüfte auch zugleich die Tempel der Götter waren;
daß ferner bei den meisten Völkern der Dienst der Todten, der Verstorbenen, ein wesentlicher Theil der Religion, bei manchen sogar die einzige, die
ganze Religion ist; aber der Gedanke an meine verstorbenen Vorfahren

ist es ja, der auch mich, den Lebenden, am meisten an meinen einstigen Tod erinnert. „Nie, sagt der heidnische Philosoph Seneka in seinen Briefen, ist das Gemüth des Sterblichen göttlicher oder in unserer Sprache religiöser gestimmt, als wenn er an seine Sterblichkeit denkt und weiß, daß der Mensch dazu geboren ist, daß er einst stirbt". Und im Alten Testament heißt es: „Herr, lehre doch mich, daß es ein Ende mit mir haben muß, und mein Leben ein Ziel hat und ich davon muß". „Lehre uns bedenken, daß wir sterben müssen, auf daß wir klug werden". „Gedenke an ihn, wie er gestorben, so mußt auch Du sterben". „Heute König, morgen todt". Ein religiöser Gedanke ist aber eben und zwar ganz unabhängig von der Vorstellung eines Gottes der Gedanke an den Tod, weil ich hier meine Endlichkeit mir vergegenwärtige. Wenn es nun aber klar ist, daß es ohne Tod keine Religion giebt, so ist auch klar, daß der charakteristische Ausdruck für den Grund der Religion das Abhängigkeitsgefühl ist; denn was drückt mir stärker, einschneidender das Bewußtsein oder Gefühl ein, daß ich nicht von mir selbst allein abhänge, daß ich nicht so lange leben kann, als ich will, als eben der Tod? Ich muß aber sogleich im Voraus bemerken, daß mir das Abhängigkeitsgefühl nicht die ganze Religion ausmacht, daß mir dasselbe nur der Ursprung, nur die Basis, die Grundlage der Religion ist; denn in der Religion sucht der Mensch zugleich die Mittel gegen Das, wovon er sich abhängig fühlt. So ist das Mittel gegen den Tod der Unsterblichkeitsglaube. Ja der einzige religiöse Wunsch, das einzige Gebet, das der rohe Naturmensch an seine Gottheit richtet, ist das des katschinischen Tartaren an die Sonne: „Schlag mich nicht todt!" (²)

Ich komme nun an den zweiten Theil des Paragraphen, an den ersten Gegenstand der Religion. Hierüber habe ich wenig Worte zu verlieren, denn es ist jetzt fast allgemein anerkannt, daß die älteste oder erste Religion des Menschen die Naturreligion, daß selbst die späteren geistigen und politischen Götter der Völker, wie der Griechen und Germanen, zuerst, ursprünglich nur Naturwesen waren. So ist

Odhin, obgleich er später hauptsächlich nur ein politisches Wesen, namentlich Kriegsgott ist, ursprünglich nichts Andres, gleich dem Zeus der Griechen, dem Jupiter der Römer, als der Himmel, daher die Sonne sein Auge heißt. Die Natur war daher und ist noch heute bei den Naturvölkern nicht etwa als Symbol oder Werkzeug eines hinter der Natur versteckten Wesens oder Gottes, sondern als solche, als Natur, Gegenstand religiöser Verehrung.

Der Inhalt des zweiten Paragraphen ist kürzlich der, daß die Religion allerdings den Menschen wesentlich oder eingeboren sei, aber nicht die Religion im Sinne der Theologie oder des Theismus, des eigentlichen Gottesglaubens, sondern nur die Religion, in wiefern sie nichts Andres ausdrückt, als das Gefühl der Endlichkeit und Abhängigkeit des Menschen von der Natur.

Ich habe zu diesem Paragraphen vor Allem zu bemerken, daß ich hier Religion von Theismus, von dem Glauben an ein von der Natur und dem Menschen unterschiednes Wesen, unterscheide, während ich doch in der früheren Stunde sagte, daß man den Gegenstand der Religion insgemein Gott nenne. In der That hat sich auch der Theismus, die Theologie, der Gottesglauben, bei uns so mit der Religion identificirt, daß keinen Gott, kein theologisches Wesen und keine Religion haben für eins gilt. Aber hier handelt es sich eben von den ursprünglichen Elementen der Religion. Der Theismus, die Theologie ist es gerade, die den Menschen aus dem Zusammenhange mit der Welt herausgerissen, isolirt, zu einem hochmüthigen, über die Natur sich erhebenden Ich und Wesen gemacht hat. Und erst auf diesem Standpunkte identificirt sich die Religion mit der Theologie, mit dem Glauben an ein außer- und übernatürliches Wesen als das wahre, das göttliche Wesen. Ursprünglich drückt aber die Religion gar nichts aus, als das Gefühl des Menschen von seinem Zusammenhang, seinem Einssein mit der Natur oder Welt.

Ich habe in meinem Wesen des Christenthums ausgesprochen, daß die Geheimnisse der Religion nicht nur in der Anthropologie, sondern selbst auch in der Pathologie ihre Auflösung und Aufklärung finden. Darüber haben sich die unnatürlichen Theologen und Philosophen entsetzt. Aber was stellt uns die Naturreligion in ihren stets nur an die wichtigsten Naturerscheinungen sich anschließenden und sie ausdrückenden Festen und Gebräuchen anders dar, als eine ästhetische *) Pathologie? Was sind sie anders diese Frühlings-, Sommer-, Herbst- und Winterfeste, die wir in den alten Religionen finden, als Darstellungen von den verschiedenen Eindrücken, welche die verschiedenen Erscheinungen und Wirkungen der Natur auf den Menschen machen? Trauer und Schmerz über den Tod eines Menschen oder über die Abnahme des Lichtes und der Wärme, Freude über die Geburt eines Menschen, über die Wiederkehr des Lichtes und der Wärme nach den kalten Tagen des Winters oder über den Erntesegen, Furcht und Entsetzen bei an sich oder wenigstens in der Vorstellung des Menschen entsetzlichen Erscheinungen, wie bei Sonnen- und Mondfinsternissen — alle diese einfachen, natürlichen Empfindungen und Affecte sind der subjective Inhalt der Naturreligion. Die Religion ist ursprünglich nichts Apartes, vom menschlichen Wesen Unterschiednes. Erst im Verlauf, erst in der späten Entwicklung wird sie etwas Apartes, tritt sie mit besonderen Prätensionen auf. Und nur gegen diese arrogante, hochmüthige geistliche Religion, die eben deswegen auch einen besonderen officiellen Stand zu ihrem Vertreter hat, ziehe ich zu Felde. Ich selbst, ob ich gleich Atheist bin, bekenne mich offen zur Religion in dem angegebenen Sinne, zur Naturreligion. Ich hasse den Idealismus, welcher den Menschen aus der Natur herausreißt; ich schäme mich nicht meiner Abhängigkeit von der Natur; ich gestehe offen, daß die Wirkungen der Natur nicht nur meine Oberfläche, meine Rinde, meinen Leib, sondern auch meinen Kern, mein Innres afficiren, daß die Luft, die ich bei heiterm Wetter einathme, nicht nur auf meine Lunge, sondern auch meinen Kopf wohlthätig einwirkt, das Licht der Sonne

---

*) Oft auch eine sehr unästhetische.

nicht nur meine Augen, sondern auch meinen Geist und mein Herz
erleuchtet. Und ich finde diese Abhängigkeit nicht, wie der Christ,
im Widerspruche mit meinem Wesen, hoffe deswegen auch keine Erlösung von diesem Widerspruch. Eben so weiß ich, daß ich ein endliches, sterbliches Wesen bin, daß ich einst nicht mehr sein werde. Aber
ich finde dies s e h r n a t ü r l i c h , und eben deswegen bin ich vollkommen versöhnt mit diesem Gedanken.

Ich habe ferner behauptet in meinen Schriften, und werde eben
in diesen Vorlesungen diese Behauptung beweisen, daß in der Religion
der Mensch sein Wesen vergegenständliche. Diese Behauptung bestätigen selbst schon die Erscheinungen der Naturreligion. Denn was
haben wir in den Festen der Naturreligion — und in ihren Festen spricht
sich namentlich bei den alten sinnlichen, einfachen Völkern das Wesen
ihrer Religion am unverkennbarsten aus — anders vergegenständlicht
als die Empfindungen und Eindrücke, welche die Natur in ihren wichtigsten Erscheinungen und Epochen auf den Menschen macht? Französische Philosophen haben in den Religionen des Alterthums nichts
anders gefunden, als Physik und Astronomie. Diese Behauptung ist
richtig, wenn man nicht wie sie eine wissenschaftliche Physik und Astronomie darunter versteht, sondern nur eine ä s t h e t i s c h e Physik und
Astronomie; wir haben in den ursprünglichen Elementen der alten Religionen nur vergegenständlicht die Empfindungen, die Eindrücke, welche
die Gegenstände der Physik und Astronomie auf den Menschen machen,
so lange sie für ihn nicht Objecte der Wissenschaft. Allerdings ge-
sellten sich zur religiösen Anschauung der Natur auch später schon bei
den alten Völkern, namentlich in der Priesterkaste, der ja bei den alten
Völkern allein die Wissenschaft und Gelehrsamkeit offen stand, Beobachtungen, also die Elemente der Wissenschaft; allein diese können nicht
zum Urtext der Naturreligion gemacht werden. Wenn ich übrigens
meine Anschauung mit der Naturreligion identificire, so muß ich nicht
zu vergessen bitten, daß gleichwohl auch schon der Naturreligion ein

Element innewohnt, das ich nicht anerkenne, denn obgleich der Gegen=
stand der Naturreligion nur die Natur ist, wie schon das Wort aus=
sagt, so ist doch dem Menschen auf seinem ersten Standpunkt, dem eben
der Naturreligion, die Natur nicht Gegenstand, wie sie in Wirklichkeit
ist, sondern nur so wie sie der ungebildeten und unerfahrenen Vernunft,
der Phantasie, dem Gemüth erscheint, daß daher auch hier schon der
Mensch übernatürliche Wünsche hat, folglich über=, oder was dasselbe
ist, unnatürliche Forderungen an die Natur stellt. Oder mit anderen
deutlicheren Worten: auch die Naturreligion ist schon nicht frei von Aber=
glauben, denn von Natur, d. h. ohne Bildung und Erfahrung sind alle
Menschen, wie Spinoza richtig sagt, dem Aberglauben unterthan. Und
ich will daher nicht den Verdacht auf mich laden, daß, wenn ich der
Naturreligion das Wort rede, ich deswegen auch dem religiösen Aber=
glauben das Wort reden wolle. Ich anerkenne die Naturreligion in
keiner anderen Weise, keiner anderen Ausdehnung, keinem anderen
Sinne, als in welchem ich überhaupt die Religion, auch die christliche
Religion anerkenne; ich anerkenne nur ihre einfache Grund=
wahrheit. Diese Wahrheit ist aber nur, daß der Mensch abhängig
ist von der Natur, daß er in Eintracht mit der Natur leben, daß er selbst
auf seinem höchsten, geistigen Standpunkt nicht vergessen soll, daß er
ein Kind und Glied der Natur ist, daß er die Natur, sowie als den
Grund und Quell seiner Existenz, so auch als den Grund und Quell
seiner geistigen und leiblichen Gesundheit stets verehren, heilig halten
soll, denn nur durch sie wird der Mensch frei von allen krankhaften über=
spannten Forderungen und Wünschen, wie z. B. von dem übernatür=
lichen Wunsche der Unsterblichkeit. „Macht Euch vertraut mit Natur,
erkennt sie als eine Mutter; ruhig sinket Ihr dann einst in die Erde
hinab." So wenig ich im Wesen des Christenthums, wie man mir
thörichter Weise vorgeworfen, den Menschen vergöttert, d. h. zu einem
Gotte im Sinne des theologisch religiösen Glaubens, welchen ich ja
eben in seine menschlichen, antitheologischen Elemente auflöse, gemacht

wiſſen will, wenn ich ihn als das Ziel des Menſchen beſtimme, ſo wenig will ich die Natur im Sinne der Theologie oder des Pantheismus ver= göttert wiſſen, wenn ich ſie als den Grund der menſchlichen Exiſtenz, als das Weſen, von dem ſich der Menſch abhängig, von dem er ſich unzertrennlich wiſſen ſoll, beſtimme. So gut ich ein menſchliches In= dividuum verehren und lieben kann, ohne es deswegen zu vergöttern, ohne ſelbſt deswegen ſeine Fehler und Mängel zu überſehen, eben ſo gut kann ich auch die Natur als das Weſen, ohne welches ich Nichts bin, anerkennen, ohne deswegen ihren Mangel an Herz, Verſtand und Bewußtſein, die ſie erſt im Menſchen bekommt, zu vergeſſen, ohne alſo in den Fehler der Naturreligion und des philoſophiſchen Pantheismus zu verfallen, die Natur zu einem Gotte zu machen. Die wahre Bil= dung und wahre Aufgabe des Menſchen iſt, die Dinge zu nehmen und zu behandeln, wie ſie ſind, n i ch t m e h r, aber au ch n i ch t w e n i g e r aus ihnen zu machen, als ſie ſind. Die Naturreligion, der Pantheis= mus macht aber zu v i e l aus der Natur, wie umgekehrt der Idealismus, der Theismus, der Chriſtianismus zu w e n i g aus ihr macht, ſie eigent= lich zu gar Nichts macht. Unſere Aufgabe iſt es, die Extreme, die Superlative oder Uebertreibungen des religiöſen Affects zu vermeiden, die Natur als das zu betrachten, zu behandeln und zu verehren, was ſie iſt — als unſere Mutter. So gut wir aber unſerer menſchlichen Mutter die ihr gebührende Achtung angedeihen laſſen, nicht, um ſie zu verehren, die Schranken ihrer Individualität, ihres weiblichen Weſens überhaupt zu vergeſſen brauchen, ſo gut wir im Verhältniß zur menſch= lichen Mutter nicht blos auf dem Standpunkt des Kindes ſtehen bleiben, ſondern ihr mit freiem männlichen Bewußtſein gegenübertreten, eben ſo gut ſollen wir auch die Natur nicht mit den Augen religiöſer Kinder, ſondern mit den Augen des erwachſenen, ſelbſtbewußten Menſchen betrachten. Die alten Völker, welche alles Mögliche im Uebermaß ihres religiöſen Affectes und demüthigen Sinnes als Gott verehrten, die faſt Alles nur mit religiöſen Augen anſahen, nannten auch die Eltern, wie es z. B.

in einer Gnome Menander's heißt, Götter. Aber so gut uns die
Eltern nicht Nichts sind, weil sie uns keine Götter mehr sind, weil wir
ihnen nicht mehr, wie die alten Römer und Perser, das Recht, die
Macht über Leben und Tod des Kindes, also das Privilegium der
Gottheit zuschreiben, eben so wenig braucht uns die Natur, braucht uns
überhaupt ein Gegenstand ein Nichts, ein nichtswürdiger Gegenstand
zu werden, wenn wir ihn seines göttlichen Nimbus entkleiden. Vielmehr tritt erst dann ein Gegenstand in seine wahre, selbsteigene Würde
ein, wenn er dieses seines heiligen Nimbus beraubt wird; denn so lange
ein Ding oder Wesen ein Gegenstand religiöser Verehrung ist, so lange
schmückt es sich mit fremden Federn, nämlich mit den Pfauenfedern
der menschlichen Phantasie.

Der Inhalt des dritten Paragraphen ist, daß die Existenz und das
Wesen des Menschen, in wiefern er ein bestimmter ist, auch nur von
einer bestimmten Natur, der Natur seines Landes abhänge, und er daher
nothwendig und mit vollem Rechte die Natur seines Vaterlandes zum
Gegenstand seiner Religion mache.

Ich habe zu diesem Paragraphen weiter nichts zu bemerken, als
daß, wenn es nicht zu verwundern ist, daß die Menschen die Natur
überhaupt verehrten, es nicht zu verwundern, zu bedauern oder zu
belächeln ist, daß sie insbesondere diese Natur, in der sie lebten und
webten, der sie allein ihr eigenthümliches, individuelles Wesen verdankten,
also die Natur ihres Vaterlandes religiös verehrten. Will man
sie deswegen tadeln oder belächeln, so muß man überhaupt die Religion
belächeln und verwerfen; denn ist das Abhängigkeitsgefühl der Grund
der Religion, der Gegenstand dieses Abhängigkeitsgefühls aber die
Natur als das Wesen, wovon das Leben, die Existenz des Menschen
abhängt, so ist es auch ganz natürlich, daß nicht die Natur überhaupt
oder im Allgemeinen, sondern die Natur dieses Landes der Gegenstand der religiösen Verehrung ist, denn nur diesem Lande verdanke
ich ja mein Leben, mein Wesen; denn ich selbst bin ja nicht Mensch

überhaupt, sondern dieser bestimmte, besondere Mensch.
So bin ich deutsch sprechender, deutsch denkender, nicht überhaupt sprechender und denkender Mensch — es giebt ja in der Wirklichkeit keine
Sprache im Allgemeinen, sondern nur diese und jene Sprache. Und
diese Charakterbestimmtheit meines Wesens, meines Lebens ist unabson-
derlich, abhängig von diesem Boden, diesem Klima — namentlich gilt
dies von den alten Völkern, also ist's gar nicht lächerlich, daß sie ihre
Berge, ihre Flüsse, ihre Thiere religiös verehrten. Es ist um so weniger zu verwundern, als den alten Naturvölkern aus Mangel an Erfahrung und Bildung ihr Land für die Erde, oder wenigstens für den
Mittelpunkt der Erde galt. Es ist dies endlich um so weniger zu verwundern bei den alten, abgeschlossenen Völkern, als selbst bei den modernen abgeschliffenen, im großartigsten Weltverkehr lebenden Völkern
noch immer der Patriotismus eine religiöse Rolle spielt. Haben doch
selbst die Franzosen das Sprüchwort: „Der liebe Gott ist gut franzö-
sisch", und schämen sich doch selbst in unseren Tagen nicht die Deutschen,
welche doch wahrlich keinen Grund haben, wenigstens in politischer Beziehung, auf ihr Vaterland stolz zu sein, von einem deutschen Gott
zu reden. Nicht ohne Grund sage ich daher in einer Anmerkung im
Wesen des Christenthums: so lange es viele Völker giebt, so lange
giebt es auch viele Götter; denn der Gott eines Volkes, wenigstens
sein wirklicher Gott, welcher wohl zu unterscheiden ist von dem Gotte
seiner Dogmatiker und Religionsphilosophen, ist nichts Andres, als sein
Nationalgefühl, sein nationeller Point d'honneur. Dieser Ponit d'honneur war aber bei den alten Naturvölkern ihr Land. Die alten Perser z. B. schätzten sogar, wie Herodot berichtet, die andern Völker nur
nach dem Grade der Entfernung ihres Landes von Persien: je näher,
desto höher, je entfernter, desto niedriger. Und die Aegypter erblickten
nach Diodor in ihrem Nilschlamm den Ur- und Grundstoff des thierischen und selbst menschlichen Lebens.

Sechste Vorlesung.

Der Schluß der vorigen Stunde war im Gegensatz zum christlichen Supranaturalismus die Rechtfertigung und Begründung des Standpunkts der Naturreligion, namentlich des Standpunkts, wo der bestimmte und selbst beschränkte Mensch auch nur die bestimmte und beschränkte Natur, die Berge, Flüsse, Bäume, Thiere und Pflanzen seines Landes verehrt. Als den paradoxesten Theil dieses Cultus habe ich den Thiercultus zum Gegenstand des folgenden Paragraphen gemacht, und ihn damit gerechtfertigt, daß die Thiere dem Menschen unentbehrliche, nothwendige Wesen seien, daß von ihnen seine menschliche Existenz abhänge, daß er nur durch ihren Beistand sich auf den Standpunkt der Kultur emporgeschwungen habe, daß der Mensch aber Das als Gott verehre, wovon seine Existenz abhänge, daß er daher in dem Gegenstand seiner Verehrung, also auch in den Thieren nur den Werth vergegenständliche, den er auf sich und sein Leben lege. Man hat viel darüber gestritten, ob, in welchem Sinne und aus welchem Grunde die Thiere Gegenstände religiöser Verehrung gewesen seien. Was die erste Frage, das Factum der Thierverehrung betrifft, so ist diese hauptsächlich bei der Religion der alten Aegypter zur Sprache gekommen, und bald mit Ja, bald mit Nein beantwortet worden. Wenn wir aber lesen, was uns neuere Reisende als Augenzeugen erzählen, so werden wir es nicht unglaublich finden, daß die alten Aegypter, wenn nicht besondere

Gründe dagegen sprechen, eben so gut die Thiere verehrten oder wenigstens verehren konnten, als noch vor Kurzem oder selbst heute noch Völker in Asien, Afrika und Amerika die Thiere verehren. So werden z. B. wie Martius in seinem „Rechtszustand der Ureinwohner Brasiliens" bemerkt, die Llamas von vielen Peruanern als heilig verehrt, während von andern die Maispflanze angebetet wird. So ist der Stier ein Gegenstand der Verehrung bei den Hindus. „Man erzeigt ihm jährlich einmal göttliche Ehre, schmückt ihn mit Bändern und Blumen, wirft sich vor ihm nieder. Es giebt viele Dörfer bei ihnen, wo man einen Stier als lebendigen Götzen unterhält, und ihn, wenn er stirbt, unter großen Feierlichkeiten begräbt". Eben so „sind sämmtliche Schlangen den Hindus heilig. Es giebt Götzendiener, die so blinde Sclaven ihrer Vorurtheile sind, daß sie es für ein Glück halten, von einer Schlange gebissen zu werden. Sie halten dies alsdann für Bestimmung und denken nur darauf ihr Leben recht froh zu enden, weil sie glauben, in der andern Welt irgend einen recht wichtigen Posten am Hofe des Schlangengottes einzunehmen". (Encyklopädie von Ersch und Gruber, Art. Hindostan.) Die frommen Buddisten und noch mehr die Jainas oder Dschainas, eine den Buddisten verwandte Secte der Inder halten „jede Tödtung selbst des geringsten Ungeziefers für eine Todsünde, die dem Menschenmorde gleichkommt". (Bohlen: das alte Indien. 1. Bd.) Die Dschainas legen „förmliche Thierlazarethe an, selbst für die niedrigsten und verachtetsten Gattungen und bezahlen arme Leute mit Geld, damit sie in solchen für das Ungeziefer bestimmten Aufenthaltsörtern ihr Nachtlager aufschlagen und sich von ihnen zerfressen lassen. Viele tragen beständig ein Stückchen Leinwand vor dem Mund, damit sie nicht etwa ein fliegendes Insekt verschlucken und ihm so das Leben rauben. Andere kehren mit einer zarten Bürste die Stelle ab, wo sie sich setzen wollen, damit sie nicht etwa ein Thierchen zerdrücken. Oder sie führen Säckchen voll Mehl oder Zucker oder ein Gefäß mit Honig bei sich, um davon den Ameisen oder andern Thieren mitzutheilen." (Ency-

4*

klopädie von Ersch und Gruber, Art. Dschainas.) „Auch die Thibe=
taner schonen Wanzen, Läuse und Flöhe nicht weniger, als die zahmen
und nützlichen Thiere. In Ava behandelt man Hausthiere
wie eigene Kinder. Eine Frau, deren Papagei gestorben war,
schrie wehklagend: mein Sohn ist hin, mein Sohn ist hin! Auch ließ
sie ihn eben so feierlich als ihren Sohn begraben." (Meiners: Allge=
meine kritische Geschichte aller Religionen.) Merkwürdig ist, daß, wie
derselbe Gelehrte bemerkt, die meisten Thiergeschlechter, die man im alten
Aegypten und Orient überhaupt göttlich verehrte, noch jetzt von den
christlichen und muhammedanischen Einwohnern derselben Länder als
unverletzlich angesehen werden. Die christlichen Kopten z. B. errich=
ten Hospitäler für Katzen und machen Vermächtnisse, damit Geier
und andere Vögel zu bestimmten Zeiten gefüttert werden. Die Suma=
draner haben nach W. Marsden's „Beschreibung der Insel Sumadra"
einen solchen religiösen Respect vor den Alligators und Tigern, daß sie,
statt sie zu vertilgen, sich von ihnen vertilgen lassen. Die Tiger trauen
sie sich nicht einmal bei ihrem gewöhnlichen Namen zu nennen, sondern
nennen sie ihre Vorfahren oder die Alten, „entweder weil sie selbige
wirklich dafür halten oder um ihnen dadurch zu schmeicheln. Wenn ein
Europäer von minder abergläubischen Personen Fallen stellen läßt, so ge=
hen diese bei Nacht auf den Platz und verrichten einige Ceremonien, um
das Thier, wenn es gefangen ist oder die Lockspeise wittert, zu überreden,
daß die Falle nicht von ihnen oder mit ihrer Einwilligung gestellt worden
sei." Nachdem ich nun die Thatsache der Thiervergötterung und Thier=
verehrung überhaupt durch einige Beispiele bestätigt habe, komme ich auf
den Grund und Sinn derselben. Ich reducirte den Grund derselben
auch auf das Abhängigkeitsgefühl. Die Thiere waren dem Menschen
nothwendige Wesen; ohne sie konnte er nicht, geschweige als Mensch,
existiren. Das Nothwendige ist aber das, wovon ich abhänge; so gut
daher die Natur überhaupt als das Grundprincip der menschlichen Exi=
stenz Gegenstand der Religion wurde, so gut konnte und mußte auch die

thierische Natur Gegenstand der religiösen Verehrung werden. Ich be-
trachtete daher den Thiercultus hauptsächlich nur in Beziehung auf die
Zeit, wo er historisch berechtigt war, auf die Zeit der beginnenden Cultur,
wo die Thiere die höchste Bedeutung für den Menschen hatten. Welche
Bedeutung hat aber nicht selbst für uns noch, die wir über den Thiercultus lachen, das Thier? Was ist und kann der Jäger ohne den Jagdhund,
der Schäfer ohne den Schäferhund, der Bauer ohne den Stier? Ist nicht
der Mist die Seele der Oekonomie? nicht also der Stier auch bei uns,
wie er es bei den alten Völkern war, noch jetzt das oberste Princip, der
Gott der Agricultur? Warum wollen wir also die alten Völker verlachen, wenn sie religiös verehrten, was für uns rationelle Menschen
noch den höchsten Werth hat? Setzen wir nicht auch noch das Thier in
vielen Fällen über den Menschen? Steht nicht in den christlich germanischen Staaten bei dem Militär das Roß in höherem Werth, als der
Reiter, bei dem Bauer der Ochs in höherem Werth, als der Knecht?
Und als ein historisches Beispiel, führte ich in dem Paragraphen eine Stelle
aus dem Zendavesta an. Der Zendavesta ist das, freilich in seiner vor-
handenen Gestalt erst später verfaßte und entstellte, Religionsbuch der
alten Perser. Dort heißt es nun, freilich nur nach der alten unzuver-
läßigen Uebersetzung von Kleuker, in einem Theile, welche der Vendidad
genannt wird: "durch den Verstand des Hundes besteht die
Welt. ...... Behütete er nicht die Straßen, so würden Räuber
oder Wolf alle Güter rauben" Eben wegen dieser seiner Wichtigkeit
wird, freilich auch aus religiösem Aberglauben, in den Gesetzen eben
dieses Zendavesta der Hund als Wächter und Schützer gegen reißende
Thiere "dem Menschen nicht allein gleichgestellt, sondern es werden ihm
in Bezug auf seine Bedürfnisse selbst Vorzüge eingeräumt". So heißt
es z. B. "wer irgend einen hungerigen Hund sieht, ist verpflichtet, ihn
mit den besten Speisen zu sättigen". "Verläuft sich eine Hündin mit
Jungen, so muß das Oberhaupt des Orts, wo sie gefunden wird, sie
aufnehmen und ernähren; thut er es nicht, so wird er mit

Zerstümmelung des Leibes bestraft". Ein Mensch hat daher
weniger Werth, als ein Hund. Noch ärgere, den Menschen unter das
Thier stellende Bestimmungen finden wir übrigens in der Religion der
Aegypter. „Wer, heißt es bei Diodor, eines dieser (nämlich der geheiligten) Thiere tödtet, der ist des Todes schuldig. Ist es aber eine Katze
oder ein Ibis, so muß er jedenfalls sterben, er mag das Thier absichtlich
oder unvorsätzlich getödtet haben; die Menge läuft zusammen und mißhandelt den Thäter auf die grausamste Weise".

Gegen diese Ableitung der Verehrung der Thiere aus ihrer Unentbehrlichkeit und Nothwendigkeit scheinen nun aber die selbst von mir angeführten Beispiele zu sprechen. Tiger, Schlangen, Läuse, Flöhe, —
was sind das für den Menschen für nothwendige Thiere? Die nothwendigen Thiere sind ja allein die nützlichen. „Wenn man auch, bemerkt Meiners in seiner angeführten Schrift, im Ganzen mehr nützliche
als schädliche Thiere anbetete, so kann man daraus nicht schließen, daß
die Nützlichkeit der Thiere die Ursache ihrer göttlichen Verehrung war.
Die nützlichen werden nicht nach dem Verhältnisse ihrer Nützlichkeit, die
schädlichen nicht nach dem Verhältnisse ihrer Schädlichkeit verehrt. So
unbekannt und unerforschlich die Veranlassungen sind, welche dem einen
Thiere hier, dem anderen dort günstig waren, so unerklärlich und wider-
sprechend sind manche Erscheinungen des Thierdienstes. So verehren
und schonen z. B. die Neger am Senegal und Gambia die Tiger, während man im Königreich Aute und andern benachbarten Königreichen
diejenigen belohnt, welche einen Tiger erlegen". Wir befinden uns
allerdings im Reiche der Religion zunächst in einem Chaos der größten
und verwirrendsten Widersprüche. Allein trotzdem reduciren sich dieselben bei tiefer eingehender Betrachtung auf die Motive der Furcht und
Liebe, die aber je nach der Verschiedenheit der Menschen auf die verschiedensten Gegenstände verfallen, reduciren sich auf das Abhängigkeitsgefühl. Wenn auch ein Thier keinen wirklichen, keinen naturhistorisch
nachweisbaren Nutzen oder Schaden hat, so verknüpft doch der Mensch

in seiner religiösen Einbildung aus irgend einem oft ganz zufälligen, uns unbekannten Grunde abergläubische Wirkungen mit demselben. (³) Was für wunderbare medicinische Kräfte hat man nicht sonst den Edelsteinen zugeschrieben. Aus welchem Grunde? Aus Aberglauben. Die innern Motive der Verehrung sind also gleich, nur dadurch sind ihre Erscheinungen verschieden, daß bei den einen Gegenständen die Verehrung auf einem eingebildeten, nur im Glauben oder Aberglauben existirenden Nutzen oder Schaden, bei den anderen Gegenständen auf einer wirklichen Wohlthätigkeit oder Nützlichkeit, Verderblichkeit oder Schädlichkeit beruht. Kurz bei den einen Gegenständen der religiösen Verehrung hängt in **Wahrheit** und **Wirklichkeit**, bei den anderen nur in der **Einbildung, im Glauben, in der Vorstellung** Glück oder Unglück, Wohl oder Wehe, Krankheit oder Gesundheit, Leben oder Tod von denselben ab.

Bemerken muß ich überdies bei dieser Gelegenheit, wo die Mannichfaltigkeit und Verschiedenheit des religiösen Gegenstandes dem von mir angegebenen Erklärungsgrund der Religion zu widersprechen scheint, daß ich unendlich fern davon bin, die Religion, wie überhaupt irgend einen Gegenstand auf etwas Einseitiges, Abstractes zu reduciren. Ich habe stets einen Gegenstand in seiner Totalität vor Augen, wenn ich ihn im Kopf überdenke. Mein Abhängigkeitsgefühl ist kein theologisches, schleiermacherisches, nebelhaftes, unbestimmtes, abstractes Gefühl. Mein Abhängigkeitsgefühl hat Augen und Ohren, Hände und Füße, mein Abhängigkeits... ist nur der sich abhängig fühlende, abhängig sehende, kurz nach allen ... Sinnen abhängig wissende Mensch. Das, wovor der Mensch ... ist, abhängig sich fühlt, abhängig weiß, **ist aber die Natur, ein Gegenstand der Sinne.** Es ist daher ganz in der Ordnung, daß alle die Eindrücke, welche die Natur vermittelst der Sinne auf den Menschen macht, und sollten diese Eindrücke auch nur Eindrücke der **Idiosynkrasie** sein, Motive religiöser Verehrung werden können und wirklich werden, daß auch die Gegenstände, welche nur auf die theoretischen Sinne sich beziehen, ohne unmittelbar praktische Beziehungen auf den Menschen zu haben, welche die eigentlichen Motive zur Furcht und Liebe enthalten, Gegenstände der Religion werden. Selbst wenn ein Naturwesen, sei's nun wegen seiner Furchtbarkeit oder Schädlichkeit, um es unschädlich zu machen, oder wegen seiner Wohlthätigkeit und Nützlichkeit, um für seine Güte ihm zu danken, Gegenstand religiöser Verehrung ist, so bietet es ja auch noch andere Seiten dar, die gleichfalls in das Auge und Bewußtsein des Menschen fallen und daher als Momente der Religion sich geltend machen. Wenn der Parse den Hund wegen seiner Wachsamkeit und Treue, wegen dieser seiner so zu sagen politischen und moralischen Bedeutung und Nothwendigkeit für den Menschen verehrt, so ist ja der Hund keineswegs nur in abstracto als Wächter, sondern er ist ja auch in allen seinen übrigen natürlichen Eigenschaften, er ist in seiner Ganzheit, seiner Totalität Gegenstand der Anschauung, und es ist daher natürlich, daß auch diese Eigenschaften bei der Erzeugung eines religiösen Gegenstandes mitwirkende Kräfte sind. So werden im Zendavesta ausdrücklich noch andere Eigenschaften des Hundes, als nur seine Nützlichkeit und Wachsamkeit angeführt. „Er hat, heißt es z. B. dort, acht merkwürdige Eigenschaften; er ist wie Athorne (Priester), wie Krieger, wie Feldbauer, der Güter Quell, wie Vogel, wie Räuber, wie Bestie, wie eine böse Frau, wie ein Jüngling. Als Priester ißt er, was er findet, ... als Priester geht er zu Allen, die ihn suchen, ... der Hund schläft viel, wie ein junger Mensch, ist wie dieser brennend im Handeln u. s. w." So ist die Lotosblume, Nymphaea Lotus, die ein Hauptgegenstand der Verehrung bei den alten Aegyptern und Indern war, und noch jetzt fast im ganzen Morgenlande verehrt wird, nicht nur eine nützliche Pflanze, — denn ihre Wurzeln sind eßbar, waren besonders ehedem eine Hauptnahrung der Aegypter, — sondern auch eine der schönsten Wasserblumen. Ja, während bei einem mehr rationellen und praktischen, culturfähigen Volke auch nur die rationellen, für die menschliche

Existenz und Bildung bedeutsamen Eigenschaften eines Gegenstandes der Grund seiner religiösen Verehrung sind, so können bei einem Volke von entgegengesetztem Charakter nur die irrationellen, für die menschliche Existenz und Cultur gleichgültigen, selbst nur curiosen Eigenschaften dieses Gegenstandes Motive der Verehrung werden. Ja, es können Dinge und Wesen verehrt werden, für deren Verehrung sich gar kein anderer Grund anführen läßt, als der einer besondern Sympathie oder Idiosynkrasie. Ist die Religion gar nichts andres als Psycho- und Anthropologie, so versteht es sich ja von selbst, daß die Idiosynkrasie und Sympathie auch eine Rolle in denselben spielen. Alle sonderbaren und auffallenden Erscheinungen im Wesen der Natur, Alles, was das Auge des Menschen fesselt und frappirt, was sein Ohr überrascht und bezaubert, was seine Phantasie entzündet, sein Erstaunen erregt, sein Gemüth auf eine besondere, ungewöhnliche, ihm unerklärliche Weise afficirt, kommt bei der Entstehung der Religion in Betracht, kann t. :? Grund und Gegenstand selbst religiöser Verehrung abgeben. „Wir b:»? trachten mit Ehrfurcht, sagt Seneca in seinen Briefen, die Häupter, d. h. die Ursprünge der größern Flüsse. Wir errichten einem plötzlich aus dem Verborgenen mit Macht hervorbrechenden Bache Altäre. Wir verehren die Quellen der warmen Gewässer, und gewisse Seen sind uns wegen ihrer Dunkelheit oder unermeßlichen Tiefe heilig." „Die Flüsse werden verehrt, sagt Maximus Tyrius in seiner achten Dissertation, entweder wegen ihres Nutzens, wie der Nil von den Aegyptern, oder wegen ihrer Schönheit, wie der Peneus von den Thessaliern, oder wegen ihrer Größe, wie der Ister von den Scythen" oder aus andern zufälligen, hier gleichgültigen Gründen. „Das Kind, sagt Clauberg ein deutscher, obwohl lateinisch schreibender Philosoph im 17. Jahrhundert, ein geistvoller Schüler des Cartesius, wird am meisten von hellen und glänzenden Gegenständen ergriffen und gefesselt. Das ist der Grund, warum die barbarischen Völker sich zum Cultus der Sonne und himmlischen Körper, und zu ähnlicher Götzendienerei hinreißen ließen."

Aber obgleich alle diese Eindrücke, Affecte und Stimmungen, welche der
Glanz des Lichtes in den Steinen — auch Steine werden ja verehrt —
der Schauer der Nacht, die Dunkelheit und Stille des Waldes, die Tiefe
und Unermeßlichkeit des Meeres, die auffallende Eigenthümlichkeit und
Sonderbarkeit, die Lieblichkeit und Schrecklichkeit der Thiergestalten Momente der Religion, bei der Erklärung und Auffassung der Religion in
Rechnung und Anschlag zu bringende Gewichte sind, so befindet sich
doch der Mensch da noch außer dem Boden der Geschichte, noch im
Zustande der Kindheit, wo auch der einzelne Mensch noch keine
historische Person ist, wenn er auch später eine solche wird, wo er
wahl- und kritiklos von solchen Eindrücken und Affecten sich beherrschen läßt, nur solchen Eindrücken und Affecten seine Götter entnimmt.
Solche Götter sind nur Sternschnuppen, nur Meteore der Religion.
Erst wenn der Mensch an die Eigenschaften sich wendet, welche den
Menschen fortwährend, bleibend an seine Abhängigkeit von der Natur
erinnern, welche stets es ihn auf eine empfindliche Weise fühlen lassen,
daß er nichts ohne die Natur kann und ist, wenn er diese Eigenschaften
zum Gegenstand seiner Verehrung macht, erst dann erhebt er sich auch
zu einer eigentlichen, permanenten, historischen, in einem förmlichen
Cultus darstellenden Religion. So ist z. B. die Sonne erst da Gegenstand eines eigentlichen Cultus, wo sie nicht ihres Glanzes, ihres
Scheines, ihres blos das Auge frappirenden Wesens wegen, sondern
wo sie als das oberste Princip der Agricultur, als das Maß der Zeit,
als die Ursache der natürlichen und bürgerlichen Ordnung, als der
offenbare, einleuchtende Grund des menschlichen Lebens, kurz, wo sie
wegen ihrer Nothwendigkeit, ihrer Wohlthätigkeit verehrt wird.(⁴) Erst
da, wo das culturgeschichtliche Moment eines Gegenstandes
vor die Augen tritt, erst da bildet auch die Religion oder ein Zweig derselben ein charakteristisches historisches Moment, ein den Geschichts-
und Religionsforscher interessirendes Object. Dies gilt auch vom
Thiercultus. Wenn auch in einer Religion die Verehrung sich noch

auf andere, culturgeschichtlich gleichgültige Thiere erstreckt, so ist doch die Verehrung der culturgeschichtlichen Thiere das charakteristische oder doch das vernünftige, hervorzuhebende Moment; der Grund, warum diese andern Thiere, warum überhaupt andere, als die Existenz und Humanität des Menschen bedingende und begründende Gegenstände und Eigenschaften verehrt werden, ist ja, wie entwickelt wurde, auch nicht von dem Cultus der einer Verehrung aus humanen Gründen würdigen Gegenstände ausgeschlossen. Die nothwendigsten, wichtigsten, einflußreichsten, die am meisten das Gefühl der Abhängigkeit von ihnen im Menschen erzeugenden Naturgegenstände haben ja auch alle die Eigenschaften an sich, welche das Auge und Gemüth frappiren, Staunen, Bewunderung und alle anderen derartigen Affecte und Stimmungen erregen. Sei gegrüßt, heißt es daher in Aratus Phänomenen in der Anrede an den Zeus, an den Gott, an die Ursache der Himmelserscheinungen, sei gegrüßt Vater, Du großes Wunder, (d. h. Du großes, Staunen und Bewunderung erregendes Wesen) Du großes Labsal der Menschen. Wir haben daher in einem und demselben Gegenstande hier beides eben Besprochene vereint. Aber nicht das Thauma, das Wunder, sondern das Oneiar, das Labsal, d. h. nicht das Wesen, wiefern es Gegenstand des Staunens, sondern der Furcht und Hoffnung ist, nicht also wegen seiner staunens = und bewunderungswürdigen, sondern wegen seiner die menschliche Existenz begründenden und erhaltenden, das Abhängigkeitsgefühl in Anspruch nehmenden Eigenschaften ist es Gegenstand der Religion, Gegenstand des Cultus.

Dasselbe gilt auch vom Thiercultus, so viele Thiergötter auch nur dem Thauma, dem kritiflosen Gaffen, der stupiden Verwunderung, der unbeschränkten Willkür des religiösen Aberglaubens ihre Existenz verdanken mögen. Wir brauchen uns daher gar nicht zu darüber zu verwundern und zu schämen, daß der Mensch die Thiere verehrte, denn der Mensch hat nur sich in ihnen geliebt und verehrt; er hat nur, wenigstens da, wo der Thiercultus ein culturgeschichtliches Moment bildet, die Thiere wegen ihrer Verdienste um die Menschheit, also seinetwegen, nicht aus bestialischen, sondern humanen Gründen verehrt.

Wie in der Thierverehrung der Mensch sich selbst verehrt, davon haben wir ein Beispiel an der Art, wie noch heute der Mensch die Thiere schätzt. Der Jäger schätzt nur die auf die Jagd, der Bauer nur die auf den Ackerbau Bezug habenden Thiere, d. h. der Jäger schätzt in dem Thier das Jagdwesen, welches sein eigenes Wesen ist, der Bauer nur die Oekonomie, die seine eigene Seele und practische Gottheit ist. Auch an dem Thiercultus haben wir daher einen Beweis und ein Beispiel von der Behauptung, daß in der Religion der Mensch nur sein eigenes Wesen vergegenständlicht. So verschieden die Menschen, so verschieden ihre Bedürfnisse, so verschieden ihr wesentlicher, sie charakterisirender Standpunkt, so verschieden sind auch bei den, wenigstens der Culturgeschichte angehörenden Völkern die Thiere, die sie hauptsächlich verehren, so daß wir aus der Qualität der Thiere, welche der Gegenstand der Verehrung waren, selbst die Qualität der sie verehrenden Menschen erkennen. So war „der Hund, wie Rhode in seiner Schrift: „die h. Sage und das gesammte Religionssystem der alten Baktrier, Meder und Parsen oder des Zendvolkes“ bemerkt, den Anfangs blos von Viehzucht lebenden Parsen die wichtigste Stütze im Kampf gegen die ahrimanische Thierwelt, d. h. gegen Wölfe und andere reißende Thiere, daher wurde, wer einen brauchbaren Hund oder eine schwangere Hündin getödtet hatte, mit dem Tode bestraft. Der Aegypter hatte bei seinem Feldbau weder Wölfe noch andere reißende Thiere zu fürchten. Ratten und Mäuse waren die Werkzeuge Typhons, die ihm schadeten, daher nahm die Katze bei ihm d i e Rolle ein, welche dem Hund beim Zendvolk eingeräumt war.“ Aber nicht nur den practischen Culturstandpunkt eines Volks, auch sein theoretisches Wesen, seinen geistigen Standpunkt überhaupt vergegenständlicht uns der Thierdienst, der Naturdienst überhaupt; denn wo der Mensch Thiere und Pflanzen verehrt, da ist er kein Mensch noch wie wir, da identificirt er sich mit den Thieren und Pflanzen, da sind sie für ihn theils menschliche, theils übermenschliche Wesen. So ist z. B. im Zendavesta der Hund gleich dem Menschen den Gesetzen unterworfen. „Beißt er ein Hausthier oder einen Menschen, so wird ihm zum ersten Mal zur Strafe das rechte Ohr, zum zweiten Mal das linke Ohr abgeschnitten, zum dritten Mal der rechte, zum vierten Mal der linke Fuß, zum fünften Mal der Schwanz." So nannten nach Diodor die Troglodyten den Stier und die Kuh, den Widder und das Schaf Vater und Mutter, weil sie von ihnen und nicht von ihren natürlichen Eltern immerfort ihre tägliche Nahrung empfingen. So glauben, wie Meiners berichtet, die Indianer in Guatimala, wie die afrikanischen Neger, daß das Leben eines jeden Menschen mit dem Leben eines gewissen Thiers unzertrennlich verbunden sei, und daß, wenn das Bruderthier getödtet werde, der Mensch auch sterben müsse. So sagt auch Sakontala zu den Blumen: „Ich fühle die Liebe einer Schwester für diese Pflanzen." Ein schönes Beispiel von dem Unterschied des menschlichen Wesens auf dem Standpunkt der orientalischen Naturverehrung und des menschlichen Wesens auf unserem Standpunkt liefert die Anecdote, die W. Jones erzählt, daß, als er einst die Lotosblume auf dem Pulte liegen hatte, um sie zu untersuchen, ein Fremder aus Nepal zu ihm gekommen, und so wie er diese Blume erblickte, vor Ehrfurcht zur Erde niedergesunken sei. Welch ein Unterschied zwischen dem Menschen, der vor einer Blume andächtig niederfällt und dem Menschen, der die Blume nur vom Standpunkt der Botanik aus ansieht!

Siebente Vorlesung.

Wir sind mit der Behauptung, daß der Mensch in den Thieren sich selbst verehrt — eine Behauptung, die selbst nicht durch den Thiercultus umgestoßen wird, für den sich keine culturgeschichtlichen, rationellen Gründe angeben lassen, der seine Existenz nur der Furcht oder selbst besonderen Zufälligkeiten oder Idiosynkrasieen verdankt, denn wo der Mensch ein Wesen ohne Grund verehrt, da vergegenständlicht er in demselben nur seine eigene Tollheit und Verrücktheit — wir sind, sage ich, mit dieser Behauptung auf den wichtigsten Satz des Paragraphen gekommen, auf den Satz, daß der Mensch Das, wovon er sein Leben abhängig weiß oder glaubt, als Gott verehrt, daß eben deswegen in dem Gegenstand der Verehrung nur der Werth zum Vorschein, zur Anschauung kommt, den er auf sein Leben, auf sich überhaupt legt, daß folglich die Verehrung Gottes von der Verehrung des Menschen abhängt. Dieser Satz ist zwar nur eine Vorausnahme, eine Anticipation des Resultats und weiteren Verlaufs dieser Vorlesungen; weil er aber schon in diesem Paragraphen vorkommt, weil er für meine ganze Entwickelung und Auffassung der Religion von der größten Wichtigkeit ist, so möge er auch schon bei dieser Gelegenheit, bei dem Thiercultus, der namentlich, sofern ihm ein vernünftiger Sinn zu Grunde liegt, die Wahrheit dieses Satzes bestätigt und veranschaulicht, zur Sprache kommen.

Wo der Thiercultus, um das Frühere zu recapituliren, auf den Standpunkt eines Culturmoments, einer nennenswerthen Erscheinung der Religionsgeschichte sich erhebt, da hat er einen humanen oder egoistischen Grund. Ich gebrauche zum Entsetzen der heuchlerischen Theologen und phantastischen Philosophen als Bezeichnung des Grundes und Wesens der Religion das Wort: Egoismus. Kritiklose Kritiker, welche an Worten kleben, haben daher in ihrer hohen Weisheit aus meiner „Philosophie" herausgetüpfelt, daß ihr Resultat der Egoismus und daß ich eben deswegen nicht in das Wesen der Religion eingedrungen sei. Wenn ich aber das Wort Egoismus, wohlgemerkt! in der Bedeutung eines philosophischen oder universellen Princips gebrauche, so verstehe ich darunter nicht den Egoismus im gewöhnlichen Sinne des Wortes, wie das Jeder, der etwas Kritik im Leibe hat, aus den Verbindungen, aus dem Zusammenhang, aus dem Gegensatze, in welchem ich das Wort Egoismus gebrauche, ersehen kann; ich gebrauche es nämlich im Gegensatze zur Theologie oder Gottgläubigkeit, in deren Sinn, wenn sie streng und consequent ist, jede Liebe, die nicht Gott zum Ziel und Gegenstand hat, selbst die Liebe zu andern Menschen Egoismus ist; ich verstehe daher darunter nicht den Egoismus des Menschen dem Menschen gegenüber, den moralischen Egoismus, nicht den Egoismus, der bei Allem, was er thut, selbst scheinbar für Andere, nur seinen Vortheil im Auge hat, nicht den Egoismus, der das charakteristische Merkmal des Philisters und Bourgeois, der das directe Gegentheil aller Rücksichtslosigkeit im Denken und Haudeln, aller Begeisterung, aller Genialität, aller Liebe ist. Ich verstehe unter Egoismus das seiner Natur und folglich — denn die Vernunft des Menschen ist nichts als die bewußte Natur des Menschen — seiner Vernunft gemäße sich selbst geltend Machen, sich selbst Behaupten des Menschen gegenüber allen unnatürlichen und unmenschlichen Forderungen, die die theologische Heuchelei, die religiöse und speculative Phantastik, die politische Brutalität und Despotie an den Menschen stellen. Ich verstehe unter Egoismus den nothwendigen, den unerläßlichen Egoismus, den, wie gesagt, nicht moralischen, sondern metaphysischen, d. h. im Wesen des Menschen ohne Wissen und Willen begründeten Egoismus, den Egoismus, ohne welchen der Mensch gar nicht leben kann, denn um zu leben, muß ich fortwährend das mir Zuträgliche zu eigen machen, das mir Feindliche und Schädliche vom Leibe halten, den Egoismus also, der selbst im Organismus, in der Aneigung der assimilirbaren, der Ausscheidung der nicht assimilirbaren Stoffe liegt. Ich verstehe unter Egoismus die Liebe des Menschen zu sich selbst, d. h. die Liebe zum menschlichen Wesen, die Liebe, welche der Anstoß zur Befriedigung und Ausbildung aller der Triebe und Anlagen ist, ohne deren Befriedigung und Ausbildung er kein wahrer, vollendeter Mensch ist und sein kann; ich verstehe unter dem Egoismus die Liebe des Individuums zu Individuen seines Gleichen; — denn was bin ich ohne sie, was ohne die Liebe zu Wesen meines Gleichen? — die Liebe des Individuums zu sich selbst nur insofern, als jede Liebe eines Gegenstandes, eines Wesens eine indirecte Selbstliebe, denn ich kann ja nur lieben, was meinem Ideal, meinem Gefühl, meinem Wesen entspricht. Kurz ich verstehe unter Egoismus jenen Selbsterhaltungstrieb, kraft dessen der Mensch nicht sich, seinen Verstand, seinen Sinn, seinen Leib, um die Beispiele aus dem uns zunächst liegenden Thiercultus zu nehmen, geistlichen Eseln und Schafen, politischen Wölfen und Tigern, philosophischen Grillen und Nachteulen aufopfert, jenen Vernunftinstinct, welcher dem Menschen sagt, daß es Thorheit, Unsinn ist, sich aus religiöser Selbstverläugnung von Läusen, Flöhen und Wanzen das Blut aus dem Leibe und den Verstand aus dem Kopfe saugen, von Ottern und Schlangen sich vergiften, von Tigern und Wölfen zerfressen zu lassen; jenen Vernunftinstinct, welcher, wenn sich auch einmal der Mensch bis zur Verehrung der Thiere verirrt oder herabläßt, dem Menschen zuruft: Ehre nur die Thiere, in denen Du Dich selbst ehrst, die Thiere, die Dir nützlich, die Dir nothwendig sind; denn selbst die Thiere, die Du ehrst,

ohne daß ein vernünftiger Grund zu ihrer Verehrung vorhanden ist,
ehrst Du ja doch nur, weil Du wenigstens glaubst, Dir einbildest, daß
ihre Verehrung für Dich nicht ohne Nutzen ist. Der Ausdruck Nutzen
ist übrigens, wie ich auch schon in meinen Erläuterungen und Ergänzungen zum Wesen der Religion erklärte, ein gemeiner, ungeeigneter,
dem religiösen Sinne widersprechender; denn nützlich ist auch ein Ding;
aber das, was ein Gott, ein Gegenstand religiöser Verehrung, ist kein
Ding, sondern ein Wesen; nützlich ist ein Ausdruck der blosen Brauch-
und Verwendbarkeit, der Passivität; aber Thätigkeit, Leben ist eine wesentliche Eigenschaft der Götter, wie schon Plutarch ganz richtig behauptet. Der religiöse Ausdruck und Begriff für Nützlichkeit ist Wohlthätigkeit; denn nur die Wohlthätigkeit, aber nicht die Nützlichkeit flößt mir
die Empfindungen der Dankbarkeit, der Verehrung, der Liebe ein, und
nur diese Empfindungen sind ihrer Natur, wie ihren Wirkungen nach
religiöse. Wegen ihrer Wohlthätigkeit, religiös oder poetisch, wegen ihrer Nützlichkeit, irreligiös, gemein oder
prosaisch, wegen ihrer Nothwendigkeit, ihres ohne sie
nicht sein Könnens, philosophisch ausgedrückt, wird die Natur
überhaupt, werden auch die Pflanzen und Thiere insbesondere verehrt.
Das Princip hat daher der Thiercultus, da wo er wenigstens vernünftigen religiösen Sinn hat, mit jedem Cultus gemein; oder: das,
was bei einiger Maßen überlegenden Menschen die Thiere zu Gegenständen religiöser Verehrung erhebt, der Grund ihrer Verehrung ist,
dasselbe ist der Grund der Verehrung jedes andern Gegenstandes; dieser Grund ist aber eben die Nützlichkeit oder Wohlthätigkeit. Unterschieden sind die Götter der Menschen nur nach den unterschiedenen
Wohlthaten, die sie dem Menschen erzeigen, unterschieden nur nach den
verschiedenen Trieben und Bedürfnissen des Menschen, die sie befriedigen, unterschieden sind die Gegenstände der Religion nur nach den
verschiedenen Facultäten oder Vermögen des menschlichen Wesens, worauf sie sich beziehen. So ist z. B. Apoll der

Arzt der psychischen, moralischen Krankheiten, Asklepios der Arzt der physischen, leiblichen. Aber der Grund der Verehrung, das Princip ihrer Göttlichkeit, das, was sie zu Göttern macht, das ist ihre Beziehung auf den Menschen, ihre Nützlichkeit, ihre Wohlthätigkeit, das ist der menschliche Egoismus; denn, wenn ich mich nicht zuerst liebe, nicht verehre, wie kann ich lieben und verehren, was mir nützlich und wohlthätig ist? Wie kann ich den Arzt lieben, wenn ich nicht die Gesundheit liebe? wie den Lehrer, wenn ich nicht meine Lernbegierde befriedigen will? Wie kann ich das Licht verehren, wenn ich keine Augen habe, die das Licht suchen, das Licht bedürfen? Wie meinen Urheber oder Urquell preisen und loben, wenn ich mich selbst verachte? wie ein objectiv höchstes Wesen anbeten und anerkennen, wenn ich kein subjectiv höchstes Wesen in mir habe? wie einen Gott außer mir annehmen, wenn ich nicht mir selbst, freilich in anderer Weise, Gott bin? wie einen äußeren Gott ohne Voraussetzung eines inneren, psychologischen Gottes glauben? Was ist aber dieses höchste Wesen im Menschen, von dem alle anderen höchsten Wesen, alle Götter außer ihm abhängen? Es ist der Inbegriff aller seiner menschlichen Triebe, Bedürfnisse, Anlagen, es ist überhaupt die Existenz, das Leben des Menschen, denn dieses befaßt ja Alles in sich. Nur deswegen macht daher der Mensch das, wovon sein Leben abhängt, zu einem Gott oder göttlichen Wesen, weil ihm sein Leben ein göttliches Wesen, ein göttliches Gut oder Ding ist. Wo der Mensch sagt: „das Leben ist der Güter höchstes nicht", da wird das Leben nur in einem beschränkten, untergeordneten Sinn genommen, da befindet sich der Mensch auf dem Standpunkte des Unglücks, des Zwiespalts, keineswegs auf dem normalen Lebensstandpunkt, da verwirft er, verachtet er allerdings das Leben, aber er verachtet es nur, weil seinem Leben Eigenschaften oder Güter fehlen, die wesentlich zum normalen Leben gehören, weil es kein Leben mehr ist. So, wenn ein Mensch z. B. der Freiheit beraubt ist, wenn er ein Sclave fremder Willkür ist, so kann, ja soll er dieses Leben verachten, aber nur, weil dieses Leben ein mangelhaftes, nichtiges Leben ist, ein Leben, dem die wesentlichste Bedingung und Eigenschaft des menschlichen Lebens, die Bewegung und Bestimmung nach eigenem Willen abgeht. Darauf beruht auch der Selbstmord. Der Selbstmörder nimmt sich nicht sein Leben; es ist ihm schon genommen. Darum tödtet er sich; er zerstört nur einen Schein; er wirft nur eine Schaale weg, aus der längst, sei's nun ohne oder mit seiner Schuld, der Kern verzehrt ist. Aber im gesunden, gesetzmäßigen Zustande, und wenn unter dem Leben der Inbegriff aller wesentlich zum Menschen gehörenden Güter verstanden wird, ist das Leben und zwar mit vollem Rechte das höchste Gut, das höchste Wesen des Menschen. Wie ich für alle meine Haupt und Grundsätze empirische, historische Beispiele und Belege anführe, weil ich nur zum Bewußtsein bringen und aussprechen will, was Andere, was die Menschen überhaupt denken und fühlen, so führe ich auch für diese Behauptung in meinen Ergänzungen und Erläuterungen zum Wesen der Religion einige Stellen aus Aristo. teles, Plutarch, Homer und Luther an. Mit ein paar Stellen als solchen will ich nun natürlich nicht die Wahrheit eines Ausspruchs beweisen, wie lächerliche, kritiklose Kritiker mir vorwarfen. Ich liebe die Kürze, ich sage mit wenigen Worten, was Andere mit Folianten sagen. Aber freilich haben die meisten Gelehrten und Philosophen die Eigenschaft, daß sie nur dann vom Gewichte eines Grundes überzeugt werden, wenn er ihnen in der Form eines Folianten oder wenigstens recht dickleibigen Buches in die Hände gedrückt wird. Jene paar Stellen sind pars pro toto, haben universelle Bedeutung, können durch tausend und abermals tausend gelehrte Citate belegt werden; aber alle diese Tausende sagen nicht mehr, wenigstens der Qualität nach, als diese paar Stellen. Was aber noch unendlich mehr ist und gilt, als ein gelehrtes Citat, das ist die Praxis, das Leben. Und dieses bestätigt uns bei allen Schritten und Tritten, die wir thun, bei allen Blicken, die wir in dasselbe werfen, die Wahrheit jenes Satzes, daß den Menschen

das Leben der Güter höchstes ist. Und eben so bestätigt sie vor Allem
die Religion und ihre Geschichte; denn wie die Philosophie zuletzt nichts
ist als die Kunst des Denkens, so ist die Religion zuletzt nichts Andres
als die Kunst des Lebens, die daher nichts Andres uns zur Anschauung
und zum Bewußtsein bringt, als die das Leben des Menschen unmittel=
bar bewegenden Kräfte und Triebe. Diese Wahrheit ist selbst das
durchgängige, allumfassende Princip aller Religionen. Nur deswegen,
weil unbewußt und unwillkürlich, nothwendig das Leben dem Menschen
ein göttliches Gut und Wesen ist, macht er bewußt, macht er in der
Religion das zum Gotte, wovon, sei's nun wirklich, sei's in der Ein=
bildung, die Entstehung und Erhaltung dieses göttlichen Gutes ab=
hängt. Jede Befriedigung eines Triebes, sei dieser nun ein niederer
oder höherer, physischer oder geistiger, practischer oder theoretischer, ist
für den Menschen ein göttlicher Genuß, und nur deswegen verehrt er
die Gegenstände oder Wesen, von denen diese Befriedigung abhängt,
als herrliche, anbetungswürdige, göttliche Wesen. Ein Volk, das keine
geistigen Triebe hat, hat auch keine geistigen Götter. Ein Volk, dem
nicht der Verstand als Subject, d. h. als menschliche Kraft und
Thätigkeit ein göttliches Wesen ist, wird nun und nimmermehr zum
Gegenstand seiner Verehrung, zum Gott ein Verstandeswesen machen.
Wie kann ich die Weisheit als Minerva zur Göttin machen, wenn mir
nicht die Weisheit an und für sich selbst schon göttliches Wesen ist?
Wie also überhaupt das Wesen vergöttern, von dem mein Leben abhän=
gig ist, wenn mir das Leben nichts Göttliches ist? Nur der Unterschied
der menschlichen Triebe, Bedürfnisse, Fähigkeiten, nur dieser Unterschied
und ihre Rangordnung bestimmt daher den Unterschied und die Rang=
ordnung der Götter und Religionen. Den Maßstab, das Kriterium
der Gottheit und eben deswegen den Ursprung der Götter hat
daher der Mensch an und in sich selbst. Was diesem Kriterium
entspricht, ist ein Gott, was ihm widerspricht, keiner. Dieses Krite=
rium ist aber der Egoismus in dem entwickelten Sinne des Wortes.

Die Beziehung eines Gegenstandes auf den Menschen, die Befriedigung eines Bedürfnisses, die Unentbehrlichkeit, die Wohlthätigkeit ist der Grund, warum der Mensch einen Gegenstand zum Gott macht. Das absolute Wesen ist für den Menschen, ohne daß er es weiß, der Mensch selbst, die sogenannten absoluten Wesen, die Götter sind relative, sind vom Menschen abhängige Wesen, sind ihm nur insofern Götter, als sie diesem seinem Wesen dienen, als sie ihm nützlich, förderlich, entsprechend, kurz wohlthätig sind. Warum verlachten die Griechen die Götter der Aegypter, die Crocodille, Katzen, Ibisse? weil die Götter der Aegypter nicht dem Wesen, nicht den Bedürfnissen der Griechen entsprachen. Worin lag also der Grund, daß ihnen die griechischen Götter nur für Götter galten? In den Göttern an und für sich selbst? nein! in den Griechen; in den Göttern nur indirect, nur insofern, als sie eben dem Wesen der Griechen entsprechende Wesen waren (5). Warum verwarfen aber die Christen die heidnischen, die griechischen und römischen Götter? weil sich ihr religiöser Geschmack geändert hatte, weil die heidnischen Götter ihnen nicht gaben, was sie wollten. Warum ist also ihnen ihr Gott nur Gott? weil er ein Wesen ihres Wesens, ihres Gleichen ist, weil er ihren Bedürfnissen, ihren Wünschen, ihren Vorstellungen entspricht.

Wir sind zuerst von den allgemeinsten und gemeinsten Erscheinungen der Religion aus und von da zum Abhängigkeitsgefühl übergegangen; aber jetzt sind wir über und hinter das Abhängigkeitsgefühl selbst zurückgegangen und haben als den letzten subjectiven Grund der Religion den menschlichen Egoismus im angeführten Sinne entdeckt, obwohl auch der Egoismus im gemeinsten und gewöhnlichsten Sinne des Wortes keine untergeordnete Rolle in der Religion spielt, aber von diesem abstrahire ich. Es frägt sich nur, ob diese den gewöhnlichen übersinnlichen und übermenschlichen, d. i. phantastischen Erklärungsgründen der Religion absolut widersprechende Erklärung von dem Grunde und Wesen der Religion und ihrer Gegenstände, der Götter, der

Wahrheit gemäß ist, ob ich mit diesem Worte den Nagel auf den Kopf getroffen, das, was die Menschheit bei der Verehrung der Götter im Sinne hat, richtig ausgesprochen habe. Ich habe zwar schon genug Belege und Beispiele angeführt, da aber der Gegenstand zu wichtig ist, da man die Gelehrten nur durch ihre eigenen Waffen, d. h. Citate schlagen kann, so will ich noch mehrere anführen. „Die Pflanze, der Baum, deren Früchte man genoß, sagt Rhode in der schon erwähnten Schrift in Beziehung auf die Religion der alten Juder und Perser, wurden verehrt und gebeten, künftig noch mehr Früchte zu bringen. Das Thier ward verehrt, dessen Milch und Fleisch man genoß; das Wasser, weil es die Erde fruchtbar machte; das Feuer, weil es wärmte und leuchtete, und die Sonne mit allen übrigen Gestirnen, weil ihr wohlthätiger Einfluß auf das gesammte Leben auch dem stumpfsten Sinn nicht entgehen kann." Der Verfasser der gleichfalls schon erwähnten Schrift de l'Origine des principes religieux führt aus der Histoire des Yncas de Perou par Garcillaso de la Vega, einer Schrift, die ich mir leider nicht verschaffen konnte, Folgendes an: „Die Bewohner von Chincha sagten zu dem Ynca, daß sie weder den Ynca für ihren König, noch die Sonne für ihren Gott erkennen wollten, daß sie schon einen hätten, den sie anbeteten, daß ihr gemeinschaftlicher Gott das Meer wäre, welches ein ganz anderes Ding, als die Sonne sei, indem es ihnen eine Menge Fische zu ihrer Nahrung gebe, anstatt daß ihre Sonne ihueu gar nichts Gutes thue, als daß ihre außerordentliche Hitze ihnen nur lästig sei, und sie also nichts aus ihr zu machen brauchteu." Sie verehrten also nach ihrem eigenen Eingeständniß das Meer, weil es die Quelle der Nahrung für sie war, als Gott; sie dachten, wie jener griechische Komiker, der sagt: „das mich Ernährende, Das halt ich für meinen Gott." Der gemeine Spruch: „Weß Brot ich eß, deß Lied ich sing'", gilt daher auch in der Religion. Selbst schon die Sprache liefert uns hierfür Belege. Almus z. B. heißt nährend, daher es hauptsächlich ein Beiwort der Ceres ist, kann und zwar eben deswegen

lieb, werth, herrlich, heilig. „Unter allen Gottheiten, von welchen die
Mythologie erzählt, heißt es bei Diodor, ist keine unter den Menschen
so hoch geachtet, wie die beiden, welche durch die wohlthätigsten Erfin-
dungen ein so ausgezeichnetes Verdienst um die Menschheit sich erwar-
ben, Dionysius durch die Einführung des lieblichsten Tranks und
Demeter durch die Mittheilung der trefflichsten trockenen Nahrung.“
Erasmus macht in seinen Adagien zu dem Sprüchwort der Alten: „der
Mensch ist den Menschen Gott“ die Bemerkung: „das Alterthum glaubte,
Gott sein heiße den Sterblichen nützen.“ Dieselbe Bemerkung
macht der Philolog Joh. v. Meyen in einer Note zu Virgil's Aeneis.
Die Alten erwiesen denen, sagt er, welche wohlthätige Erfindungen
machten, göttliche Ehre nach dem Tode, denn sie waren der Ueberzeugung, ein Gott sei nichts Andres, als was den Sterblichen Nutzen
bringe. „Aus welchem Grunde, singt Ovidius in den Episteln aus
seinem Exil, sollen wir die Götter ehren, wenn wir ihnen den Willen
zu nützen oder helfen nehmen? Wenn Jupiter für meine Gebete nur
taube Ohren hat, warum soll ich vor seinem Tempel ein Opferthier
schlachten? Wenn mir das Meer keine Ruhe gewährt auf meiner Seereise, warum soll ich für nichts und wieder nichts dem Neptun Weih-
rauch streuen? Wenn Ceres nicht die Wünsche des arbeitsamen Land-
manns erfüllt, warum soll sie denn die Eingeweide einer trächtigen Sau
bekommen? Nur der Nutzen oder die Wohlthat also ist es, die
Menschen und Götter verherrlicht!“ „Ein Gott ist dem Sterblichen, sagt der ältere Plinius, wer dem Sterblichen hilft.“ Nach
Gellius hat selbst Jupiter seinen Namen: Jovem von Juvando, d. i.
vom Helfen oder Nutzen im Gegensatz von Nocere, Schaden. In Cicero's Schrift von den Pflichten heißt es: „zunächst nach den Göttern
sind die dem Menschen nützlichsten Wesen die Menschen“ — also sind die
Götter die ersten dem Menschen nützlichen Wesen. Eben so sagt auch
Erasmus in seinen Adagien: „Das Sprüchwort: „Ein Gott, aber viele
Freunde“ ermahnt uns so viele Freunde als möglich uns zu machen,

weil diese am meisten nach den Göttern helfen können," In seiner Schrift über die Natur der Götter erklärt Cicero (oder vielmehr der Epikuräer Vellejus, aber hier ist es eins) die Behauptung des Perseus, daß die nützlichen und heilsamen Dinge für Götter gehalten worden seien, für absurd, und macht dem Prodikus wegen derselben Behauptung den Vorwurf, daß er die Religion aufgehoben habe; aber zugleich wirft er auch dem Epikur vor, daß er, weil er das Göttlichste, Herrlichste: die Güte, die Wohlthätigkeit der Gottheit abgesprochen, die Religion mit der Wurzel ausgetilgt habe, denn wie kann man, sagt er, die Götter ehren, wenn man von ihnen nichts Gutes empfängt, noch erwarten kann? Die Religiosität, die Pietas ist die Gerechtigkeit gegen die Götter, aber wie kann man Denen eine Verbindlichkeit schuldig sein, von welchen man nichts empfängt? An den Göttern verehren wir, sagt Quintilian in seinen oratorischen Institutionen, erstlich die Majestät ihrer Natur, dann die eigenthümliche Macht eines jeden und die Erfindungen, welche den Menschen einen Nutzen gebracht haben. Quintilian unterscheidet hier die Macht und Majestät der Götter von ihren Wohlthaten, aber dieser Unterschied fällt vor einer tiefer eingehenden Betrachtung; denn je majestätischer und mächtiger ein Wesen ist, desto mehr hat es auch Fähigkeit, Andern zu nützen und umgekehrt. Die höchste Macht fällt zusammen mit der höchsten Wohlthätigkeit. Bei allen Völkern fast ist daher auch der Gott der himmlischen Kräfte und Mächte der höchste, erhabenste, majestätischste, der Gott über allen Göttern, weil die Wirkungen und Wohlthaten des Himmels auch über alle andern Wirkungen und Wohlthaten gehen, die allgemeinsten, allumfassendsten, großartigsten, nothwendigsten sind. So heißt z. B. bei den Römern Jupiter: Optimus, Maximus, d. h. „wegen seiner Wohlthaten", wie Cicero selbst bemerkt, der beste oder gütigste, „wegen seiner Gewalt" oder Macht aber „der größte oder höchste Gott." Eine ähnliche Unterscheidung, wie bei Quintilian, finden wir bei Plutarch in seinem Amatorius. „Das Lob der Götter gründet sich hauptsächlich auf ihre Dynamis, d. i.

Macht und Opheleia, d. i. Nützlichkeit oder Wohlthätigkeit;" aber wie gesagt, beide Begriffe fallen in Eins zusammen, denn je mehr ein Wesen an und für sich selbst ist, desto mehr kann es auch Andern sein. Je mehr einer ist, desto mehr kann er auch Andern nützen, freilich auch schaden. Daher sagt Plutarch selbst in seinem Symposiakon: „die Menschen vergöttern am meisten die Dinge von allgemeinster, sich überall hin erstreckender Nützlichkeit wie das Wasser, das Licht, die Jahreszeiten."

Achte Vorlesung.

Als die letzten Ueberbleibfel der heidnischen Religion zerstört, wenigstens ihrer politischen Bedeutung und Würde entkleidet wurden, als unter Anderm die Bildsäule der Siegesgöttin aus dem Orte, wo sie bisher gestanden, entfernt werden sollte, schrieb Symmachus eine Schutzschrift für die alte, historische Religion, so auch für den Cultus der Victoria. Unter den Gründen dafür führt er auch die Utilitas, den Nutzen an als das sicherste Merkmal einer Gottheit. Niemand wird läugnen, sagt er ferner, daß die zu verehren sei, von der er bekennt, daß sie zu wünschen sei. Das heißt: nur das ist ein Gegenstand der Religion, der Verehrung, was ein Gegenstand menschlicher Wünsche ist, nur das Gute, Nützliche, Wohlthätige ist aber das, was man wünscht. Die Gebildeten unter den klassischen Heiden, namentlich den Griechen, bestimmten daher als eine wesentliche Eigenschaft und Bedingung der Gottheit die Güte, die Wohlthätigkeit, die Philanthropie. „Kein Gott, sagt Sokrates in Plato's Theätet, ist widriggesinnt gegen die Menschen." „Was ist bei den Göttern, sagt Seneka in seinen Briefen, der Grund ihrer Wohlthätigkeit? Ihre Natur. Wahn ist der Glaube, daß sie schaden wollen; sie können es nicht einmal. Gott, sagt er eben daselbst, sucht keine Diener; er selbst dient dem Menschengeschlecht." „Es ist eben so absurd, sagt Plutarch in seiner Schrift über die Widersprüche der Stoiker, den Göttern die Unvergänglichkeit, als die Vor-

sehung und Menschenliebe oder Wohlthätigkeit abzusprechen." „Unter
Gott, sagt Antipater von Tarsis bei Plutarch in eben derselben Schrift,
verstehen wir ein seliges, unvergängliches und gegen die Menschen
wohlthätiges Wesen." Die Götter, wenigstens die vorzüglichsten,
heißen daher bei den Griechen „Geber des Guten", ferner Soteres, d. h.
Retter, Beglücker, Heilande. Ja die griechische Religion selbst hat keinen eigentlichen, selbstständigen bösen Gott, wie z. B. die Aegypter
ihren Typhon, die Perser ihren Ahriman.

Die Kirchenväter verhöhnten die Heiden, weil sie die wohlthätigen
oder nützlichen Dinge und Wesen zum Gegenstande ihrer Verehrung
oder Religion gemacht hätten. Die leichtsinnigen Griechen, sagt z. B.
Julius Firmicus, halten alle Wesen für Götter, die ihnen irgend eine
Wohlthat erweisen oder erwiesen haben. Er wirft ihnen unter Anderm
vor, daß die Penaten von dem Worte: Penus, welches nichts Andres
als die Nahrung bedeute, abstammten. Die Heiden, sagt er, hätten als
Menschen, die unter dem Leben nichts Andres verstanden, als die Freiheit, zu essen und trinken, die Nahrungsmittel zu Göttern gemacht. Er
wirft ihnen auch den Cultus der Vesta vor, weil sie nichts Andres sei
als das häusliche Feuer, das auf dem Heerde zum täglichen Gebrauch
dient, und daher Köche, statt Jungfrauen, zu Priestern haben sollte.
So sehr aber die Kirchenväter, die Christen überhaupt die Heiden deßwegen tadelten und verlachten, daß sie den nützlichen Dingen, dem
Feuer, dem Wasser, der Sonne, dem Mond göttliche Ehre erwiesen
hätten eben wegen dieser ihrer für die Menschen so wohlthätigen Wirkungen, so tadelten sie dieselben doch nicht wegen des Princips oder
Grundes dieser Verehrung, sondern nur wegen des Gegenstandes ihrer Verehrung, nicht also deßwegen, daß sie die Wohlthätigkeit
und Nützlichkeit zum Grunde der Verehrung, der Religion, sondern deßwegen, daß sie nicht das rechte Wesen zum Gegenstande ihrer Verehrung gemacht, daß sie nicht das Wesen, von dem alle wohlthätigen,
dem Menschen nützlichen Eigenschaften und Wirkungen der Natur her-

kämen, das Wesen, das allein dem Menschen helfen, allein den Menschen glücklich machen könne, Gott, ein von der Natur unterschiedenes, geistiges, unsichtbares, allmächtiges Wesen, welches der Urheber oder Schöpfer der Natur sei, verehrt hätten. Die Macht zu schaden und zu nützen, Wohl und Wehe, Gesundheit und Krankheit, Leben und Tod zu bringen, welche die Heiden ihrer sinnlichen Anschauung gemäß an die vielen verschiedenen Dinge vertheilten, vereinigten die Christen kraft ihres unsinnlichen, abstracten Denkens in Ein Wesen, so daß dieses Eine, welches die Christen Gott nennen, das einzig furchtbare und mächtige, das einzig liebenswerthe und wohlthätige Wesen ist. Oder: wenn wir die Wohlthätigkeit zur einzigen wesenhaften Eigenschaft der Gottheit machen, die Güter, welche die Heiden an die verschiedenen Dinge der Wirklichkeit vertheilten, versammelten die Christen in Ein Ding, daher die Christen Gott als den Inbegriff aller Güter bestimmen. Aber in der Definition, d. h. im Begriff der Gottheit selbst, im Princip, d. h. im Wesen oder Grunde unterscheiden sie sich nicht von den Heiden. In der Bibel, sowohl im A. als N. T. hat das Wort Gott in allen Stellen, wo es heißt: „ich werde ihr oder ihnen Gott sein", oder wo es den Genitiv nach sich hat, wie in der Stelle: „ich bin der Gott Abraham's" die Bedeutung: Wohlthäter. Augustin sagt im vierten Buche seines Gottesstaates: „wenn die Glückseligkeit eine Gottheit ist, wofür sie die Römer halten, warum verehren sie denn nicht sie allein, warum strömen sie nicht in ihren Tempel allein? denn wer ist, der nicht glücklich sein will? wer wünscht Etwas, außer um dadurch glücklich zu werden? wer will Etwas von irgend einem Gott erhalten, außer Glückseligkeit? Allein die Glückseligkeit ist keine Göttin, sondern eine Gabe Gottes. Der Gott also werde gesucht, der sie geben kann." In derselben Schrift sagt Augustin in Beziehung auf die platonischen Dämonen: „welche Unsterbliche und Selige auch immer in den himmlischen Wohnungen sein mögen, wenn sie uns nicht lieben und nicht wollen, daß wir selig sind, so sind sie durchaus nicht zu verehren." Nur was den Menschen liebt und seine Seligkeit will, ist daher ein Gegenstand der Verehrung für den Menschen, ein Gegenstand der Religion. Luther sagt in seiner Auslegung über etliche Kapitel des fünften Buchs Mose: „So beschreibet die Vernunft Gott, daß er sei, was einem Menschen Hülfe thue, ihm nütze und zu gute gereiche. Also haben die Heiden gethan .... Die Römer hatten viel Götter aufgeworfen um mancherlei Anliegen und Hülfe willen. ... So manche Noth, Gut und Nutzung auf Erden war, so manchen Gott hatte man erwählt, bis sie auch Gewächse und Knoblauch zu Göttern gemacht. ... Also haben wir unter dem Papstthum auch Götter gemacht, **eine jegliche Krankheit oder Noth hatte einen eigenen Helfer und Gott.** Die schwangern Frauen, wenn sie in Röthen waren, ruften die St. Margareten an, die war ihre Göttin ... St. Christoffel hat denen helfen sollen, die da in den letzten Zügen liegen. Also giebt ein jeder dem den Namen Gottes, da er sich am meisten Gutes zu versiehet .... Darum sage ich noch einmal, die Vernunft wisse etlicher Maßen, daß Gott könne und solle helfen, aber den rechten Gott kann sie nicht treffen. ... Es wird der wahrhaftige Gott in der Schrift genennet ein **Nothhelfer und Geber alles Guten.**" An einer andern Stelle sagt er von den Heiden: „Wiewohl sie nun in der Person Gottes irren um der Abgötterei willen (d. h. statt an den wahren Gott sich an falsche Götter wenden), so ist doch gleichwohl **der Dienst da, der dem rechten Gott gebührt,** d. i. die Anrufung und daß sie **alles Gutes und Hülfe von ihm erwarten.**" D. h. das subjective Princip der Heiden ist ganz recht, oder subjectiv haben sie Recht, insofern sie unter Gott sich Etwas denken, was nur gut, wohlthätig ist, aber objectiv, d. h. im Gegenstand irren sie. Die Christen eiferten daher besonders gegen die Götter der heidnischen Philosophie, namentlich gegen den Gott der Stoiker, der Epikuräer, der Aristoteliker, weil sie die Vorsehung, sei's nun ausdrücklich oder der That nach aufhöben, weil sie **die** Eigenschaften wegließen, welche allein den Grund zur Religion abgäben, wie ich schon früher bemerkte, die Eigenschaften, die sich auf das Wohl und Wehe des Menschen beziehen. So sagt z. B. Mosheim, ein gelehrter Theolog des vorigen Jahrhunderts, in seinen Anmerkungen zu Cudworth's Intellectualsystem, einem gegen den Atheismus gerichteten theologisch philosophischen Werke, gegen den Gott des Aristoteles, „daß er dem menschlichen Geschlecht nichts nütze, nichts schade, daher keines Cultus eigentlich würdig sei. Aristoteles glaubte, daß die Welt eben so nothwendig und ewig existire, als Gott. Daher hielt er auch den Himmel für unveränderlich, wie Gott. Hieraus folgt, daß Gott nicht frei ist, folglich es nutzlos ist, ihn anzuflehen; denn wenn die Welt nach einem ewigen Gesetze sich bewegt, und schlechterdings nicht abgeändert werden kann, so sehe ich nicht ein, was wir für Hülfe von Gott erwarten können. (Wir sehen, im Vorbeigehen bemerkt, an diesem Beispiel, daß der Gottes- und Wunderglaube, den der moderne Rationalismus auseinandergerissen hat, identisch ist, wie wir später sehen werden.) Aristoteles läßt nur Gott den Worten nach übrig, der That nach hebt er ihn auf. Der aristotelische Gott ist müßig, wie der epikuräische, seine Energie, d. h. Thätigkeit ist nur unsterbliches Leben und Beschauung oder Speculation. Weg aber mit einem Gott, der nur sich allein lebt, und dessen Wesen nur im Denken besteht! Denn wie kann von einem solchen Gott der Mensch Trost und Schutz hoffen?" Die bisher angeführten Aussprüche drücken übrigens nicht etwa die religiöse oder theologische Gesinnung dieser Einzelnen, sie drücken die Gesinnung der Theologen und Christen, die Gesinnung der christlichen Religion und Theologie selbst aus; es könnten ihnen unzählige ähnliche Aussprüche an die Seite gesetzt werden. Aber wozu diese unnöthige und langweilige Vielheit? Ich bemerke nur noch, daß auch schon die frommen gläubigen Heiden, selbst unter den Philosophen, eben so gegen die unnützen, philosophischen Götter polemisirten, so z. B. die Platoniker gegen den stoischen Gott, die Stoiker, welche im Vergleich zu den Epikuräern gläubige Heiden waren, gegen den Gott der Epikuräer. So sagt z. B. der Stoiker in Cicero's Schrift von der Natur der Götter: „selbst die Barbaren, sogar die so sehr verlachten Aegypter verehren kein Thier außer wegen seiner Wohlthätigkeit; aber von eurem müßigen Gott kann man keine Wohlthaten, nicht einmal eine Handlung, eine That anführen. Er ist aber deßwegen, heißt es dann weiter, nur dem Namen nach ein Gott". Wenn nun aber die bisher gegebenen Beweisstellen universelle Bedeutung haben, wenn die in ihnen ausgesprochene Gesinnung die durch alle Religionen und Theologieen hindurchgehende ist, wer kann es läugnen, daß der menschliche Egoismus das Grundprincip der Religion und Theologie ist? denn wenn die Anbetungs- und Verehrungswürdigkeit, folglich die göttliche Würde eines Wesens einzig abhängt von der Beziehung desselben auf das Wohl des Menschen, wenn nur ein dem Menschen wohlthätiges, nützliches Wesen ein göttliches ist, so liegt ja der Grund von der Gottheit eines Wesens einzig im Egoismus des Menschen, welcher Alles nur auf sich bezieht und nur nach dieser Beziehung schätzt. Wenn ich übrigens den Egoismus zum Grund und Wesen der Religion mache, so mache ich ihr damit keinen Vorwurf, wenigstens nicht im Princip, nicht uneingeschränkt. Ich mache ihr nur einen Vorwurf, wo dieser Egoismus ein ganz gemeiner ist, wie z. B. in der Teleologie, wo die Religion die Beziehung des Gegenstandes, namentlich der Natur auf den Menschen zu ihrem Wesen macht, eben deßwegen der Natur gegenüber einen unbegränzt egoistischen, die Natur verachtenden Charakter annimmt, oder wo er ein die Gränzen des nothwendigen, naturbegründeten Egoismus überfliegender un- und übernatürlicher, phantastischer Egoismus ist, wie in dem christlichen Glauben an Wunder und Unsterblichkeit.

Gegen diese meine Auffassung und Erklärung der Religion machen nun die theologischen Heuchler und speculativen Phantasten, welche die Dinge und Menschen nur vom Standpunkt ihrer selbstgemachten Begriffe und Einbildungen aus betrachten, welche nie von der Kanzel oder dem Katheder, diesen verkünstelten Höhepunkten ihres geistlichen und

speculativen Dünkels, herabsteigen, um sich auf gleichen Grund und Boden mit den zu betrachtenden Dingen zu stellen, die Einwendung, daß
ich, der ich, ganz im Gegensatz gegen diese geistlichen und speculativen
Herren, gewohnt bin, erst mit den Dingen mich zu identificiren, mich
mit ihnen gemein und bekannt zu machen, ehe ich über sie urtheile, par-
ticuläre, d. i. untergeordnete, zufällige Erscheinungen der Religion zu
ihrem Wesen mache. Das Wesen der Religion, entgegnen diese Heuchler, Phantasten und Speculanten, die nie einen Blick in das wirkliche
Wesen des Menschen geworfen, sei vielmehr das gerade Gegentheil von
dem, was ich zum Wesen der Religion mache, sei nicht die Selbstbejahung, nicht der Egoismus, sei vielmehr die Auflösung in das Abso-
-lute, Unendliche, Göttliche oder wie sonst die hohlen Phrasen lauten,
sei die Selbstverneinung, Selbstverläugnung, Selbstaufopferung des
Menschen. Allerdings giebt es Erscheinungen der Religion genug,
welche scheinbar wenigstens meine Auffassung der Religion widerlegen,
die entgegengesetzte rechtfertigen. Es sind die Verneinungen der Befriedigung der natürlichsten und mächtigsten Triebe, die Ertödtungen des
Fleisches und seiner bösen Gelüste, wie die Christen es nennen, die geistigen und leiblichen Castrationen, die Selbstquälereien und Selbstzer-
fleischungen, die Büßungen und Kasteiungen, welche fast in allen Religionen eine Rolle spielen. So haben wir schon gesehen, daß sich die
fanatischen Schlangenverehrer in Indien von Schlangen beißen, die
fanatischen oder enthusiastischen indischen und thibetanischen Thier-Ver-
ehrer von Wanzen, Läusen und Flöhen sich oder Andern aus religiöser
Selbstverläugnung das Blut aus dem Leibe und den Verstand aus dem
Kopfe saugen lassen. Ich füge diesen Beispielen noch andere mit Vergnügen bei, um meinen Gegnern selbst die Waffen gegen mich an die
Hand zu geben. Die Aegypter opferten dem Wohl ihrer heiligen Thiere
das Wohl der Menschen auf. So sorgte man bei Feuersbrünsten in
Aegypten mehr für die Rettung der Katzen, als für Löschung des Bran-
des. Eine Sorgfalt, welche mich unwillkürlich an jenen königlich

preußischen Polizeicommissär erinnert, welcher vor einigen Jahren an einem Sonntag während des Gottesdienstes in ächt preußisch christlicher Menschenverläugnung das Löschen einer Feuersbrunst verbot. Ja Diodor berichtet: „als einmal eine Hungersnoth die Aegypter drückte, so haben sich, sagt man, Viele gezwungen gesehen, einander selbst aufzuzehren, aber durchaus Niemand sei beschuldigt worden, eines der heiligen Thiere gegessen zu haben." Wie fromm, wie göttlich! Der durch die Religion geheiligten Bestialität zu Liebe fressen die Menschen einander auf! Maximus Tyrius erzählt in seiner achten Dissertation, daß eine Aegyptierin, welche ein junges Krokodil mit ihrem jungen Sohne aufgezogen hatte, diesen nicht beklagte, als jenes, herangewachsen, denselben auffraß, sondern vielmehr glücklich pries, daß er ein Opfer des Hausgottes geworden; und Herodot erzählt, daß eine Aegyptierin sich sogar mit einem Bocke begattet habe. (⁶) Kann man, frage ich die Philosophen und Theologen, welche freilich nicht in der Praxis, sondern nur in der Theorie die menschliche Selbstliebe als das Princip der Religion, Moral und Philosophie verwerfen, die Selbstverachtung und Selbstüberwindung weiter treiben, als diese Aegyptierinnen? Ein Engländer reiste einst, wie in den Anmerkungen zu „Hindu Gesetzbuch oder Menu's Verordnungen von Hüttner" erzählt wird, in Indien, an einem Dickicht vorbei. Auf einmal sprang ein Tiger heraus und ergriff einen kleinen lautaufschreienden Knaben. Der Engländer war außer sich vor Schrecken und Angst, der Hindu ruhig. „Wie, sagte Jener, könnt ihr so kalt bleiben?" Der Hindu antwortete: „Der große Gott wollte es so haben." Giebt es eine größere Resignation, als die, einen Knaben fühl- und thatlos, im frommen Vertrauen und Glauben, daß Alles, was geschieht, von Gott geschieht, und was von Gott geschieht, wohlgethan ist, von einem Tiger erwürgen zu lassen? Die Karthager opferten bekanntlich ihrem Gotte, dem Moloch in Zeiten der Noth und Gefahr das Liebste des Menschen, die eigenen Kinder. Gegen die

Gültigkeit dieses und anderer angeführten Beispiele kann man nicht einwenden, daß in der religiösen Selbstverläugnung der Mensch nicht andere Menschen, sondern nur sich selbst zu verneinen habe; denn es ist
gewiß sehr vielen Müttern und Vätern leichter sich selbst zu opfern, als
ihre Kinder. Daß die Karthager nicht unempfindlich waren für die
Liebe ihrer Kinder, beweist, daß sie, wie Diodor erzählt, eine Zeit lang
versucht hatten, anstatt der eignen Kinder fremde zu opfern. Aber
die Molochpriester nahmen diesen, obgleich höchst beschränkten und
illusorischen Versuch, den Molochdienst zu humanisiren, eben so übel
auf, als noch heute die speculativen und religiösen Anhänger der göttlichen Unmenschlichkeit es übel nehmen, wenn man die Religion
humanisiren will. „Es giebt Verehrer der Gottheit, sagen die Inder, wie in Menu's Verordnungen es heißt, durch Opfer, durch
Kasteiungen, durch eifrige Andacht, durch Forschen in der Schrift,
durch bezähmte Leidenschaft und durch strenge Lebensart. Einige
opfern ihren Athem und treiben ihn von seinem natürlichen Wege gewaltsam hinab, andere hingegen pressen
den Wind, welcher unten ist, mit ihrem Athem herauf, und einige,
welche diese beiden Kräfte sehr hoch halten, schließen die Thüre
von beiden zu." Welche Selbstüberwindung, das Unterste des
menschlichen Körpers zu oberst zu kehren und den natürlichen, aber
freilich egoistischen Trieb des Menschen nach Oeffnung und Freiheit
von allem Druck zu unterdrücken! Kein Volk hat sich überhaupt so sehr
durch Selbstpeinigungen und Büßungen ausgezeichnet, keines solche
Meisterstücke der religiösen Gymnastik gemacht, als die Hindus. „Einige zerfleischen sich, erzählt Sonnerat in seiner Reise nach Ostindien
und China von den indischen Büßern, durch unaufhörliche Ruthenstreiche
oder lassen sich mit einer Kette an den Stamm eines Baumes schmieden
und bleiben bis an ihren Tod daran gebunden. Andere geloben lebens-
lang in einer beschwerlichen Stellung zu bleiben, z. B. ihre Fäuste stets
geschlossen zu halten, so daß ihre Nägel, die sie niemals abschneiden,

mit der Länge der Zeit endlich die Hände durchwachsen. Noch
andre halten ihre Arme stets kreuzweis über die Brust oder über den
Kopf ausgestreckt, so daß sie dieselben zuletzt gar nicht mehr brauchen
können. Viele graben sich bei lebendigem Leibe in die Erde und ziehen
nur durch eine kleine Oeffnung frische Luft an sich." Ja die Inder,
welche den höchsten Grad der religiösen Vollkommenheit erreicht haben,
legen sich bisweilen „in das Gleis, um von dem Wagen, auf dem das
colossale Bild der zerstörenden Gottheit (Siva) an Festen gefahren wird,
zerquetscht zu werden." Kann man mehr verlangen? Und doch würden
wir egoistischen Europäer uns noch eher zu diesen Martern verstehen,
als zu jener religiösen Selbstverläugnung, womit der Inder selbst den
Urin der Kuh zur Purganz seiner Sünden trinkt und es für einen ver-
dienstvollen Selbstmord hält, sich mit Kuhmist zu bedecken und darunter
zu verbrennen. Was aber uns als Christen am meisten interessirt, das
sind die Selbstpeinigungen, die Selbstverläugnungen, welche die ältesten
Christen sich auferlegten. So brachte z. B. Simon Stylites nicht weniger als 30 Jahre auf einer Säule zu, und der heilige Antonius hielt
sich eine Zeit lang sogar in einem Grabe auf und trieb die religiöse Unter-
terdrückung des menschlichen Eigenwillens und jeder selbstsüchtigen
Fleischesregung so weit, daß er sich nicht einmal das lästige Ungeziefer
vom Leibe schaffte, sich niemals wusch und reinigte. Auch von der frommen Silvania, deren interessante Bekanntschaft ich übrigens nur Kolb's
Culturgeschichte verdanke, wird erzählt, daß „diese reine Seele in einem
Alter von 60 Jahren nie weder ihre Hände, noch ihr Gesicht, noch sonst
irgend einen Theil ihres Körpers jemals gewaschen hatte, ausgenommen
die Fingerspitzen, wenn sie die heilige Communion empfing!"
Was gehört aber dazu für ein heroischer Supranaturalismus und Suprahumanismus, den natürlichen Trieb zur Reinlichkeit zu überwinden,
dem wohlthätigen, freilich egoistischen Gefühl, das mit der Befreiung
des Körpers von allem Unrath verbunden ist, zu entsagen! Ich halte

diese Beispiele den religiösen Absolutisten entgegen; sie können diese
nicht als Verirrungen und Unsinnigkeiten von sich weisen. Allerdings
sind die angeführten Beispiele Ausgeburten des religiösen Unsinns und
Wahnsinns, aber der Wahnsinn, die Narrheit, die Verrücktheit gehört
eben so gut, wie in die Psychologie oder Anthropologie, in die Religionsphilosophie und Religionsgeschichte, da in der Religion keine anderen
Kräfte, Ursachen, Gründe wirken und sich vergegenständlichen, als in
der Anthropologie überhaupt. Gelten ja ausdrücklich dem religiösen
Menschen Krankheiten, sowohl leibliche als geistige, für wunderbare,
göttliche Erscheinungen. So betrachtet noch jetzt in Rußland „der Aberglaube", wie Lichtenstädt in seinen „Ursachen der großen Sterblichkeit
der Kinder mit einem Lebensjahre" bemerkt, viele krankhafte Zustände
der Kinder, zumal insofern man sie als Krämpfe ansieht, als etwas Heiliges und Unberührbares." Ja Wahnsinnige, Verrückte, Blödsinnige
gelten noch heute bei vielen Völkern für gottbeseelte Menschen, für Heilige. Ueberdem, so unsinnig die erwähnten Arten von Selbstverläugnung des Menschen sind, sie sind nothwendige Consequenzen von dem
Princip, das noch heute unsere Theologen, Philosophen und Gläubigen
überhaupt im Kopf haben. Stelle ich einmal die Selbstverläugnung
oder Auflösung in das phantastische Wesen der Religion und Theologie
als Princip auf, so sehe ich nicht ein, warum ich den natürlichen Trieb,
mich von der Stelle zu bewegen, den Trieb, mir den Schmutz vom Leibe
zu schaffen, den Trieb, nicht auf allen Vieren zu kriechen, wie viele Heilige thaten, sondern aufrecht zu gehen, nicht eben so gut verneinen soll,
als irgend einen anderen Trieb. Alle diese Triebe sind im Sinne der
Theologie egoistischer Natur; denn ihre Befriedigung ist mit Lust, mit
Selbstgefühl verbunden. Der Trieb aufrecht zu stehen entspringt sogar
nur aus dem menschlichen Stolz und Hochmuth und steht daher in directem Widerspruch mit der Unterthänigkeit, die uns die Theologie zumuthet. Alle die, welche das Princip des Egoismus in dem entwickelten Sinne des Worts, was ich stets wiederholen muß, aus der Religion

verbannen, sind im Grunde ihres Wesens, wenn sie es auch mit philo=
sophischen Phrasen überkleistert haben, religiöse Fanatiker, stehen noch
heute, wenn auch nicht körperlich, doch geistig auf dem Standpunkt der
christlichen Säulenheiligen, bringen noch heute, aber theoretisch, nicht
sinnlich, wie die alten und jetzt noch die sinnlichen Naturvölker, ihrem
Gott den Menschen als Opfer dar, waschen sich noch heute aus religiö=
sem Vorurtheil und Aberglauben den Schmutz nicht aus den Augen
und dem Kopfe, wenn sie sich ihn gleich im Widerspruche mit der hei=
ligen Silvania, ihrem Ideale, aus Inconsequenz und gemeinem Egois=
mus (denn der Schmutz im Auge, wenigstens im geistigen, ist nicht so
lästig, weil nicht so handgreiflich, als der am übrigen Körper) vom
Leibe halten.   Denn hätten sie im kalten Wasser der Natur und
Wirklichkeit ihre Augen rein gewaschen, so würden sie erkennen, daß
die Selbstverläugnung, so groß auch die Rolle ist, die sie in der
Religion spielt, nicht das Wesen der Religion ist, daß sie nur
den Menschen und eben deßwegen die Religion mit verblendeten Au=
gen ansehen, daß sie auf dem erhabenen Standpunkt ihres Katheders
oder ihrer Kanzel den egoistischen Zweck, der dieser Selbstverläug=
nung zu Grunde liegt, übersehen — übersehen, daß die Menschen in
der Praxis überhaupt gescheuter sind, als die Theologen auf der Kanzel
und die Professoren auf dem Katheder, folglich auch in der Religion
nicht einer Philosophie über die Religion, sondern ihrem Vernunft=
instinkt folgen, der sie vor dem Unsinn der religiösen Selbstverneinung
bewahrt, und selbst da, wo sie diesem Unsinn verfallen, noch einen
menschlichen Sinn und Zweck derselben unterschiebt.   Warum verläug=
net sich denn der Mensch in der Religion? um sich die Gunst seiner
Götter, die ihm Alles gewähren, was er nur wünscht, zu erwerben.
Durch die Strenge der Büßungen „kann man den Göttern trotzen, daß
sie jede Bitte gewähren und selbst die Gedanken augenblicklich er=
füllen." (Bohlen, Altes Indien I. B.) Der Mensch verneint sich
also nicht, um sich zu verneinen, — solche Verneinung ist, wo sie

stattfindet, purer religiöser Wahnsinn und Unsinn — er verneint
sich, wo wenigstens der Mensch bei menschlichen Sinnen ist, um
durch diese Verneinung sich zu bejahen.   Die Verneinung ist nur
eine Form, ein Mittel der Selbstbejahung, der Selbstliebe.   Der
Punkt, wo dieses in der Religion am deutlichsten zum Vorschein
kommt, ist das Opfer.

Neunte Vorlesung.

Der Gegenstand, in dem es augenfällig ist, daß die Selbstverneinung in der Religion nur ein Mittel, nur eine indirecte Form und Weise der Selbstbejahung, ist das O p f e r. Das Opfer ist eine Entäußerung eines für den Menschen werthvollen Gutes. Da aber das höchste und werthvollste Gut in den Augen des Menschen das Leben ist, da man dem Höchsten auch nur das Höchste opfern, nur damit ihn ehren kann, so ist das Opfer, wo der ihm zu Grunde liegende Begriff vollständig realisirt wird, die Verneinung, die Vernichtung eines lebendigen Wesens und zwar da das höchste lebendige Wesen der Mensch ist, die Verneinung des Menschen. Wir haben hieran, abgesehen von dem gleich zu erörternden Zweck des Menschenopfers, abermals den Beweis, daß dem Menschen nichts über das Leben geht, daß das Leben auf gleicher Stufe des Rangs mit den Göttern steht; denn dem Opfer liegt, im Allgemeinen wenigstens, das simile simili gaudet, d. h. Gleich und Gleich gesellt sich gern, zu Grunde; man bringt den Göttern nur dar, was ihres Sinnes, ihres Gleichen; der Mensch opfert daher das Leben nur den Göttern, weil in den Augen der Götter, wie der Menschen das Leben das höchste, köstlichste, ja göttlichste Gut, ein Opfer also ist, welchem die Götter nicht widerstehen können, welches den Willen der Götter dem des Menschen unterwirft.

Die Verneinung oder Vernichtung des Opfers ist nun aber keine

Verneinung in's Blaue hinein; sie hat vielmehr einen sehr bestimmten, egoistischen Zweck und Grund. Der Mensch opfert nur den Menschen — das höchste Wesen, um für in seinem Sinne höchstes Glück zu danken oder höchstes Unglück — sei es nun ein wirkliches oder voraussichtliches — von sich abzuwenden, denn das Versöhnungsopfer hat keinen selbst= ständigen Zweck und Sinn; man versöhnt sich ja nur deswegen mit den Göttern, weil sie eben die Wesen, von welchen alles Glück und Unglück abhängt, so daß den Zorn der Götter abwenden nichts Andres heißt, als das Unglück von sich abwenden, die Gunst oder Gnade der Götter erwerben nichts Andres heißt, als alles Gute und Wünschens= werthe erwerben. Nun einige Beispiele, um sowohl die Thatsache, als den angegebenen Sinn des Menschenopfers zu bestätigen. Ich beginne mit den Deutschen und den uns am nächsten verwandten Stämmen, ob es gleich gerade die Germanen sind, welchen die deutschen Gelehrten die lindeste Art der Menschenopfer andichten. Sie sagen nämlich, die Men= schenopfer seien bei ihnen nur Hinrichtungen von Verbrechern gewesen, also Bestrafungs= und zugleich Versöhnungsopfer für die durch die Ver= brechen beleidigten Götter. Die übrigen Menschenopfer seien nur durch Mißverstand und Ausartung entstanden. Allein auch angenommen, denn ein Beweis dafür ist nicht da, daß ursprünglich nur Verbrecher geopfert wurden — von einem solchen rohen Gotte, von einem Gotte, der sich einmal an den Martern eines Verbrechers ergötzt, von einem „Galgenfürsten", wie Odhin heißt, lassen sich auch noch ganz an= dere Rohheiten und Menschenopfer erwarten. Der Grund, warum die Deutschen, die doch selbst bis auf den heutigen Tag noch eine tüchtige Portion barbarischer Rohheit unter dem Heiligenschein des christlichen Glaubens in sich bergen, eine Ausnahme von den übrigen Völkern ge= macht haben sollen, liegt daher nur in dem patriotischen Egoismus der deutschen Gelehrten. Doch zur Sache. Nach einer norwegischen Sage war unter dem Könige Domald „Theuerung und Hungersnoth in Schweden. Da opferten die Landesbewohner viele Ochsen, aber es half nichts. Die Schweden beschlossen den König dem Odhin für Wiederkehr der Fruchtbarkeit und guten Zeit zu opfern. Sie schlachteten und opferten ihn und strichen sein Blut an alle Wände und Stühle in des Abgotts Hause und da ward seitdem bessere Zeit im Lande." „Die meisten Menschen kosteten die Opfer in Folge der Gelübbe um Sieg beim Beginn eines Kriegs. Den Gothen und Scandinaviern überhaupt war das schönste Opfer der Mensch, welchen sie im Krieg zuerst fingen. Die Sachsen, Franken, Heruler glaubten auch, daß Menschenopfer ihre Götter besänftigten. Die Sachsen brachten ihre Schlachtopfer den Göt= tern durch martervolle peinliche Strafen dar, sowie auch die Thuliter (Scandinavier) die ersten Kriegsgefangenen durch ausgesuchte Todesart dem Kriegsgott opferten". (F. Wachter in der Encyklo= pädie von Ersch und Gruber, Artikel Opfer.) Die Gallier opferten, wie Cäsar erzählt, wenn sie an schweren Krankheiten litten oder sich in Kriegsgefahren befanden, Menschen, in dem Glauben, daß die Götter nur dadurch versöhnt würden, wenn für das Leben eines Menschen das Leben eines andern dargebracht würde. Auch unsre östlichen Nachbarn, z. B. „die Esthen brachten den schrecklichen Göttern Menschenopfer dar. Die Menschenopfer wurden von Kaufleuten eingehandelt und wohl untersucht, ob sie keinen Leibesfehler hatten, was sie zum Opfern un= tauglich machte". (K. Eckermann: Lehrbuch der Religionsgeschichte. IV. Bd. Religion des Tschudischen Stammes.) Und die Slaven, we= nigstens die an der Ostsee, opferten ihrer Hauptgottheit dem Swanto= wit „alljährlich und sonst bei außerordentlichen Gelegenheiten einen Christen, weil der Priester, der das Opfer vollzog, sagte, daß er und die übrigen slavischen Götter durch Christenblut vorzüglich erfreut wür= den". (Wachter am angef. Ort.) Selbst auch die Römer und Griechen besudelten sich mit dem Blut religiöser Menschenopfer. So opferte z. B. vor der Schlacht bei Salamis, wie Plutarch erzählt, Themistokles, jedoch nur mit Widerstreben, nur gezwungen durch den Wahrsager Euphranbitos, der nur auf dieses Opfer Sieg und Glück den Griechen verhieß, brei vornehme perfische Jünglinge dem Bacchos Dinestes. Und in Rom wurden selbst noch zur Zeit Plinius des ältern mehrere Gefangene auf dem Ochsenmarkt lebendig begraben. Die Morgenländer opferten den Göttern selbst ihre eignen Töchter und Söhne — also die Wesen, für deren Leben man sonst, wie Justinus bei Gelegenheit der karthagischen Menschenopfer bemerkt, am meisten zu den Göttern fleht. Selbst die Israeliten „vergossen unschuldiges Blut, wie es in der Bibel heißt, das Blut ihrer Söhne und Töchter, die sie opferten den Götzen Kanaans". Aber nicht nur den Götzen, auch dem Herrn selbst opferte Jephthah seine Tochter, zwar nur in Folge eines unbesonnenen, verhängnißvollen Gelübbes, daß er, wenn er siegen würde, alles Das zum Brandopfer opfern wolle, was aus der Hausthür zuerst ihm entgegenkomme; und unglücklicher Weise war es sein eigenes Kind, seine Tochter, bie ihm zuerst begegnete; aber wie hätte er, wie schon viele Gelehrte hinlänglich bemerkten, auf den Gedanken kommen können, seine Tochter zu opfern, wenn das Menschenopfer verpönt gewesen wäre? Unter allen religiösen Menschenschindern und Menschenschlächtern zeichneten sich jedoch die alten Mexikaner durch die Grausamkeit und Unzahl ihrer Menschenopfer aus, deren oft an einem Tage fünf, ja zwanzig Tausend gefallen sein sollen.

Wie fast aller religiöse Unsinn und Greuel des Alterthums sich bis auf die neueste Zeit erhalten hat, so auch das blutige Menschenopfer. So faub man, wie in den Anmerkungen zu „Hindu Gesetzbuch" erzählt wird, im Jahre 1791 in einem Tempel des Djos oder Sivas eines Morgens einen enthaupteten Harri, d. i. Einen von der niedrigsten Kaste, den man zur Abwendung eines großen Unglücks hingerichtet hatte. Und gewisse wilde Mahrattenstämme nähren und mästen sogar die schönsten Knaben und Mädchen wie Schlachtthiere, um sie bei besondern Festen zu opfern. Selbst die sentimentalen, selbst für das Leben der Insekten zärtlichst besorgten Inder stürzen in Zeiten großen Unglücks, wie Krieg und Hungersnoth, die vornehmsten Brahminen von den Pagoden herunter, um dadurch den Zorn der Götter zu versöhnen. „In Tonkin (in Hinterindien) tödtet man jährlich, wie Meiners in seiner Allgem. Geschichte der Religionen aus Reisebeschreibungen anführt, Kinder durch Gift, damit die Götter die Felder segnen und eine reiche Ernte schenken mögen oder man haut Eins der Kinder in der Mitte durch, um die Götter zu besänftigen oder zu bewegen, daß sie den übrigen nicht schaden wollen. In Laos baut man sogar den Göttern keinen Tempel, ohne die zuerst Vorübergehenden in die Fundamente zu legen und dadurch den Grund und Boden gleichsam zu heiligen". „Unter manchen Negervölkern opfert man noch jetzt viele Hunderte und Tausende von Gefangenen in dem Wahn, daß man durch solche Opfer am sichersten sich die Gnade der Götter und dadurch den Sieg über die Feinde verschaffen könne. In andern Gegenden Afrikas schlachtet man bald Kinder, bald erwachsene Menschen, um dadurch die Wiederherstellung kranker Könige oder die Verlängerung ihres Lebens zu erhalten". (Meiners.) Die Khands in Gondwana, ein neuentdeckter Stamm der Ureinwohner Indiens, opfern, wie im Ausland Jahrgang 1849 berichtet wird, ihrem obersten Gott, dem Erdgott Bera Pennu, von welchem ihrem Glauben nach das Gedeihen der Menschen, Thiere und Felder abhängt, regelmäßig jährlich Menschen, außerdem noch in Unglücksfällen, wie wenn z. B. ein Kind von einem Tiger zerrissen wird, um die zornigen Götter zu versöhnen. Auch die Südseeinsulaner waren bis auf die neueste Zeit Menschenopferer und sind es zum Theil noch.

Die christliche Religion wird gewöhnlich beswegen gerühmt, daß sie die Menschenopfer abgeschafft. Sie hat aber an die Stelle der blutigen Menschenopfer nur Opfer anderer Art — an die Stelle des körperlichen Menschenopfers das psychologische, geistige Menschenopfer gesetzt, das Menschenopfer, welches zwar nicht dem sinnlichen Scheine, aber der That und Wahrheit nach ein Menschenopfer ist. (7) Leute, die sich daher nur an den Schein halten, glauben, daß die christliche Religion etwas wesentlich Verschiedenes von der heidnischen Religion in die

Welt gesetzt hat, aber es ist nur Schein. Ein Beispiel: Die christliche Kirche hat die Selbstentmannung verworfen, obwohl selbst dieser in der Bibel, sei es nun wirklich oder scheinbar, das Wort geredet wird; wenigstens hat der große Kirchenvater Origenes, der gewiß eben so gelehrt war, wie die jetzigen Herren Theologen, sie so verstanden, daß er sich für verpflichtet erachtete, sich selbst zu entmannen; die christliche Kirche und Religion, sage ich, hat die körperliche Selbstentmannung der heidnischen Religion auf's strengste verboten, aber auch die geistige? Mit Nichten. Sie hat der moralischen, geistigen, psychologischen Selbstentmannung zu jeder Zeit das Wort geredet. Selbst Luther setzt noch den ehelosen Stand über den ehelichen. Was ist aber für ein Unterschied zwischen der körperlichen und geistigen Vernichtung eines Organes? Keiner; dort nehme ich einem Organe seine körperliche, anatomische, hier seine physiologische Existenz und Bedeutung. Ob ich aber ein Organ nicht habe, oder es nicht zu der von der Natur bestimmten Verrichtung gebrauche, ob ich es leiblich oder geistig tödte, ist ganz Eins. Dieser Unterschied zwischen der heidnischen und christlichen Selbstentmannung ist aber der Unterschied zwischen dem heidnischen und christlichen Menschenopfer überhaupt. Die christliche Religion hat allerdings keine körperlichen, anatomischen, aber sie hat genug psychologische Menschenopfer auf ihrem Gewissen. — Wo einmal ein abstractes, vom wirklichen Wesen unterschiedenes Wesen dem Menschen als Ideal vorschwebt, wie sollte da der Mensch nicht Alles von sich verbannen, von sich abzustreifen suchen, was diesem seinem Ziel, seinem Ideale widerstrebt! Einem Gott, der kein sinnliches Wesen ist, opfert auch nothwendig der Mensch seine Sinnlichkeit; denn ein Gott ist, wie wir später noch besonders entwickeln werden, nichts Andres, als das Ziel, das Ideal des Menschen. Ein Gott, der nicht mehr ein moralisches, praktisches Vorbild des Menschen, der nicht ist, was der Mensch selbst sein soll und will, ist nur ein Namensgott. Kurz die christliche Religion wie sie sich überhaupt — versteht sich als Religion, d. h. auf theologischem Glauben beruhende

Religion — nicht dem Princip nach von den anderen Religionen unterscheidet, so auch nicht in diesem Punkt. Wie das Christenthum an die Stelle des sichtbaren, sinnlichen, körperlichen Gottes den unsichtbaren, so hat sie auch an die Stelle des sichtbaren, handgreiflichen Menschenopfers das unsichtbare, unsinnliche, aber nichts desto weniger wirkliche Menschenopfer gesetzt.

Aus den angeführten Beispielen sehen wir, daß selbst die an sich unsinnigste und schrecklichste Verneinung des Menschen, der religiöse Mord, einen menschlichen oder egoistischen Zweck hat. Selbst auch da, wo der Mensch die religiöse Menschentödtung nicht an Andern, sondern an sich selbst vollzieht, wo er alle irdischen Güter aufgiebt, alle sinnlichen und menschlichen Freuden verwirft, ist diese Verwerfung nur das Mittel, die himmlische oder göttliche Seligkeit zu erwerben und zu genießen. So bei den Christen. Der Christ opfert, verneint sich nur, um die Seligkeit zu erwerben. Er opfert sich Gott, heißt: er opfert alle irdischen, vergänglichen Freuden, weil sie dem supranaturalistischen Sinn des Christen nicht genug thun, dem himmlischen Freudenreich auf. So auch die Inder. So heißt es z. B. in Menu's Gesetzbuch: „Wenn der Brahmine alle sinnlichen Vergnügungen zu scheuen anfängt, dann gelangt er zu einer Glückseligkeit in dieser Welt, welche auch nach dem Tode fortdauern wird". „Wenn ein Brahmine seinen Körper ..... unvermerkt zerrüttet hat und gleichgültig gegen Kummer und Furcht geworden ist, so wird er in dem göttlichen Wesen höchst erhaben werden". Eins mit Gott, selbst Gott zu werden, ist also das Streben des Brahminen bei seinen Entsagungen und Selbstverneinungen; aber diese phantastische Selbstentäußerung ist zugleich mit dem höchsten Selbstgefühl, der höchsten Selbstbefriedigung verbunden. Die Brahminen sind die hochmüthigsten Menschen unter der Sonne, sie sind sich die irdischen Götter, vor denen alle anderen Menschen Nichts sind. Die religiöse Demuth, die Demuth vor Gott entschädigt sich überhaupt immer durch den geistlichen Hochmuth gegen die Menschen. Selbst schon die Absonderung von den Sinnen, das nichts Sehen, nichts Fühlen, nichts Riechen, was der Inder erstrebt, ist mit phantastischer Wohllust verbunden. In Bernier's Memoiren heißt es von den Brahminen: „Sie versinken so tief in Entzückungen, daß sie viele Stunden lang fühllos sind, während dieser Zeit sehen sie, wie sie vorgeben, Gott selbst wie ein glänzendes, unbeschreibliches Licht mit der Empfindung der unaussprechlichsten Wonne und einer gänzlichen Verachtung und Absonderung von der Welt. Dies hörte ich von einem derselben, welcher behauptete, daß er sich in dieses Entzücken versetzen könne, wenn er wolle". Bekannt ist es überhaupt, wie nahe religiöse Grausamkeit und Wohllust mit einander verwandt sind. Wenn nun aber schon aus den höchsten Formen des Opfers der menschliche Egoismus als der Zweck desselben hervorleuchtet, so tritt dieser noch mehr bei den niederen Formen des Opfers vor die Augen. „Die Fischer- und Jägervölker in Amerika, Sibirien und Afrika opfern etwas von der erlangten Beute den Göttern oder den Geistern der getödteten Thiere; aber sie opfern gewöhnlich nur in der Noth, so auf gefahrvollen Wegen und Strömen ganze Thiere. Die Kamtschadalen bringen den Göttern gewöhnlich von gefangenen Fischen nur die Köpfe und Schwänze, welche sie selbst nicht genie-

Sibirien, in den Statthalterschaften Orenburg, Kasan und Astrachan

Pferden und Kühen oder Schafen und Rennthieren bestehen, entweder nichts als die Knochen und Hörner oder höchstens neben den Knochen und Hörnern noch die Köpfe oder die Nase und Ohren, die

---

*) Nach Stephan Krascheninnikow's Beschreibung von Kamtschatka sind jedoch das vornehmste Opfer bei den Kamtschadalen Lumpen, die auf einen Pfahl gesteckt werden.

Füße und Gedärme. Die Neger in Afrika laſſen den Göttern — auch nichts weiter zukommen, als die Häute und Hörner". (Meiners a. a. O.) Die claſſiſchen Völker, die Römer und Griechen hatten zwar Holokauſta, d. h. Opfer, bei welchen nach Abzug der Haut das ganze Opferthier den Göttern zu Ehren verbrannt wurde; aber gewöhnlich gab man den Göttern nur einen Theil, die beſten Biſſen verzehrte man ſelbſt. Bekannt iſt die, jedoch verſchieden erklärte, Stelle bei Heſiod, wo es heißt, daß der liſtige Prometheus die Menſchen gelehrt habe, das Fleiſch der Opferthiere für ſich zu behalten, den Göttern aber nur die Knochen zu opfern. Im Widerſpruch mit dieſer Kargheit der Opfer ſtehen ſcheinbar die verſchwenderiſchen Opfer, welche zu gewiſſen Zeiten die Griechen und Römer ihren Göttern brachten. So opferte Alexander nach dem Siege über die Lakedämonier eine Hekatombe und ſeine Mutter Olympias gewöhnlich 1000 Ochſen. Eben ſo opferten die Römer, um zu ſiegen oder nach erhaltenem Siege, Hunderte von Ochſen oder Alles, was im Frühling von Kälbern und Lämmern, Ziegen und Schweinen geboren wurde. Nach dem Tode des Tiberius freuten ſich die Römer über ihren neuen Beherrſcher ſo ſehr, daß ſie ſogar, wie Suetonius erzählt, in den erſten drei Monaten der Regierung des Caligula über 160,000 Stück Vieh opferten. Meiners macht in ſeiner angeführten Schrift zu dieſen ſplendiden Opfern die Bemerkung: „es mache den Griechen und Römern keine Ehre, daß ſie alle übrigen bekannten Völker in zahlreichen Opfern übertrafen, und noch weniger, daß die größte Ver- ſchwendung in Opfern vorzüglich in die Zeit fiel, wo die Griechen und Römer am meiſten Kunſt und Wiſſenſchaft beſaßen". Höchſt charakte- riſtiſch für die Richtung, welche die Philoſophie in neuerer Zeit genom- men, bemerkt ein Philoſoph aus der Hegel'ſchen Schule in ſeiner „Natur- religion" zu dieſer Aeußerung Meiners: „aber es macht auch Meiners wenig Ehre, nicht eingeſehen zu haben, daß eine Hekatombe, eine ſolche Entäußerung des eigenen Beſitzes, eine ſolche Gleichgültigkeit gegen den Nutzen eine der Gottheit, wie des Menſchen höchſt würdige Feſtlichkeit

ist". Ja! eine höchst würdige Festlichkeit im Sinne der modernen spiri-
tualistischen Auffassung der Religion, welche den Sinn der Religion
nur in ihrem Unsinn findet, und es daher für des Menschen würdiger
erklärt, Hunderte und Tausende von Ochsen den nichts bedürfenden
Göttern zu opfern, als zum Besten der bedürftigen Menschen zu verwenden. Aber selbst diese Opfer, die der religiöse Aristokratismus und
Sybaritismus zu seinen Gunsten anführt, bestätigen die von mir entwickelte Ansicht. Was ich über das Gefühl der Noth und das Gefühl
der Freude über die Erlösung aus der Noth angeführt, das erklärt auch
vollständig die verschiedenen Erscheinungen der Opfer. Große Furcht,
große Freude bringt auch große Opfer; beide Affecte sind maaßlos, traus-
cendent, überschwänglich; beide Affecte daher auch die psychologischen
Ursachen der überschwänglichen Wesen, der Götter. Maaßlose Opfer
finden nur statt in Zuständen maaßloser Furcht und Freude. Nicht den
Göttern im Olymp, nicht außer- und übermenschlichen Wesen; nein!
nur den Affecten der Furcht und Freude opferten die Griechen
und Römer Hekatomben. Im gewöhnlichen Lauf der Dinge, wo der
Mensch auch nicht über den gewöhnlichen gemeinen Egoismus sich
erhebt, da bringt er auch nur egoistische Opfer im Sinne des gewöhnlichsten Egoismus; aber in außerordentlichen Momenten und eben deswegen außergewöhnlichen, nicht alltäglichen Affecten bringt er auch
außerordentliche Opfer. (8) In der Furcht verspricht der Mensch Alles,
was er besitzt; im Taumel der Freude, wenigstens im ersten Taumel,
so lange er noch nicht in das gewöhnliche Gleis des alltäglichen Egoismus eingetreten, erfüllt er dieses Versprechen. Kurz die Furcht und
Freude sind communistische Affecte, aber Communisten aus Egoismus. Die geizigen und schmutzigen Opfer unterscheiden sich daher nicht
dem Princip nach von den liberalen und splendiden Opfern. Uebrigens ist hiermit allerdings nicht der Unterschied zwischen den Hekatomben, welche die Griechen, und den Fischschwänzen, Hörnern, Klauen
und Knochen, welche die uncultivirten Völker den Göttern opfern,

erschöpft. So unterschieden die Menschen, so unterschieden sind auch ihre Religionen und so unterschieden ihre Religionen, so unterschieden ihre Opfer. Der Mensch befriedigt in der Religion keine anderen Wesen; er befriedigt in ihr sein eigenes Wesen. Der ungebildete Mensch hat keine anderen als Unterleibs-Bedürfnisse und Interessen; sein wahrer Gott ist sein Magen. Für die falschen, scheinbaren Götter, für die Götter, die nur in seiner Einbildung existiren, hat er daher nichts, als was sein Magen übrig läßt — Fischschwänze und Fischköpfe, Hörner, Häute und Knochen. Der gebildete Mensch hat dagegen ästhetische Wünsche und Bedürfnisse; er will nicht Alles ohne Unterschied, was nur immer seinen Magen füllt und seinen Hunger stillt, essen; er will Auserlesenes essen; er will überdies Angenehmes riechen, sehen, hören; kurz er hat Kunstsinn. Ein Volk, welches daher zu seinen Göttern die Kunstsinne hat, hat natürlich auch kunstsinnige Opfer, Opfer, die Augen und Ohren wohlgefallen. Oder ein luxuriöses Volk hat auch luxuriöse Opfer. So weit die Sinne eines Volkes reichen, so weit reichen auch seine Götter. Wo sich der Sinn, der Blick des Menschen nicht bis zu den Sternen erhebt, da hat er auch keine himmlischen Körper zu seinen Göttern, und wo der Mensch, wie die Ostjaken und Samojeden, selbst Aeser ohne Ekel ißt, todte Wallfische mit Appetit genießt, da sind auch seine Götter abgeschmackte, unästhetische, ekelhafte Götzen. Wenn man daher die Hekatomben der Griechen und Römer in diesem, die Religion in den Menschen auflösenden Sinne, wenn man sie als Opfer betrachtet, welche sie ihren eigenen Sinnen darbrachten, so kann man es allerdings ihnen als Ehre anrechnen, daß sie nicht blos dem gemeinen Eigennutz und Nützlichkeitsinteresse huldigten.

.Wir haben bisher nur das eigentliche religiöse Opfer betrachtet; die Geschichte der Religion stellt uns aber auch noch andere Opfer vor, die wir im Unterschiede von den eigentlichen religiösen moralische nennen können. Es sind dies die freiwilligen Selbstaufopferungen zum Besten anderer Menschen, zum Besten des Staats, des Vaterlandes. Der Mensch bringt sich hier den Göttern zwar auch als Opfer dar, um ihren Zorn zu beschwichtigen, aber das diese Opfer Bezeichnende ist doch der moralische oder patriotische Heldenmuth. So opferten z. B. bei den Römern die beiden Decier sich für ihr Vaterland auf, bei den Karthagern die beiden Philänen, die bei einer Gränzstreitigkeit zwischen Karthago und Cyrene sich lebendig begraben ließen, — so wird wenigstens erzählt — und dadurch dem karthagischen Gebiete großen Zuwachs verschafften, desgleichen der Suffete Hamilkar, der sich zur Sühnung der Götter in die Flammen stürzte, dafür aber wie die beiden Philänen von den Karthagern göttlich verehrt wurde, bei den Griechen Sperthias, Kodrus, der fabelhafte Menökeus. Aber diese Opfer rechtfertigen am wenigsten die Vorstellung jener supranaturalistischen, phantastischen Verneinung des Menschen, welche die religiösen und speculativen Absolutisten zum Wesen der Religion machen; denn gerade diese Selbstverläugnungen haben ja augenfällig zu ihrem Inhalt und Zweck die Bejahung menschlicher Zwecke und Wünsche, nur daß hier die Verneinung und die Bejahung, das Opfer und der Egoismus an verschiedene Personen fallen. Aber die Personen, für die ich mich opfere, sind ja meine Mitbürger, meine Landsleute. Ich habe dasselbe Interesse wie sie; es ist mein eigner Wunsch, daß mein Vaterland gerettet werde. Ich opfere daher keinem fremden, von mir unterschiedenen theologischen Wesen, ich opfere meinem eigenen Wesen, meinen eigenen Wünschen, meinem eigenen Willen, mein Vaterland errettet zu wissen, mein Leben auf. So wie die wahren Götter, denen die Griechen und Römer ihre prachtvollen Opfer darbrachten, nicht die Götter außer dem Menschen waren, sondern ihre kunstgebildeten Sinne, ihr ästhetischer Geschmack, ihr Luxus, ihre Liebe zu Schauspielen, so ist auch die wahre Gottheit, der ein Kodrus, ein Decius, ein Hamilkar, die Philänen sich opferten, einzig die Vaterlandsliebe gewesen; aber die Vaterlandsliebe schließt nicht die Selbstliebe aus; mein eigenes Wohl und Wehe ist mit dem Wohl und Wehe desselben innigst verbunden. Daher durfte, wie Herodot erzählt, bei den Persern der Opfernde nicht blos für sich Gutes erbitten, sondern „für alle Perser, denn unter allen Persern ist ja auch er". Wenn ich also auch nur für mein Vaterland bitte, so bitte ich doch zugleich auch für mich; denn in normalen Zuständen ist ja mein und der Andern Wohl innigst verbunden. Nur in außerordentlichen Unglücksfällen muß sich der Einzelne dem Allge- meinen, d. h. der Majorität opfern. Aber es ist eine Thorheit, den außerordentlichen, abnormen Fall zur Norm zu machen, die Selbstverläugnung zum unbedingten, universellen Princip und Gesetz zu machen; als wäre das Allgemeine und Einzelne etwas wesent- lich Verschiedenes, als bestünde das Allgemeine nicht eben selbst aus den Einzelnen, als ginge daher nicht der Staat, die Gemeinschaft der Menschen zu Grunde, wenn jeder Mensch die Forderung der spe- culativen, religiösen und politischen Absolutisten, die Forderung der Selbstverneinung, Selbstentleibung an sich erfüllte. Nur der Egois- mus ist es, der die Staaten zusammenhält; nur da lösen die Staaten sich auf, wo der Egoismus eines Standes, einer Klasse oder Einzelner den Egoismus anderer Menschen, anderer Stände nicht als gleichbe- rechtigt anerkennt. Selbst wo ich aber meine Liebe über die Schranken meines Vaterlandes auf die Menschen überhaupt ausdehne, selbst von der allgemeinen Menschenliebe ist nicht die Selbstliebe ausgeschlossen; denn ich liebe ja in den Menschen mein Wesen, mein Geschlecht; sie sind ja Fleisch von meinem Fleisch und Blut von meinem Blute. Ist nun aber die Selbstliebe ein von jeder Liebe unzertrennliches, überhaupt ein nothwendiges, unaufhebbares, universelles Gesetz und Princip, so muß dieses auch die Religion bestätigen. Und sie bestätigt es auch wirklich auf jedem Blatte ihrer Geschichte. Ueberall, wo der Mensch

7*

den menschlichen Egoismus in dem entwickelten Sinn bekämpft, sei es nun in der Religion oder Philosophie oder Politik, verfällt er in puren Unsinn und Wahnsinn; denn der Sinn, der allen menschlichen Trieben, Bestrebungen, Handlungen zu Grunde liegt, ist die Befriedigung des menschlichen Wesens, die Befriedigung des menschlichen Egoismus.

Zehnte Vorlesung.

Der Gegenstand der bisherigen Vorlesungen und der ihnen zu Grunde gelegten Paragraphen war, daß der im Menschen liegende Grund und Ursprung der Religion das Abhängigkeitsgefühl, der Gegenstand dieses Abhängigkeitsgefühles aber, so lange dieses noch nicht durch hyperphysische Speculation und Reflexion verfälscht ist, die Natur ist; denn in der Natur leben, weben und sind wir; sie ist das den Menschen Umfassende; sie ist es, durch deren Hinwegnahme auch seine eigene Existenz aufgehoben wird; sie ist es, durch die er besteht, von der er in allem seinem Thun und Treiben, bei allen seinen Tritten und Schritten abhängt. Den Menschen von der Natur losreißen, ist eben so viel, als wenn man das Auge vom Lichte, die Lunge von der Luft, den Magen von den Nahrungsmitteln absondern und zu einem für sich selbst bestehenden Wesen machen wollte. Das aber, wovon der Mensch abhängt, was die Macht über Tod und Leben, die Quelle der Furcht und Freude ist, das ist und heißt der Gott des Menschen. Das Abhängigkeitsgefühl führte uns aber auf Grund der Thatsache, daß der Mensch die Natur, überhaupt einen Gott nur verehrt wegen seiner Wohlthätigkeit oder, wenn auch wegen seiner Schädlichkeit und Schrecklichkeit, doch nur deswegen, um diese seine Schädlichkeit von sich abzuwenden, auf den Egoismus als den letzten verborgenen Grund der Religion. Zur

Beseitigung von Mißverständnissen und zur tieferen Begründung dieses Gegenstandes noch Dieses. Das Abhängigkeitsgefühl scheint dem Egoismus zu widersprechen; denn im Egoismus unterordne ich den Gegenstand mir, im Abhängigkeitsgefühl aber mich dem Gegenstand; im Egoismus fühle ich mich als etwas Gewichtiges, Bedeutendes, aber in dem Abhängigkeitsgefühl empfinde ich ja meine Nichtigkeit vor einem Mächtigern. Aber untersuchen wir nur die Furcht, die der äußerste Grad und Ausdruck des Abhängigkeitsgefühles ist! Warum fürchtet der Sclave seinen Herrn, warum der Naturmensch den Gott des Donners und Blitzes? weil der Herr das Leben des Sclaven, der Donnergott das Leben des Menschen überhaupt in seinen Händen hat. Was fürchtet er also? den Verlust seines Lebens. Er fürchtet sich also nur aus Egoismus, aus Liebe zu sich selbst, zu seinem Leben. Wo kein Egoismus, ist auch kein Abhängigkeitsgefühl. Wem das Leben gleichgültig, nichts ist, dem ist auch Das nichts, wovon dasselbe abhängig; er fürchtet und erwartet nichts davon, es ist daher in seiner Gleichgültigkeit kein Anhalts- und Anknüpfungspunkt für das Abhängigkeitsgefühl gegeben. Wenn ich z. B. die freie Bewegung liebe, so fühle ich mich abhängig von dem, der sie mir nehmen oder geben, der mich einsperren oder ins Freie gehen lassen kann, denn ich möchte oft spazieren gehen, kann es aber nicht, weil ein mächtigeres Wesen mir es wehrt; bin ich aber gleichgültig, ob ich eingesperrt oder frei, auf meiner Stube oder im Freien bin, so fühle ich mich nicht abhängig von dem, der mich einsperrt, denn er übt weder durch die Erlaubniß, noch das Verbot der freien Bewegung eine erfreuliche oder erschreckliche, also keine das Abhängigkeitsgefühl in mir erzeugende Macht über mich aus, weil der Trieb zum Spazierengehen keine Macht in mir ist. Die äußere Macht setzt also voraus eine innere, psychologische Macht, ein egoistisches Motiv und Interesse, ohne welches sie nichts für mich ist, keine Macht auf mich ausübt, kein Abhängigkeitsgefühl mir einflößt. Die Abhängigkeit von einem anderen Wesen ist in Wahrheit nur die Abhängigkeit von meinem eigenen Wesen, von meinen eigenen Trieben, Wünschen und Interessen. Das Abhängigkeitsgefühl ist daher nichts Andres als ein indirectes, oder verkehrtes oder negatives Selbstgefühl, kein unmittelbares allerdings, aber ein durch den Gegenstand, von dem ich mich abhängig fühle, vermitteltes Selbstgefühl. Abhängig bin ich ja nur von den Wesen, die ich bedarf zum Behufe meiner Existenz, ohne die ich nicht kann, was ich können will, die die Macht haben, mir zu gewähren, was ich wünsche, was ich bedarf, aber nicht selbst die Macht habe, mir zu gewähren. Wo kein Bedürfniß, ist kein Abhängigkeitsgefühl; bedürfte der Mensch die Natur nicht zu seiner Existenz, so würde er sich nicht von ihr abhängig fühlen, so würde er sie folglich auch nicht zum Gegenstande religiöser Verehrung machen. Und je mehr ich einen Gegenstand bedarf, desto abhängiger fühle ich mich von ihm, desto mehr Macht hat er über mich; aber diese Macht des Gegenstandes ist selbst eine abgeleitete, eine Folge von der Macht meines Bedürfnisses. Das Bedürfniß ist eben so der Knecht, als der Herr seines Gegenstandes, eben so demüthig, als hoch- oder übermüthig; es bedarf den Gegenstand, es ist unglücklich ohne ihn; darin liegt seine Unterthänigkeit, seine Hingebung, seine Selbstlosigkeit; aber es bedarf ihn, um sich an ihm zu befriedigen, um ihn zu genießen, um ihn zu seinem Besten zu verwenden; darin liegt seine Herrschsucht oder sein Egoismus. Diese widersprechenden oder entgegengesetzten Eigenschaften hat auch das Abhängigkeitsgefühl an sich, denn dieses ist nichts Andres, als das zum Bewußtsein oder Gefühl gekommene Bedürfniß eines Gegenstandes. So ist der Hunger nichts als das mir zum Gefühl und darum zum Bewußtsein kommende Nahrungsbedürfniß meines Magens; nichts Andres also, als das Gefühl meiner Abhängigkeit von Nahrungsmitteln. Aus dieser amphibolischen, d. i. zweideutigen und wirklich zweiseitigen Natur des Abhängigkeitsgefühls erklärt sich auch die Thatsache, über die man sich so oft verwundert hat, weil man sich keinen vernünftigen Erklärungsgrund davon hat angeben können*), daß die Menschen Thiere und Pflanzen, die sie doch vernichteten, verzehrten, religiös verehren konnten. Das Bedürfniß, das mich nöthigt, einen Gegenstand zu verzehren, hat ja das Doppelte in sich, daß es mich eben so dem Gegenstande, als den Gegenstand mir unterwirft, daß es also eben so religiös, als irreligiös ist. Oder wenn wir das Bedürfniß in seine Bestandtheile, seine Momente, wie die modernen Philosophen sagen, zergliedern, so haben wir in ihm den Mangel und den Genuß eines Gegenstandes; denn zum Bedürfniß des Gegenstandes gehört ja der Genuß desselben, das Bedürfniß ist ja nichts als das Bedürfniß des Genusses. Der Genuß des Gegenstandes ist nun allerdings frivol oder kann wenigstens so aufgefaßt werden, indem ich hier den Gegenstand verzehre, aber das Bedürfniß, d. h. das Mangelgefühl, die Sehnsucht des Verlangens, das Gefühl der Abhängigkeit von dem Gegenstand ist religiös, demüthig, phantastisch, vergötternd. So lange Etwas ja nur Gegenstand des Verlangens, ist es mir das Höchste, schmückt es die Phantasie mit den glänzendsten Farben aus, erhebt es mein Bedürfniß bis in den siebenten Himmel; so bald ich es aber habe, genieße, verliert es als ein Gegenwärtiges alle religiösen Reize und Illusionen, wird es etwas Gemeines; daher die gemeine Erfahrung, daß alle, wenigstens rohsinnlichen, d. h. nur augenblicklichen Gefühlen und Eindrücken lebenden Menschen in der Noth, im Unglück, d. h. in den Momenten, wo sie Etwas bedürfen, hingebend, aufopfernd sind, Alles versprechen, aber so wie sie das Vermißte oder Gewünschte haben, undankbar, selbstsüchtig sind, Alles vergessen; daher der Spruch: Noth lehrt beten; daher die den Frommen so anstößige Erscheinung, daß die Menschen insgemein nur in Noth, Mangel, Unglück religiös sind.

Die Thatsache oder Erscheinung, daß die Menschen Dinge oder

---

*) Und doch essen die Christen selbst ihren Gott.

Wesen, die sie verzehren, als religiöse Gegenstände verehren, ist daher so wenig eine seltsame und verwundersame, daß sie vielmehr die Natur des religiösen Abhängigkeitsgefühles uns nach seinen beiden entgegengesetzten Seiten klar und offen vor die Augen stellt. Der Unterschied zwischen dem christlichen und heidnischen Abhängigkeitsgefühl ist nur der Unterschied zwischen den Gegenständen desselben, der Unterschied, daß der Gegenstand des heidnischen ein bestimmter, wirklicher, sinnlicher, der Gegenstand des christlichen — abgesehen von dem fleischgewordenen, eßbaren Gott — ein unbeschränkter, allgemeiner, nur gedachter oder vorgestellter, daher kein körperlich genießbarer oder nutzbarer ist; aber gleichwohl ist er eben so gut ein Gegenstand des Genusses, eben weil für den Christen ein Gegenstand des Bedürfnisses, des Abhängigkeitsgefühles, nur Gegenstand eines Genusses anderer Art, weil auch Gegenstand eines Bedürfnisses anderer Art; denn der Christ begehrt von seinem Gotte nicht das sogenannte zeitliche, sondern ewige Leben, befriedigt in ihm nicht ein unmittelbar sinnliches oder körperliches, sondern ein geistiges, gemüthliches Bedürfniß. „Wir gebrauchen oder benutzen, sagt der Kirchenvater Augustin in seiner Schrift vom Staate Gottes, die Dinge, die wir nicht um ihret selbst willen, sondern um etwas Anderen willen verlangen und suchen, aber wir genießen, was wir auf nichts Anderes beziehen, was durch sich selbst ergötzt. Das Irdische ist daher ein Gegenstand der Benützung, des Usus, das Ewige, Gott aber ein Gegenstand des Fructus, des Genusses." Aber wenn wir auch diesen Unterschied gelten lassen, ja ihn zum Unterscheidungsmerkmal des Heidenthums und Christenthums machen, so daß dort die Gegenstände der Religion, die Götter Gegenstände des Nutzens, des Usus sind, hier der Gegenstand nur ein Gegenstand des Genusses ist, so haben wir doch auch hier am Christenthum dieselben Erscheinungen, dieselben Gegensätze, die wir in der Natur des Bedürfnisses, des Abhängigkeitsgefühles aufzeigten, die aber den Christen nur in der Religion der Heiden, nicht in der ihrigen auffallen; denn der

christliche Gott als Gegenstand des Genusses im Sinne der Augustin'-
schen Unterscheidung des Genusses von Benützung ist eben so gut ein
Gegenstand des Egoismus, wie der Gegenstand des körperlichen Genusses bei den Heiden, der gleichwohl ein Gegenstand der Religion ist.
Den Widerspruch, daß der Mensch als Gott verehrt, was er verzehrt,
ein Widerspruch, der aber, wie eben gezeigt, dem christlichen Abhängigkeitsgefühl eben so gut eigen ist, nur daß er wegen der Natur seines
Gegenstandes nicht so augenfällig ist*), — diesen Widerspruch sprechen
manche Völker auf eine wirklich höchst naive, ja rührende Weise aus.
„Trage es uns nicht nach, sagten gewisse Nordamerikaner zu dem Bären, wenn sie einen erlegt hatten, daß wir Dich getödtet haben. Du
bist verständig und siehst ein, daß unsere Kinder Hunger haben. Sie
lieben Dich und wollen Dich verzehren. Macht es Dir nicht Ehre,
von den Kindern des großen Capitäns verzehrt zu werden?" „Charlevoir
erzählt von Anderen, bei welchen der, so einen Bären erlegt hat, dem
todten Thiere eine brennende Pfeife ins Maul steckt, in den Kopf der
Pfeife bläst, die Kehle des Bären mit Rauch füllt und dann bittet, daß
der Bär das Geschehene nicht rächen möge. Während der Mahlzeit,
an welcher man den Bären verzehrt, stellt man den mit allerlei Farben
bemalten Kopf an einen erhabenen Platz, wo er die Anbetungen und
Loblieder aller Gäste empfängt." (Meiners a. a. O.) Die alten
Finnen sangen beim Zerstückeln des Bären folgendes Lied: „Du theu-
res, überwundenes, schwerverwundetes Waldthier, bringe unsern Hütten Gesundheit und Raub, wie Du ihn liebst, hundertweis, und sorge,
wenn zu uns kommst, für unsre Bedürfnisse...... Ich will Dich immerfort ehren und Beute von Dir erwarten, damit ich mein gutes Bä-
renlied nicht vergessen dürfe." (Penannt, Arktische Zoologie.) Wir sehen
hieraus, wie ein Thier, das getödtet und verzehrt wird, doch zugleich
verehrt werden kann und umgekehrt der Gegenstand der Verehrung zu-

---

*) Im Cultus, im Genusse des Abendmahls ist er auch hier ein augenfälliger.

gleich ein Gegenstand der Verzehrung ist, wie also das religiöse Abhängigkeitsgefühl eben so wohl die egoistische Erhebung des Menschen über
den Gegenstand, inwiefern er ein Gegenstand des Genusses, als die
devote Unterwerfung unter den Gegenstand, inwiefern er ein Gegenstand
des Bedürfnisses, enthält und ausdrückt.

Ich kehre nun von dieser langen, keineswegs zufälligen, sondern
nothwendigen, durch den Gegenstand selbst gerechtfertigten Entwickelung
des Abhängigkeitsgefühles und Egoismus zurück zur Natur, zum ersten
Gegenstand dieses Abhängigkeitsgefühles. Ich habe schon bemerkt, daß
der Zweck meiner Abhandlung über das Wesen der Religion, folglich
auch dieser Vorlesungen, kein anderer ist, als zu beweisen, daß der
Naturgott oder der Gott, den der Mensch von seinem Wesen unterscheidet und diesem als Grund oder Ursache voraussetzt, nichts Andres als
die Natur selbst ist, daß aber der Menschengott oder der geistige Gott,
oder der Gott, dem er menschliche Prädicate, Bewußtsein und Willen beilegt, den er als ein ihm ähnliches Wesen denkt, den er von der
Natur als einem willen- und bewußtlosen Wesen unterscheidet, nichts
Andres ist, als der Mensch selbst. Ich habe aber auch schon bemerkt,
daß ich meine Gedanken nicht aus dem blauen Dunst bodenloser Spe-
culationen herunterhole, sondern sie stets aus historischen, empirischen
Erscheinungen erzeuge, daß ich ferner, oder eben deswegen meine Gedanken nicht, wenigstens zunächst und unmittelbar im Allgemeinen, sondern stets in wirklichen Fällen, in Beispielen veranschauliche, verkörpert
darstelle und entwickele. Die Aufgabe im Wesen der Religion, wenigstens im ersten Theil war zu zeigen, daß die Natur ein ursprüngliches,
erstes und letztes *) Wesen ist, über das wir nicht hinausgehen können,
ohne uns ins Gebiet der Phantasie und gegenstandlosen Speculation
zu verlieren, daß wir bei ihr stehen bleiben müssen, daß wir sie nicht
durch ein von ihr unterschiedenes Wesen, einen Geist, ein Denkwesen

---

*) Ein letztes a parte ante.

vermitteln, von ihm ableiten können, daß daher, wenn wir die Natur aus dem Geiste erzeugen, die Erzeugung nur die Bedeutung einer sub=jectiven, formellen, wissenschaftlichen Deduction, aber keineswegs die Bedeutung einer wirklichen, gegenständlichen Erzeugung und Entstehung hat. Aber diese Aufgabe, diesen Gedanken knüpfte ich an eine thatsäch=liche Erscheinung an, die diesen Gedanken schon ausgesprochen, oder der er wenigstens zu Grunde liegt, an die Naturreligion, an den schlichten, einfachen, unmittelbaren Menschensinn, der die Natur nicht von einem geistigen, un= und übernatürlichen Wesen ableitet, sondern die Natur als das erste, als das göttliche Wesen selbst faßt. Der naturreligiöse Mensch nämlich verehrt die Natur als das Wesen nicht nur, durch das er jetzt besteht, oder ohne welches er nicht leben, nichts thun kann, er verehrt und betrachtet die Natur auch als das Wesen, durch das er ur=sprünglich entstanden ist, eben deswegen als das Alpha und Omega des Menschen. Wird nun aber die Natur als das den Menschen er=zeugende Wesen verehrt und gefaßt, so wird die Natur selbst als nicht erzeugt, nicht hervorgebracht betrachtet; denn der Mensch geht, wie wir später noch näher sehen werden, nur da über die Natur hinaus, leitet sie nur da von einem anderen Wesen ab, wo er sein Wesen sich nicht aus der Natur erklären kann. Wenn wir daher zuerst die Natur vom practischen Standpunkt aus, weil der Mensch nicht ohne sie leben und existiren kann, weil er die Wohlthat seiner ge=genwärtigen Existenz ihr verdankt, zum Gegenstand der Religion werden sahen, so tritt sie uns dagegen jetzt auch vom theoretischen Standpunkt aus als Gegenstand der Religion vor die Augen. Die Natur ist dem Menschen auf dem Standpunkt der Naturreligion nicht nur das practisch erste, sondern auch das theoretisch erste Wesen, d. h. das Wesen, aus dem er seinen Ursprung ableitet. So betrachten z. B. die Indianer noch jetzt die Erde als ihre allgemeine Mutter. Sie glauben, daß sie im Schooße derselben erschaffen werden. Sie nennen sich daher Metok-theniake, d. h. Erdgeborene. (Heckewelder, Indianische Völker=

schaften.) Unter den alten Indianern hielten einige das Meer für ihre Hauptgottheit und nannten es Mamacacha, d. i. ihre Mutter, andere, wie die Collas, glaubten sogar, „daß ihre Stammväter aus dem großen Morast an der Insel Titicaca entstanden wären. Andere schrieben ihren Ursprung einem großen Brunnen zu, woraus ihr Stammvater gekommen sein sollte. Wieder andere wollten versichern, daß ihre Vorfahren in gewissen Gräben und Felsengrüften geboren wären; daher sie diese Orte insgesamt für heilig hielten und ihnen Opfer brachten. Eine gewisse Nation schrieb die Ursache ihres Daseins einem Flusse zu, daher auch Niemand einen Fisch daraus tödten durfte, weil sie selbige (die Fische) für ihre Brüder hielten.“ (Baumgarten: Allgem. Gesch. der Völker und Länder von Amerika, welcher hiezu die richtige Bemerkung macht: „weil sie nun ver schiedene Dinge zu der Ursache ihrer Abstammung machten, so hatten sie folglich auch unterschiedene Gottheiten, die sie anbeteten.“) Die Grönländer glauben, ein Grönländer sei anfangs aus der Erde gewachsen, und sei, nachdem er ein Weib bekommen, der Stammvater aller übrigen Grönländer geworden. (Bastholm: Kenntniß des Menschen in seinem wilden und rohen Zustand.) Eben so betrachteten und verehrten die Griechen und Germanen die Erde als die Mutter der Menschen. Sprachforscher leiten selbst das Wort Erde von Ord ab, welches in der angelsächsischen Sprache so viel als Princip oder Anfang bedeutet und das Wort: Teutsch von Tud, Tit, Teut, Thiud, Theotisc, welches so viel ist als Irdisch oder Erdgeborner. Wie sehr sind doch wir Teutsche durch das Christenthum, welches uns den Himmel als unser Vaterland anweist, unserem Ursprung, unserer Mutter untreu und unähnlich geworden! Unter den Griechen, muß ich noch bemerken, ließen selbst auch viele, namentlich ältere Philosophen, die Menschen und Thiere entweder aus der Erde, oder dem Wasser, oder aus beiden zugleich unter dem Einfluß der Sonnenwärme entstehen, während andere sie für unentstanden, für gleichewig mit der Natur oder Welt hielten. Merkwürdig ist es auch,

daß die Religion oder vielmehr Mythologie der Griechen, und eben so
die der Germanen, wenigstens Nordgermanen, die beide, namentlich die
letzte, ursprünglich Naturreligionen waren, nicht nur die Menschen, sondern selbst auch die Götter aus der Natur entspringen ließen — ein deutlicher Beweis, daß die Götter und Menschen eins sind, daß die Götter
mit den Menschen stehen und fallen. So ist bei Homer Okeanos, das
Meer die Geburt, d. h. der Erzeuger, der Vater der Götter und Menschen; bei Hesiod dagegen die Erde die Mutter des Uranus, des Himmels, und in Verbindung mit diesem die Mutter der Götter. Bei
Sophokles heißt daher die Erde die oberste oder höchste Gottheit. Bei
den Nordgermanen geht der Riese Ymir, „offenbar die unentfaltete Ge-
sammtheit der Elemente und Naturkräfte" (Müller a. a. O.), der Entstehung der Götter voran. Bei den Römern heißt, wie bei den Griechen,
die Erde die Mutter der Götter. Augustin in seinem Gottesstaat spot-
tet darüber, daß die Götter Erdgeborene seien, und folgert daraus, daß
die Recht hätten, welche die Götter für ehemalige Menschen hielten.
Aber allerdings sind die Götter, auch die Augustin'schen eingeschlossen,
nur aus der Erde entstanden, und wenn sie auch gleich keine Menschen
gewesen sind im Sinne des Euhemerus, doch nicht früher gewesen, als
die Menschen. Mit demselben Rechte, als die Erde die Mutter der
Götter, heißt bei Homer der Schlaf der Bändiger der Götter und Menschen, denn die Götter sind nur für und durch die Menschen existirende
Wesen; sie wachen daher nicht über den Menschen, wenn er schläft, sondern wenn die Menschen schlafen, schlafen auch die Götter, d. h. mit
dem Bewußtsein der Menschen erlischt auch die Existenz der Götter.
Meine Aufgabe im Wesen der Religion war nun keine andere, als die
Naturreligion, wenigstens den ihr zu Grunde liegenden Wahrheitssinn
gegen die theistischen Erklärungen und Ableitungen der Natur zu vertheidigen, zu rechtfertigen, zu begründen. Ich that dies nach allen Seiten
hin in nicht weniger als 20 Paragraphen von §. 6—26. Ehe ich nun
an den Inhalt dieser Paragraphen gehe, muß ich voraus bemerken, daß,

was sich übrigens von selbst versteht, der Gang in der Religionsgeschichte auch meinem Gang in der Psychologie, in der Philosophie, in
der Menschheitsentwickelung überhaupt entspricht. Wie mir die Natur
der erste Gegenstand der Religion, so ist mir auch in der Psychologie,
in der Philosophie überhaupt das Sinnliche das Erste; aber das Erste
nicht nur im Sinne der speculativen Philosophie, wo das Erste das bedeutet, worüber hinausgegangen werden muß, sondern das Erste im
Sinne des Unableitbaren, des durch sich selbst Bestehenden und Wahren.
So wenig ich das Sinnliche aus dem Geistigen ableiten kann, so
wenig kann ich aus Gott die Natur ableiten; denn das Geistige ist
nichts außer und ohne das Sinnliche, der Geist ist nur die Essenz, der
Sinn, der Geist der Sinne. Gott ist aber nichts Andres als der Geist
im Allgemeinen gedacht, der Geist abgesehen vom Unterschied zwischen
Mein und Dein. So wenig ich daher den Leib aus meinem Geiste —
denn ich muß, um gleich ein Beispiel zu geben, eher essen oder essen können, als ich denke, aber nicht eher denken, als ich esse, ich kann essen,
ohne zu denken, wie die Thiere beweisen, aber nicht denken, ohne zu
essen, — so wenig ich die Sinne aus meinem Denkvermögen, aus der
Vernunft ableiten kann — denn die Vernunft setzt die Sinne voraus,
aber nicht die Sinne die Vernunft, denn den Thieren sprechen wir die
Vernunft, aber nicht die Sinne ab, — so wenig, ja noch weniger kann
ich aus Gott die Natur ableiten. Der Wahrheit und Wesenhaftigkeit
oder Göttlichkeit der Natur, von welcher die Religionsphilosophie und
Religionsgeschichte ausgeht, entspricht daher die Wahrheit und Wesenhaftigkeit der Sinne, von welcher die Psychologie, die Anthropologie,
die Philosophie überhaupt ausgeht. Und so wenig die Natur eine vorübergehende Wahrheit in der Geschichte der Religion, so wenig ist die
Wahrheit der Sinne eine vorübergehende in der Philosophie. Die
Sinne sind vielmehr die bleibende Grundlage, auch wo sie in den Ab-
stractionen der Vernunft verschwinden, wenigstens in den Augen Derer,
welche, so wie sie an das Denken kommen, nicht mehr an die Sinne

denken, vergeffen, daß der Menfch nur vermittelft feines finnlich exifti-
renden Kopfes denkt, die Vernunft an dem Kopf, dem Hirn, dem Sam-
melpunkt der Sinne einen bleibenden finnlichen Grund und Boden hat.
Die Naturreligion demonftrirt uns die Wahrheit der
Sinne, und die Philofophie, wenigftens die fich als Anthropologie weiß, demonftrirt uns die Wahrheit der Naturreligion. Der erfte Glaube des Menfchen ift der Glaube an die Wahrheit der Sinne, kein den Sinnen widerfprechender Glaube, wie der
theiftifche und chriftliche Glaube. Der Glaube an einen Gott, d. h.
an ein unfinnliches Wefen, ja ein Wefen, welches alles Sinnliche als
etwas Profanes von fich ausfchließt, verneint, ift nichts weniger als
etwas unmittelbar Gewiffes, wie fo häufig der Theismus behauptet
hat. Die erften, unmittelbar gewiffen Wefen, eben darum auch die
erften Götter des Menfchen find die finnlichen Gegenftände. Cäfar
fagt von der Religion der Deutfchen: fie verehren nur die Wefen, die
fie fehen und von denen fie augenfcheinliche Wohlthaten beziehen.
Diefer fo fehr bekritelte Satz des Cäfar gilt von allen Naturreligionen.
Der Menfch glaubt urfprünglich nur an die Exiftenz von dem, was fein
Dafein durch finnliche, fühlbare Wirkungen und Zeichen beurkundet.
Die erften Evangelien, die erften und untrüglichften, durch keinen Prie-
fterbetrug entftellten Religionsurkunden des Menfchen find feine Sinne.
Oder vielmehr diefe feine Sinne find felbft feine erften
Götter; denn der Glaube an die äußeren, finnlichen Götter hängt ja
nur ab von dem Glauben an die Wahrheit und Göttlichkeit der Sinne;
in den Göttern, die finnliche Wefen find, vergöttert der Menfch nur
feine Sinne. Indem ich das Licht als ein göttliches Wefen verehre, fo
fpreche ich ja darin und damit, indirect und unbewußt freilich, nur die
Göttlichkeit des Auges aus. Das Licht oder die Sonne oder der Mond
ift nur ein Gott, ein Gegenftand für das Auge, nicht die Nafe; der
Cultus der Nafe befteht in himmlifchen Düften. Das Auge macht die
Götter zu Licht-, Glanz-, Scheinwefen, d. h. es vergöttert nur augen-

scheinliche Dinge: die Gestirne, Sonne, Mond haben ja für den Menschen keine andere Existenz, als in den Augen; sie sind den anderen Sinnen nicht gegeben; d. h. das Auge vergöttert nur sein eigenes Wesen; die Götter der anderen Sinne sind ihm Götzen oder existiren vielmehr gar nicht für es. Das Geruchsorgan des Menschen vergöttert dagegen die Wohlgerüche. Schon Scaliger sagt in seinen Exercitationen gegen Cardan: „Der Geruch ist etwas Göttliches — Odor divina res est — und daß er das ist, das zeigten die Alten durch ihre religiösen Ceremonien, indem sie glaubten, daß durch Räucherungen die Luft und die Räume zur Aufnahme der Gottheiten geschickt gemacht würden." Die Heiden glaubten, glauben noch jetzt zum Theil, daß die Götter nur von den Wohlgerüchen, die von den Opfern aufsteigen, leben, sich nähren, daß also die Düfte die Bestandtheile der Götter, die Götter folglich nur aus Duft und Dunst bestehende Wesen seien. Wenigstens würde der Mensch, der kein anderes Organ, als das Geruchsorgan hätte, das göttliche Wesen allein aus Duft bestehen lassen, abgesehen von allen anderen Eigenschaften, die die übrigen Sinne liefern. So vergöttert jeder Sinn nur sich selbst. Kurz, die Wahrheit der Naturreligion stützt sich nur auf die Wahrheit der Sinnlichkeit. So hängen mit dem „Wesen der Religion" zusammen „die Grundsätze der Philosophie." Wenn ich übrigens der Naturreligion das Wort rede, weil und wiefern sie sich auf die Wahrheit der Sinne stützt, so rede ich damit keineswegs der Art und Weise das Wort, wie sie die Sinne gebraucht, wie sie die Natur ansieht und verehrt. Die Naturreligion stützt sich nur auf den Sinnenschein oder vielmehr nur auf den Eindruck, den der Sinnenschein auf das Gemüth und die Phantasie des Menschen macht. Daher der Glaube der alten Völker, daß ihr Land die Welt oder doch der Mittelpunkt der Welt sei, daß die Sonne laufe, die Erde ruhe, die Erde flach wie ein Teller sei, umflossen vom Ocean.

Elfte Vorlesung.

Ich habe es schon erklärt, die Bedeutung der Paragraphen, die mir den Text dieser Vorlesungen bilden, ist lediglich die, wissenschaftlich zu rechtfertigen, zu begründen, was der einfache Sinn der alten und noch jetzigen Naturvölker thatsächlich, wenn auch nicht bewußt, in der Verehrung der Natur als eines göttlichen Wesens ausgesprochen, nämlich, daß sie ein erstes, ursprüngliches, unableitbares Wesen sei. Vor allem muß ich aber zwei Einwendungen begegnen. Erstens kann man mir einwenden: was, Du Ungläubiger, willst die Naturreligion rechtfertigen? Stehst Du damit nicht auf dem von Dir so scharf kritisirten Standpunkt der Philosophen, die die Glaubensartikel des Christenthums rechtfertigen, nur mit dem Unterschiede, daß Du das Dogma der Naturreligion, den Glauben an die Natur rechtfertigen willst? Ich erwiedere hierauf: die Natur ist mir keineswegs deßwegen ein Ursprüngliches, weil die Naturreligion sie als solches ansieht und verehrt, sondern vielmehr daraus, weil sie ein Ursprüngliches, Unmittelbares ist, folgere ich, daß sie auch dem ursprünglichen, unmittelbaren, folglich der Natur verwandten Sinn der Völker als solches erscheinen mußte. Oder anders: die Thatsache, daß die Menschen die Natur als Gott verehrten, ist mir keineswegs auch zugleich der Beweis für die Wahrheit des dieser Thatsache zu Grunde liegenden Sinnes; aber ich finde in ihr die Bestätigung des Eindruckes, den die Natur auf mich als sinnliches

Wesen macht; ich finde in ihr die Bestätigung der Gründe, die mich als intellectuelles, als philosophisches Culturwesen bestimmen, der Natur, wenn auch nicht dieselbe Bedeutung, die ihr die Naturreligion giebt, denn ich vergöttere Nichts, folglich auch nicht die Natur, doch eine analoge, ähnliche, nur durch die Naturwissenschaften und Philosophie veränderte Bedeutung zu geben. Ich sympathisire allerdings mit den religiösen Verehrern der Natur; ich bin ein leidenschaftlicher Bewunderer und Verehrer derselben; ich begreife es, nicht aus Büchern, nicht aus gelehrten Beweisen, sondern aus meinen unmittelbaren Anschauungen und Eindrücken von der Natur, daß die alten Völker, daß noch heutige Völker sie als Gott verehren können. Ich finde noch heute in meinem Gefühle oder Herzen, wie es von der Natur ergriffen wird, noch heute in meinem Verstande selbst Gründe für ihre Gottheit oder Vergötterung. Ich schließe daraus, weil doch auch die Sonne=, Feuer= und Sternenanbeter eben so gut Menschen sind, als wie ich, daß auch ähnliche (wenn auch nach ihrem Standpunkt veränderte) Gründe sie zur Vergötterung der Natur bewegen. Ich schließe nicht, wie die Historiker von der Vergangenheit auf die Gegenwart, sondern von dieser auf jene. Ich halte die Gegenwart für den Schlüssel der Vergangenheit, nicht umgekehrt, aus dem einfachen Grunde, weil ich ja, wenn auch unbewußt und unwillkürlich, die Vergangenheit immer nur nach meinem gegenwärtigen Standpunkt messe, beurtheile, erkenne, daher jede Zeit eine andere Geschichte von der obgleich an sich todten, unveränderlichen Vergangenheit hat. Ich anerkenne daher nicht die Naturreligion, weil sie mir eine äußerliche Autorität ist, sondern nur deßwegen, weil ich in mir selbst noch heute die Motive zu derselben finde, die Gründe, die mich, wenn nicht ihre Macht an der Macht der Cultur, der Naturwissenschaften, der Philosophie scheiterte, noch heute zu einem Naturvergötterer machen würden. Dies scheint arrogant zu sein; aber was der Mensch nicht aus sich selbst erkennt, das erkennt er gar nicht. Wer nicht aus und an sich selbst fühlt, warum die Menschen die Sonne, den Mond, die Pflan-

zen und Thiere vergöttern konnten, der begreift auch nicht die geschichtliche Thatsache der Naturvergötterung, und wenn er auch noch so viele
Bücher über die Naturreligion liest und schreibt. Der zweite Einwand
ist der: Du sprichst von der Natur, ohne uns eine Definition von der
Natur zu geben, ohne uns zu sagen, was Du unter Natur verstehst.
Spinoza sagt gleichbedeutend: „Natur oder Gott." Nimmst Du vielleicht auch dieses Wort in diesem unbestimmten Sinne, in welchem Du
uns leicht beweisen kannst, daß die Natur das ursprüngliche Wesen ist,
indem Du unter Natur nichts Andres verstehst, als Gott? Ich erwiedere hierauf mit wenigen Worten: ich verstehe unter Natur den Inbegriff aller sinnlichen Kräfte, Dinge und Wesen, welche der Mensch
als nicht menschliche von sich unterscheidet; ich verstehe überhaupt unter
Natur, wie ich schon in einer der ersten Stunden sagte, allerdings wie
Spinoza das nicht, wie der supranaturalistische Gott, mit Willen und
Verstand seiende und handelnde, sondern nur nach der Nothwendigkeit
seiner Natur wirkende Wesen, aber es ist mir nicht, wie dem Spinoza
ein Gott, d. h. ein zugleich wieder übernatürliches, übersinnliches, abgezogenes, geheimes, einfältiges, sondern ein vielfältiges, populäres,
wirkliches, mit allen Sinnen wahrnehmbares Wesen. Oder das Wort
praktisch erfaßt: Natur ist alles, was dem Menschen, abgesehen von
den supranaturalistischen Einflüsterungen des theistischen Glaubens, unmittelbar, sinnlich als Grund und Gegenstand seines Lebens sich erweist.
Natur ist Licht, ist Elektricität, ist Magnetismus, ist Luft, ist Wasser,
ist Feuer, ist Erde, ist Thier, ist Pflanze, ist Mensch, so weit er ein unwillkürlich und unbewußt wirkendes Wesen, — nichts weiter, nichts
Mystisches, nichts Nebuloses, nichts Theologisches nehme ich bei dem
Worte: Natur in Anspruch. Ich appellire bei diesem Worte an die
Sinne. Jupiter ist Alles, was Du siehst, sagte ein Alter; Natur, sage
ich, ist Alles, was Du siehst und nicht von menschlichen Händen und
Gedanken herrührt. Oder, wenn wir auf die Anatomie der Natur eingehen, Natur ist das Wesen oder der Inbegriff der Wesen und Dinge,

deren Erſcheinungen, Aeußerungen oder Wirkungen, worin ſich eben ihr
Daſein und Weſen offenbart und beſteht, nicht in Gedanken oder Abſich-
ten und Willensentſchlüſſen, ſondern in aſtronomiſchen oder kosmiſchen,
mechaniſchen, chemiſchen, phyſiſchen, phyſiologiſchen oder organiſchen
Kräften oder Urſachen ihren Grund haben.

Der Inhalt der Paragraphen 6 und 7, die ich zum Text dieſer
Vorleſung mache, iſt eine Vertheidigung und Rechtfertigung der Heiden
gegen die Vorwürfe der Chriſten, und bezieht ſich auf eine frühere Behauptung, nämlich die, daß die chriſtliche Religion ſich nicht durch das
Princip, das Merkmal der Gottheit von der heidniſchen unterſcheidet,
ſondern nur dadurch, daß ſie nicht einen beſtimmten Gegenſtand der Natur, ſelbſt nicht die Natur überhaupt, ſondern ein von der Natur unter-
ſchiedenes Weſen zu ihrem Gotte hat. Die Chriſten, wenigſtens die
Vernünftigen derſelben, tadelten die Heiden nicht deßwegen, daß ſie ſich
an der Schönheit und Nützlichkeit der Natur erfreuten, ſondern deßwegen, daß ſie die Urſache derſelben der Natur ſelbſt zuſchrieben, daß ſie
der Erde, dem Waſſer, dem Feuer, der Sonne, dem Monde wegen ihrer
wohlthätigen Eigenſchaften ihre Huldigungen darbrachten, da ſie dieſe
doch nur von dem Urheber der Natur bekommen hätten, dieſer allein
alſo zu ehren, zu fürchten, zu preiſen ſei. Die Sonne, die Erde, das
Waſſer ſeien allerdings Urſachen, daß die Pflanzen und Thiere gediehen,
von denen die Menſchen lebten, aber ſie ſeien nur untergeordnete Urſachen, Urſachen, die ſelbſt bewirkt ſeien; die wahre Urſache ſei die erſte
Urſache. Dagegen vertheidige ich nun die Heiden, indem ich es zunächſt
dahin geſtellt ſein laſſe, ob eine erſte Urſache, wie ſie die Chriſten ſich
vorſtellen, exiſtirt, und zwar mit einem aus dem Kreis der chriſtlichen
Vorſtellungen entnommenen Beiſpiel oder vielmehr Gleichniß. Adam
iſt der erſte Menſch; er iſt in der Reihe der Menſchen, was die erſte
Urſache in der Reihe der Natururſachen oder Dinge iſt; meine Eltern,
Großeltern u. ſ. w. ſind eben ſo gut Kinder Adams, als die Urſachen
in der Natur Wirkungen der erſten Urſache ſind; nur Adam hat keinen

Vater, wie die erste Ursache keine Ursache. Aber gleichwohl verehre und liebe ich nicht den Adam als meinen Vater; Adam befaßt alle Menschen; in ihm ist alle Individualität ausgelöscht; Adam ist eben so gut der Vater des Negers als des Weißen, des Slaven als des Germanen, des Franzosen als des Deutschen; ich bin aber kein Mensch im Allgemeinen; meine Eristenz, mein Wesen ist ein individuelles, ich gehöre zur kaukasischen Rasse und unter dieser selbst wieder zu einem bestimmten Stamme, zum deutschen. Die Ursache meines Wesens ist daher nothwendig selbst eine individuelle, bestimmte, diese sind aber eben meine Eltern, Großeltern, kurz die mir nächsten Generationen oder Menschen. Gehe ich weiter zurück, so verliere ich alle Spuren meiner Eristenz aus den Augen; ich finde keine Eigenschaften, aus denen ich meine Eigenschaften ableiten kann. Ein Mensch im 17. Jahrhundert könnte nimmermehr, wenn auch nicht die Zeit dazwischen läge, der Vater eines Menschen im 19. Jahrhundert sein, weil der qualitative Abstand, der Abstand zwischen den Sitten, Gewohnheiten, Vorstellungen, Gesinnungen — und diese prägen sich ja selbst leiblich aus — zu groß wäre. So gut daher der Mensch bei seinen nächsten Vorfahren, als den Ursachen seiner Eristenz, mit seiner Verehrung stehen bleibt, nicht bis auf den ersten Stammvater zurückgeht, weil er in diesem nicht seine von ihm unabsonderliche Individualität enthalten und vertreten findet, so gut bleibt er auch bei den sinnlichen Naturwesen stehen, als den Ursachen seiner Eristenz. Ich bin, was ich bin, nur in dieser Natur, in der Natur, wie sie jetzt, wie sie seit Menschengedenken ist. Nur den Wesen, die ich sehe, fühle, oder wenn ich sie auch nicht selbst sehe und fühle, doch wenigstens an sich sichtbare, fühlbare oder sonstwie sinnliche Wesen sind, verdanke ich, der ich ein sinnliches Wesen bin, der ich ohne Sinne ins Nichts versinke, meine Eristenz. Wenn auch diese Natur geworden ist, wenn ihr eine Natur anderer Art oder Beschaffenheit vorausging, so verdanke ich doch nur der Natur von dieser Art und Beschaffenheit, in der ich lebe, mit deren Beschaffenheit sich auch die Beschaffenheit meines Wesens verträgt, meine Existenz. Gesetzt, es ist eine erste Ursache im Sinne der Theologie, so mußte doch erst die Sonne, die Erde, das Wasser, kurz erst die Natur und zwar von dieser Art sein, ehe ich ward; denn ohne Sonne, ohne Erde bin ich selber nichts; ich setze die Natur voraus. Warum soll ich also über die Natur hinausgehen? Dazu wäre ich nur berechtigt, wenn ich selbst ein über der Natur existirendes Wesen wäre. Ich bin aber so wenig ein übernatürliches Wesen, daß ich nicht einmal ein überirdisches Wesen bin; denn die Erde ist das absolute Maaß meines Wesens; ich stehe nicht nur mit meinen Beinen auf der Erde, ich denke und fühle nur auf dem Standpunkt der Erde, nur in Gemäß= heit dieses Standpunktes, den die Erde im Universum einnimmt; ich erhebe allerdings meine Blicke bis in den fernsten Himmel; aber ich erblicke alle Dinge im Lichte und Maaße der Erde. Kurz, daß ich ein irdisches Wesen, daß ich kein Venus=, kein Merkur=, kein Uranusbewoh= ner bin, das macht, wie die Philosophen sprechen, meine Substanz, mein Grundwesen aus. Wenn also auch die Erde entstanden ist, so verdanke ich doch nur ihr, nur ihrer Entstehung meine Entstehung; denn nur die Existenz der Erde ist der Grund der menschlichen Existenz, nur ihr Wesen der Grund des menschlichen Wesens. Die Erde ist ein Planet, der Mensch ein Planetenwesen, ein Wesen, dessen Lebenslauf nur in der Laufbahn eines Planeten möglich und wirklich ist. Aber die Erde unterscheidet sich von anderen Planeten. Dieser ihr Unter= schied begründet ihr eigenthümliches, selbstständiges Wesen, ihre Indi= vidualität und diese ihre Individualität ist das Salz der Erde. Nehmen wir auch und zwar mit vollem Recht eine und dieselbe Ursache, Kraft oder Substanz für die Entstehung der Planeten an, so war doch diese Kraft, die die Erde hervorbrachte, eine andere, als die den Merkur oder Uranus hervorbrachte, d. h. eine so eigenthümlich bestimmte, daß eben nur dieser und kein anderer Planet sich daraus ergab. Dieser indivi= duellen, vom Wesen der Erde nicht zu unterscheidenden Ursache ver= dankt der Mensch sein Dasein. Der revolutionäre Stoß, der die Erde aus ihrer mystischen Auflösung in den gemeinschaftlichen Grundstoff der Sonne, der Planeten und Kometen herausriß — eine Revolution, die, wie sich Kant in seiner herrlichen Theorie des Himmels ausdrückt, in „der Verschiedenheit in den Gattungen der Elemente" ihren Grund hatte — dieser Riß oder Stoß ist es, von dem sich noch heute die Bewegung unsers Bluts und die Schwingungen unserer Nerven herschreiben. Die erste Ursache ist die allgemeine Ursache, die Ursache aller Dinge ohne Unterschied; aber die Ursache, die Alles ohne Unterschied macht, macht in der That gar Nichts, ist nur ein Begriff, ein Gedankenwesen, das nur logische und metaphysische, aber keine physische Bedeutung hat, aus dem ich, dieses individuelle Wesen, mich schlechterdings nicht ableiten lasse. Mit der ersten Ursache, der ersten, setze ich immer hinzu, im Sinne der Theologen, will man dem sogenannten Processus causarum in infinitum, dem Verlauf der Ursachen bis ins Unendliche ein Ende machen. Dieser Verlauf der Ursachen bis ins Endlose hinein läßt sich am besten mit dem schon angeführten Beispiel vom Menschenursprung erläutern. Ich habe zur Ursache meiner Existenz meinen Vater, mein Vater seinen Vater und so fort. Kann ich nun aber fort bis ins Endlose gehen? Hat nur immerfort der Mensch dem Menschen das Dasein gegeben? Löse ich dadurch die Frage nach dem Ursprung des Menschen? oder schiebe ich sie nicht vielmehr nur auf, wenn ich immer von Vater zu Vater fortgehe? Muß ich nicht zu einem ersten Menschen oder Menschenpaare kommen? Und woher ist denn dieses? Aber eben so ist es mit allen anderen Dingen und Wesen, die diese sinnliche Welt ausmachen. Eins setzt das andere voraus; eins hängt vom andern ab; alle sind endlich, alle entstanden, eins aus dem andern; aber woher ist denn, fragt der Theist, das erste in dieser Kette, dieser Reihe? Wir müssen daher einen Sprung machen aus dieser Reihe hinaus zu einem Ersten, welches, selbst anfanglos, der Anfang aller entstandenen, endlos oder unendlich, der Grund aller endlichen Wesen ist. Dies ist einer der gewöhnlichsten Beweise für das Dasein eines Gottes, den man den kosmologischen

nennt und verschieden ausdrückt, z. B. so: alles, was ist, oder die
Welt ist veränderlich, zeitlich, entstanden, zufällig; aber das Zufällige setzt das Nothwendige voraus, das Endliche das Unendliche, das
Zeitliche das Ewige; dieses Unendliche, dieses Ewige ist Gott. Oder
auch so ausgedrückt: alles, was ist, alles Sinnliche, Wirkliche ist eine
Ursache bestimmter Wirkungen, aber eine Ursache, die selbst bewirkt ist,
selbst eine Ursache wieder hat und so fort; es ist daher nothwendig, es
ist ein Bedürfniß unserer Vernunft, endlich still zu stehen bei einer Ursache, die keine Ursache mehr über sich hat, die nicht bewirkt ist, die, wie
einige Philosophen sich ausdrücken, die Ursache ihrer selbst oder aus
sich selbst ist. Die alten Philosophen und Theologen bestimmten daher das Endliche, das nicht Göttliche als das, was von einem Andern
ist, das Unendliche, Gott als das, was von oder aus sich selbst
ist. Allein gegen diesen Schluß ist Folgendes zu bemerken. Wenn
auch der Fortgang der Ursachen bis ins Endlose in Beziehung auf die
Frage von der Entstehung der Menschen, selbst der Erde, der Vernunft
widerspricht, wir nicht immer den Menschen, nicht immer den jeweiligen
Zustand der Erde von einem vorausgegangenen Zustand derselben ableiten können, sondern endlich an einen Punkt kommen müssen, wo der
Mensch aus der Natur, die Erde aus der planetarischen Masse oder wie
man sonst den Grundstoff derselben nennen will, entsprungen ist; so widerspricht dieser Fortgang doch keineswegs in seiner Beziehung oder Anwendung auf die Natur oder Welt überhaupt der durch die Anschauung
der Welt gebildeten Vernunft. Es ist nur die Beschränktheit und Bequemlichkeitsliebe des Menschen, welche an die Stelle der Zeit die Ewigkeit, an die Stelle des endlosen Fortgangs von Ursache zu Ursache die
Unendlichkeit, an die Stelle der rastlosen Natur die stabile Gottheit, an
die Stelle ewiger Bewegung den ewigen Stillstand setzen. Allerdings
ist's für mich, der ich auf die Gegenwart angewiesen bin, unvernünftig,
unersprießlich, langweilig, ja sogar unmöglich, die Anfanglosigkeit und
Endlosigkeit der Welt zu denken oder nur vorzustellen; aber diese

Nothwendigkeit für mich, diesen endlosen Verlauf abzubrechen, ist noch kein Beweis von dem **wirklichen** Abbruch dieses Verlaufs, von einem wirklichen Anfang und Ende. Selbst innerhalb der in das Bewußtsein des Menschen fallenden, historischen, ja vom Menschen selbst producirten Dinge sehen wir, wie der Mensch theils aus Unwissenheit allerdings, theils aber auch aus bloßer Abkürzungs- und Bequemlichkeitsliebe die historischen Untersuchungen abbricht, an die Stelle vieler Namen, vieler Ursachen, die es zu weitläufig, zu lästig wäre zu verfolgen, und die sich auch oft gänzlich den Augen des Menschen entziehen, Eine Ursache, Einen Namen setzt. Wie der Mensch an die Spitze einer Erfindung, der Gründung eines Staats, der Erbauung einer Stadt, der Entstehung eines Volkes den Namen Eines Individuums setzt, obgleich eine Menge von unbekannten Namen und Individuen daran mitgewirkt haben, so setzt er auch an die Spitze der Welt den Namen Gottes, gleichwie denn auch alle Erfinder, Städte- und Staatengründer ausdrücklich für Götter galten. Die meisten alten Namen von historischen oder mythischen Menschen, Helden und Göttern sind daher Collectivnamen, die aber zu Eigennamen wurden. Selbst das Wort Gott ist ursprünglich, wie freilich alle Namen, kein Eigennamen, sondern ein allgemeiner oder Gattungsname. (°) Selbst in der Bibel werden das griechische Wort: Theos und das hebräische Wort: Elohim von andern Gegenständen als Gott gebraucht. So heißen die Fürsten und Obrigkeiten Götter, der Teufel der **Gott** dieser Welt, der **Bauch** sogar der **Gott** der oder wenigstens einiger Menschen — eine Stelle, worüber sich selbst Luther entsetzt. „Wer hat jemals, sagt er, solche Rede gehöret, daß der Bauch Gott sei? Ich dürfte nicht also reden, wenn nicht Paulus zuvor also geredet hätte, denn ich wüßte nicht schändlicher zu reden. Ist's nicht ein Jammer, daß der schändliche, stinkende Dreckbauch soll ein Gott heißen?" Ja selbst in der philosophischen Bestimmung, daß Gott das allerrealste, d. h. allervollkommenste Wesen, der Inbegriff aller Vollkommenheiten, ist Gott eigentlich nur ein Collectivnamen; denn ich brauche von den verschiedenen Eigenschaften, die in Gott zusammengefaßt werden, nur ihre Verschiedenheit hervorzuheben, so machen sie auf mich den Eindruck von verschiedenen Dingen oder Wesen, und ich finde, daß das Wort Gott ein eben so unbestimmtes Collectiv= oder Sammelwort ist, als z. B. das Wort Obst, Getraide, Volk. Jede Eigenschaft Gottes ist ja Gott selbst, wie die Theologie oder theologische Philosophie sagt, jede Eigen= schaft Gottes kann daher für Gott selbst gesetzt werden. Selbst im ge= meinen Leben sagt man statt Gott die göttliche Vorsehung, die göttliche Weisheit, die göttliche Allmacht. Aber die Eigenschaften Gottes sind sehr verschiedener, ja widersprechender Natur. Halten wir uns nur an die populärsten Eigenschaften. Wie verschieden sind Macht, Weisheit, Güte, Gerechtigkeit! Man kann mächtig ohne Weisheit, und weise ohne Macht, gütig ohne Gerechtigkeit und gerecht ohne Güte sein! Fiat justitia pereat mundus; die Welt mag untergehen, wenn nur das Jus, das Recht gilt, ist ein Ausspruch der Jurisprudenz, der Gerech= tigkeit; aber in diesem charakteristischen Ausdruck der Justiz liegt gewiß kein Funke von Güte, und selbst nicht von Weisheit; denn der Mensch ist nicht der Gerechtigkeit oder Justiz wegen, sondern die Justiz ist des Menschen wegen. Wenn ich mir daher die Macht Gottes vorstelle, die Macht, welche mich, wenn sie nur will, vernichten kann, oder wenn ich mir die Gerechtigkeit Gottes im Sinne des eben angeführten Ausspruchs vorstelle, so stelle ich mir unter Gott ein ganz anderes Wesen vor, so habe ich in der That einen ganz anderen Gott, als wenn ich mir seine Güte nur vorstelle. Es ist daher kein so großer Unterschied zwischen Polytheismus und Monotheismus, als es scheint. Auch in dem Einen Gott stecken kraft der Vielheit und Verschiedenheit seiner Eigenschaften viele Götter. Der Unterschied ist höchstens nur der, der zwischen einem Sammel= und Gattungswort ist. Oder viel= mehr der: im Polytheismus ist Gott offenbar, augenfällig, nur ein Sammelwort; im Monotheismus fallen die sinnlichen Kennzeichen weg, fällt der Schein des Polytheismus, aber das Wesen, die Sache ist ge=

blieben. Daher haben die verschiedenen Eigenschaften des Einen Got=
tes unter den Christen eben so viele nicht nur dogmatische, sondern auch
blutige Kriege mit einander geführt, als die vielen Götter auf dem Olymp
Homers. Die alten Theologen, Mystiker und Philosophen sagten,
Gott fasse Alles in sich, was in der Welt sei, aber was in der Welt
vielfach, zerstreut, außereinander, sinnlich, an verschiedene Wesen ver=
theilt sei, das sei in Gott auf einfache, unsinnliche, einige Weise vor=
handen. Hier haben wir deutlich ausgesprochen, daß der Mensch in
Gott die wesentlichen Eigenschaften der vielen verschiedenen Dinge und
Wesen zusammenfaßt in Ein Wesen, in Einen Namen, daß der Mensch
in Gott sich ursprünglich oder wahrhaft nicht ein von der Welt unter=
schiedenes Wesen, sondern sich in ihm die Welt nur auf eine von der
sinnlichen Anschauung verschiedene Weise vorstellt; was in der Welt
oder in der sinnlichen Anschauung er als ausgedehnt, als zeitlich, als
leiblich vorstellt, das denkt er sich in Gott als unausgedehnt, als un=
zeitlich, als unkörperlich. In der Ewigkeit faßt er nur die in ihrer vollen
Ausdehnung gar nicht faßbare unendliche Zeitreihe, in der Allgegenwart
nur die Unendlichkeit des Raumes in einen kurzen Gattungsnamen oder
Gattungsbegriff zusammen; er bricht aus subjectiven, vollkommen be=
rechtigten Gründen mit der Ewigkeit die für ihn unendlich lang=
weilige Rechnung mit bis ins Unendliche sich anhäufenden Zahlen=
reihen ab. Aber aus diesem Abbruch, aus dieser Langweiligkeit einer
bis ins Unendliche fortgehenden Reihe von Zeiten und Räumen, aus
den Widersprüchen selbst, die in unserer Vorstellung oder in der Abstrac=
tion mit dem Begriffe ewiger Zeit, unendlichen Raumes verbunden sind,
ergiebt sich keineswegs die Nothwendigkeit eines wirklichen Anfangs
oder Endes der Welt, des Raumes, der Zeit; es liegt in der Natur
des Denkens, der Sprache, es bringt es selbst die Nothwendigkeit des
Lebens mit sich, daß wir überall Abbreviatur=, Abkürzungszeichen ge=
brauchen, daß wir überall an die Stelle der Anschauung den Begriff,
an die Stelle des Gegenstandes ein Zeichen, ein Wort, an die Stelle des

Concreten das Abstracte, an die Stelle des Vielen ein Eins, folglich an die Stelle vieler verschiedenen Ursachen eine Ursache, an die Stelle vieler verschiedener Individuen ein Individuum als Repräsentant, Stellvertreter der übrigen setzen. Man hat insofern ganz Recht, wenn man behauptet, daß die Vernunft, wenigstens so lange sie ohne Kritik, ohne Unterscheidung ihr Wesen für das Wesen der Welt, das objective, absolute Wesen hält, so lange sie nicht durch die Weltanschauung sich gebildet hat, nothwendig auf die Idee der Gottheit führt. Aber man muß nur nicht diese Nothwendigkeit, diese Idee für sich allein hervorheben, sie nicht isoliren, absondern von anderen Erscheinungen, Ideen und Vorstellungen, die auf derselben Nothwendigkeit beruhen, die wir aber trotzdem als subjectiv, d. h. als nur in der eigenthümlichen Natur des Vorstellens, Denkens, Sprechens begründet erkennen, ihnen daher keine objective Gültigkeit und Existenz, keine Existenz außer uns zuschreiben. Dieselbe Nothwendigkeit, die den Menschen getrieben hat, den Namen eines Individuums an die Stelle einer Reihe von Individuen, ja ganzer Generationen und Geschlechter zu setzen, die ihn getrieben hat, an die Stelle der anschaubaren Größe die Zahl, an die Stelle von Zahlen Buchstaben zu setzen, die ihn getrieben hat, statt: Birne, Apfel, Kirsche blos Obst, statt: Heller, Pfennige, Kreuzer, Groschen, Gulden, Thaler blos Geld, statt: gieb mir dieses Messer, dieses Buch, zu sagen: gieb mir dieses Ding! dieselbe Nothwendigkeit hat ihn auch getrieben, an die Stelle der vielen bei der Entstehung der Welt, wenn wir sie entstanden uns denken, und bei deren Erhaltung zusammenwirkenden Ursachen Eine Ursache, Ein Wesen, Einen Namen zu setzen. Aber eben deswegen ist dieses Eine eben so nur ein subjectives, d. h. nur im Menschen, nur in der Natur seines Vorstellens, Denkens, Redens begründetes und existirendes Wesen als das Ding, das Geld, das Obst. Daß auf derselben Nothwendigkeit, auf denselben Gründen die Idee oder der Gattungsbegriff der Gottheit in ihrer metaphysischen Bedeutung als die Idee oder der Begriff des Dings, des Obstes beruht, beweist schon dies, daß bei den Polytheisten die Götter nichts Andres sind, denn als Wesen vorgestellte Collectiv- oder Gattungsnamen und Begriffe. So hatten die Römer, um bei den angeführten Beispielen zu bleiben, eine Geldgöttin: Pecunia; ja selbst die verschiedenen Hauptsorten oder Gattungen des Geldes: das Erz und Silbergeld machten sie zu Göttern. Sie hatten einen Deus Aesculanus oder Aerinus, d. h. einen Erz- oder Kupfergeldgott, einen Deus Argentinus, d. h. einen Silbergott. So hatten sie auch eine Obstgöttin: Pomona. Wenn man nicht alle Gattungsnamen und Begriffe bei den Römern und Griechen als Götter findet, so kommt das nur daher, daß sie, namentlich die egoistischen, bigotten Römer nur vergötterten, was zugleich eine Beziehung auf den menschlichen Egoismus ausdrückt; daher die Römer selbst einen Mistgott, einen Deus Stercutius verehrten, damit die Düngung ihren Aeckern Segen brächte. Aber der Mist ist ein Gattungsbegriff; es giebt ja viele Mistarten: Taubenmist, Pferdemist, Kuhmist u. s. w.

Jetzt zu dem andern Punkt, den wir gegen den gewöhnlichen Schluß auf eine erste nicht mehr verursachte Ursache vorzubringen haben. Alles, was ist, ist abhängig, oder hat, wie Andere es ausdrücken, den Grund seiner Existenz außer sich, besteht nicht aus sich und durch sich selbst, setzt daher ein Wesen voraus, welches nicht von Anderen abhängig ist, welches den Grund seiner Existenz in sich selbst hat, welches schlechthin nothwendig ist, welches ist, weil es ist. Gegen diesen Beweis wende ich wieder das Beispiel vom Menschen an; denn es ist ja zuletzt nur der Mensch, von dem der Mensch ausgeht, dessen Abhängigkeit und Entstehung er zum Muster der Abhängigkeit und Entstehung aller sinnlichen Dinge macht. Allerdings hänge ich von meinen Aeltern, meinen Vorältern u. s. w. ab, allerdings bin ich nicht durch mich selbst in die Welt gesetzt; ich wäre nicht, wenn nicht Andere vor mir gewesen wären; aber gleichwohl bin ich ein von meinen Aeltern unterschiedenes und unabhängiges Wesen; ich bin nicht nur durch Andere, ich bin auch durch mich selbst, was ich bin; ich stehe allerdings auf den Schultern meiner Vorfahren, aber auch auf den Schultern derselben stehe ich doch noch auf meinen eigenen Beinen; ich bin allerdings ohne Wissen und Willen gezeugt und empfangen; aber ich bin nicht ohne den mir freilich jetzt unbewußten Trieb nach Selbstständigkeit und Freiheit, nach Emancipation von meiner Abhängigkeit vom Mutterleibe auf die Welt gekommen; kurz ich bin gezeugt, ich bin oder war abhängig von meinen Aeltern; aber ich bin selbst auch Vater, selbst auch Mann, und daß ich entstanden, daß ich einst Kind, daß ich einst leiblich und geistig von meinen Aeltern abhängig gewesen, das liegt unendlich hinter meinem gegenwärtigen Selbstbewußtsein. So viel ist gewiß: so viel auch bewußt und unbewußt meine Aeltern auf mich Einfluß gehabt haben mögen, was kümmert mich die Vergangenheit? jetzt habe ich meinen Vater und meine Mutter nur an und in mir selbst, jetzt hilft mir kein anderes Wesen, kein Gott selbst, wenn ich mir selbst nicht helfe; ich stehe und falle durch eigene Kraft. Die Windeln, die einst die Vorsehung meiner Aeltern um meinen Leib gewunden, sind längst verfault; warum will ich also meinen Geist in Banden lassen, die längst meine Füße von sich gestoßen haben?

Zwölfte Vorlesung.

Ich habe in der letzten Stunde einen der ersten und gewöhnlichsten, den sogenannten kosmologischen Beweis vom Dasein eines Gottes, welcher sich darauf stützt, daß Alles in der Welt endlich und abhängig sei und daher etwas Unendliches und Unabhängiges außer sich voraussetze, an dem Beispiel des Menschen beleuchtet. Der Schluß war, daß der Mensch, obwohl ursprünglich Kind, doch zugleich Vater, obwohl Wirkung, zugleich Ursache, obwohl abhängig, doch zugleich selbstständig sei. Was nun aber vom Menschen gilt, das gilt, freilich mit dem sich von selbst verstehenden Unterschied, der überhaupt zwischen dem Menschen und anderen Wesen stattfindet, auch von diesen. Jedes Wesen ist trotz seiner Abhängigkeit von anderen ein eigenes, selbstständiges; jedes Wesen hat den Grund seiner Existenz — denn wozu wäre es sonst? — in sich selbst; jedes Wesen ist geworden unter Bedingungen und aus Ursachen — sie seien nun welche sie wollen, — aus denen kein anderes entstehen konnte, als eben dieses; jedes Wesen ist entstanden in einem Zusammenhang von Ursachen, welcher nicht wäre, wenn nicht dieses Wesen wäre. Jedes Wesen ist eben so Folge, als Grund. Der Fisch wäre nicht, wenn nicht das Wasser wäre, aber das Wasser wäre auch nicht, wenn keine Fische wären, oder wenigstens keine Thiere, wie die Fische in ihm leben könnten. Die Fische sind vom Wasser abhängige Wesen; sie können nicht existiren ohne Wasser; sie setzen es voraus;

aber der Grund ihrer Abhängigkeit liegt in ihnen selbst, in ihrer indi=
viduellen Natur, die eben ihnen das Wasser zu ihrem Bedürfnisse, ihrem
Elemente macht. Die Natur hat keinen Anfang und kein Ende. Alles
in ihr steht in Wechselwirkung, Alles ist relativ, Alles zugleich Wirkung
und Ursache, Alles in ihr ist allseitig und gegenseitig; sie läuft in keine
monarchische Spitze aus; sie ist eine Republik. Wer nur an das fürst=
liche Regiment gewöhnt ist, der kann sich freilich keinen Staat, kein ge=
meinschaftliches Zusammenleben der Menschen ohne Fürsten denken;
ebenso der keine Natur ohne Gott, der einmal von Kindesbeinen an
diese Vorstellung gewöhnt ist. Aber die Natur ist nicht weniger denkbar
ohne Gott, ohne ein außer= und übernatürliches Wesen, als der Staat
oder das Volk ohne ein außer und über dem Volke stehendes fürstliches
Idol. Ja, wie die Republik die geschichtliche Aufgabe, das praktische
Ziel der Menschheit, so ist das theoretische Ziel des Menschen, die Ver=
fassung der Natur als eine republikanische zu erkennen, das Regiment
der Natur nicht außer sie zu verlegen, sondern in ihrem eigenen Wesen
begründet zu finden. Es ist nichts geistloser, als die Natur zu einer
einseitigen Wirkung zu machen und ihr in einem außernatürlichen We=
sen, das keine Wirkung eines anderen Wesens ist, eine einseitige
Ursache gegenüber zu setzen. Und wenn ich einmal mich nicht enthal=
ten kann, immer weiter und weiter fort zu grübeln und zu phantasiren,
nicht bei der Natur stehen zu bleiben, die Ursachensucht meines Ver=
standes nicht in der all= und gegenseitigen Wechselwirkung der Natur
befriedigt zu finden, was hält mich denn ab auch über Gott hinaus=
zugehen? warum soll ich denn hier stehen bleiben? warum nicht auch
nach einem Grunde oder einer Ursache Gottes fragen? Und findet denn
bei Gott nicht dasselbe Verhältniß statt, welches in der Verkettung der
natürlichen Ursachen und Wirkungen stattfindet, und welches ich eben
durch die Annahme eines Gottes aufheben wollte? Ist denn Gott nicht,
wenn ich ihn als die Ursache der Welt denke, abhängig von der Welt?
ist denn eine Ursache ohne Wirkung? Was bleibt denn überhaupt von

Gott übrig, wenn ich die Welt weglasse oder wegdenke? Wo bleibt denn seine Macht, wenn er nichts macht? seine Weisheit, wenn keine Welt ist, in deren Regierung eben seine Weisheit besteht? wo seine Güte, wenn Nichts ist, dem er gut ist? wo sein Bewußtsein, wenn kein Gegenstand ist, an dem er sich seiner bewußt wird? wo seine Unendlichkeit, wenn nichts Endliches ist? denn er ist ja nur im Gegensatze gegen dasselbe unendlich. Wenn ich daher die Welt weglasse, so bleibt mir auch Nichts von Gott übrig. Warum wollen wir also nicht bei ihr stehen bleiben, da wir doch nimmermehr über und außer sie hinauskönnen, da uns selbst die Vorstellung und Annahme eines Gottes auf die Welt zurückwirft, da wir mit der Hinwegnahme der Natur, der Welt alle Wirklichkeit, folglich auch die Wirklichkeit Gottes, in wiefern er als die Welturfache gedacht wird, aufheben? Die Schwierigkeiten, die sich unserm Geiste bei der Frage nach dem Anfang der Welt darbieten, werden daher durch die Annahme eines Gottes, eines außerweltlichen Wesens nur hinausgeschoben oder beseitigt oder vertuscht, aber n i c h t g e l ö ſ t. Es ist daher das Vernünftigste anzunehmen, daß die Welt ewig war und ewig sein wird, daß sie folglich den Grund ihrer Existenz in sich selbst hat. „Man kann, sagt Kant in seinen Vorlesungen über die philosophische Religionslehre, sich des Gedankens nicht erwehren, man kann ihn aber auch nicht ertragen, daß ein Wesen, welches wir uns als das höchste unter allen möglichen vorstellen, gleichsam zu sich selbst sage: Ich bin von Ewigkeit zu Ewigkeit; außer mir ist Nichts ohne das, was blos durch meinen Willen Etwas ist; aber w o h e r b i n i c h d e n n?" Das heißt mit anderen Worten: woher ist denn Gott? was nöthigt mich bei ihm stehen zu bleiben? Nichts; ich muß vielmehr nach seinem Ursprung fragen. Und dieser ist kein Geheimniß; die Ursache der ersten und allgemeinen Ursache der Dinge im Sinne der Theisten, der Theologen, der sogenannten speculativen Philosophen — ist der Verstand des Menschen. Der Verstand steigt vom Einzelnen und Besonderen zum Allgemeinen, vom Concreten zum Abstracten, vom Bestimmten zum Unbestimmten empor. So steigt denn auch der Verstand von den wirklichen, bestimmten, besonderen Ursachen so lange und so weit empor; bis er zu dem Begriffe der Ursache als solcher, der Ursache, die keine wirklichen, bestimmten, besondern Wirkungen hervorbringt, gekommen ist. Gott ist nicht, wenigstens unmittelbar, wie die Theisten sagen, die Ursache von Blitz und Donner, von Sommer und Winter, von Regen und Sonnenschein, von Feuer und Wasser, von Sonne und Mond; alle diese Dinge und Erscheinungen haben nur bestimmte, besondere, sinnliche Ursachen; er ist nur die allgemeine erste Ursache, die Ursache der Ursachen; er ist die Ursache, die keine bestimmte, sinnliche, wirkliche Ursache ist, die Ursache, abstrahirt von allem sinnlichen Stoff und Material, von allen speciellen Bestimmungen, d. h. er ist die Ursache überhaupt, der Begriff der Ursache als ein personificirtes, verselbstständigtes Wesen. So gut der Verstand den von allen bestimmten Beschaffenheiten wirklicher Wesen abgezogenen Begriff des Wesens als ein Wesen personificirt, so gut personificirt er den von allen Merkmalen wirklicher, bestimmter Ursächlichkeit abgezogenen Begriff der Ursache in einer ersten Ursache. Wie überhaupt auf dem Staubpunkt der von den Sinnen absehenden Vernunft subjectiv und logisch ganz richtig der Mensch die Gattung den Individuen, die Farbe den Farben, die Menschheit den Menschen, so setzt er auch die Ursache den Ursachen voraus. Gott ist der Grund der Welt, heißt: die Ursache ist der Grund der Ursachen; wenn keine Ursache ist, so giebt es auch keine Ursachen; das Erste in der Logik, in der Verstandesordnung ist die Ursache, das Zweite, Untergeordnete die Ursachen oder die Arten der Ursache; kurz die erste Ursache reducirt, führt sich zurü: auf den Begriff der Ursache und der Begriff der Ursache auf den Verstand, welcher das Allgemeine von den besonderen wirklichen Dingen abzieht und dann seiner Natur gemäß dieses von ihnen abgezogene Allgemeine als das Erste ihnen voraussetzt. Aber eben deswegen, weil die erste Ursache ein bloßer Verstandesbegriff oder Verstandeswesen ist, das keine gegen-

9*

ständliche Existenz hat, so ist sie auch nicht die Ursache meines Lebens und Bestehens; die Ursache hilft mir nichts; die Ursache meines Lebens ist ein Inbegriff vieler, verschiedener, bestimmter Ursachen; die Ursache z. B., daß ich athme, ist subjectiv die Lunge, objectiv die Luft, die Ursache, daß ich sehe, objectiv das Licht, subjectiv das Auge. Ich wende mich daher wieder von dem unerquicklichen, abstracten Thema der ersten, nichts wirkenden Ursache zur Natur, dem Inbegriff wirklicher Ursachen, um auf's Neue auf eine erquicklichere Weise zu beweisen, daß wir bei der Natur als dem letzten Grund unserer Existenz stehen bleiben müssen, daß alle über die Natur hinausgehenden Ableitungen derselben von einem nicht natürlichen Wesen nur Phantasien oder Selbsttäuschungen sind. Diese Beweise sind nun theils directe, theils indirecte, jene sind aus der Natur geschöpft, beziehen sich unmittelbar auf das Wesen derselben; die anderen zeigen die Widersprüche, die in der gegentheiligen Annahme liegen, die ungereimten Consequenzen, die sich aus ihr ergeben.

Unsere Welt, aber keineswegs nur die politische und sociale, sondern auch unsere geistige und gelehrte Welt ist eine verkehrte Welt. Der Triumph unsrer Bildung, unsrer Cultur bestand größtentheils nur in der größtmöglichen Entfernung und Abirrung von der Natur, der Triumph unserer Wissenschaft, unserer Gelehrsamkeit in der größtmöglichen Entfernung und Abirrung von der einfachen und sinnfälligen Wahrheit. So ist es allgemeiner Grundsatz unserer verkehrten Welt, daß Gott sich in der Natur offenbart, während es umgekehrt heißen muß, daß ursprünglich wenigstens die Natur sich dem Menschen als Gottheit offenbart, daß die Natur auf den Menschen den Eindruck macht, welchen er Gott nennt, welchen er unter dem Namen Gottes zum Bewußtsein bringt, vergegenständlicht. So ist es allgemeine Lehre unserer verkehrten Welt, daß die Natur aus Gott entstanden, während es umgekehrt heißen muß, daß Gott aus der Natur entstanden, Gott aus der Natur abgeleitet, ein von ihr abstrahirter, abgezogener Begriff ist; denn alle

Prädicate, d. h. alle Eigenschaften oder Bestimmungen, alle Realitäten, wie die Philosophen sagen, d. h. alle Wesenheiten oder Vollkommenheiten, welche in Gott zusammengefaßt werden oder deren Inbegriff, deren Zusammenfassung eben Gott ist oder heißt, alle göttlichen Prädicate also, welche und wiefern sie keine vom Menschen entlehnte sind, sind aus der Quelle der Natur geschöpft, vergegenständlichen, vergegenwärtigen, veranschaulichen uns nichts Andres, als das Wesen der Natur oder kurzweg die Natur. Der Unterschied ist nur der, daß Gott ein abstractes, d. h. gedachtes, die Natur ein concretes, d. h. wirkliches Wesen ist, aber das Wesen, die Sache, der Inhalt ist dasselbe; Gott ist die abstracte, d. h. von der sinnlichen Anschauung abgezogene, gedachte, zu einem Verstandesobject oder Verstandeswesen gemachte Natur; die Natur im eigentlichen Sinne ist die sinnliche, wirkliche Natur, wie sie uns unmittelbar die Sinne offenbaren und darstellen. Betrachten wir nun die Wesensbestimmungen der Gottheit, so werden wir finden, daß sie alle nur in der Natur wurzeln, daß sie nur Sinn und Verstand haben, wenn sie auf die Natur zurückgeführt werden. Eine Wesensbestimmung Gottes ist, daß er ein mächtiges, ja das mächtigste, in späteren Vorstellungen das allmächtige Wesen ist. Die Macht ist selbst das erste Prädicat der Gottheit oder vielmehr die erste Gottheit. Aber was ist diese Macht? was drückt sie aus? nichts als die Macht der Naturerscheinungen; daher sind, wie schon in den ersten Stunden angeführt wurde, Blitz und Donner, als die Erscheinung, welche den mächtigsten, furchtbarsten Eindruck auf den Menschen macht, die Wirkung des höchsten, mächtigsten Gottes oder selbst eins mit ihm. Selbst im Alten Testament ist und heißt der Donner die Stimme Gottes und an vielen Stellen der Blitz „das Angesicht Gottes". Was ist aber ein Gott, dessen Stimme der Donner, dessen Angesicht der Blitz, anders, als das Wesen der Natur, respective des Blitzes und Donners? Selbst bei den christlichen Theisten drückt die Macht trotz der Geistigkeit ihres Gottes nichts anders aus, als die sinnliche Macht, die Macht der Natur. So sagt z. B. der christliche Dichter Triller in seinen „poetischen Betrachtungen":

> Ist es nicht wahr, gesteh es mir,
> Daß dir das Herz im Leibe zittert,
> Wann mit erschütternder Gewalt
> Der Donner rasselt, rollt und knallt?
> Woher mag diese Furcht entstehn?
> Wo anders her? als daß dein Geist
> Dir sagt, es könne leicht geschehn,
> Daß Gott durch seines Donners Kraft
> Und durch der Blitzen Schwefelflammen
> Dich plötzlich von der Erde rafft?
> So ist es demnach Zweiffels frey,
> Daß Blitz und Donnerschlag ein Zeichen
> Von Gottes Sein und Allmacht sey.

Und wo die Macht der Natur bei den Christen auch nicht so vernehmlich in die Sinne fällt, wie hier im Blitz und Donner des geistlichen Triller's, da liegt sie wenigstens zu Grunde. So haben die christlichen Theisten, deren Wesen die Abstraction und eben deswegen die Entfernung von der Wahrheit der Natur, die Ursache der Bewegung in der Natur, weil sie diese zu einer todten, trägen Masse oder Materie machten, von der Macht oder Allmacht Gottes abgeleitet. Gott, sagten sie, hat der an sich bewegungslosen Materie die Bewegung eingepflanzt, eingedrückt, mitgetheilt, und eben deswegen haben sie die ungeheuere Macht Gottes bewundert, kraft welcher er diese ungeheuere Masse oder Maschine in Bewegung gesetzt. Aber ist nicht diese Macht, wodurch Gott den Körper oder die Materie in Bewegung versetzt, abstrahirt, abgezogen von der Kraft oder Macht, womit ein Körper einem anderen ruhenden seine Bewegung mittheilt? Die diplomatischen Theisten läugneten freilich wieder, daß Gott durch einen Stoß, eine unmittelbare Berührung die Materie bewegt habe; er sei ein Geist, durch seinen bloßen Willen habe er dies bewirkt. Allein so wenig Gott als ein bloßer Geist, sondern zugleich als ein Wesen, und zwar materielles, sinnliches, wenn gleich verstecktes materielles, versteckt sinnliches Wesen vorgestellt wird, so wenig hat er durch seinen bloßen Willen die Bewegung verursacht. Wille ist nichts ohne Macht, ohne ein positives, materielles Vermögen. Die Theisten unterscheiden ja selbst ausdrücklich in Gott die Macht vom Willen und Verstand. Was ist denn nun aber diese vom Willen und Verstande unterschiedene Macht anders, als die Naturmacht? Die Vorstellung der Macht als eines göttlichen Prädicats oder als einer Gottheit ergiebt oder entwickelt sich im Menschen besonders aus der Vergleichung der Wirkungen der Natur mit den Wirkungen des Menschen. Der Mensch kann nicht Kräuter und Bäume hervorbringen, nicht Sturm und Wetter machen, nicht blitzen und donnern. „Unnachahmlich" nennt daher Virgil Jupiter's Blitzstrahl, und den Salmoneus trifft deswegen in der griechischen Mythologie der Blitz des Jupiter, weil er sich erfrechte, wie Jupiter blitzen und donnern zu wollen. Diese Wirkungen der Natur gehen über die Kräfte des Menschen, sind nicht in seiner Macht. Eben deswegen ist ihm das diese Wirkungen und Erscheinungen hervorbringende Wesen ein übermenschliches und als ein übermenschliches ein göttliches Wesen. Aber alle diese Wirkungen und Erscheinungen drücken nichts Andres aus, als die Macht der Natur. Die Christen, die Theisten schreiben zwar diese Wirkungen mittelbar oder ihrem Ursprung nach Gott zu, einem von der Natur unterschiedenen, mit Willen, Verstand, Bewußtsein wirkenden Wesen; aber das ist nur eine Erklärung, und hier handelt es sich nicht darum, ob ein Geist Ursache dieser Erscheinungen ist oder nicht ist, sein kann oder nicht sein kann, sondern nur darum, daß die Naturerscheinungen, die Naturwirkungen, welche selbst der Christ, wenigstens der rationalistische, aufgeklärte Christ zu keinen unmittelbaren Wirkungen Gottes, nur ihrem ersten Ursprung nach zu Wirkungen Gottes, aber ihrer wirklichen Wesenheit und Beschaffenheit nach zu Wirkungen der Natur macht, das Original sind, von welchem der Mensch ursprünglich den Ausdruck und Begriff einer übermenschlichen, göttlichen Macht und Kraft abzieht. Ein Beispiel. Wenn ein Blitz einen Menschen erschlägt, so sagt oder denkt der Christ, daß dies nicht von Ohngefähr, oder in Folge der bloßen Naturordnung geschah, sondern in Folge eines göttlichen Beschlusses; denn „es fällt kein Sperling vom Dache, ohne Gottes Willen." Gott wollte, daß er starb und zwar auf diese Weise. Sein Wille ist die Ursache, die letzte oder erste Ursache des Todes, die nächste ist der Bliz, oder der Bliz ist, im Sinn des alten Glaubens, das Mittel, wodurch Gott selbst den Menschen tödtete, im Sinne des modernen Glaubens die Mittelursache, welche mit Gottes Willen oder wenigstens Erlaubniß (Zulassung) den Tod bewirkte. Aber die niederschmetternde, tödtende, versengende Kraft ist die e i g e n e Kraft des Blizes, so wie die Kraft oder Wirkung des Arseniks, wodurch ich einen Menschen tödte, nicht eine Wirkung meines Willens, meiner Kraft, sondern die dem Arsenik eigene Kraft und Wirkung ist. Wir unterscheiden also auf dem theistischen oder christlichen Standpunkt die K r a f t d e r D i n g e von der Kraft oder richtiger dem Willen Gottes; wir halten nicht die Wirkungen und folglich Eigenschaften — denn wir erkennen ja nur die Eigenschaften der Dinge aus ihren Wirkungen — der Elektricität, des Magnetismus, der Luft, des Wassers, des Feuers für Eigenschaften und Wirkungen Gottes; wir sagen nicht: Gott brennt und wärmt, sondern das Feuer brennt und wärmt, wir sagen und denken nicht: Gott macht naß, sondern das Wasser, nicht Gott donnert und blizt, sondern es donnert und blizt u. s. w. Gerade nun aber diese von Gott als geistigem Wesen, wie ihn der Christ denkt, unterschiedenen Erscheinungen, Eigenschaften und Wirkungen der Natur sind es, welchen der Mensch die Vorstellung göttlicher, übermenschlicher Macht entnimmt, wegen welcher er, so lange er seinem ursprünglichen, einfachen, die Natur nicht in Gott und Welt zerspaltenden Sinne treu bleibt, die Natur selbst als Gott verehrt. Bei dem Ausdruck: übermenschlich, kann ich mich nicht enthalten, eine Bemerkung einzuschalten. Es ist eine der gewöhnlichsten Lamentationen der religiösen und gelehrten Heuler über den Atheismus, daß er ein wesentliches Bedürfniß des

Menschen zerstöre oder verkenne, nämlich das Bedürfniß desselben, etwas über sich Seiendes anzunehmen und zu verehren, daß er eben deswegen den Menschen zu einem egoistischen und hochmüthigen Wesen mache. Allein der Atheismus hebt nicht, indem er das theologische Ueber dem Menschen aufhebt, damit auch das moralische und natürliche Ueber auf. Das moralische Ueber ist das Ideal, das sich jeder Mensch setzen muß, um etwas Tüchtiges zu werden; aber dieses Ideal ist und muß sein ein menschliches Ideal und Ziel. Das natürliche Ueber ist die Natur selbst, sind insbesondere die himmlischen Mächte, von denen unsere Existenz, unsere Erde abhängt; ist ja die Erde selbst nur ein Glied derselben und das, was sie ist, nur innerhalb der Stellung, die sie in unserem Sonnensystem einnimmt. Selbst das religiöse überirdische und übermenschliche Wesen verdankt seinen Ursprung nur dem sinnlichen, optischen über uns Sein des Himmels und der Himmelskörper. Julian beweist bei Cyrillus daraus die Gottheit der Gestirne, daß Jeder die Hände in den Himmel erhebt, wenn er betet oder schwört oder irgend wie den Namen der Gottheit anruft. Versetzen doch selbst die Christen ihren „geistigen, allgegenwärtigen" Gott noch in den Himmel; und sie versetzen ihn aus denselben Gründen in den Himmel, aus welchen ursprünglich der Himmel selbst für Gott galt. Aristo von Chios, des Zeno, welcher der Stifter des Stoicismus, Schüler, sagte ausdrücklich: „über uns ist oder geht das Physische (die Natur), denn es ist unmöglich zu erkennen und bringt uns keinen Nutzen." Aber dieses Physische ist hauptsächlich das Himmlische. Die Gegenstände der Astronomie und Meteorologie waren es ja vor Allem, welche das Interesse der Naturforscher und Naturphilosophen erregten. So verwarf auch Sokrates die Physik als etwas über die Kräfte des Menschen Gehendes und führte die Menschen von der Physik zur Ethik; aber unter dieser Physik verstand er hauptsächlich die Astronomie und Meteorologie, daher der bekannte Spruch, daß er die Philosophie vom Himmel auf die Erde herabgeführt habe, daher auch, daß er alles die Kräfte

und Bestimmung des Menschen übersteigende Philosophiren Meteorolo-
gein (d. h. sich mit himmlischen, überirdischen Dingen beschäftigen)
nannte.

Wie aber die Macht, die Uebermenschlichkeit, das höchste oder obere,
über uns seiende Wesen — Superi heißen bei den Römern die Götter —,
so sind auch die andern Prädicate der Gottheit, wie die Ewigkeit, die
Unendlichkeit, ursprünglich Prädicate der Natur.   So ist z. B. bei
Homer die Unendlichkeit ein Beiwort des Meeres und der Erde, beim
Philosophen Anarimenes ein Beiwort der Luft, im Zendavesta die Ewigkeit und Unsterblichkeit ein Prädicat der Sonne und Sterne.   Selbst
der größte Philosoph des Alterthums, Aristoteles, schreibt im Gegensatze zu der Vergänglichkeit und Veränderlichkeit des Irdischen dem Himmel und den Himmelskörpern Unveränderlichkeit und Ewigkeit zu.   Und
selbst der Christ erschließt aus (d. h. leitet ab von) der Größe und Unendlichkeit der Welt oder Natur die Größe und Unendlichkeit Gottes,
wenn er gleich hernach — aus einem sehr begreiflichen, hier aber nicht
zu erörternden Grunde — jene vor dieser verschwinden läßt.   So sagt
z. B. Scheuchzer in seiner „Naturwissenschaft Hiob's" mit unzähligen
andern Christen: „Seine (Gottes) unendliche Größe zeigt an nicht
nur die unbegreifliche Größe der Welt und Weltkörper, sondern
auch das kleinste Stäublein."   Und in seiner „Physika oder Naturwissenschaft" sagt derselbe gelehrte und fromme Naturforscher: „es leuchtet die unendliche Weisheit und Macht des Schöpfers hervor nicht
nur aus denen infinite magnis, aus der ganzen Welt Masse und
jenen großen in freiem Himmel daher schwimmenden Körpern ... sondern auch aus denen infinite parvis, aus denen Stäublein kleinen Thier-
lein ... Ein jedes Stäublein begreifet eine unendliche Zahl kleinster
Welten."   Der Begriff der Unendlichkeit fällt zusammen mit dem Begriff allumfassender Allgemeinheit oder Universalität.   Gott ist kein
particuläres und darum endliches, kein auf diese oder jene Nation, diesen oder jenen Ort beschränktes Wesen, aber auch nicht die Natur.

Sonne, Mond, Himmel, Erde und Meer sind Allen gemein, sagt ein griechischer Philosoph, und ein römischer Dichter (Ovid) sagt: die Natur hat weder die Sonne, noch die Luft, noch das Wasser Jemanden zugeeignet. „Vor Gott gilt kein Ansehen der Person", aber auch nicht vor der Natur. Die Erde bringt ihre Früchte nicht nur dieser oder jener auserlesenen Person oder Nation hervor; die Sonne scheint nicht blos über das Haupt des Christen, des Juden, sie erleuchtet alle Menschen ohne Unterschied. Eben wegen dieser Unendlichkeit und Allgemeinheit der Natur konnten die alten Juden, welche sich für das von Gott bevorzugte, d. h. einzige berechtigte Volk hielten, welche glaubten, daß nur ihret-, der Juden willen, nicht der Menschen wegen die Welt geschaffen sei, nicht begreifen, warum die Güter des Lebens nicht ihnen allein, sondern auch den Götzendienern zu Gebote ständen. Auf die Frage, warum Gott nicht den Götzendienst zerstöre, antworteten daher jüdische Gelehrte, er würde die Götzendiener vernichten, wenn sie nicht der Welt nothwendige Dinge verehrten; da sie aber Sonne, Mond, Sterne, Wasser, Feuer verehrten, warum sollte Gott wegen einiger Thoren die Welt zerstören? d. h. in Wahrheit: Gott muß die Ursachen und Gegenstände der Idolatrie bestehen lassen, weil ohne sie nicht die Juden bestehen könnten (10). Wir haben hier ein interessantes Beispiel von einigen wesentlichen Characterzügen der Religion. Erstlich ein Beispiel von dem Widerspruch zwischen Theorie und Praxis, Glauben und Leben, welcher in jeder Religion sich findet. Mit ihrer Theorie, ihrem Glauben stand diese natürliche Gemeinschaft der Erde, des Lichtes, des Wassers, welche die Juden mit den Götzendienern hatten, in directem Widerspruch; da sie Nichts mit den Heiden gemein haben wollten und ihrer Religion nach gemein haben sollten, so hätten sie auch die Lebensgüter nicht mit ihnen gemein haben sollen. Wären sie consequent gewesen, so hätten sie entweder die Heiden oder sich von dem Genusse derselben ausschließen müssen, um gar nichts mit den profanen Heiden gemein zu haben. Zweitens haben wir hieran ein Beispiel, daß die

Natur weit liberaler ift als der Gott der Religionen, daß der naturge=
mäße Standpunkt des Menschen oder die Naturanschauung weit uni=
verseller ift, als der religiöse Standpunkt, welcher den Menschen vom
Menschen, den Chriften vom Juden, den Juden vom Heiden trennt,
daß folglich die Einheit des Menschengeschlechts, die alle Menschen um=
faffende Liebe keineswegs auf den Begriff des himmlischen Vaters, oder,
wie die modernen Philosophen diesen Ausdruck übersetzen, auf den Be=
griff des Geiftes, sondern eben so, ja noch beffer auf die Natur sich
stützt, ja, ursprünglich sich nur auf sie stützte. Die allgemeine Men=
schenliebe stammt daher auch keineswegs erft aus dem Chriftenthum.
Schon die heidnischen Philosophen lehrten sie; aber der Gott der heid=
nischen Philosophen war nichts Andres, als die Welt oder Natur.

Die Chriften haben vielmehr denselben Glauben gehabt, wie die
Juden; sie haben ebenfalls geglaubt und gesagt, daß die Welt nur
ihret=, der Chriften willen erschaffen und erhalten werde; sie haben
sich daher consequent eben so wenig die Exiftenz der Ungläubigen und
Heiden überhaupt erklären können, als die Juden, denn wenn die Welt
nur der Chriften wegen ift, wozu und warum sind denn die anderen
Menschen, die keine Chriften sind, nicht an den chriftlichen Gott glau=
ben? Aus einem chriftlichen Gott läßt sich nur das Dasein von chrift=
lichen, aber nicht von heidnischen und ungläubigen Menschen erklären.
Der Gott, der über Gerechte und Ungerechte, über Gläubige und Un=
gläubige, Chriften und Heiden seine Sonne aufgehen läßt, ift ein gegen
diese religiösen Unterschiede gleichgültiger, nichts von ihnen wissender
Gott, ift in Wahrheit nichts Andres, als die Natur (11). Wenn es
daher in der Bibel heißt: Gott läßt seine Sonne aufgehen über Gute
und Böse, so haben wir in diesen Worten Spuren oder Beweise einer
religiösen Naturanschauung, oder unter den Guten und Bösen sind nur
moralisch, aber keineswegs dogmatisch unterschiedene Menschen zu ver=
ftehen, denn der dogmatische biblische Gott unterscheidet strenge die
Böcke von den Schafen, die Chriften von den Juden und Heiden, die

Gläubigen von den Ungläubigen; denn den Einen verheißt er die Hölle, den Anderen den Himmel, die Einen verdammt er zum ewigen Leben und Glück, die Anderen zum ewigen Elend und Tod. Aber eben deswegen läßt sich auch nicht das Dasein solcher von ihm zum Nichts verdammten Menschen aus ihm ableiten; wir können es nur uns erklären, wir können überhaupt den tausend und abermal tausend Widersprüchen, Verlegenheiten, Schwierigkeiten und Inconsequenzen, in die uns der religiöse Glaube verwickelt, nur dann entgehen, wenn wir erkennen, daß der ursprüngliche Gott nur ein von der Natur abgezogenes Wesen ist, und daher mit Bewußtsein an die Stelle des mystischen, vieldeutigen Namens und Wesens Gottes den Namen und das Wesen der Natur setzen.

Dreizehnte Vorlesung.

Was ich in der gestrigen Stunde von der Macht, von der Ewigkeit, von der Uebermenschlichkeit, von der Unendlichkeit und Univerfalität
Gottes gesagt habe, daß sie von der Natur abgezogen seien, ursprünglich nur Eigenschaften der Natur ausdrückten, das gilt auch selbst von
den moralischen Eigenschaften. Die Güte Gottes ist nur abgezogen von
den dem Menschen nützlichen, guten, wohlthätigen Wesen und Erscheinungen der Natur, welche ihm das Gefühl oder Bewußtsein einflößen,
daß das Leben, die Existenz ein Gut, ein Glück sei. Die Güte Gottes
ist nur die durch die Phantasie, die Poesie des Affects veredelte, nur die
personificirte, als eine besondere Eigenschaft oder Wesenheit verselbstständigte, nur die in thätiger Form ausgedrückte und aufgefaßte Nützlichkeit und Genießbarkeit der Natur. Weil aber die Natur zugleich auch
die Ursache von dem Menschen feindlichen, verderblichen Wirkungen ist,
so verselbstständigt und vergöttert er diese Ursache in einem bösen Gott.
Dieser Gegensatz findet sich fast in allen Religionen; aber die in dieser
Beziehung berühmteste Religion ist die persische, welche an die Spitze
ihres Glaubens zwei sich feindliche Götter stellt: den Ormuzd, welcher
der Gott oder die Ursache aller dem Menschen wohlthätigen Wesen, der
nützlichen Thiere, der erfreulichen Erscheinungen, wie des Lichts, des
Tags, der Wärme ist, und den Ahriman, welcher der Gott oder die Ursache der Finsterniß, der verderblichen Hitze, der schädlichen Thiere ist.

Auch die christliche Religion, deren Glaubensvorstellungen fast insgesammt aus der persischen, überhaupt orientalischen Weltanschauung stammen, hat eigentlich zwei Götter, wovon aber nur der eine vorzugsweise oder ausschließlich Gott, der andere Satan oder Teufel heißt. Und selbst wo man die bösen, verderblichen Wirkungen der Natur nicht von einer selbstständigen, persönlichen Ursache, dem Teufel ableitet, da werden sie wenigstens von dem Zorne Gottes abgeleitet. Aber der Gott im Zorne oder der zornige Gott ist nichts Andres, als der böse Gott. Wir haben hier wieder ein Beispiel, daß zwischen Poly- und Monotheismus kein wesentlicher Unterschied ist. Der Polytheist glaubt gute und böse Götter, der Monotheist verlegt die bösen Götter in den Zorn, die guten in die Güte Gottes, und glaubt Einen Gott, aber dieser Eine ist ein guter und böser oder zorniger Gott, ein Gott von entgegengesetzten Eigenschaften. Der Zorn Gottes ist nun aber nichts als die Strafgerechtigkeit Gottes, vorgestellt, versinnlicht als Affect, als Leidenschaft. Der Zorn ist ja selbst im Menschen ursprünglich und an sich nichts Andres, als ein leidenschaftliches Gerechtigkeits- oder Rachegefühl. Der Mensch wird zornig, wo ihm — sei's nun wirklich oder in seiner Meinung — ein Leid, ein Unrecht angethan wird. Der Zorn ist eine Empörung des Menschen gegen die despotischen Eingriffe, die sich ein andres Wesen gegen ihn erlaubt. Wie nun aber die Güte Gottes nur von den guten Wirkungen der Natur, so ist die Gerechtigkeit ursprünglich nur von den bösen, schädlichen, verderblichen Wirkungen der Natur abgezogen. Die Vorstellung der Strafgerechtigkeit erzeugt sich durch Reflexion also. Der Mensch ist ein Egoist; er ist sich selbst unendlich gut und glaubt nun, daß Alles auch nur ihm zum Besten dienen müsse, daß es kein Uebel geben solle und könne; er findet aber Widersprüche mit diesem seinen Egoismus und Glauben; er glaubt daher, daß ihm nur etwas Böses begegne, wenn er gegen das Wesen oder die Wesen, von denen er alles Gute und Wohlthätige ableitet, gefehlt und sie dadurch gegen sich in Harnisch gebracht habe. Er erklärt sich daher

die Uebel der Natur als Strafen, die Gott wegen irgend eines gegen
ihn begangenen Fehlers oder Unrechts über die Menschen verhängt habe.
Daher auch der christliche Glaube, daß einst die Natur ein Paradies
gewesen, wo nichts dem Menschen Feindliches und Schädliches existirt
habe, daß aber dieses Paradies in Folge der Sünde und des durch sie
erregten Zornes Gottes zu Grunde gegangen sei. Aber diese Erklärung
ist eine theologisch verkehrte. Ursprünglich ist der Zorn oder die Strafgerechtigkeit Gottes im Unterschied von seiner Güte nur abgezogen und
abgeleitet von den schädlichen und verderblichen Erscheinungen der Natur.
Nicht weil Gott straft, gerecht, zornig, bös ist, ist dieser Mensch vom
Blitz getödtet worden, sondern umgekehrt, weil er vom Blitz erschlagen,
so ist die Ursache dieses Todesfalls ein zorniges, strafendes, böses Wesen. Das ist der ursprüngliche Gang der menschlichen Gedanken. (¹²)
Aber wie die Güte und Gerechtigkeit Gottes von den guten und bösen
Erscheinungen der Natur, so ist auch die Weisheit nur von der Natur
und zwar von der Ordnung, in der die Erscheinungen der Natur auf
einander folgen, von dem Zusammenhange der natürlichen Ursachen und
Wirkungen abgeleitet und abgezogen.

Aber wie die bisherigen physischen oder metaphysischen und moralischen, so sind auch die übrigen mehr unbestimmten oder verneinenden
Eigenschaften Gottes von der Natur abgezogen. Gott ist nicht sichtbar;
aber auch die Luft ist nicht sichtbar. Eben deßwegen ist fast bei allen,
nur einigermaßen spirituellen Völkern auch die Luft, der Athem, Hauch
identisch mit Geist. Und Gott selbst unterscheidet sich wieder nicht vom
Geiste, d. h. von der Luft, als dem in der ungebildeten sinnlichen Anschauung allein das Leben des Menschen bedingenden oder vielmehr verursachenden und erhaltenden Wesen. Wenn es daher heißt: von Gott
sollst Du Dir kein Bildniß machen, so folgt daraus noch nicht, daß unter Gott ein Geist in unserem Sinne, die wir unter Geist ein denkendes,
wollendes, erkennendes Wesen verstehen, verstanden wird. Wer kann
sich von der Luft ein Bild machen? Wundre Dich nicht, erwiedert Mi-

nucius Felix auf den Vorwurf der Heiden, daß der Christen Gott nicht gezeigt, noch gesehen werden könne, wenn Du Gott nicht siehst, auch Wind und Luft sind unsichtbar, ob sie gleich Alles hin und her stoßen, bewegen, erschüttern. Gott ist nicht greifbar, nicht tastbar. Aber ist es denn die Luft, ob sie gleich für die Physiker wägbar ist, ist es das Licht? Läßt sich das Licht, läßt sich die Luft plastisch, d. h. in einer individuellen, körperlichen Gestalt darstellen? Wie verkehrt ist es daher, daraus, daß Völker von ihren Göttern oder ihrem Gotte keine Bilder, keine Statuen und folglich keine Tempel haben, zu schließen, daß sie ein geistiges Wesen, ein geistiges Wesen in unserem Sinne verehren? Sie verehren die Natur, sei's nun im Ganzen oder in ihren Theilen, ohne sie noch vermenschlicht, ohne sie wenigstens noch in bestimmte menschliche Form und Figur gebracht zu haben, das ist der Grund, warum sie keine menschlichen Bilder und Statuen von den Gegenständen ihrer religiösen Verehrung haben. Gott kann ich nicht in beschränkte Formen, Bilder, Begriffe fassen; aber kann ich denn die Welt, das Universum darein fassen? Wer kann sich von der Natur ein Bild machen, wenigstens ein ihrem Wesen entsprechendes Bild? Jedes Bild ist ja nur von einem Theil der Welt genommen, wie kann ich also das Ganze in einem Theile entsprechend darstellen wollen? Gott ist nicht ein zeitlich und räumlich beschränktes Wesen; aber ist's denn die Welt? ist die Welt an diesem Orte, in dieser Zeit? ist sie nicht an allen Orten, in allen Zeiten? Ist die Welt in der Zeit oder nicht vielmehr die Zeit in der Welt? ist die Zeit nicht eine Form nur der Welt, die Art und Weise, in welcher die einzelnen Wesen und Wirkungen der Welt auf einander folgen? Wie kann ich also der Welt einen zeitlichen Anfang zuschreiben? Setzt die Welt die Zeit oder nicht vielmehr die Zeit die Welt voraus? Die Welt ist das Wasser, die Zeit die Bewegung des Wassers; ist aber das Wasser nicht der Natur der Sache nach früher, als die Bewegung desselben? setzt nicht die Bewegung des Wassers das Wasser voraus? ist die Bewegung desselben nicht eine Folge seiner eigenthümlichen Natur

und Beschaffenheit? Ist es also nicht eben so thöricht, sich die Welt in
der Zeit entstanden zu denken, als wenn ich mir das Wesen eines Dings
erst in den Folgen dieses Wesens entstanden denke? Ist es nicht eben so
unsinnig, sich einen zeitlichen Punkt als den Anfang der Welt zu denken, als den Fall des Wassers sich als den Ursprung des Wassers zu
denken? Sehen wir nun aber nicht aus dem bisher Angeführten, daß
das Wesen und die Eigenschaften der Welt und das Wesen und die Eigenschaften Gottes dieselben sind, daß Gott sich nicht von der Welt
unterscheidet, daß Gott nur ein von der Welt abstrahirter Begriff, Gott
nur die Welt in Gedanken, die Welt nur der Gott in Wirklichkeit oder
der wirkliche Gott ist, daß die Unendlichkeit Gottes nur von der Unendlichkeit der Welt, die Ewigkeit Gottes nur von der Ewigkeit der Welt,
die Macht und Herrlichkeit Gottes nur von der Macht und Herrlichkeit
der Natur abgezogen, nur aus ihr entstanden, von ihr abgeleitet ist?
Der Unterschied zwischen Gott und Welt ist nur der Unterschied zwischen
Geist und Sinn, Gedanken und Anschauung; die Welt als Gegenstand
der Sinne, namentlich der körperlichen Sinne, wie des groben Tastsinns,
ist die Welt, die eigentlich sogenannte Welt, dagegen die Welt als Gegenstand des Gedankens, des das Allgemeine von den Sinnen abziehen-
den Denkens ist Gott. Aber wie das Allgemeine, das der Verstand
von den sinnlichen Dingen abzieht, ein, wenn auch nicht unmittelbar,
doch mittelbar Sinnliches, ein dem Wesen, der Sache, wenn auch nicht
der Form nach Sinnliches ist (denn der Begriff des Menschen ist ja vermittelst der Menschen, der Begriff des Baumes vermittelst der Bäume,
welche die Sinne mir zeigen, etwas Sinnliches), so ist auch das Wesen
Gottes, obwohl es nur das gedachte, abgezogene Wesen der Welt ist,
doch ein mittelbar sinnliches Wesen. Gott ist allerdings kein sinnliches
Wesen, wie irgend ein sichtbar oder handgreiflich begränzter Körper, wie
der Stein, die Pflanze, das Thier, aber wenn man nur deßwegen dem
Wesen Gottes die Sinnlichkeit absprechen wollte, so müßte man sie auch
der Luft, auch dem Licht absprechen. Selbst da, wo der Mensch sich

mit der Vorstellung Gottes über die Natur zu erheben glaubt, wo er Gott, wenigstens seiner Einbildung nach, als ein von allen sinnlichen Eigenschaften abgesondertes, unsinnliches, unkörperliches Wesen denkt, wie die Christen, namentlich die sogenannten rationalistischen Christen; selbst da bildet doch wenigstens die Grundlage des geistigen Gottes die Vorstellung des sinnlichen Wesens. Wer kann sich überhaupt etwas als Wesen denken, ohne es zugleich als sinnliches Wesen zu denken, mag er auch alle Beschränkungen und Eigenschaften eines tastbar sinnlichen Wesens von ihm weglassen? Der Unterschied zwischen dem Wesen Gottes und dem Wesen der sinnlichen Dinge ist nur der Unterschied zwischen der Gattung und den Arten oder den Individuen. Gott ist so wenig dieses oder jenes Wesen, als die Farbe diese oder jene Farbe, der Mensch dieser oder jener Mensch ist; denn im Gattungsbegriff des Menschen sehe ich ab von den Unterschieden der Menschenarten und einzelnen Menschen, im Gattungsbegriff der Farbe von den einzelnen, unterschiedenen Farben. So sehe ich auch in Gottes Wesen ab von den Unterschieden und Eigenschaften der vielen verschiedenen sinnlichen Wesen, denke es blos im Allgemeinen als Wesen; aber eben deßwegen weil der Begriff des göttlichen Wesens nur abgezogen ist von den sinnlichen Wesen, die die Welt enthält, weil er nur ein Gattungsbegriff ist, so unterschieben wir stets auch diesem allgemeinen Begriff die Bilder sinnlicher Wesen, wir stellen uns das Wesen Gottes bald als das Wesen der Natur im Ganzen, oder des Lichtes, oder des Feuers, oder des Menschen, namentlich eines alten ehrwürdigen Mannes vor, gleichwie uns bei jedem Gattungsbegriff das Bild der Individuen, von denen wir ihn abstrahirt haben, vorschwebt. Eben so wie mit dem Wesen, ist es auch mit der Existenz Gottes, wie sich von selbst versteht, denn die Existenz läßt sich ja nicht vom Wesen absondern. Selbst da, wo Gott als ein Wesen vorgestellt wird, das, weil es selbst Geist, nur für den Geist des Menschen existire, nur dem Menschen Gegenstand werde, wenn er sich erhebe über die Sinne, von den sinnlichen

Wesen seinen Geist abziehe, selbst da liegt der Existenz Gottes die Wahrheit der sinnlichen Existenz, die Wahrheit der Natur zu Grunde. Gott soll nicht nur im Denken, im Geiste, sondern auch außer dem Geiste, unabhängig von unserem Denken existiren, ein von unserem Geiste, unseren Gedanken und Vorstellungen von ihm unterschiedenes Wesen sein. Darauf, daß er ein von uns unabhängig, außer uns existirendes, gegenständliches Wesen sei, wird aller Nachdruck gelegt. Aber wird denn nicht dadurch selbst in Gott, wo angeblich von allem Sinnlichen abgesehen werden soll, die Wahrheit des sinnlichen Seins eingestanden? nicht anerkannt, daß es außer sinnlichem Sein kein Sein giebt? Haben wir denn ein anderes Merkmal, ein anderes Kriterium einer Existenz außer uns, einer vom Denken unabhängigen Existenz, als die Sinnlichkeit? Ist eine Existenz ohne Sinnlichkeit nicht der bloße Gedanke, das Gespenst von einer Existenz? Die Existenz Gottes oder wie sie Gott zugeschrieben wird, unterscheidet sich nur so von der Existenz der sinnlichen Wesen außer uns, wie das Wesen Gottes sich von den sinnlichen Wesen nach der eben gegebenen Erklärung unterscheidet. Die Existenz, wie sie von Gott ausgesagt wird, ist die Existenz im Allgemeinen, der Gattungsbegriff der Existenz, die von allen besonderen und individuellen Beschaffenheiten oder Bestimmungen abgesonderte Existenz. Diese Existenz ist nun allerdings eine geistige, eine abstracte, wie jeder Allgemeinbegriff etwas Abstractes, etwas Geistiges ist; aber gleichwohl ist sie doch nichts Andres, als die sinnliche Existenz nur gedacht im Allgemeinen. Hierin haben wir die Lösung von den Schwierigkeiten, die die Existenz den Philosophen und Theologen gemacht, wie die sogenannten Beweise vom Dasein Gottes zeigen, die Lösung von den Widersprüchen, die sich in den Erklärungen und Vorstellungen über die Existenz Gottes finden; hieraus begreifen wir, warum man Gott eine geistige Existenz zuschreibt, aber gleichwohl wieder zugleich diese geistige Existenz als eine sinnliche, selbst örtliche, als eine Existenz im Himmel vorstellt; kurz, der Widerspruch, der Streit zwischen Geist und Sinnlichkeit in der Vorstellung der göttlichen Existenz, die Zweideutigkeit, die mystische Unbestimmtheit derselben erklärt sich einfach daraus, daß sie von der sinnlichen Existenz der wirklichen Dinge und Wesen abstrahirt, abgezogen ist, daß aber eben deßwegen sich nothwendig dieser abstracten Existenz das Bild der sinnlichen Existenz unterstellt, wie sich dem Wesen Gottes stets das Bild des sinnlichen Wesens unterstellt. Wenn nun aber, wie wir bisher gesehen haben, alle Eigenschaften, Wesenheiten oder Realitäten, welche zusammen das Wesen Gottes ausmachen, von der Natur abgezogen sind, wenn das Wesen, die Existenz, die Eigenschaften der Natur das Original sind, nach welchem der Mensch das Bild Gottes entworfen hat, oder wenn, tiefer eingegangen, Gott und Welt oder Natur sich nur so unterscheiden wie der Gattungsbegriff und die Individuen, so daß also die Natur, wie sie der sinnlichen Anschauung Gegenstand ist, die eigentliche Natur ist, die Natur aber, wie sie im Unterschiede von der Sinnlichkeit, in der Absonderung von ihrer Materialität und Körperlichkeit Gegenstand des Geistes, des Denkens ist, Gott ist; so erhellt von selbst, so ist eben damit auch erwiesen, daß die Natur nicht von Gott, das wirkliche Wesen nicht von dem abstracten, das körperliche, materielle Wesen nicht von dem geistigen entstanden ist. Die Natur von Gott ableiten, ist eben so viel, als aus dem Bilde, aus der Kopie das Original, aus dem Gedanken eines Dings dieses Ding ableiten wollen. So verkehrt dieses ist, so beruht doch auf dieser Verkehrtheit das Geheimniß der Theologie. Die Dinge werden in der Theologie nicht gedacht und gewollt, weil sie sind, sondern sie sind, weil sie gedacht und gewollt werden. Die Welt ist, weil sie Gott gedacht und gewollt hat, weil sie jetzt noch Gott denkt und will. Die Idee, der Gedanke ist nicht von dem Gegenstande desselben abstrahirt, sondern der Gedanke ist das Hervorbringende, die Ursache des von ihm gedachten Gegenstandes. Aber eben diese Lehre — der Kern der christlichen Theologie und Philosophie — ist eine Verkehrtheit, in der die Ordnung der Natur umgekehrt wird. Wie kommt aber der Mensch auf diese Verkehrtheit? Ich habe

schon oben bei der ersten Ursache gesagt, daß der Mensch und zwar subjectiv mit vollem Recht — wenigstens so lange mit vollem Rechte, als
er nicht hinter sein eigenes Wesen gekommen ist — die Gattung, d. h.
hier den Gattungsbegriff den Arten und Individuen, in philosophischer
Sprache ausgedrückt, das Abstracte dem Concreten voraussetzt. Hieraus
erklären und lösen sich alle die Schwierigkeiten und Widersprüche, die
bei der Schöpfung, bei der Erklärung der Welt aus einem Gotte stattfinden. Der Mensch zieht aus der Natur, aus der Wirklichkeit vermittelst der Fähigkeit der Abstraction das Aehnliche, Gleiche, Gemeinschaftliche heraus, sondert es ab von den Dingen, die sich gleichen oder
gleichen Wesens sind, und macht es nun im Unterschiede von denselben als ein selbstständiges Wesen zu ihrem Wesen. So zieht z. B.
der Mensch von den sinnlichen Dingen Raum und Zeit als allgemeine
Begriffe oder Formen ab, in welchen sie alle mit einander übereinkom-
men, indem sie alle ausgedehnt und veränderlich sind, alle außer und
nach einander sind. So ist jeder Punkt der Erde außer dem anderen
und jeder in der Bewegung der Erde nach dem andern; wo jetzt dieser
Punkt ist, da ist in dem nächsten Augenblicke der andere. Obgleich aber
der Mensch Raum und Zeit von den räumlichen und zeitlichen Dingen
abstrahirt hat, so setzt er ihnen doch dieselben, als die ersten Gründe und
Bedingungen ihrer Existenz, voraus. Er denkt sich daher die Welt, d. h.
den Inbegriff der wirklichen Dinge, den Stoff, den Inhalt der Welt im
Raum und in der Zeit entstanden. Selbst Hegel noch läßt sogar die
Materie nicht nur in, sondern aus Raum und Zeit entspringen. Eben
deßwegen, weil der Mensch Zeit und Raum den wirklichen Dingen voraussetzt, und die von den einzelnen Dingen abgezogenen Allgemeinbegriffe in der Philosophie als allgemeine Wesen, in der Religion poly-
theistisch als Götter, monotheistisch als Eigenschaften Gottes verselbstän-
digt, hat er auch Raum und Zeit zu Gott gemacht oder mit Gott identificirt. Selbst noch der berühmte christliche Mathematiker und Astronom Newton nennt den Raum die Unermeßlichkeit Gottes, selbst das

Sensorium Gottes, d. h. das Organ, wodurch Gott allen Dingen gegenwärtig ist, alle Dinge empfindet. Eben so sieht Newton Raum und Zeit „als Folge von dem Dasein Gottes an, denn das unendliche Wesen ist an allen Orten, also existirt dieser unermeßliche Raum; das ewige Wesen existirt von Ewigkeit, also existirt wirklich eine ewige Dauer." Auch ist wirklich nicht einzusehen, warum nicht die Zeit, abgetrennt von den zeitlichen Dingen, mit Gott identificirt werden sollte; denn die abstracte Zeit, in der kein Unterschied zwischen Jetzt und Dann (denn es fehlt ja der unterscheidende Inhalt), läßt sich nicht von der todten, stabilen Ewigkeit unterscheiden. Ja, die Ewigkeit ist selbst nichts Andres, als der Gattungsbegriff der Zeit, die abstracte Zeit, die Zeit abgesondert von den Zeitunterschieden. Kein Wunder daher, daß die Religion die Zeit zu einer Eigenschaft Gottes oder zu einem selbstständigen Gott gemacht hat. So macht der indische Gott Krischna in der Bhagavadgita, freilich unter unzähligen andern Dingen, die Zeit zu einem Prädicat d. i. Ehrentitel von sich, indem er sagt: Ich bin die Zeit, die Alles erhält und Alles zerstört. (13) So ist auch bei den Griechen und Römern die Zeit unter dem Namen von Kronos und Saturnus vergöttert worden. In der persischen Religion steht sogar an der Spitze als das erste, oberste Wesen Zaruano-akarana d. h. die unerschaffene Zeit. Eben so war bei den Babyloniern und Phöniciern der Gott der Zeit oder der Herr der Zeit, der König der Ewigkeit, wie er auch heißt, der höchste Gott. Wir sehen an diesem Beispiel, wie der Mensch in Gemäßheit oder im Einklang mit der Natur der Thätigkeit, wodurch er abstrahirt, allgemeine Begriffe bildet, aber im Widerspruch mit der Natur der wirklichen Dinge die allgemeinen Begriffe, Vorstellungen oder Anschauungen von Raum und Zeit, wie sie Kant nennt, den sinnlichen Dingen voraussetzt als Bedingungen oder vielmehr die ersten Gründe und Elemente ihrer Existenz, ohne zu bedenken, daß in der Wirklichkeit gerade der umgekehrte Fall gilt, daß nicht die Dinge Raum und Zeit, sondern Raum und Zeit die Dinge voraussetzen, denn der Raum oder die Ausdehnung setzt Etwas voraus, das sich ausdehnt, und die Zeit, die Bewegung — die Zeit ist ja nur ein von der Bewegung abgezogener Begriff — setzt Etwas voraus, das sich bewegt. Alles ist räumlich und zeitlich; Alles ein Ausgedehntes und Bewegtes; gut; aber die Ausdehnung und Bewegung sind so verschieden, als die ausgedehnten und bewegten Dinge. Alle Planeten bewegen sich um die Sonne; aber jeder hat seine eigene Bewegung, der eine bewegt sich in kürzerer, der andere in längerer Zeit, je näher der Sonne, desto schneller, je entfernter von ihr, desto langsamer. Alle Thiere bewegen sich, wenn auch nicht alle von Ort und Stelle sich wegbewegen; aber wie unendlich verschiedenartig ist diese Bewegung! Und jede Art der Bewegung entspricht dem Bau, der Lebensart, kurz dem individuellen Wesen derselben. Wie will ich also aus der Zeit und dem Raum, aus bloßer Ausdehnung und Bewegung diese Verschiedenheit erklären und ableiten? Ausdehnung und Bewegung sind ja vielmehr abhängig von dem Etwas, von dem Körper, von dem Wesen, das ausgedehnt und bewegt ist. Was daher für den Menschen, oder wenigstens für seine Abstractionsthätigkeit das Erste ist, das ist für die Natur oder in ihr das Letzte; aber weil der Mensch das Subjective zum Objectiven macht, d. h. das, was für ihn das Erste ist, auch zu dem an sich oder der Natur nach Ersten macht, so macht er auch Raum und Zeit zu den ersten Grundwesen der Natur, so macht er überhaupt das Allgemeine, d. h. das Abstracte zum Grundwesen des Wirklichen, folglich auch das Wesen mit allgemeinen Begriffen, das denkende, geistige Wesen zu dem ersten Wesen, zu dem Wesen, welches nicht nur dem Range nach, sondern auch der Zeit nach allen anderen Wesen vorangeht, ja aller Wesen Grund und Ursache ist, alle Wesen geschaffen, gemacht hat.

Die Frage, ob ein Gott die Welt geschaffen, die Frage nach dem Verhältniß überhaupt Gottes zur Welt, ist die Frage nach dem Verhältniß des Geistes zur Sinnlichkeit, des Allgemeinen oder Abstracten zum Wirklichen, der Gattung zu den Individuen; jene kann daher nicht ohne diese gelöst werden; denn Gott ist ja nichts Andres, als der In-

begriff der Gattungsbegriffe. Ich habe diese Frage so eben zwar schon
an den Begriffen von Raum und Zeit erläutert; aber sie muß noch
weiter behandelt werden. Ich bemerke aber, daß diese Frage zu den
wichtigsten und zugleich schwierigsten Fragen der menschlichen Erkenntniß
und Philosophie gehört, wie schon daraus erhellt, daß die ganze Geschichte der Philosophie sich eigentlich nur um diese Frage dreht, daß der
Streit der Stoiker und Epikuräer, der Platoniker und Aristoteliker, der
Skeptiker und Dogmatiker in der alten Philosophie, der Nominalisten
und Realisten in dem Mittelalter, der Idealisten und Realisten oder
Empiristen in neuerer Zeit nur auf diese Frage hinausläuft. Sie ist
aber eine der schwierigsten Fragen nicht nur deswegen, weil die Philosophen, namentlich die neuesten, durch den willkürlichsten Gebrauch der
Worte eine unendliche Confusion in diese Materie gebracht haben, sondern auch, weil die Natur der Sprache, die Natur des Denkens selbst,
welches sich ja gar nicht von der Sprache abtrennen läßt, uns gefangen
nimmt und verirt, indem jedes Wort ein allgemeines, daher Vielen
schon die Sprache allein, weil sich das Einzelne nicht einmal aussprechen lasse, ein Beweis von der Nichtigkeit des Einzelnen und Sinnlichen ist.
Es hat endlich auf diese Frage und ihre Entscheidung einen wesentlichen
Einfluß die Verschiedenheit der Menschen hinsichtlich ihres Geistes, ihrer
Beschäftigung, ihrer Anlagen, ihres Temperamentes selbst. Menschen,
z. B. die sich mehr im Leben, als in der Studirstube, mehr in der Natur,
als in Bibliotheken herumtreiben, Menschen, deren Beruf und Trieb sie
an die Beobachtung, die Anschauung der wirklichen Wesen treibt, werden diese Frage stets im Sinne der Nominalisten entscheiden, welche
dem Allgemeinen nur eine subjective Existenz, eine Existenz in der
Sprache, der Vorstellung des Menschen einräumen, Menschen von entgegengesetzten Beschäftigungen und Eigenschaften dagegen im entgegengesetzten Sinne, im Sinne der Realisten, welche dem Allgemeinen eine
Existenz für sich selbst, eine Existenz unabhängig vom Denken und
Sprechen des Menschen einräumen.

Vierzehnte Vorlesung.

Der Schluß der gestrigen Vorlesung war, daß das Verhältniß Gottes zur Welt nur auf das Verhältniß des Gattungsbegriffes zum Individuum sich reducirt, daß die Frage, ob ein Gott ist, keine andere Frage ist, als ob das Allgemeine eine Existenz für sich hat. Es ist diese Frage aber nicht nur eine der schwierigsten, sondern auch wichtigsten; denn nur von ihr hängt das Sein oder Nichtsein eines Gottes ab. Bei Vielen hängt ihr Gottesglauben nur an dieser Frage, stützt sich die Existenz ihres Gottes nur auf die Existenz der Gattungs- oder Allgemeinbegriffe. Wenn kein Gott ist, sagen sie, so ist kein Allgemeinbegriff eine Wahrheit, so giebt es keine Weisheit, keine Tugend, keine Gerechtigkeit, kein Gesetz, keine Gemeinschaft; so ist Alles pure Willkür, so fällt Alles ins Chaos, ja in Nichts zurück. Dagegen ist nun aber sogleich zu bemerken, daß, wenn's auch keine Weisheit, keine Gerechtigkeit, keine Tugend im theologischen Sinne giebt, daraus noch keineswegs folgt, daß es keine solche im menschlichen und vernünftigen Sinne giebt. Es ist nicht nothwendig, um die Bedeutung der Allgemeinbegriffe anzuerkennen, sie deswegen zu vergöttern, zu selbstständigen, von den Individuen oder Einzelwesen unterschiedenen Wesen zu machen. So wenig ich ein Laster, um es zu verabscheuen, mir als einen Teufel zu verselbstständigen brauche, wie die alten christlichen Theologen, welche für jedes Laster einen besonderen Teufel hatten, z. B. für die Trunkſucht den Saufteufel, für die Freßbegierde den Freßteufel, für den Neid den Neidteufel, für den Geiz den Geizteufel, für die Spielſucht den Spielteufel, zu einer gewiſſen Zeit ſogar für eine neumodiſche Hoſen= tracht einen beſonderen Hoſenteufel; ſo wenig brauche ich die Tu= gend, die Weisheit, die Gerechtigkeit mir als Götter, oder, was eins iſt, als Eigenſchaften eines Gottes vorzuſtellen, um ſie zu lieben. Wenn ich mir etwas vorſetze, wenn ich mir z. B. die Tugend der Beſtändig= keit oder Standhaftigkeit zur Aufgabe mache, brauche ich deswegen, um ſie nicht aus den Augen zu verlieren, ihr Altäre und Tempel zu errich= ten, wie die Römer die Tugend zu einer Göttin machten und ſelbſt wieder einzelne Tugenden vergötterten? Braucht ſie überhaupt ein ſelbſtſtändiges Weſen zu ſein, um Macht auf mich auszuüben, um mir Etwas zu ſein? Hat ſie nicht auch als eine Eigenſchaft des Menſchen Werth? Ich ſelbſt will ja ſtandhaft ſein; ich will dem Wechſel von Eindrücken, denen mich meine Weichheit und Empfindlichkeit ausſetzt, nicht länger unterliegen, ich bin mir ſelbſt als weichlicher, empfindlicher, wandelbarer, launenhafter Menſch zuwider; der ſtandhafte Menſch iſt daher mein Ziel. Inſofern ich noch nicht ſtandhaft bin, unterſcheide ich freilich die Standhaftigkeit von mir, ſetze ſie über mich als Ideal, perſonificire ſie mir, rede ſie vielleicht ſogar in einſamen Selbſtgeſpräch ſo an, als wäre ſie ein Weſen für ſich, verhalte mich alſo zu ihr, wie der Chriſt zu ſeinem Gotte, der Römer zu ſeiner Tugendgöttin; aber ich weiß es, daß ich ſie perſonificire, und trotzdem verliert ſie mir nicht ihren Werth, denn ich habe ja perſönliches Intereſſe an ihr, ich habe in mir ſelbſt, in meinem Egoismus, meinem Glückſeligkeitstrieb, meinem Ehrgefühl, mit welchem die allen Eindrücken und Wechſelfällen offene Weichlichkeit im Widerſpruch ſteht, Grund genug, ſtandhaft zu werden. Daſſelbe gilt von allen anderen Tugenden oder Kräften des Menſchen, wie Vernunft, Wille, Weisheit, deren Werth und Realität daher nicht für mich verloren geht, überhaupt nicht aufgehoben wird, wenn ich ſie gleich nur als Eigenſchaften des Menſchen betrachte und weiß, ſie nicht vergöttere, nicht zu selbstständigen Wesen mache. Dasselbe, was von den menschlichen Tugenden und Kräften, gilt von allen Allgemein- oder Gattungsbegriffen; sie existiren nicht außer den Dingen oder Wesen, nicht unterschieden, nicht unabhängig von den Individuen, von denen wir sie abgezogen haben. Das Subject, d. h. das existirende Wesen ist immer nur das Individuum, die Gattung nur das Prädicat, die Eigenschaft. Aber eben das Prädicat, die Eigenschaft des Individuums trennt das sinnlose Denken, die Abstraction von dem Individuum ab, macht sie für sich selbst zum Gegenstand, faßt sie in dieser Abgezogenheit als das Wesen der Individuen, bestimmt die Unterschiede der Individuen von einander nur als individuelle, d. h. hier zufällige, gleichgültige, unwesentliche, so daß für das Denken, für den Geist alle Individuen eigentlich nur zu e i n e m Individuum oder vielmehr zu einem Begriff zusammenschwinden, das Denken sich allein den Kern zueignet, der sinnlichen Anschauung aber, welche uns die Individuen als Individuen, d. h. in ihrer Vielheit, Verschiedenheit, Individualität und Existenz offenbart, nur die Schale läßt, so daß also das Denken Das, was in der Wirklichkeit das Subject, das Wesen ist, zum Prädicat, zur Eigenschaft, zur bloßen Mode oder Manier des Gattungsbegriffs und umgekehrt Das, was in der Wirklichkeit nur Eigenschaft, nur Prädicat ist, zum Wesen macht.

Wählen wir außer den angeführten Beispielen noch ein und zwar sinnliches Beispiel, um uns klarer zu werden. Jeder Mensch hat einen Kopf, freilich menschlichen Kopf, d. h. einen Kopf mit menschlichen Eigenschaften; denn auch die Thiere haben Köpfe, obwohl der Kopf nicht zu dem charakteristischen Begriff der Thiere überhaupt gehört, denn es giebt Thiere, in denen ein eigentlicher, entwickelter Kopf noch gar nicht vorhanden ist, und selbst bei den höheren Thieren dient der Kopf nur den niederen Bedürfnissen, hat keine selbstständige Würde und Bedeutung; es tritt daher der eigentliche Kopf gegen das Gebiß zurück. Der Kopf ist also ein allen Menschen gemeinsames Kennzeichen, ein allge-

meines, wesentliches Merkmal oder Prädicat des Menschen; ein We=
sen, das ohne Beine und Arme aus dem Mutterleibe kommt, ist wohl
ein Mensch, aber ein Wesen ohne Kopf ist kein Mensch. Allein folgt
daraus, daß alle Menschen nur ein en Kopf haben? und doch ist die
Einheit des Kopfes eine nothwendige Folge von der Einheit
der Gattung, wie sie der Mensch im abstracten, d. h. sinnlosen
Denken verselbstständigt. Zeigt mir aber nicht der Sinn, daß jeder
Mensch seinen Kopf hat, daß es so viele Köpfe als Menschen, also
keinen generellen oder allgemeinen Kopf, sondern nur individuelle Köpfe
giebt? daß der Kopf, der Kopf als Gattungsbegriff, der Kopf, von
dem ich alle individuellen Unterschiede und Merkmale weggelassen habe,
nur in meinem Kopfe, außer meinem Kopfe aber nur Köpfe existiren?
Was ist denn nun aber das Wesentliche an diesem, meinem Kopfe? daß
er ein Kopf überhaupt, oder, daß er dieser bestimmte Kopf ist? daß er
dieser Kopf ist; denn, wer mir meinen Kopf nimmt, der läßt mir
überhaupt keinen Kopf mehr. Und nicht der Kopf im Allgemeinen,
sondern nur der wirkliche, individuelle Kopf wirkt, schafft, denkt. Das
Wort: individuell ist freilich ein zweideutiges; denn wir verstehen
darunter auch das gleichgültige, zufällige, unbedeutende Eigenthümliche,
wodurch sich oft der Mensch von anderen unterscheidet. Daher muß
man zuerst, um die Bedeutung der Individualität zu erfassen, den Men=
schen oder, um bei dem Beispiel zu bleiben, den Kopf des Menschen
dem thierischen Kopf gegenüberstellen, die Individualität des mensch=
lichen Kopfes im Unterschiede vom thierischen ins Auge fassen. Aber
auch weiter im Vergleich des menschlichen Kopfes zum menschlichen ist
doch, ob es gleich individuelle Unterschiede in dem Sinne giebt, wo
das Individuelle das gleichgültig Eigenthümliche bezeichnet, das We=
sentliche dieses, daß jeder Mensch seinen eigenen, diesen be=
stimmten sinnlichen, sichtbaren, individuellen Kopf hat. Der Kopf als
Gattungsbegriff, als allgemeines Attribut oder Merkmal aller Men=
schen hat also keine andere Bedeutung, keinen anderen Sinn, als daß

alle Menschen darin übereinstimmen, daß jeder einen Kopf hat. Wenn ich aber nun trotz dieser Uebereinstimmung läugne, daß alle Menschen nur Einen Kopf haben — was, nämlich die Einheit des Kopfes, eine nothwendige Folge von der Vorstellung ist, daß die Einheit der Gattung im Unterschiede von den Individuen etwas Existirendes, Selbstständiges ist, namentlich aber von der Vorstellung, daß alle Menschen nur Eine Vernunft haben —, wenn ich behaupte: es giebt so viele Köpfe, als es Individuen giebt, wenn ich also den Kopf mit dem Individuum identificire, sie nicht von einander unterscheide oder gar abtrenne, folgt daraus, daß ich die Bedeutung und Existenz des Kopfes läugne, daß ich den Menschen zu einem kopflosen Wesen mache? Im Gegentheil, statt e i n e s Kopfes bekomme ich v i e l e Köpfe, und wenn vier Augen mehr sehen, als zwei, so leisten auch viele Köpfe unendlich mehr, als ein Kopf; ich habe daher, statt etwas zu verlieren, nur gewonnen. Wenn ich also den Unterschied zwischen Gattung und Individuum aufhebe, wenn ich ihn nur im Denken, im Unterscheiden, im Abstrahiren existiren lasse, so läugne ich deswegen nicht die Bedeutung des Gattungsbegriffes; ich behaupte nur, daß die Gattung nur als Individuum oder Prädicat des Individuums existirt (14). Ich läugne nicht, um die früheren Beispiele hier wieder anzuwenden, die Weisheit, die Güte, die Schönheit; ich läugne nur, daß sie als diese Gattungsbegriffe Wesen sind, sei es nun als Götter oder Eigenschaften Gottes oder als platonische Ideen oder als sich selbst setzende Hegel'sche Begriffe; ich behaupte nur, daß sie nur in weisen, guten, schönen Individuen existiren, also nur, wie gesagt, E i g e n s c h a f t e n individueller Wesen sind, daß sie keine Wesen für sich, sondern Attribute oder Bestimmungen der Individualität sind, daß diese Allgemeinbegriffe die Individualität voraussetzen, aber nicht umgekehrt (15). Der Theismus beruht nun gerade aber darauf, daß er die Gattungsbegriffe, wenigstens den Inbegriff derselben, welchen er Gott nennt, als Entstehungsgrund den wirklichen Dingen voraussetzt, daß er das Allgemeine nicht aus den Individuen, sondern umgekehrt diese aus jenen entspringen läßt. Das Allgemeine als solches, der Gattungsbegriff existirt aber im Denken und für das Denken; daher kommt es also, daß der Mensch auf den Gedanken und Glauben kommt, die Welt sei aus den Ideen, aus den Gedanken eines geistigen Wesens entsprungen. Auf dem Standpunkt des von den Sinnen absehenden Denkens erscheint auch nichts natürlicher, als dieser Gang; denn dem von den Sinnen abstrahirenden Geiste liegt das Abstracte, das Geistige, das nur Gedachte näher, als das Sinnliche; es ist für ihn früher und höher, als dieses, daher ganz natürlich für ihn, das Sinnliche aus dem Geistigen, das Wirkliche aus dem Gedachten entspringen zu lassen. Wir finden ja diesen Gang selbst noch bei den modernen, speculativen Philosophen. Diese erschaffen noch heute, wie einst der christliche Gott, aus ihrem Kopf die Welt.

Der Glaube oder die Vorstellung, daß die Welt, die Natur von einem denkenden oder geistigen Wesen überhaupt hervorgebracht sei, hat aber noch einen andern als diesen eben angeführten Grund, welchen wir den philosophischen oder speculativen nennen können im Unterschiede von dem jetzt anzuführenden populären Grund. Es ist dieser. Der Mensch bringt Werke außer sich hervor, denen im Menschen der Gedanke derselben, der Entwurf, der Begriff vorausgegangen ist, und eine Absicht, ein Zweck zum Grunde liegt. Wenn der Mensch ein Haus baut, so hat er eine Idee, ein Bild im Kopfe, wornach er baut, welches er verwirklicht, außer sich in Stein und Holz verwandelt oder übersetzt, und eben so hat er einen Zweck dabei; er baut sich ein Wohnhaus oder Gartenhaus oder Fabrikgebäude; kurz er baut sich ein Haus zu diesem oder jenem Zwecke. Und dieser Zweck bestimmt die Idee des Hauses, die ich in meinem Kopf entwerfe; denn ein Haus zu diesem Zwecke denke ich mir anders, als ein Haus zu einem anderen Zwecke. Ueberhaupt ist der Mensch ein nach Zwecken thätiges Wesen; er thut nichts, wobei er nicht einen Zweck hat. Der Zweck ist aber im Allgemeinen gar nichts Andres, als eine Willensvorstellung, eine Vorstellung, die nicht Vorstellung oder Gedanke bleiben soll, und die ich daher vermittelst der Handwerkszeuge meines Körpers realisire, d. h. verwirkliche. Kurz der Mensch bringt, wenn auch nicht aus, doch mit seinem Geiste, wenn auch nicht aus, doch mit und nach Gedanken Werke hervor, die eben deswegen schon äußerlich den Stempel der Absichtlichkeit, Plan= und Zweckmäßigkeit an sich tragen. Der Mensch denkt aber Alles nach sich; er trägt daher die Anschauung von seinen eigenen Werken auf die Werke oder Wirkungen der Natur über; er betrachtet die Welt wie ein Wohnhaus, eine Werkstatt, eine Uhr, kurz wie ein menschliches Kunstprodukt. Da er die Naturprodukte nicht von den Kunstprodukten unterscheidet, höchstens nur der Art nach, so setzt er auch als Ursache derselben ein menschliches, absichtliches, denkendes Wesen. Weil aber die Produkte und Wirkungen der Natur zugleich über die Kräfte des Menschen gehen, ja sie unendlich übersteigen, so denkt er sich diese dem Wesen nach menschliche Ursache zugleich als ein übermenschliches Wesen, als ein Wesen, das dieselben Eigenschaften, wie die Menschen, hat: Verstand, Wille, Kraft, seine Gedanken auszuführen, aber in einem unendlich höheren, das Maaß der menschlichen Kräfte und Fähigkeiten unendlich übersteigenden Grade; und nennt nun dieses Wesen Gott. Der Beweis vom Dasein Gottes, der sich auf diese Betrachtungs= oder Anschauungsweise der Natur stützt, heißt der physikotheologische oder teleologische, d. h. der aus der Zweckmäßigkeit der Natur geschöpfte Beweis; denn dieser Beweis beruft sich hauptsächlich auf die sogenannten Zwecke in der Natur. Zwecke setzen aber Verstand, Absicht, Bewußtsein voraus; da aber, so heißt es in diesem Beweise, die Natur, die Welt, die Materie blind sei, ohne Verstand, ohne Bewußtsein wirke, so setze sie ein geistiges Wesen voraus, welches sie geschaffen, oder doch und zwar nach und zu Zwecken gebildet und geformt habe. Dieser Beweis ist schon von den alten gläubigen Philosophen, den Platonikern und Stoikern angewandt, in den christlichen Zeiten aber bis zum Ueber=

druß oft wiederholt worden. Es ist der populärste und auf einem gewissen Standpunkt einleuchtendste und überzeugendste Beweis, der Beweis des gemeinen, d. h. ungebildeten, nichts von der Natur wissenden Menschenverstands; er ist daher der einzige, wenigstens theoretische Grund und Stützpunkt des Theismus im Volke. Wir müssen aber gegen diesen Schluß vor Allem geltend machen, daß, obwohl der Vorstellung von Zwecken etwas Gegenständliches oder Wirkliches in der Natur entspricht, doch der Ausdruck und Begriff Zweck kein angemessener ist. Was nämlich der Mensch die Zweckmäßigkeit der Natur nennt und als solche auffaßt, das ist in Wirklichkeit nichts Andres, als die Einheit der Welt, die Harmonie der Ursachen und Wirkungen, der Zusammenhang überhaupt, in dem Alles in der Natur ist und wirkt. So wie die Worte nur dann einen Sinn und Verstand haben, wenn sie in einem nothwendigen Zusammenhang mit einander stehen, so ist es auch nur der nothwendige Zusammenhang, in welchem die Wesen oder Erscheinungen der Natur mit einander stehen, welcher auf den Menschen den Eindruck der Verständigkeit und Absichtlichkeit macht. Die Stoiker gebrauchten in ihren Beweisen von einer verständigen Ursache der Welt gegen die freilich unvernünftige Vorstellung, daß die Welt dem Zufall, dem zufälligen Zusammenkommen von Atomen, d. h. unendlich kleinen, festen und untheilbaren Körpern ihre Existenz verdanke, das Bild, daß dies eben so wäre, als wenn man aus einem zufälligen Zusammenwürfeln von Buchstaben sich die Entstehung eines geistigen Werks, z. B. der Geschichtsbücher des Ennius erklären wollte. Allein obgleich die Welt keinem Zufall ihre Existenz verdankt, so brauchen wir uns deswegen doch keinen menschlichen oder menschenähnlichen Autor derselben zu denken. Die sinnlichen Dinge sind keine Buchstaben oder Lettern, die erst von einem Setzer außer ihnen zusammengesetzt werden müssen, weil sie in keiner nothwendigen Beziehung zu einander stehen; die Dinge in der Natur ziehen sich an, bedürfen und begehren einander, denn eines ist nicht ohne das andere, treten also durch sich selbst in Beziehung, verbinden sich aus eigener Kraft mit einander, wie z. B. der Sauerstoff mit dem Wasserstoff, wodurch er das Wasser, mit dem Stickstoff wodurch er die Luft bildet, und begründen dadurch jenen bewundrungswürdigen Zusammenhang, welchen der Mensch, der noch nicht in's Wesen der Natur hineingeschaut hat und Alles nach sich denkt, als das Werk eines nach Plänen und Zwecken wirkenden und schaffenden Wesens sich erklärt. Was die Menschen am meisten als Beweisgrund eines verständigen oder geistigen Welturhebers anzusehen sich berechtigt glaubten, war nicht blos die sogenannte innere organische Zweckmäßigkeit, mit welcher die Organe des Leibes ihren Functionen oder Verrichtungen entsprechen, sondern auch und zwar hauptsächlich die sogenannte äußere Zweckmäßigkeit, kraft welcher die unorganische Natur so beschaffen, oder wie der Theist sich ausdrückt, so eingerichtet ist, daß die Thiere und Menschen in ihr und zwar auf's allerangenehmste, aufs comfortabelste leben können.

Stände die Erde näher oder entfernter der Sonne, stiege die Temperatur bis auf den Siedpunkt des Wassers oder fiele sie herab unter den Gefrierpunkt, so würde Alles vor Hitze vertrocknen oder vor Kälte erstarren. Wie weise hat daher der liebe Gott ausgerechnet, wie weit die Erde von der Sonne abstehen muß, damit die Thiere und Menschen auf ihr leben können! Und wie gütig hat er überall für die Nothdurft des Lebenden gesorgt! Selbst in den traurigsten, unfruchtbarsten, kältesten Gegenden, da giebt es immer noch wenigstens Moose oder Flechten, Stauben und gewisse Thiere, die dem Menschen zur Nahrung dienen. Und wie sichtbar, wie augenfällig offenbart sich erst in dem Reichthum der wärmeren Länder die Güte und Weisheit Gottes! Wie hat der liebe Gott da für den Gaumen der Menschen gesorgt! Welche Leckerbissen wachsen da auf Sträuchern und Bäumen! Da wächst das Zuckerrohr, da der Reis, von dem allein in China wohl 100 Millionen Menschen leben sollen, da der Ingwer, die Ananas, der Kaffeebaum, der Theestrauch, der Pfefferstrauch, der Cacaobaum, wovon die Chokolade

kommt, der Muskatnußbaum, der Gewürznelkenbaum, der Vanille-
strauch, die Cocosnußpalme, deren Rinde, wie ein moderner, frommer,
populärer Botaniker sagt, „die gütige Vorsehung überall mit halbmond-
förmigen Hervorragungen versehen hat, wodurch es dem M e n s c h e n
e r l e i c h t e r t w i r d, den hohen Baum zur Gewinnung der köstlichen
Frucht und des erquickenden Getränkes, das er darreicht, zu erklettern".
Wir bemerken jedoch hierüber Folgendes und zwar zunächst in Beziehung
auf den ersten Punkt. Das organische Leben ist nicht zufällig auf die
Erde, in die unorganische Natur überhaupt hineingekommen, sondern das
organische und unorganische Leben gehört zusammen. Was bin ich
denn, vom organischen Leben ausgegangen, ohne die Außenwelt? So
gut die Lunge zu mir gehört, so gut gehört die Luft zu mir, so gut das
Auge zu mir gehört, so gut gehört das Licht zu mir; denn was ist die
Lunge ohne Luft, das Auge ohne Licht? Das Licht ist nicht, damit das
Auge sieht, sondern das Auge ist, weil das Licht ist; eben so ist die Luft
nicht, damit sie eingeathmet werde, sondern weil sie ist, weil ohne sie das
Leben nicht bestehen könnte, wird sie eingeathmet. Es findet ein nothwendiger Zusammenhang statt zwischen dem Organischen und Unorganischen. Ja dieser Zusammenhang selbst ist der Grund, ist das Wesen des
Lebens. Daher haben wir auch keinen Grund zu der Einbildung, daß,
wenn der Mensch mehr Sinne oder Organe hätte, er auch mehr Eigenschaften oder Dinge der Natur erkennen würde. Es ist nicht mehr in
der Außenwelt, in der unorganischen Natur, als in der organischen.
Der Mensch hat gerade so viel Sinne, als eben nothwendig ist, um die
Welt in ihrer Totalität, ihrer Ganzheit zu fassen. So wie der Mensch,
der Organismus nicht, wie die Alten glaubten, aus dem Wasser oder
der Erde entsprungen ist, überhaupt aus keinem bestimmten einzelnen
Element oder nur aus einer Gattung von Gegenständen, der nur dieser
oder jener Sinn entspricht, sondern so wie der Mensch nur dem Zusammenwirken der gesammten Natur seine Existenz und Entstehung verdankt,
so sind auch seine Sinne nicht auf bestimmte Gattungen oder Arten

11*

körperlicher Qualitäten oder Kräfte eingeschränkt, sondern sie umfassen die ganze Natur. Die Natur versteckt sich nicht; sie bringt sich mit aller Gewalt und so zu sagen Unverschämtheit dem Menschen auf. So gut die Luft durch Mund und Nase und alle Poren des Leibes in uns einbringt, so gut würden die Dinge oder Eigenschaften der Natur, die wir der Annahme nach durch unsere jetzigen Sinne nicht wahrnehmen, sich uns fühlbar machen durch ihnen entsprechende Sinne, wenn es anders solche Dinge und Eigenschaften gäbe. Doch wieder zurück! Allerdings würde das Leben auf der Erde erlöschen, wenigstens dieses Leben, das jetzt auf ihr ist, wenn die Erde an die Stelle des Merkurs träte, aber dann wäre auch nicht mehr die Erde die Erde, d. h. dieser individuelle, von den anderen Planeten sich unterscheidende Planet, der sie jetzt ist. Die Erde ist, was sie ist, nur an der Stelle, die sie im Sonnensystem einnimmt, und sie ist nicht deswegen an die Stelle gesetzt worden, damit die Menschen und Thiere auf ihr leben könnten, sondern weil sie und zwar ihrer ursprünglichen Natur gemäß, nothwendig diese Stelle einnimmt, weil sie überhaupt so beschaffen ist, wie sie es jetzt ist, deswegen entstanden und leben auf ihr solche organische Wesen, als wir auf der Erde finden. Wir sehen ja selbst auf der Erde, wie die besonderen Länder oder Erdstriche auch besondere, nur ihnen angehörige Thiere und Pflanzen hervorbringen, z. B. die heißen Länder die hitzigsten Temperamente, die hitzigsten Getränke, die hitzigsten Gewürze, wie also die organische und unorganische Natur zusammenhängt, unzertrennlich, ja im Wesen selbst eins ist. Es ist daher gar nicht zu verwundern, daß wir auf der Erde die den Menschen und Thieren entsprechenden, angemessenen Lebensbedingungen und Lebensmittel finden; denn es entspricht ja von vorne herein, von Hause aus der Individualität der Erde die Individualität unseres Wesens; wir sind ja keine Kinder des Saturn oder Merkur, sondern Erdgeschöpfe, Erdwesen. Es ist ja dieselbe Erde, dieselbe Sonne, dasselbe Klima, dem z. B. der Affenbrotbaum und der Affe, wie der Neger ihren Ursprung und ihre Existenz verdanken. Wo

einmal eine solche Temperatur vorhanden ist, daß das Wasser nicht als
Dunst oder Eis, sondern als Wasser existiren kann, wo ein Wasser also
ist, das getrunken oder von Pflanzen aufgesaugt, eine Luft, die eingeathmet werden kann, ein Licht von der Stärke, dem Maaße, welches
sich mit dem thierischen oder menschlichen Auge verträgt, da sind auch die
Elemente, die ersten Gründe und Ursprünge des thierischen und pflanzlichen Lebens gegeben, da ist es natürlich, ja nothwendig, daß es auch Pflanzen giebt, die der thierischen und menschlichen Organisation entsprechen,
als Nahrungsmittel dienen. Wenn man sich daher darüber verwundern
will, so muß man sich überhaupt über die Existenz der Erde verwundern
oder seine theologische Verwunderung und Beweisführung nur auf die
ersten so zu sagen astronomischen Eigenschaften der Erde beschränken;
denn haben wir einmal diese, haben wir einmal die Erde als diesen individuellen, selbstständigen, von anderen Weltkörpern sich unterscheidenden Planeten, so haben wir an dieser Individualität der Erde die Bedingung oder vielmehr den Ursprung auch der organischen Individuen gegeben; denn nur die Individualität ist das Princip, der Grund des Lebens.
Worin hat aber die Individualität der Erde ihren Grund? in der An-
ziehung und Abstoßung, der Attraction und Repulsion, welche der Materie, den Grundstoffen der Natur wesentlich zukommt, welche der Mensch
nur in seinem Verstande von ihr absondert. Materielle Theile oder
Körper, die sich anziehen, trennen sich eben dadurch von anderen, stoßen
sie ab, bilden dadurch ein besonderes Ganze. Die Grundstoffe, die Ur-
elemente, die Materie der Welt müssen wir überhaupt nicht als etwas
Gleichförmiges, Unterschiedsloses denken; eine solche Materie ist nur
eine menschliche Abstraction, eine Chimäre; das Wesen der Natur, das
Wesen der Materie ist ursprünglich schon ein in sich unterschiedenes Wesen; denn nur ein bestimmtes, unterschiedenes, individuelles Wesen ist
ein wirkliches Wesen. So thöricht die Frage, warum überhaupt Etwas
ist, so thöricht ist die Frage, warum Etwas gerade dieses bestimmte
Wesen ist, warum z. B. das Sauerstoffgas geruchlos, geschmacklos, und

schwerer als die atmosphärische Luft ist, warum es beim Zusammen-
drücken leuchtet, auch durch den stärksten Druck sich nicht in tropfbare
Flüssigkeit verwandelt, warum sein Mischungsgewicht durch die Zahl 8
ausgedrückt wird, warum es sich mit dem Wasserstoff stets nur in einer
Gewichtsmenge, welche sich verhält wie 8 zu 1, 16 zu 2, 24 zu 3, verbindet? Diese Eigenschaften begründen eben die Individualität des
Sauerstoffs, d. h. seine Bestimmtheit, seine Eigenthümlichkeit, seine
Wesenheit. Wenn ich diese ihn von anderen Stoffen unterscheidenden
Eigenschaften von ihm weglasse, so hebe ich seine Existenz, hebe ihn
selbst auf. Fragen also, warum der Sauerstoff gerade dieser und kein
anderer Stoff ist, heißt fragen, warum der Sauerstoff ist. Aber warum
ist er denn? darauf antworte ich: er ist, weil er eben ist; er gehört
eben zum Wesen der Natur; er ist nicht deswegen, damit er das Feuer
und das Athmen der Thiere unterhalte, sondern weil er ist, deswegen
existirt Feuer und Leben. Wo die Bedingung oder der Grund zu Etwas
gegeben ist, da kann auch die Folge nicht ausbleiben; wo der Stoff, das
Material zum Leben gegeben ist, da kann auch das Leben nicht fehlen,
so wie, wenn einmal der Sauerstoff und ein brennbarer Körper gegeben
sind, auch der Verbrennungsproceß nothwendig erfolgt.

Fünfzehnte Vorlesung.

Ich habe in der letzten Stunde einige Andeutungen gegeben, wie sich die Naturerscheinungen, welche sich der Theist aus einem absichtlichen, bewußten Wesen erklärt, physikalisch oder natürlich erklären lassen. Ich bin übrigens weit entfernt, mit dieser oberflächlichen Andeutung eine Erklärung von dem Ursprung und Wesen des organischen Lebens geben zu wollen. Wir sind noch lange nicht auf dem Standpunkt der Naturwissenschaft, wo wir diese Frage lösen können. Nur so viel wissen wir oder können wir wenigstens bestimmt wissen, daß wir eben so gut, als wir jetzt auf natürlichem Wege entstehen und erhalten werden, auch einst auf natürlichem Wege entsprungen sind, daß alle theologischen Erklärungen nichts leisten. Aber auch abgesehen von dieser Kapitalfrage nach dem Ursprung des Lebens, giebt es allerdings viele auffallende und merkwürdige Erscheinungen in der Natur, die eben deßwegen der Theist mit besonderer Begierde aufgreift und den Naturalisten mit den Worten entgegenhält: hier habt ihr den offenbaren Beweis einer göttlichen Vorsicht und Absicht. Allein es ist mit diesen Erscheinungen in der Natur eben so, wie mit den Fällen im menschlichen Leben, in welchen der Theist handgreifliche Beweise einer besonderen, über dem Menschen wachenden Vorsehung erblickt, und welche ich schon in meinen Erläuterungen zum Wesen der Religion an einem Beispiel beleuchtet habe. Es sind dies immer nur Fälle, die mit dem menschlichen Egoismus zusam-

menhängen, und wenn es gleich andere eben so merkwürdige Erschei=
nungen giebt, denen wir gleichwohl kein Bedenken tragen eine natür=
liche, nicht absichtliche Ursache zuzuschreiben, so heben wir doch nur diese
den menschlichen Egoismus interessirenden Erscheinungen hervor, über=
sehen ihre Aehnlichkeit mit jenen anderen für uns aber gleichgültigen
Erscheinungen, und betrachten sie nun als Beweise einer besonderen,
absichtlichen Vorsehung, als, so zu sagen, natürliche Mirakel. „Wir
athmen in niederer Temperatur, sagt Liebig, mehr Kohlenstoff aus, wie
in höherer und wir müssen in dem nämlichen Verhältniß mehr oder
weniger Kohlenstoff in den Speisen genießen, in Schweden mehr, wie
in Sicilien, in unseren Gegenden im Winter ein ganzes Achtel mehr als
im Sommer. Selbst wenn wir dem Gewicht nach gleiche Quantitäten
Speise in kalten und warmen Gegenden genießen, so hat eine unendliche
Weisheit die Einrichtung getroffen, daß diese Speisen höchst ungleich in
ihrem Kohlenstoffgehalt sind. Die Früchte, welche die Südländer ge=
nießen, enthalten in frischem Zustande nicht über 12 Procent Kohlen=
stoff, während der Speck und Thran des Polarländers 66—80 Procent
Kohlenstoff enthalten". Aber was ist denn das für eine unendliche
Weisheit und Macht, die erst der Folge eines Uebels, eines Mangels
abhilft? Warum verhindert sie denn nicht das Uebel selbst? warum
nicht die Ursache? Wenn der Wagen, in dem ich fahre, zusammenbricht,
aber ich breche kein Bein, soll ich davon die Ursache der göttlichen Vor=
sehung zuschreiben? Hätte sie nicht vorher den Bruch des Wagens ver=
hindern können? Warum verhütet denn nicht die göttliche Weisheit und
Güte die Kälte der Polarländer, die selbst Felsen bersten macht? Kann
ein Gott nicht ein Paradies schaffen? Was hilft ein göttliches Wesen,
das erst hinterdrein, erst post festum hilft? Ist das Leben der Polar=
länder nicht trotz ihres kohlenstoffreichen Specks und Thrans ein höchst
erbärmliches Leben? Wie will man also bei solchen Erscheinungen zur
religiösen Vorstellung einer göttlichen Weisheit und Güte seine Zuflucht
nehmen, da selbst die Religion die Welt, wie sie ist, wegen ihrer Wider=

sprüche mit einer göttlichen Güte und Weisheit nicht so, wie sie jetzt ist, aus Gott kommen läßt, sondern annimmt, daß sie die Sünde, der Teufel entstellt hat, und eben deßwegen eine göttliche, eine beßere Welt in Aussicht stellt? Und läßt sich nicht ein natürlicher Grund von jener Erscheinung angeben? Warum denn nicht? Der arme Polarländer, der zu Zeiten, wie z. B. der Grönländer, sein kümmerliches Leben selbst mit alten Zeltfellen und Schuhsohlen fristen muß, genießt freilich keine Südfrüchte und andre Leckerbissen der warmen Länder, aber nur aus dem einfachen Grunde, weil sie eben nicht bei ihm gedeihen; er ist aus trauriger Nothwendigkeit hauptsächlich auf den Thran und Speck des Seehunds und Wallfisches angewiesen; aber der Speck und Thran findet sich keineswegs nur in den Nordpolarländern. Der Wallfisch ist nur durch die Verfolgungen der Menschen bis in den höchsten Norden zurückgedrängt worden und die Rüsselrobbe z. B., die wegen ihres reichlichen Thrans sehr gesucht ist, findet sich auch z. B. an den Küsten von Chile. Wenn sich aber auch eine besondre Menge von Kohlenstoff am Nordpol finden sollte, so hätten wir selbst dafür eine analoge Erscheinung an der Erfahrung, daß im Winter gefälltes Holz dichter, schwerer und folglich reicher an Brenn= oder Kohlenstoff ist, als im Frühjahr oder Sommer gefälltes, was offenbar daher kommt, daß zu dieser Zeit unter dem Einfluße des Lichts und der Wärme die Pflanze nicht nur die Kohlensäure zersetzt, d. h. den Kohlenstoff sich aneignet und den Sauerstoff fahren läßt, sondern auch, namentlich in der Periode des Knospentreibens, der Blüthe, der Befruchtung Kohlenstoff verzehrt, verbrennt, daher in dem Zuckerrohr, wie J. Dumas in seinem Versuch einer chemischen Statik der organischen Wesen bemerkt, der in dem Stengel aufgehäufte Zucker ganz verschwunden ist, wenn die Blüthe und Befruchtung vollbracht sind. Derselbe Liebig, der in dem Speck und Thran der armen Polarländer die Beweise einer göttlichen Weisheit erblickt, erklärt übrigens andere eben so merkwürdige Erscheinungen, die gleichfalls theologisch erklärt werden können und erklärt worden sind, aus höchst ein=

fachen natürlichen Gründen. „Man findet es bewunderungswürdig, sagt derselbe, daß die Grasarten, deren Samen zur Nahrung dient, dem Menschen wie ein Hausthier folgen. Sie folgen dem Menschen durch ähnliche Ursachen, wie die Salzpflanzen dem Meeresstrande und Salinen, die Chenopodien den Schutthaufen; so wie die Mistkäfer auf die Excremente der Thiere angewiesen sind, so bedürfen die Salzpflanzen des Salzes, die Schuttpflanzen des Ammoniaks und salpetersauren Salzes. Keine von unseren Getreidepflanzen kann aber ausgebildeten Samen tragen, Samen, welche Mehl geben, ohne eine reichliche Menge phosphorsaurer Bittererde, ohne Ammoniak zu ihrer Ausbildung vorzufinden. Diese Samen entwickeln sich nur in einem Boden, wo diese drei Bestandtheile sich vereinigt finden und kein Boden ist reicher daran, als Orte, wo Thiere und Menschen familienartig zusammenwohnen, sie folgen dem Urin, den Excrementen derselben, weil sie ohne deren Bestandtheile nicht zum Samentragen kommen". Hier haben wir also eine höchst merkwürdige und für den Menschen wichtige Erscheinung, eine Erscheinung, die ein Theist einem Naturalisten als den schlagendsten Beweis einer besondern Vorsehung an den Kopf werfen kann, wenn er nichts von dem natürlichen Grunde weiß, zusammengestellt mit andern eben so merkwürdigen, aber dem Menschen gleichgültigen Erscheinungen (denn die Chenopodien, die größtentheils auch in der Nähe der menschlichen Wohnungen vorkommen, haben, höchstens mit Ausnahme einer Art, deren Blätter zu kühlenden Umschlägen gebraucht werden, weder für das Vieh, noch für die Menschen einen Nutzen) und erklärt aus dem Zusammenhang des pflanzlichen Lebens mit den thierischen Excrementen, aus jenem Zusammenhang also, aus welchem wir überhaupt schon in der letzten Stunde die Erscheinung der Zweckmäßigkeit der Natur erklärten oder abzuleiten versuchten. Ich füge dem angeführten Beispiel noch ein anderes bei. „Es sind gerade, sagt der Chemiker Mulder in seiner physiologischen Chemie, diejenigen Salze die verbreitetsten, welche ... zum Leben eben so nothwendig sind, als die organischen vier Elemente. .... Die meisten dieser Salze sind für das Blut ganz unentbehrlich und finden sich sowohl im Trinkwasser, als in den Säften der Pflanzen, welche Menschen und Thieren zur Nahrung dienen, wieder; eine Thatsache, welche den innigen Zusammenhang der beiden Naturreiche andeutet, die man in der Wissenschaft zu sehr von einander zu trennen pflegt!" Und wenn es auch genug Erscheinungen in der Natur giebt, deren physikalischen, natürlichen Grund wir noch nicht entdeckt haben, so ist es thöricht, deßwegen, weil wir eine Erscheinung nicht physikalisch, nicht natürlich erklären können, zur Theologie seine Zuflucht zu nehmen. Was wir nicht erkennen, werden unsere Nachkommen erkennen. Wie unzählig Vieles, was unsere Vorfahren sich nur aus Gott und seinen Absichten erklären konnten, haben wir jetzt aus dem Wesen der Natur abgeleitet! Selbst auch das Einfachste, Natürlichste, Nothwendigste hat man sich einst nur durch die Teleologie und Theologie erklärt. Warum sind denn die Menschen nicht gleich, warum haben sie verschiedene Gesichter? fragt ein alter Theolog und antwortet darauf: damit sie von einander unterschieden, damit sie nicht verwechselt werden können, deßwegen hat Gott ihnen verschiedene Gesichter gemacht. Wir haben in dieser Erklärung ein köstliches Beispiel von dem Wesen der Teleologie. Der Mensch verwandelt aus Unwissenheit einerseits, andererseits aus dem egoistischen Hang, Alles aus sich zu erklären, Alles nach sich zu denken, das Unwillkürliche in ein Willkürliches, das Natürliche in ein Absichtliches, das Nothwendige in ein Freies. Daß der Mensch unterschieden ist von anderen Menschen, ist eine nothwendige, natürliche Folge seiner Individualität und Existenz; denn wäre er nicht unterschieden, so wäre er auch nicht ein eignes, selbstständiges, individuelles Wesen, und wäre er nicht ein Einzelwesen, ein Individuum, so existirte er nicht. Es giebt keine zwei Blätter an einem und demselben Baume, sagt Leibnitz, die sich vollkommen gleichen, und mit vollem Rechte; nur unendliche, unübersehbare Verschiedenheit ist das Princip des Lebens; die Gleichheit hebt die Nothwendigkeit der Existenz auf; kann ich mich nicht unterscheiben von Anderen, so ist es ganz eins, ob ich bin oder nicht bin; die Anderen ersetzen mich; kurz, ich bin, weil ich unterschieden bin, und bin unterschieden, weil ich bin. Schau in der Undurchbringlichkeit, darin, daß denselben Platz, den ich einnehme, ein Anderer nicht einnehmen kann, daß ich diesen von meinem Platz ausschließe, ist meine Selbstständigkeit, meine Unterschiedenheit von dem Anderen enthalten. Kurz jeder Mensch hat ein eignes Gesicht, weil er ein eignes Leben hat, ein eignes Wesen ist. Wie es aber mit diesem Falle ist, ist es mit unzählig anderen Fällen, welche sich der Mensch teleologisch erklärt, nur daß die Oberflächlichkeit, Unwissenheit und Lächerlichkeit der Teleologie in anderen Fällen nicht so handgreiflich, augenscheinlich ist, wie in diesem Beispiel, dem übrigens noch viele andere an die Seite gesetzt werden könnten.

Ich habe so eben gesagt, daß ich die Erscheinungen der Natur, die der Theist teleologisch erklärt, keineswegs durch das Gesagte erklärt wissen will. Ich gehe weiter und behaupte, daß, wenn sich auch viele Erscheinungen der Natur nur teleologisch erklären ließen, sich doch daraus noch lange nicht die Consequenzen der Theologie ergeben würden. Ich gebe also den Teleologen zu, daß das Auge sich nur erklären lasse aus einem Wesen, welches bei der Bildung oder Schöpfung des Auges den Zweck des Sehens verfolgte, daß also das Auge nicht beßwegen sieht, weil es so organisirt ist, wie es ist, sondern daß es so organisirt wurde, damit es sähe. Ich gebe also dieses den Teleologen zu, läugne aber, daß daraus ein Wesen folgt, auf welches der Name Gott paßt, läugne, daß wir damit über die Natur hinaus kommen. Die Zwecke und Mittel in der Natur sind immer nur natürliche, wie sollten sie also auf ein über- und außernatürliches Wesen uns verweisen? Ihr könnt euch die Welt nicht erklären, ohne ein persönliches, geistiges Wesen als ihren Urheber anzunehmen, aber ich bitte euch doch, mir gefälligst zu erklären, wie aus einem Gott eine Welt entstehen, wie ein Geist, wie ein Gedanke — die Wirkungen eines Geistes sind ja zunächst nur Gedanken

— Fleisch und Blut hervorbringen kann? Ich gebe euch gern zu, daß
der Zweck als Zweck, der Zweck, wie ihr ihn in eurem Kopfe euch
vorstellt, abgesondert von dem Inhalt, dem Gegenstand, der Materie
des Zwecks auf einen Gott, einen Geist hinweist, aber ich behaupte,
daß dieser Zweck und der Urheber desselben, das zweckthätige Wesen eben
so gut nur in eurem Kopfe existiren, als die erste Ursache des Theismus nur der personificirte Begriff der Ursache, das Wesen Gottes nur
das von allen besonderen Bestimmungen abgezogene Wesen der sinnlichen Wesen, die Existenz Gottes nur der Gattungsbegriff der Existenz
ist. Denn die Zwecke sind so verschieden, so materiell, als die
Organe dieser Zwecke; wie könnt, wie wollt ihr also die Zwecke
von den Organen abtrennen? wie also z. B. den Zweck des Auges,
das Sehen von der Sclerotica, von der Netzhaut, von der Traubenhaut,
von der wässerigen Feuchtigkeit, vom Glaskörper und den übrigen zum
Sehen erforderlichen Körpern absondern? Wenn ihr aber den Zweck
des Auges nicht von seinen materiellen Mitteln und Organen absondern
könnt, wie wollt ihr das Wesen, welches den Zweck des Auges hervorbrachte, absondern und unterscheiden von dem Wesen, welches die viel-
fältigen, diese Zwecke vermittelnden Materien hervorbrachte? Kann
aber ein Wesen, das kein materielles, kein körperliches ist, die Ursache von
Zwecken sein, die nur die Folge materieller, körperlicher Mittel oder Organe
sind? Wie kann man von Zwecken, die nur von materiellen, körperlichen
Bedingungen und Mitteln abhängig sind, auf ein immaterielles, unkörperliches Wesen als Ursache schließen? Ein Wesen, das nur durch materielle Mittel Zwecke verwirklicht, das ist ja nothwendig selbst nur ein
materielles Wesen. Wie sind, wie können also die Werke der Natur
Beweise und Werke eines Gottes sein? Ein Gott ist, wie wir später
noch sehen werden, das verselbstständigte und vergegenständlichte Wesen der menschlichen Einbildungskraft; einem
Gotte stehen alle Wunder der Einbildungskraft zur Seite und zu Gebote; ein Gott kann Alles; er ist an Nichts gebunden, so wenig als die

Phantasie, als die Wünsche des Menschen; er kann aus Steinen Menschen machen; er schafft sogar aus Nichts die Welt. Und wie ein Gott nur Wunder wirkt, so ist er selbst seinem Wesen nach ein Wunder. Ein Gott sieht ohne Augen, hört ohne Ohren, denkt ohne Kopf, wirkt ohne Werkzeuge, kurz er ist und thut Alles, ohne die zu diesem Thun nöthigen Mittel und Organe zu gebrauchen und zu haben. Aber die Natur hört nur durch Ohren, sieht nur durch Augen; wie kann man also die Natur aus Gott ableiten? wie das Organ des Gehörs aus einem Wesen, welches hört ohne Ohren, wie die Bedingungen und Gesetze der Natur, an die alle ihre Erscheinungen und Wirkungen gebunden sind, aus einem Wesen, das an keine Bedingungen und Gesetze gebunden ist? Kurz die Werke eines Gottes sind nur Wunder, aber keine Naturwirkungen. Die Natur ist nicht allmächtig; sie kann nicht Alles; sie kann nur das, wozu die Bedingungen vorhanden sind; die Natur, die Erde z. B. kann nicht im Winter aus den Bäumen Blüthen und Früchte hervorbringen; denn es fehlt die dazu nöthige Wärme; aber ein Gott kann es ohne Umstand. „Gott, sagt Luther, kann auch das Leder an der Tasche zu Gold machen und aus Staub eitel Korn machen und die Luft mir zum Keller voll Wein machen." Die Natur kann keinen Menschen erzeugen, wenn nicht zwei verschiedene, aber gleichberechtigte Organismen, der männliche und weibliche, vorhanden sind und zusammenwirken; aber ein Gott bringt aus dem Leibe einer Jungfrau ohne Zuthun des Mannes einen Menschen hervor. „Sollte dem Herrn etwas unmöglich sein?" Kurz die Natur ist eine Republik, ein Resultat sich gegenseitig bedürfender und erzeugender, zusammenwirkender, aber gleichberechtigter Wesen oder Kräfte. Der ganze thierische Organismus, um an diesem die Natur darzustellen, läßt sich reduciren auf Nerven und Blut. Aber der Nerve ist nichts ohne Blut, das Blut nichts ohne Nerve; in der Natur weiß man eben deswegen nicht, wer Koch oder Keller ist, weil Alles gleich wichtig, gleich wesentlich ist; es giebt da keine Privilegien; das

Gemeinste ist so wichtig, so nothwendig, als das Höchste; wenn meine Sehnerven noch so gut organisirt sind, aber es fehlt an dieser oder jener Flüssigkeit, dieser oder jener Haut, so kann mein Auge doch nicht sehen. Eben daher, daß der Organismus ein republikanisches Gemeinwesen ist, nur aus dem Zusammenwirken gleichberechtigter Wesen entsteht, kommt das materielle Uebel, der Kampf, die Krankheit, der Tod; aber die Ursache des Todes ist auch die Ursache des Lebens, die Ursache des Uebels auch die Ursache des Guten.

Ein Gott dagegen ist ein Monarch, und zwar ein absoluter, unbeschränkter Alleinherrscher, der thut und kann, was er will, der über dem Gesetze steht — Princeps legibus solutus est — aber seine Willkürgebote zu Gesetzen seiner Unterthanen macht, wenn sie auch noch so sehr ihren Bedürfnissen widersprechen. Wie in der Republik nur Gesetze herrschen, welche den eigenen Willen des Volkes ausdrücken, so herrschen auch in der Natur nur Gesetze, welche dem eigenen Wesen der Natur entsprechen. So ist es ein Naturgesetz, wenigstens bei den höher organisirten Thieren, daß die Erzeugung und Fortpflanzung abhängig ist von dem Dasein und Zusammenwirken zweier geschlechtlich verschiedener Individuen, aber dieses Gesetz ist kein despotisches; es liegt in dem Wesen der höheren Organismen, daß sich die Geschlechtsverschiedenheit zu verschiedenen selbstständigen Individuen ausbildet, daß sie folglich auf eine schwierigere, vermitteltere Weise ins Dasein kommen, als die niederen, die sich, wie z. B. die Polypen durch bloße Selbsttheilung vermehren. Und wenn wir auch für ein Naturgesetz keinen Grund angeben können, so verbindet uns doch die Analogie zu dem Glauben oder vielmehr zu der Gewißheit, daß es einen naturgemäßen Grund hat. Aber ein Gott giebt einer Jungfrau das Privilegium, ohne Mann einen Menschen hervorzubringen, gebietet dem Feuer, daß es nicht brennt, daß es wirkt wie Wasser, und dem Wasser, daß es wirkt wie Feuer, daß es also Wirkungen hervorbringt, die seiner Natur, seinem Wesen widersprechen, wie die Gebote des Despoten dem Wesen seiner Unterthanen widersprechen. Kurz, ein Gott bringt der Natur seinen Willen auf, er führt ein absolut willkürliches Regiment, wie ein Despot den Menschen das Unnatürlichste zumuthet. So verordnete z. B. Kaiser Friedrich II. in seiner Ketzerverordnung: „da das Majestätsverbrechen gegen Gott größer ist, als das gegen Menschen, und da Gott die Sünden der Väter an den Kindern heimsucht, so sollen die Kinder der Ketzer aller öffentlichen Aemter und Ehrenstellen unfähig sein, mit Ausnahme derjenigen ihrer Kinder, welche ihren Vater angegeben haben." Giebt es eine der Natur des Menschen widersprechendere Ausnahme und Verordnung, als diese? Wilhelm der Eroberer verordnete unter anderen tyrannischen Gesetzen, daß in den Städten alle Gesellschaften auseinander gehen und Feuer und Licht ausgelöscht werden mußten, sobald um 7 Uhr Abends die Feierglocken geläutet wurden. Kann es eine des Menschen unwürdigere, unnatürlichere Beschränkung der menschlichen Freiheit geben, als diese? Aehnliche Verordnungen haben wir übrigens selbst noch vor wenigen Jahren in unseren monarchischen Staaten erlebt. Thomas Paine erzählt, daß einst ein Braunschweiger Soldat, der im Unabhängigkeitskriege der Nordamerikaner gefangen worden war, zu ihm gesagt: „Ach Amerika ist ein schönes, freies Land, es ist werth, daß das Volk dafür kämpft; ich weiß den Unterschied, da ich das meinige kenne. Wenn in meinem Lande der Fürst sagt: eßt Stroh, so essen wir Stroh!" Giebt es aber einen Befehl, der dem Menschen eine größere, anti- und supranaturalistischere Selbstverläugnung gebietet, als der Befehl, Stroh zu essen? Ist also nicht das fürstliche, monarchische, wenigstens absolut monarchische Regiment eben so in der Politik ein Wunderregiment, als in der Natur? Wie stimmt aber dieses Regiment zu dem Wesen der Natur? wo finden wir in der Natur, wo Alles natürlich, Alles nur in Uebereinstimmung mit dem Wesen der natürlichen Dinge geschieht, Spuren eines Wunderregiments? Aus der Natur einen Gott, d. h. ein übernatürliches, wunderthätiges Wesen heraus beweisen zu wollen, ist eben so thöricht, eben so ein Beweis der Unwissenheit nicht nur von dem Wesen der Natur, sondern auch von dem Wesen eines Gottes, als wenn ich aus einer Republik, specieller gefaßt, aus dem republikanischen Staatsoberhaupte, dem Präsidenten einer Republik, einen Fürsten, einen König oder Kaiser herausklügeln, beweisen wollte, daß derselbe auch ein Fürst, ein Regent im Sinne unserer Staaten wäre, und daher kein Staat ohne Fürsten bestehen könnte. Der Präsident stammt aus dem Blute des Volkes; er ist eines Wesens, eines und desselben Geschlechtes mit dem Volke, er ist nur der personificirte Volkswille; er kann nicht, was er will; er vollstreckt nur die Gesetze, die das Volk beschlossen; aber der Fürst ist ein vom Volke specifisch, oder vielmehr der Gattung nach unterschiedenes Wesen, wie der Gott von der Welt; er ist aus fürst=lichem Geblüt; er herrscht nicht als der personificirte Volkswille über das Volk, sondern er herrscht über dem Volke als ein außer dem Volke stehendes, sonderliches Wesen, wie Gott über der Natur als besonderes, übernatürliches Wesen; aber eben deswegen sind die Wirkungen beider nur willkürliche Machtgebote, Wunder, Mirakel. In der Natur ist nun aber nur, wie gesagt, ein republikanisches Regiment. Der Kopf am Menschen ist wohl der Präsident meines Leibes, aber nichts weniger als ein absoluter Monarch oder ein Regent von Gottes Gnaden; denn der Kopf ist eben so gut ein Wesen von Fleisch und Blut, als der Ma=gen, als das Herz; er ist aus derselben Masse, demselben organischen Grundstoffe hervorgegangen, aus welchem die übrigen Organe; er ist wohl über den anderen Organen, er ist das Caput, das erste Wesen; aber doch kein der Gattung, dem Geschlecht nach von ihnen unterschie=denes Wesen; er übt daher keine despotische Macht aus; er gebietet den anderen Gliedern nur Handlungen, die ihrem Wesen angemessen sind; er ist eben deswegen nicht unverantwortlich, sondern er wird be=straft, seines Regiments entsetzt, wenn er den Fürsten spielen will und dem Magen, dem Herzen oder sonst einem Organe Etwas zumuthet, was ihrer Natur widerspricht. Kurz, so wie in der Republik, wenig=

stens der demokratischen, die wir hier allein meinen, nur volksthüm-
liche Wesen, aber keine Fürsten regieren, so herrschen auch in der Natur
keine Götter, sondern nur natürliche Kräfte, natürliche Gesetze, natürliche Elemente und Wesen. Und es ist daher, um das frühere Beispiel
zu wiederholen, eben so thöricht, aus dem die Natur beherrschenden
Wesen einen Gott heraus zu deduciren, als es thöricht wäre, ein Beweis von Mangel an Verstand und Urtheilskraft, aus dem Präsidenten
einer Republik einen Fürsten oder Monarchen heraus zu wittern.

Sechszehnte Vorlesung.

Der Glaube oder die Vorstellung, daß ein Gott Urheber, Erhalter und Regent der Welt sei, — eine Vorstellung, die der Mensch nur von sich, von dem politischen Regimente abgezogen und auf die Natur übergetragen hat — beruht auf der Unkenntniß der Menschen von der Natur; sie stammt daher aus der Kinderzeit der Menschheit, ob sie gleich sich bis auf den heutigen Tag erhalten hat, und ist nur da an ihrem Platze, nur da eine wenigstens subjective Wahrheit, wo der Mensch alle Erscheinungen, alle Wirkungen der Natur in seiner religiösen Einfalt und Unwissenheit Gott zuschreibt. Es war natürlich, sagt ein moderner rationalistischer Theolog, Bretschneider in seiner Schrift: „Die religiöse Glaubenslehre nach der Vernunft und Offenbarung (oder vielmehr weder nach der Vernunft, noch nach der Offenbarung) für denkende (oder vielmehr nicht denkende) Leser," „daß in den ältesten Zeiten das fromme Gefühl (?) alle oder doch die meisten Naturveränderungen als unmittelbare Wirkungen der Götter oder Gottes ansah. Je weniger man nämlich die Natur und ihre Gesetze kannte, desto gewisser mußte man für die Veränderungen übernatürliche Ursachen, also den Willen der Götter aufsuchen. So war es bei den Griechen Jupiter, der die Gewitter sendete, die Blitze rechts oder links schleuderte. Auch das fromme Gefühl (?) des israelitischen Volkes bezog Alles oder doch das Meiste auf Gott als unmittelbare Ursache. Jehovah ist es nach

12*

dem A. T., der die Saat wachsen läßt, die Ernte behütet, Korn, Oel und Wein giebt, fruchtbare oder unfruchtbare Jahre, Krankheiten und Seuchen sendet; fremde Völker zu Kriegen erweckt, die Guten mit langem Leben, Reichthum, Gesundheit und anderen Gütern belohnt, die Bösen mit Krankheit, frühem Tod u. s. w. bestraft, die Sonne, den Mond und die Gestirne am Himmel herausführt und die ganze Natur und die Geschicke der Völker und einzelnen Menschen nach seinem Willen leitet." Aber wir müssen sogleich gegen diesen Rationalisten bemerken, daß diese Vorstellungsart im Wesen der Religion begründet ist, daß nur da der Glaube an Gott noch ein wahrer, lebendiger ist, wo Alles nur theologisch, aber nicht physikalisch erklärt wird. Wir finden daher diese Vorstellung nicht nur bei den alten Völkern, sondern auch bei den alten Christen, ja überhaupt bei den frommen Christen, welche die alten, d. h. ächten Vorstellungen der Religion und des Gottesglaubeus bewahrt haben, in denen noch nicht die Verstandesbildung über die religiösen Vorstellungen gesiegt, zum deutlichen Beweise, daß diese Vorstellung die wahrhaft religiöse ist. Wir treffen sie daher auch bei unseren Reformatoren. Der Unterschied zwischen dem gewöhnlichen Naturlauf und einem Wunder ist ihnen zufolge nur dieser, daß hier die Wirkung Gottes in die Augen fällt, während der gewöhnliche Naturlauf ein eben so wunderbares Wirken Gottes voraussetzt, nur daß er wegen seiner Gewöhnlichkeit den Augen des Haufens nicht so erscheint. Alle Wirkungen der Natur sind ihnen Wirkungen Gottes; der Unterschied zwischen Wunder und Naturwirkung ist ihnen nur, daß dort im Widerspruch mit der Natur, hier im Einklang wenigstens mit ihrer Erscheinung Gott handelt. „Nicht das Brot, sagt Luther, sondern das Wort Gottes nähret auch den Leib natürlich, wie es alle Dinge schaffet und erhält. Weil (wenn) es fürhanden ist, so nähret Gott dadurch und darunter, daß man es nicht sehe und meyne, das Brot thue es. Wo es aber nicht fürhanden ist, da nähret er ohne Brot allein durchs Wort, wie er thut unter dem Brot. Summa: Alle Crea=

turen sind Gottes Larven und Mummereien („unkräftige Schatten Gottes", wie sich Luther an einer anderen Stelle ausdrückt), die er will lassen mit ihm wirken und helfen allerlei schaffen, das er doch ohne ihr Mitwirken thun kann und auch thut." Ebenso spricht sich Calvin in seiner Institution der christlichen Religion aus, z. B.: „die göttliche Vorsehung kommt uns nicht immer nackt entgegen, sondern sie kleidet sich oft in natürliche Mittel, sie hilft uns bald vermittelst eines Menschen oder einer unvernünftigen Creatur, sie hilft uns auch ohne ein natürliches Mittel oder selbst im Widerspruch mit der Natur", also auf augenfällig wunderbare Weise, d. h. mit anderen Worten: alle Wirkungen der Natur sind eigentlich nur Wirkungen Gottes, alle Dinge nur Instrumente, Werkzeuge Gottes und zwar gleichgültige Instrumente, keine Instrumente, wie die Instrumente der Natur sind, welche nur durch das Werkzeug des Auges, aber nicht des Ohres, nicht der Nase sieht, sondern Instrumente, mit welchen Gott nur kraft seines Willens diese oder jene Wirkungen nach Belieben verknüpft hat, Wirkungen, die er daher auch ohne diese Instrumente hervorbringen kann. „Gott könnte, sagt Luther in einer Predigt, Kinder zeugen ohne Vater und Mutter .... Aber er hat die Menschen dazu erschaffen und zeuget und ernähret die Kinder durch die Eltern, Vater und Mutter. Er könnte auch den Tag machen ohne Sonne, wie die ersten drei Tage in der Schöpfung waren Tag und Nacht, und war dennoch weder Sonne, noch Mond, noch Sterne dazumal geschaffen. Solches könnte noch Gott thun ..... so er wollte; aber er will es nicht thun." Freilich eine sonderbare Einschränkung, ein sonderbares Aber, daß er nicht thun will, was er thun kann. Wir sehen daher an diesen Aussprüchen der alten, ächten Gottesgläubigen, wie wenig die Physik oder Physiologie und Theologie zusammenstimmen, wie wenig die Erscheinungen selbst, die der rationelle Theist als Zwecke auffaßt und als Beweise für das Dasein eines Gottes anführt, sich aus einem Gotte ableiten lassen. Zwischen dem Organ des Auges oder

dem Mittel des Sehens und dem Zweck des Auges, dem Akt des Sehens
ist in der Natur ein nothwendiger Zusammenhang; es liegt
in dem Organismus, in der Natur des Auges, daß nur das Auge und
sonst kein anderes Leibesglied sehen kann; aber in der Theologie unter=
bricht der Wille Gottes diesen nothwendigen Zusammenhang; Gott
kann auch, wenn er will, den Menschen ohne Augen oder selbst durch
ein dem Auge entgegengesetztes Organ, selbst durch ein sinnloses Organ,
selbst durch den After sehen lassen. Calvin sagt ausdrücklich, daß Gott
in dem A. T. das Licht habe vor der Sonne entstehen lassen, damit die
Menschen daraus ersehen könnten, daß keineswegs die wohlthätigen
Erscheinungen des Lichts an die Sonne nothwendig geknüpft wären,
daß Gott auch ohne die Sonne leisten könne, was er jetzt, d. h. im ge=
wöhnlichen, aber keineswegs nothwendigen Naturlauf durch die Sonne
oder vermittelst der Sonne leiste. Wir haben hieran zugleich einen der
überzeugendsten Beweise, wie die Natur das Dasein eines Gottes und
umgekehrt das Dasein eines Gottes die Natur aufhebt. Wenn ein
Gott ist, wozu ist denn die Welt, wozu die Natur? Wenn ein voll=
kommenes Wesen ist, ein vollkommenes Wesen, wie man sich's unter
Gott vorstellt, wozu ein unvollkommenes? Hebt denn nicht das Da=
sein eines vollkommenen Wesens die Nothwendigkeit, den Grund eines
unvollkommenen Wesens auf? Auf die Unvollkommenheit paßt die
Vollkommenheit wohl; aber wie paßt auf die Vollkommenheit die Un=
vollkommenheit? der Sinn der Unvollkommenheit liegt in der Vollkom=
menheit; das Unvollkommene will vollkommen, der Knabe will Mann,
das Mädchen Weib werden, das, was unten ist, strebt empor, will
aufwärts kommen; aber wie kann ich aus dem höchsten Wesen, wenn
ich anders bei Sinnen bin, ein unter ihm stehendes, ein niedriges We=
sen ableiten? Wie kann ich aus einem Verstandeswesen verstandlose
Wesen entstehen lassen, wenn ich anders bei Verstand bin? Wie kann
ein Geist geistlose Wesen produciren? Was kann also ein Gott her=
vorbringen, wenn ich einen Gott denke und richtig folgern und einmal

etwas ihn hervorbringen lassen will, wiewohl die Gottheit immer etwas Unproductives ist, außer Götter, außer Wesen seines Gleichen? Und wenn ein Gott ist, d. h. ein Wesen, welches sieht, ohne Augen, und hört, d. h. Alles vernimmt, ohne Ohren zu haben, wie kann ich aus ihm die Augen und Ohren ableiten? Der Sinn, der Zweck, das Wesen, die Nothwendigkeit des Daseins der Augen und Ohren, ist ja nur das Sehen und Hören; wenn aber nun schon ein ohne Auge sehendes We=sen ist, wozu ist denn das Auge? fällt nicht damit der Grund seiner Existenz hinweg? „Wer das Ohr gemacht hat, wie sollte der nicht hören? wer das Auge gemacht hat, wie sollte der nicht sehen?" Wer aber schon sieht, wie braucht der ein Auge zu machen? Das Auge ist, weil ohne dasselbe kein sehendes Wesen ist, aber es ist nicht, weil ein sehendes Wesen ist. Das Auge entspringt aus dem Trieb der Natur, zu sehen, aus der Begierde nach Licht, aus dem Bedürfniß, aus der Nothwendigkeit eines Auges zum Leben, wenigstens des höheren Orga=nismus. Man hat oft gesagt: die Welt ist unerklärbar ohne einen Gott; aber gerade das Gegentheil ist wahr: wenn ein Gott ist, so ist das Dasein einer Welt unerklärlich; denn sie ist vollkommen über=flüssig. Die Welt, die Natur ist nur erklärbar, wir finden nur dann einen vernünftigen Grund ihrer Existenz, so wir anders nach einem solchen suchen, wenn wir erkennen, daß es keine Existenz außer der Natur, keine andere, als eine körperliche, natürliche, sinnliche Existenz giebt, wenn wir die Natur auf sich beruhen lassen, wenn wir also erkennen, daß die Frage nach dem Grund der Natur eins ist mit der Frage nach dem Grunde der Existenz. Aber die Frage, warum überhaupt Etwas existirt, ist eine thörichte Frage. Weit gefehlt also, daß die Welt, wie die alten Theisten sagten, in einem Gotte ihren Grund hat, so ist vielmehr der Grund der Welt aufgehoben, wenn ein Gott ist. Aus einem Gotte folgt nichts Anderes; alles Andere außer ihm ist überflüssig, eitel, nichtig; wie kann ich es also aus ihm ableiten und begründen wollen? Aber eben so gilt der umgekehrte Schluß. Ist eine Welt, ist diese Welt eine Wahrheit, und ihre Wahrheit verbürgt ihre Existenz, so ist ein Gott nur ein Traum, nur ein vom Menschen eingebildetes, nur ein in seiner Einbildung existirendes Wesen. Welchen Schluß werden wir aber zu dem unserigen machen? den letzteren, denn die Welt, die Natur ist etwas unmittelbar, sinnlich Gewisses, etwas Unbezweifelbares. Aus dem Dasein auf die Nothwendigkeit und Wesenhaftigkeit eines Gegenstandes schließen, ist doch gewiß weit vernünftiger und sicherer, als aus der Nothwendigkeit eines Wesens auf sein Dasein schließen; denn diese Nothwendigkeit, die Nothwendigkeit, die sich nicht auf das Dasein gründet, kann eine nur subjective, nur eingebildete sein. Nun ist aber kein Mensch, kein Leben, wenn kein Wasser, kein Licht, keine Wärme, keine Sonne, kein Brot, kurz keine Lebensmittel sind. Wir sind also vollkommen berechtigt, aus ihrem Dasein auf ihre Nothwendigkeit zu schließen, berechtigt, zu schließen, daß das Leben, das ohne sie, ohne die unorganische Natur nicht ist, auch nur durch sie ist. Wir fühlen, wir wissen, daß wir verdursten, vertrocknen ohne Wasser; verhungern, vergehen ohne Speisen; wir fühlen, wir wissen also, daß es die eigenthümliche, in ihrer individuellen Natur begründete Kraft des Wassers und der Speisen ist, die diese wohlthätigen Wirkungen auf uns ausübt. Warum wollen wir also der Natur diese Kraft rauben und einem von der Natur unterschiedenen Wesen, einem Gott zuschreiben? Warum wollen wir läugnen, was so deutlich unsere Sinne und Vernunft uns sagen, daß wir nur diesen Kräften, diesen Wesen der Natur unsere Existenz verdanken, daß wir nicht wären, wenn sie nicht wären, daß sie die nothwendigen Elemente oder Gründe unserer Existenz sind, daß nicht ein Gott vermittelst dieser Dinge, sondern diese Dinge vermittelst ihrer eigenen Kraft ohne Gott uns erhalten; denn wozu bedarf ein Gott solche ungöttliche gemeine Mittel, wie Wasser und Brot sind, aber wozu auch bedarf das Wasser, das Brot einen Gott, um die Wirkungen zu äußern, die in seiner eignen materiellen Natur liegen? Doch wieder zurück!

In der Wirkungsweise Gottes haben wir drei Stufen oder Unterschiede zu bemerken, wovon wir die erste die patriarchalische, die zweite die despotische oder absolut monarchische, die dritte die constitutionell monarchische Regierungs- und Wirkungsweise Gottes nennen können. Die erste ist diese, wo Gott eigentlich nur noch ein Ausdruck des Affects, ein Ausdruck der Bewunderung, ein poetischer Name für jeden Gegenstand der Natur ist, der einen besonderen Eindruck auf den Menschen macht, wo der Mensch zwar statt: Es donnert oder: Es regnet, sagt: Gott donnert, Gott regnet, wo aber dieser Gott noch nichts Distinctes, nichts von der Natur und ihren Erscheinungen Unterschiedenes ausdrückt, weil der Mensch eben noch gar keine Kenntniß, gar keine Ahnung von dem Wesen und den Wirkungen der Natur hat, wo es eben deßwegen noch keine Wunder, im eigentlichen, in unserem Sinne wenigstens, giebt, weil dem Menschen Alles noch wunderbar erscheint; denn das Wunder drückt Etwas von dem natürlichen, gesetzlichen oder wenigstens gewöhnlichen Lauf Unterschiedenes aus. Ich nenne diese Vorstellung die patriarchalische, weil sie die älteste, einfachste, dem kindlichen, ungebildeten Menschen natürlichste ist, weil die patriarchalische Regierungsform diejenige ist, wo der Regent in demselben Verhältniß zu den Regierten steht, wie der Vater zu seinen Kindern, welcher sich nicht dem Wesen nach von den Kindern unterscheidet, sondern nur dem Alter, der größeren Macht und Einsicht nach, und weil eben so der Regent der Natur und Menschheit sich hier noch nicht von der Natur unterscheidet. Zeus ist der Gott, von dem der Donner und Blitz, Hagelschlag und Sturm, Regengüsse und Schneegestöber kommen. Er ist der Herr, d. h. die vermenschlichte, personificirte Ursache dieser Erscheinungen; er gebietet über diese Wirkungen der Natur nach seinem Willen und Gutdünken; er ist also insofern allerdings — jedoch nur für uns — ein von ihnen unterschiedenes Wesen, aber sein Unterschied verliert sich in dem Dunst und Blau des Himmels — Jupiter ist und heißt der Himmel, der Aether, die Luft, statt: kalte Luft, feuchte Luft, sagen die Dichter sogar

kalter Jupiter, feuchter Jupiter — sein Unterschied wird zu Wasser mit
jedem Regentropfen, der vom Himmel auf die Erde fällt, verflüchtet sich
mit jedem Blitzstrahl zu einem Meteor. So nennt z. B. Plinius den
Blitz bald ein **Werk** Jupiters, bald einen **Theil** Jupiters. Daher
war den Römern selbst der Blitz etwas Heiliges, Göttliches; er heißt
ausdrücklich bei ihnen der heilige Blitz, das heilige Feuer. Wie wenig
sich das Wesen dieser Götter, wenigstens ursprünglich, von den Naturwesen unterscheidet, wie sehr ihr Wesen in dem Wesen der Natur ver-
fließt, keinen persönlichen Bestand hat, zeigt sich, wenn wir näher in die
alten Religionen eingehen und bemerken, wie sie selbst Naturerscheinungen, die sich in unsern Augen gar nicht als Personen, als Wesen darstellen und fassen lassen, gleichwohl als Götter verehrten. So vergötterten z. B. die Perser die Tage und Tageszeiten, den Morgen, Mittag,
Nachmittag, Mitternacht, die Aegypter selbst die Stunden; die Griechen
den Kairos, den günstigen Augenblick, die Bewegung der Luft, die
Winde *). Aber was ist ein Gott, dessen Wesen der Wind ist, für ein
verschwindendes, vergängliches Wesen? Oder wer kann den Gott des
Windes vom Winde unterscheiden? Die griechischen und römischen Geschichtsbücher wimmeln von Wundergeschichten, aber diese Wunder haben
keineswegs schon die Bedeutung der Wunder im Sinne des Monotheismus, wenigstens des entwickelten, sie haben mehr einen poetischen,
naiven Charakter, sind Werke mehr des naturalistischen, als theologischen Aberglaubens, sind keine so doctrinäre, absichtliche Wunder **), wie
die monotheistischen. Im Monotheismus wird nämlich das Wesen
Gottes, ob es gleich ursprünglich gar nichts Andres ist, als das von
den Sinnen abgezogene und abgesonderte Wesen der Natur oder Welt,
als ein von der Welt und ihrem Wesen unterschiedenes Wesen vorgestellt. Hier geht daher die poetische Einfalt und patriarchalische Ge-

---

*) Auch die Perser, was aber hier ganz gleichgültig.
**) Von den Betrügereien der Priester wird hier natürlich abstrahirt.

müthlichkeit des Polytheismus zu Grunde. Hier wird reflectirt, Gott kritisch unterschieden von der Natur; hier tritt an die Spitze der Welt, der Natur ein Despot, dessen Wille sich Alles selbst- und willenlos fügt und schmiegt, der durch einen bloßen Befehl die Welt ins Dasein gerufen. „So er spricht, heißts in der Bibel, so geschiehts, so er gebeut, so stehts da." „Er gebeut, so wirds geschaffen." „Er kann schaffen, was er will." Auf diesem Standpunkt, wenn auch nicht gleich im Anfang, doch in der weiteren Entwickelung, hat der Mensch schon, eben weil er Natur und Gott unterscheidet, eine Vorstellung von der Wirkungsweise der Natur im Unterschiede von der göttlichen. Er glaubt an besondere Wirkungen Gottes, denen er im Unterschiede von den natürlichen den Namen der Wunder giebt. Aber gleichwohl sind ihm auch auf diesem Standpunkt, so lange seine religiösen Vorstellungen noch nicht durch den Verstand, durch den Unglauben beschränkt worden sind, so lange er noch im ungetheilten, energischen Glauben lebt, die natürlichen Wirkungen noch Wirkungen Gottes. Halten wir uns nur an das bereits aus Luther angeführte Beispiel von dem Brot. Wenn Gott den Menschen ohne Speise, ohne Brot erhält, so ist das ein augenfälliges Wunder, weil hier offenbar auf eine wunderbare Weise der Mensch erhalten wird, wenn er aber den Menschen mit Brot erhält, so ist hier nicht weniger eine Wirkung Gottes, ein Wunder vorhanden, denn Gott wirkt hier gleichfalls, nur unter dem Schein des Brotes; denn es ist nicht die Kraft des Brotes, sondern die Kraft Gottes, die den Körper ernährt und erhält. Die Naturwesen sind ja nur Larven, Schatten, hinter und unter denen Gott wirkt. Obgleich daher hier der Unterschied zwischen der Naturwirkung und Gotteswirkung von dem Menschen schon erkannt wird, so giebt es doch hier eigentlich nur Wunder, Handlungen, Wirkungen Gottes; denn die Naturwirkungen sind nur Scheinwirkungen, die gewöhnlichen Wirkungen und Erscheinungen der Natur nur versteckte, maskirte Wirkungen Gottes, die eigentlichen Wunder aber entkleidete, nackte Wirkungen Gottes; dort wirkt Gott nur incognito, hier aber in seiner göttlichen Majestät. Kurz wie auf dem patriarchalischen oder polytheistischen Standpunkt sich Gott in der Natur verliert, sein Unterschied von der Natur ein verschwindender ist, so verliert sich dagegen hier auf dem Standpunkt des eigentlichen Gottesglaubens, des Theismus oder Monotheismus die Natur; ihr Wesen verschwindet vor dem Wesen Gottes; es wird ihr eigene Kraft und Selbstständigkeit abgesprochen. Hier ist Gott das allein Wirkliche, allein Wirkende und Thätige. Der Muhamedanismus hat diesen Gedanken mit aller Energie orientalischer Phantasie und Glut ausgesprochen. So sagt z. B. ein arabischer Dichter: „Alles, was nicht Gott ist, ist Nichts", und in El-Senusi's „Begriffsentwicklung des muhamedanischen Glaubensbekenntnisses" heißt es: „es ist unmöglich, daß neben Gott etwas existire, was selbstwirkend wäre". Eben so wird gegen die muhamedanischen Philosophen, welche behaupten, daß Gott nicht in jedem Augenblicke von Neuem in der Welt thätig und schaffend sei, sondern daß die Welt durch die Kraft, die Gott einmal in sie gelegt, selbstthätig sich forterhalte, gekämpft und behauptet: „Nichts hat wirkende Kraft außer Gott und wenn der Causalnerus, den wir in der Welt erkennen, uns glauben macht, daß dies die Selbstthätigkeit der Welt sei, so irren wir; dieser selbst ist nur ein Kennzeichen von der ewig wirkenden Kraft Gottes". Aber auch selbst Philosophen der muhamedanischen Religion haben diese consequent und streng religiöse Läugnung der selbstthätigen und selbstständigen Wirksamkeit der Natur geltend gemacht. So glaubten und lehrten die arabischen orthodoxen Philosophen und Theologen, die Motakhallim, „daß die Welt stets von Neuem erschaffen und daher ein beständiges Wunder sei, daß kein unverletzliches Wesen der Dinge, kein nothwendiger Zusammenhang zwischen Grund und Folge, Ursache und Wirkung sei", Behauptungen, die eine nothwendige Folge sind von der allmächtigen Willenskraft und Wunderthätigkeit Gottes; denn wenn Alles Gott kann, so kann auch kein nothwendiger Zusammenhang zwischen Wesen oder Grund und

Folge stattfinden. Diese arabischen Orthodoxen behaupteten daher ganz richtig von dem Standpunkte der Theologie aus, daß es „kein Wider=spruch sei, wenn etwas gegen die Natur eines Dinges mit ihm geschehe, weil Das, was wir die Natur der Dinge zu nennen pflegen, nichts weiter als der gewöhnliche Lauf der Dinge wäre, von welchem der Wille Gottes abweichen könnte. Es sei nicht unmöglich, daß das Feuer kalt mache, daß der Erdkreis in die Himmelssphäre verwandelt werde, daß ein Floh so groß wie ein Elephant und ein Elephant so klein wie ein Floh sein könnte; jedes Ding könnte anders sein, als es ist". Diese Beispiele bringen sie jedoch, bemerkt Ritter, dessen Schrift: „über unsere Kenntniß der arabischen Philosophie" diese Stellen entnommen sind, nur zur Erläuterung ihres Satzes bei, daß es „Gott habe gefallen können, eine andere Welt und mithin eine andere Ordnung der Natur zu schaf=fen". Oder vielmehr: diese Vorstellung, daß Alles anders sein könne, als es ist, daß es keine nothwendige Natur der Dinge giebt, ist nur die Folge von dem Glauben, daß Gott Alles kann, daß Alles Gott möglich, daß also vor dem Willen Gottes keine natürliche Nothwendigkeit besteht. Auch unter den Christen gab es genug nicht nur Theologen, sondern auch Philosophen, welche keine Naturnothwendigkeit vor dem Willen Gottes bestehen ließen, und den Dingen außer Gott alle Ursächlichkeit, alle Selbstthätigkeit und Selbstständigkeit absprachen. Aber diese An=sicht, ob sie gleich die consequent und streng religiöse ist, widerspricht doch zu sehr dem natürlichen Menschenverstand, zu sehr der Erfahrung, zu sehr dem Gefühl, welchem sich die Natur als eine selbstthätige Macht aufdringt, als daß sie der Mensch, der wenigstens dem Verstande und der Erfahrung Gehör giebt, behalten könnte. Der Mensch giebt sie daher auf und spricht der Natur selbstthätige Wirkungen zu; weil ihm aber zugleich das von der Natur unterschiedene Wesen, Gott ein wirkliches und wirksames Wesen ist, so hat er hier eine zweifache Wirkung, die Wirkung Gottes und die Wirkung der Natur; diese als die unmittelbare, nächste, jene als die mittelbare, entfernte. Gott bringt hier keine unmit=

telbaren Wirkungen hervor; er handelt nicht ohne die untergeordneten mittleren Ursachen, welche eben die natürlichen Wesen sind. Sie heißen untergeordnete oder zweite Ursachen, weil die erste Ursache Gott ist, mittlere Ursachen oder Mittelursachen, weil sie eben die Mittel sind, durch die und kraft welcher Gott wirkt, aber keine Mittel im Sinne des alten Glaubens, welche nur willkürliche und gleichgültige Instrumente in der Hand der Allmacht sind, sondern Mittel in dem Sinne, in welchem man z. B. das Auge das Mittel des Sehens nennen kann; Mittel mit eigener Natur und Kraft, nothwendige Mittel. Gott handelt und wirkt aber hier nicht nur nicht ohne natürliche Ursachen, sondern er handelt auch nur in Gemäßheit dieser Ursachen, er handelt hier nicht als unumschränkter, absoluter Monarch, der mit den Dingen nach Belieben schaltet, der ein Ding auch zu dem macht, was seiner Natur zuwider ist, Feuer zu Wasser, Staub zu Korn, Leder zu Gold, sondern er regiert hier nur nach den Gesetzen der Natur; er regiert als constitutioneller Monarch. Der König, heißt es ausdrücklich, auf dem Standpunkt des constitutionellen, namentlich des englischen Staatsrechts, kann nur gemäß den Gesetzen regieren und Gott, heißt es auf dem Standpunkt des Rationalismus, — denn der Standpunkt, den wir jetzt vor uns haben, ist nichts Andres, als der sogenannte Rationalismus, den wir jedoch hier im weitesten Sinn des Worts nehmen — regiert nur gemäß den Naturgesetzen. Der Constitutionalismus setzt, wie sich die deutschen Staatsrechtslehrer ausdrücken, „dem Mißbrauch der Staatsgewalt" Schranken entgegen, und der Rationalismus setzt dem Mißbrauch der göttlichen Allmacht und Willkür, d. h. der Wunderthätigkeit Schranken entgegen. Der Unterschied zwischen dem Constitutionalismus und Rationalismus in dieser Beziehung ist nur, daß der rationelle oder constitutionelle Gott Wunder thun kann — denn das Vermögen Wunder zu thun spricht der Rationalist nicht Gott ab — aber keine thut, der constitutionelle Monarch oder Souverain aber nicht nur einen Mißbrauch von seiner Gewalt machen kann, sondern auch, so oft es ihm beliebt, wirklich macht. Der unumschränkte Monarch regiert und verwaltet, ober greift wenigstens, so oft es ihm beliebt, in die Verwaltung ein, der constitutionelle Monarch dagegen regiert nur, aber verwaltet nicht, so auch der constitutionelle oder rationelle Gott, der nur an der Spitze steht, ohne unmittelbar, wie der alte absolute Gott, in das Gouvernement der Welt einzugreifen. Kurz wie die constitutionelle Monarchie eine durch die Demokratie oder démokratische Institutionen beschränkte Monarchie, eben so ist der Rationalismus der durch den Atheismus oder Naturalismus oder Kosmismus, kurz durch dem Theismus entgegengesetzte Elemente beschränkte Theismus. Oder: wie die constitutionelle Monarchie nur eine beschränkte und gehemmte Demokratie ist, welche daher nothwendig in ihrer Entwicklung zu wahrer und vollständiger Demokratie führt; so ist der moderne, rationalistische Theismus oder Gottesglaube nur ein beschränkter und gehemmter, unconsequenter Atheismus oder Naturalismus. Denn was ist ein Gott, der nur in Gemäßheit der Naturgesetze handelt, dessen Wirkungen nur natürliche Wirkungen sind? Er ist nur ein Gott dem Namen nach, aber dem Inhalt nach unterscheidet er sich nicht von der Natur; er ist ein dem Begriff eines Gottes widersprechender Gott; denn nur ein unumschränkter, an keine Gesetze gebundener, wunderthätiger, den Menschen aus allen Nöthen, wenigstens dem Glauben, der Einbildung nach, errettender Gott ist ein Gott. Aber ein Gott, der mir z. B. nur in Krankheiten vermittelst der Aerzte und Arzeneien hilft, das ist ein Gott, der auch nicht mehr hilft und vermag, als Aerzte und Arzeneien, das ist ein ganz überflüssiger, unnöthiger Gott, ein Gott, durch dessen Besitz ich nichts gewinne, was ich nicht ohne ihn durch die bloße Natur hätte, und durch dessen Verlust ich folglich auch nichts verliere. Keine Monarchie oder absolute Monarchie! Keinen Gott oder einen absoluten Gott, einen Gott, wie der Gott des alten Glaubens es war! Ein den Gesetzen der Natur gehorchender, ein sich dem Weltlauf accommodirender Gott, wie es der Gott unserer Constitutionalisten und Rationalisten ist, ein solcher Gott ist ein Unding. [16]

Siebenzehnte Vorlesung.

Ich habe dem Inhalt der letzten Stunden noch einige Erläuterungen und Bemerkungen zuzusetzen. Der Mensch geht von dem ihm Nächsten, dem Gegenwärtigen aus und schließt von da auf das Entferntere, das thut der Atheist, das der Theist. Der Unterschied zwischen dem Atheismus oder Naturalismus, überhaupt der Lehre, welche die Natur aus sich oder einem Naturprincip begreift, und dem Theismus oder der Lehre, welche die Natur aus einem heterogenen, fremdartigen, von der Natur unterschiedenen Wesen ableitet, ist nur der, daß der Theist vom Menschen ausgeht und von da zur Natur übergeht, auf sie schließt, der Atheist oder Naturalist von der Natur ausgeht und erst von ihr aus auf den Menschen kommt. Der Atheist geht einen natürlichen, der Theist einen unnatürlichen Gang. Der Atheist setzt der Kunst die Natur voraus, der Theist aber die Kunst der Natur; er läßt die Natur aus der Kunst Gottes oder, was eins ist, aus der göttlichen Kunst entspringen; der Atheist läßt das Ende erst auf den Anfang folgen; er macht das der Natur nach Frühere zum Ersten, der Theist aber macht das Ende zum Anfang, das Späteste zum Ersten, kurz er macht nicht das natürliche, unbewußt wirkende Wesen der Natur zum ersten Wesen, sondern das bewußte, menschliche, künstlerische Wesen, er begeht daher die schon gerügte Verkehrtheit, statt aus dem Unbewußten das Bewußte, aus dem Bewußtsein das Unbewußte entstehen zu lassen. Der Theist schließt nämlich, wie wir schon bei der Beurtheilung des teleologischen Beweises sahen, daraus, daß er die Natur, die Welt wie ein Wohnhaus, eine Uhr oder sonst ein mechanisches Kunstwerk ansieht, auf einen Werk- und Kunstmeister als ihren Urheber. Er macht also die Kunst zum Original der Natur, die menschlichen Werke sind es, nach denen er die Natur- werke denkt; daher eben der Schluß, daß die hervorbringende Ursache derselben ein persönliches Wesen, wie der Mensch, ein Macher, ein Schöpfer sei. Es ist dieser Schluß oder Beweis, wie schon erwähnt, der den Menschen, auf einem gewissen Standpunkt wenigstens, einleuch- tendste, daher der, durch welchen die Missionäre den uncultivirten Völ- kern, die christlichen Lehrer und Eltern den Kindern den Gottesglauben beibringen. Man betrachtet aber diesen Beweis nicht nur als einen der einleuchtendsten, faßlichsten, sondern auch als den untrüglichsten, als den, der unzweifelhaft das Dasein eines Gottes verbürge. Schon den Kinderchen, sagen die Gläubigen, hat der liebe Gott diese Frage: wer hat die Sterne, wer die Blumen gemacht? in die Brust gelegt, um sie auf sein Dasein aufmerksam zu machen. Aber es frägt sich, ob diese Frage in den Kindern von selbst entstanden oder nicht vielmehr von den Eltern in sie hineingelegt wurde. Es giebt wenigstens viele Völker und unzählige Menschen, die nicht darnach fragen, woher sind wir entstan- den? sondern woher bekommen wir Nahrung, wovon leben wir? So mochte man die Grönländer noch so viel nach der Entstehung von Him- mel und Erde fragen, sie gaben keine andere Antwort, als daß Himmel und Erde von selbst entstanden seien, oder daß sie sich nicht darum be- kümmerten, wenn sie nur Fische und Seehunde genug hätten. So hat- ten auch die Californier „nicht den mindesten Gedanken von einem Ur- heber der Natur. Die Frage, ob sie niemals darauf gedacht hätten, wer die Sonne, den Mond, oder das, was ihnen am schätzbarsten ist, die Pitahahias, hervorgebracht hätte, beantworteten sie stets mit Vara, Nein." (Zimmermann, Taschenbuch der Reisen.) Aber auch davon abgesehen, wenn auch wirklich diese Frage auf dem eigenen Grund und

Boden des Kindersinnes entsprungen ist, so hat sie doch eine durchaus unbefangene und kindliche oder kindische Bedeutung, eine Bedeutung, aus der sich durchaus keine christlich theologischen Folgerungen ziehen lassen. Das Kind fragt, wer hat die Sterne gemacht, weil es nicht weiß, was die Sterne sind, weil es sie nicht von den Lichtern unterscheidet, die in der Wohnstube seiner Eltern brennen, und die der Seifensieder gemacht hat; es fragt: wer hat die Blumen gemacht? weil es die Blumen nicht unterscheidet von anderen bunten und farbigen Dingen, die es in seiner Umgebung gesehen und die von Menschenhänden hervorgebracht sind. Und wenn ferner auch wirklich die Antwort: der liebe Gott hat das gemacht, den kindlichen Sinn befriedigt, so folgt daraus noch lange nicht, daß sie eine w a h r e ist, so wenig als die Antwort auf die Frage der Kinder nach dem Geber der Weihnachtsgeschenke, daß sie das Christkindchen gebracht habe, oder die Antwort auf die Frage der Kinder nach dem Ursprung ihrer Schwesterchen oder Brüderchen, daß sie aus einem schönen und tiefen Brunnen gefischt würden, eine wahre ist, ob sie gleich die Kinder befriedigt. Wie soll man denn nun aber der Neugierde der Kinder antworten? So lange die Kinder noch wirkliche Kinder sind, so lange diese Frage nur noch eine kindliche, so lange muß man auch eine kindliche Antwort geben; denn die wahre verstehen sie doch nicht, oder wenn man das nicht will, so muß man den Kindern antworten, daß sie dieses erst erfahren sollen, wenn sie größer geworden und etwas gelernt haben. Wenn aber die Kinder größer geworden, wenn sie einmal so weit an Verstand sind, daß sie nicht mehr glauben, daß die Kinder aus einem Brunnen geschöpft werden, dann muß man ihnen eben so, wie jetzt den alten Kindern, welche den lieben Gott zur Ursache aller Dinge machen, einen Begriff, eine Anschauung von der Natur beizubringen suchen. Man muß dabei nicht vom Menschen ausgehen, oder wenn auch vom Menschen, doch nicht von den Werken, die der Mensch hervorbringt und deren Hervorbringung ja immer schon die Natur voraussetzt, nicht von dem Menschen als Künstler

und Handwerker, sondern von ihm als Naturwesen. Man muß vor
Allem das Kind, wie den ungebildeten Menschen überzeugen von dem
Unterschied zwischen Kunst und Leben — die uncultivirten Völker halten
Kunstwerke für lebendige Wesen, die theistisch cultivirten Völker halten
dagegen lebendige Wesen für Kunstwerke, die Welt für eine Maschine
— man muß ihnen zeigen an Beispielen, wie sich das Schiff von einem
Fische, die Puppe von einem Menschen, das Uhrwerk von einem thierischen oder lebendigen Gangwerk unterscheidet. Darauf muß man gehen
zur Entstehung; die Pflanzen setzt ihr entstehen aus einem Keime, das
Thier aus einem Ei, also die Pflanze aus einem pflanzlichen, das Thier
aus einem thierischen Stoffe, der aber gleichwohl noch kein Thier. Ist
man nun einmal so weit, daß man den Menschen die Generation, die
Erzeugung der Thiere und Pflanzen veranschaulicht hat, so kann man
sie nun auf das Entferntere schließen lassen, ihnen auf den Grund der
augenfälligen Thatsache der Erzeugung denkbar und begreiflich machen,
daß auch die ersten Pflanzen und Thiere nicht gemacht, nicht geschaffen,
sondern aus natürlichen Stoffen und Ursachen, daß überhaupt alle Weltwesen und Weltkörper nicht aus einem außer- und unweltlichen, sondern
aus einem selbstweltlichen, natürlichen Wesen entstanden sind. Sollten
sie aber dieses unbegreiflich und unglaublich finden, so muß man ihnen
entgegnen, daß, wenn der Mensch nicht aus der Erfahrung wüßte, daß
die Kinder auf natürlichem Wege entstehen, er diese Entstehung für eben
so unglaublich halten und daher nicht daran zweifeln würde, daß der
liebe Gott die Kinder mache, die Kinder unmittelbar von Gott abstam-
men. In der That hat man die Erzeugung, d. h. Entstehung des Menschen aus dem Menschen für etwas eben so Unerklärliches und Unbegreifliches erklärt, als die erste Entstehung des Menschen aus der Natur
und daher eben so bei jener zu einem Gott seine Zuflucht genommen,
als bei dieser. Allein mag der Zeugungsproceß nun begreiflich oder unbegreiflich sein; er ist nichts desto weniger ein natürlicher Proceß, ja er
ist nicht trotz, er ist gerade wegen dieser seiner Unbegreiflichkeit ein natür-

licher Proceß; denn eben das Natürlichste ist dem Menschen, der Alles
nur nach sich modelt, der keinen Sinn, keinen Verstand für die Natur
hat, das Unbegreiflichste. Ist ja selbst der Mensch dem Menschen, der
Freigebige dem Geizhals, der Rücksichtslose dem Klugen, der Geniale
dem Philister etwas Unbegreifliches; wie viel mehr die Natur! Jeder
begreift nur das ihm Gleiche, das ihm Verwandte.* So gut aber der
diesem oder jenem Menschen unbegreifliche Mensch doch ein Mensch ist,
so gut ist auch die Natur, die wir nicht begreifen, weil sie den beschränkten Begriffen, die wir uns von ihr gemacht haben, widerspricht, noch
Natur, nichts Uebernatürliches. Das Uebernatürliche existirt nur in der
Phantasie oder ist nur die Natur, welche über die beschränkten Begriffe,
die sich der Mensch von ihr gemacht, hinausgeht. — Wie thöricht ist es
daher, aus diesen Unbegreiflichkeiten in der Natur theologische Consequenzen ziehen oder dieselben gar durch die Theologie lösen zu wollen!
Die Physiker und Physiologen können heute noch eine Menge Erscheinungen der organischen und unorganischen Natur nicht erklären. Aber
folgt daraus, daß diese nicht eben so gut ihre physikalischen und physiologischen Gründe haben, als andere Erscheinungen, die wir erklären
können? Ist ein Theil der Natur physisch, der andere hyperphysisch; ist
sie nicht eine Einheit, nicht durch und durch, nicht überall Natur?

Nun zu der zweiten Bemerkung. Der Hauptgrund, warum der
Mensch die Welt aus Gott, aus einem Geiste ableitet, ist, weil er sich
nicht aus der Welt oder Natur seinen Geist erklären kann. Woher ist
denn der Geist? rufen die Theisten den Atheisten entgegen: Geist kann
ja nur aus Geist kommen. Diese Schwierigkeit der Ableitung des Geistes aus der Natur kommt jedoch nur daher, daß man sich auf der einen
Seite von der Natur eine zu bespectirliche, auf der andern vom Geiste
eine zu hohe, vornehme Vorstellung macht. Wenn man den Geist zu
einem Gott macht, so kann er natürlich nur göttlichen Ursprungs sein.
Ja, die Behauptung, daß der Geist nicht aus der Natur abgeleitet werden könne, ist schon die indirecte Behauptung, daß der Geist ein nicht

natürliches, ein außer- und überweltliches, göttliches Wesen ist. In
der That ist auch der Geist, wie ihn die Theisten fassen, nicht aus der
Natur erklärbar; denn dieser Geist ist ein sehr spätes Product, und
zwar ein Product der menschlichen Phantasie und Abstraction und daher
so wenig ableitbar, wenigstens unmittelbar ableitbar von der Natur,
als ein Lieutenant, ein Professor, ein Regierungsrath unmittelbar aus
der Natur erklärbar ist, wenn es gleich der Mensch ist. Wenn man
aber aus dem Geiste nicht mehr Wesens macht, als sich gehört, wenn
man ihn nicht zu einem abstracten, vom Menschen abgesonderten Wesen
macht, so wird man seine Entstehung aus der Natur nicht unbegreiflich
finden. Der Geist entwickelt sich ja mit dem Leibe, mit den Sinnen,
mit dem Menschen überhaupt; er ist gebunden an die Sinne, an den
Kopf, an körperliche Organe überhaupt; soll etwa das körperliche Organ, der Kopf, d. h. der Schädel und das Hirn aus der Natur, der
Geist aber im Kopf, d. h. die Thätigkeit des Hirns aus einem Wesen
von einer ganz anderen Gattung, als die Natur ist, aus einem Denk-
und Phantasiewesen, aus einem Gott abgeleitet werden? Welche Halbheit, welcher Zwiespalt, welche Verkehrtheit! Woher der Schädel, woher das Hirn, daher ist auch der Geist; woher das Organ, daher auch
die Verrichtung desselben; denn wie sollte sich Beides von einander trennen lassen? Wenn also das Hirn, wenn der Schädel aus der Natur,
ein Product derselben ist, so ist es auch der Geist. Wir unterscheiden
in der Sprache die Kopfthätigkeit als die geistige von den übrigen Verrichtungen als den körperlichen; wir schränken das Wort Körperlichkeit,
Sinnlichkeit nur auf besondere Arten der Körperlichkeit und Sinnlichkeit
ein, und machen nun, wie ich in meinen Schriften zeigte, die sich davon
unterscheidende Thätigkeit zur Thätigkeit einer absolut verschiedenen Gattung, zu einer geistigen, d. h. absolut sinn- und körperlosen; aber auch
der Geist, auch die geistige Thätigkeit, — denn was ist der Geist anders, als die von der menschlichen Phantasie und Sprache verselbstständigte, als ein Wesen personificirte geistige Thätigkeit? — auch die

geiſtige Thätigkeit iſt eine körperliche, eine Kopfarbeit; ſie unterſcheidet ſich von den anderen Thätigkeiten nur dadurch, daß ſie die Thätigkeit eines an deren Organs, die Thätigkeit eben des Kopfes iſt. Weil aber die Denkthätigkeit eine Thätigkeit eigenthümlicher Art iſt, die eben deswegen mit keiner anderen verglichen werden kann, weil in dieſer Thätigkeit die ſie bedingenden Organe dem Menſchen nicht unmittelbar Gegenſtand ſeines Gefühls und Bewußtſeins ſind, wie z. B. bei dem Eſſen der Mund und Magen, deſſen Leere und Fülle er fühlt, bei dem Sehen das Auge, bei der Handarbeit die Werkzeuge der Hände und Arme, weil die Kopfthätigkeit die verborgenſte, zurückgezogenſte, die geräuſchloſeſte, unvernehmlichſte Thätigkeit iſt, ſo hat er dieſe Thätigkeit zu einem abſolut körperlichen, unorganiſchen, abſtracten Weſen gemacht, dem er den Namen Geiſt gegeben. Da aber dieſes Weſen nur der Unwiſſenheit des Menſchen von den organiſchen Bedingungen der Denkthätigkeit und der dieſe Unwiſſenheit ausfüllenden Phantaſie ſeine Exiſtenz verdankt, da dieſes Weſen alſo nur eine Perſonification der menſchlichen Unwiſſenheit und Phantaſie iſt, ſo fallen auch in Wirklichkeit alle die Schwierigkeiten weg, die auf die Vorſtellung dieſes Weſens gebaut ſind. Iſt der Geiſt eine Thätigkeit des Menſchen, kein Weſen für ſich, iſt er nicht ohne Organe, nicht abtrennbar vom Leibe, ſo kann er nur aus dem Weſen der Natur, aber nicht aus Gott abgeleitet werden, denn dieſer Gott oder göttliche Geiſt, aus dem der menſchliche abgeleitet werden ſoll, iſt ja ſelbſt nichts Andres, als eben dieſe vom Leibe und allen leiblichen Organen in Gedanken abgezogene, als ein ſelbſtſtändiges Weſen gedachte und vorgeſtellte geiſtige Thätigkeit.

Der Geiſt iſt allerdings das Höchſte im Menſchen; er iſt der Adel des Menſchengeſchlechts, ſein Unterſcheidungsmerkmal vom Thiere; aber das menſchlich Erſte iſt deswegen noch nicht das natürlich oder von Natur Erſte. Im Gegentheil das Höchſte, Vollendetſte iſt das Letzte, Späteſte. Den Geiſt zum Anfang, zum Urſprung machen, iſt daher eine Umkehrung der Naturordnung. Aber die menſchliche Eitelkeit,

Selbstliebe und Unwissenheit lieben es, dem Ersten der Qualität nach auch den zeitlichen Vorrang vor allen anderen Wesen einzuräumen. Der Trieb des Menschen, seinen Geist aus Gott, d. h. wieder aus Geist abzuleiten, dem Geist eine uranfängliche Existenz, eine Präexistenz, eine Existenz vor der Natur einzuräumen, ist daher eins mit dem Triebe, welcher einst alte adliche Geschlechter, ja welcher die alten Völker überhaupt, die sich anderen Völkern gegenüber stets als Adelsgeschlechter dachten, bewog und noch jetzt viele Völker bewegt, mit ihrer Existenz, mit ihrer Geschichte die Existenz, die Geschichte überhaupt zu beginnen, sich einen unmittelbar göttlichen Ursprung zuzuschreiben. Die Grönländer gaben sogar, als man ihnen durchaus den Glauben auf- und abbringen wollte, daß doch Jemand müsse die Welt gemacht haben, zur Antwort: „nun ja, so muß sie ein Grönländer gemacht haben." Dieser Gedanke erscheint uns mit Recht lächerlich. Aber gleichwohl beruht er im Grunde auf demselben Triebe, aus welchem ein geistiges, denkendes Volk, ein Volk, das sich des Geistes als seines Adels bewußt ist, dem Geiste eine vorweltliche göttliche Existenz einräumt, die Welt aus dem Geiste entspringen läßt.

Nun zur dritten Bemerkung. Da die Entstehung einer körperlichen Welt aus einem geistigen Gott oder Wesen eine zu sichtliche Unmöglichkeit, da überdem ein Geist ohne Leib eine augenfällige Abstraction des Menschen ist, so gaben einige gottesgläubige Denker oder Religionsphilosophen der neueren Zeit die alte Lehre der Schöpfung aus Nichts auf, welche die nothwendige Folge von der Vorstellung der Entstehung der Welt aus dem Geiste ist, — denn woher nimmt der Geist die Materie, die körperlichen Stoffe, als aus Nichts? — und machten Gott selbst, eben um die materielle Welt aus ihm erklären zu können, zu einem körperlichen, materiellen Wesen. Kurz sie betrachteten die Gottheit nicht als einen bloßen Geist, oder sie haben nicht den Theil des Menschen, welchen er Geist nennt, allein zu Gott gemacht, sondern auch den andern Theil des Menschen, welcher Leib heißt, haben also

Gott als ein aus Leib und Geist bestehendes Wesen gedacht, wie der wirkliche Mensch ist. Schelling und Franz Baader haben diese Lehre geltend gemacht. Die Urheber dieser Lehre sind aber einige ältere My= stiker, namentlich Jacob Böhm, von Profession ein Schuster, geb. 1575 in der Oberlausitz, gest. 1624. Dieser allerdings höchst merkwürdige Mann unterscheidet in Gott Licht und Finsterniß oder Feuer, Positives und Negatives, Gutes und Böses, Mildes und Strenges, Liebe und Zorn, kurz Geist und Materie, Seele und Leib. Und nun ist es ihm, scheinbar wenigstens, ein Leichtes, aus Gott die Welt abzuleiten, denn alle Kräfte, Qualitäten oder Erscheinungen der Natur, wie Kälte und Hitze, Bitterkeit und Schärfe, Härte und Flüssigkeit nimmt er in Gott auf. Das Merkwürdige an ihm ist, daß er, weil kein Licht ohne Fin= sterniß, kein Geist ohne Materie oder Natur ist, die Natur Gottes dem Geist Gottes, welcher erst der eigentliche Gott sei, voraussetzt, obwohl er stellenweise in Folge seiner Abhängigkeit vom christlichen Glauben dieser Entstehung widerspricht, wenigstens diese Entstehung oder Ent= wickelung des Geistes aus der Natur oder Materie als keine zeitliche, als keine wirkliche, wahre also will angesehen wissen. Diese Lehre ist nun darin allerdings vernünftig und stimmt darin mit dem Atheismus oder Naturalismus überein, daß sie von der Natur anhebt und von da an erst zum Menschen übergeht, den Menschen, den Geist sich aus der Natur entwickeln läßt, — ein Gang, der mit dem Gang der Natur, folglich mit der Erfahrung übereinstimmt, denn wir alle sind erst Mate= rialisten, ehe wir Idealisten werden, wir alle huldigen zuerst dem Leibe, den niederen Bedürfnissen und Sinnen, ehe wir zu den geistigen Bedürf= nissen und Sinnen uns erheben; das Kind saugt, schläft und stiert in die Welt hinein, ehe es sehen lernt. Aber diese Lehre ist darin unver= nünftig, daß sie diesen Entwickelungsproceß, diesen Gang der Natur wieder ins mystische Dunkel der Theologie verhüllt, daß sie mit Gott verknüpft, was dem Begriff eines Gottes widerspricht, und mit der Natur verknüpft, was der Natur wider=

spricht; denn die Natur ist körperlich, materiell, sinnlich, aber die göttliche Natur, wie sie ein Bestandtheil Gottes ist, soll nicht sein. Die Natur in Gott oder die göttliche Natur enthält zwar Alles, was die ungöttliche, d. h. die materielle, sinnliche Natur enthält, aber die göttliche Natur enthält es auf unsinnliche, immaterielle Weise; denn Gott ist oder soll trotz seiner Materialität ein Geist sein. Es ist daher auch hier wieder zuletzt die alte Unerklärbarkeit, die alte Schwierigkeit vorhanden, wie aus dieser unmateriellen, geistigen Natur die wirkliche, körperliche entspringen soll. Diese Schwierigkeit wird nur gehoben, wenn wir an die Stelle der göttlichen Natur die wirkliche setzen, die Natur, wie sie ist, wenn wir die körperlichen Wesen aus einem wirklich, nicht nur eingebildet körperlichen Wesen entstehen lassen. Aber eben so, wie die göttliche Natur dem Begriff und Wesen der Natur widerspricht, so widerspricht der Jacob Böhm'sche Gott dem Begriff der Gottheit; denn ein Gott, der sich aus Finsterniß zu Licht, aus einem nicht geistigen Wesen zum Geiste entwickelt und emporsteigert, ist kein Gott; ein Gott ist wesentlich ein abstractes, fertiges, vollkommenes Wesen, ein Wesen, von dem aller Grund, alle Nothwendigkeit einer Entwickelung ausgeschlossen ist; denn der Entwickelung ist ja nur ein natürliches Wesen unterworfen. Zwar soll, wie gesagt, diese Entwickelung keine zeitliche sein, aber wer kann von der Entwickelung die Zeit absondern? Kurz diese Lehre ist eine mystische, eine Naturlehre, die aber zugleich Gotteslehre sein soll, eine Lehre daher voll Widerspruch und confuser Unklarheit, ein theistischer Atheismus, eine gottesgläubige Gottesläugnung, ein naturalistischer Supranaturalismus, oder ein supranaturalistischer Naturalismus, eine Lehre, die uns eben deswegen nöthigt, aus dem Reich der Phantasie und Mystik, worin sie haust und wurzelt, ans Licht der Wirklichkeit hervorzutreten, an die Stelle also der unsinnlichen Natur die sinnliche Natur, an die Stelle der göttlichen Geschichte die wirkliche Geschichte, die Weltgeschichte, an die Stelle überhaupt der Theologie die Anthropologie zu setzen. An der Jacob Böhm'schen

Lehre haben wir abermals ein deutliches, überzeugendes Beispiel, wie Gott nur ein vom Menschen und von der Natur abgezogenes Wesen ist; der Unterschied zwischen seiner und der gewöhnlichen theistischen Lehre ist nur, daß sein Gott ein nicht nur von den, sei es nun wirklichen oder eingebildeten Zwecken der Natur, d. h. überhaupt von d e n Er= scheinungen der Natur, welche der Mensch sich aus einem zweckthätigen, geistigen Wesen erklärt, sondern auch von den Stoffen, der Materie dieser Zwecke, die ja alle nur materieller, körperlicher Natur sind, ab= gezogenes Wesen ist, daß daher Jacob Böhm nicht nur den Geist, son= dern auch d i e M a t e r i e v e r g ö t t e r t. Wie nämlich der Satz: Gott ist ein Geist, zu seiner Voraussetzung den Satz hat: der Geist ist Gott oder göttliches Wesen; so hat der Satz: Gott ist nicht nur Geist, son= dern auch leibliches Wesen, zu seiner Voraussetzung den Satz: die Materie, d a s l e i b l i c h e W e s e n ist ein g ö t t l i c h e s W e s e n, oder vielmehr in diesem letzteren Satze liegt erst der wahre Sinn und Auf= schluß des ersten Satzes. Wenn nun aber der Gott, der ein Geist ist, nur ein personificirter Ausdruck von der Göttlichkeit des Geistes ist, der Gott, der Leib, Materie ist, gleichfalls nichts Andres ist, als die perso= nificirte Göttlichkeit, d. i. (philosophisch ausgedrückt) Wesenhaftigkeit und Wahrheit der Natur oder Materie; so erhellt, daß die Lehre, die uns die Göttlichkeit der Materie in Gott vordemonstrirt, eine mystische, eine verkehrte Lehre ist, daß die wahre, vernünftige Lehre, d i e L e h r e, in welcher jene mystische erst ihren Sinn findet, die atheistische Lehre ist, welche Geist und Materie an und für sich selbst betrachtet, ohne Gott. Und wenn Gott ein materielles, leibliches Wesen ist, wie die Jacob Böhmisten wollen, so ist der wahre Beweis dieser Leiblichkeit nur d e r, daß Gott auch ein Gegenstand unserer l e i b l i c h e n S i n n e ist. Was ist ein leibliches Wesen, das nicht Gegenstand des Leibes ist? Wir schließen ja nur aus den leiblichen Eindrücken eines Gegenstandes auf seine Leiblichkeit. Das geben nun aber die materialistischen Theisten natürlich nicht zu; so weit lassen sie ihren Gott nicht in die Materie herabsinken, daß er auch leiblich ergriffen und gesehen würde; das ist ihnen viel zu profan, viel zu ungöttlich. Er würde allerdings auch durch diese Versetzung in die profane materielle Welt seine Existenz einbüßen, denn wo die Augen und Hände anfangen, da hören die Götter auf. Die Grönländer glauben sogar von dem mächtigsten ihrer Götter, dem Tornasuk, daß ihn ein Wind tödten, ja, daß er von der bloßen Berührung eines Hundes sterben würde. Aber eben wegen dieser Scheu vor der Experimentalphysik ist auch die Leiblichkeit des Jacob Böhm'schen Gottes nur eine phantastische, eingebildete Leiblichkeit. Kurz diese Lehre ist, wie alle theologischen, eine Verkehrtheit, ein Widerspruch. Sie vergöttert die Natur, die Leiblichkeit, und läßt doch wieder weg, läugnet wieder das ab, was diese Leiblichkeit erst zu einer wahren Leiblichkeit macht. Wollt ihr die Wahrheit der Leiblichkeit anerkennen, nun so öffnet die Sinne, anerkennt die Wahrheit der Sinne. Aber ihr anerkennt nur die Wahrheit der Phantasie, der Einbildung, des mystischen, unsinnlichen Denkens und Vorstellens; ihr müßt daher gestehen, daß ihr in eurem Gotte trotz seiner Materialität und Leiblichkeit nur eure Phantasie und Einbildungskraft vergöttert. Wie das Organ, so der Gegenstand dieses Organs. Verläugne ich die Sinne, so verläugne ich auch das sinnliche Wesen, so habe ich es immer nur mit einem geistigen oder eingebildeten Wesen zu thun.

Achtzehnte Vorlesung.

Den Bemerkungen der letzten Stunden muß ich viertens noch Folgendes hinzuseßen. Ich habe gesagt, daß auf dem Standpunkt des Rationalismus wir Gott und Natur haben, zwei Wesen, zwei Ursachen und Wirkungsweisen, eine unmittelbare, welche den wirklichen und natürlichen Wesen, eine mittelbare, welche Gott zugeschrieben wird, gerade wie im Constitutionalismus zwei Mächte herrschen oder um die Herrschaft sich streiten, Volk und Fürst, während im Naturalismus nur die Natur, im ächten Theismus nur Gott herrscht, daß daher der Rationalismus, wie der Constitutionalismus ein System der Halbheit, des Widerspruchs, der Unentschiedenheit, der Charakterlosigkeit ist. Ich muß aber bemerken, daß auch schon in dem absoluten Glauben oder in dem Gott, welcher absoluter Monarch ist, ja gewissermaaßen selbst schon im Polytheismus, — man lese nur die römischen und griechischen Historiker und Dichter, welche die göttliche und menschliche Thätigkeit auf eine höchst naive Weise verbinden — dieser Widerspruch hervortritt, daß nämlich troß der Alleinthätigkeit Gottes doch zugleich den Dingen außer Gott Selbstthätigkeit zugeeignet wird. Und zwar findet sich auch dort schon dieser Widerspruch aus dem einfachen Grunde, weil der Mensch durch seine auch noch so überschwängliche Gläubigkeit doch nimmermehr seinen natürlichen Verstand und Menschen unterdrücken oder aufgeben kann. Dieser schreibt aber den außergöttlichen Dingen oder Wesen ursächliche Selbstthätigkeit zu. Namentlich gilt dies nun von dem abendländischen und insbesondere von dem germanischen Menschen, dessen höchste Begriffe Selbstthätigkeit, Freiheit und Selbstständigkeit sind, Eigenschaften, die er aber sich absprechen müßte, wenn außer Gott nichts selbstthätig wäre. Der Abendländer unterbricht daher durch seinen eingeborenen Hang zu verständiger Selbstthätigkeit die Consequenzen seiner Religion, seines Gottesglaubens, während der Orientale seiner Natur gemäß, den Consequenzen des Glaubens an Gott keine Schranken entgegensetzt, sich daher seiner Freiheit und selbst seines Verstandes beraubt, sich unbedingt dem Fatum des göttlichen Rathschlusses unterwirft, um seinem Gott die Ehre anzuthun, daß er nicht nur die e r s t e Ursache ist, wie die klugen, egoistischen, rationalistischen Abendländer sagen, sondern auch die e i n z i g e Ursache, das einzige selbstthätige und wirkende Wesen. Einige Beispiele führte ich schon in der vorletzten Stunde aus dem Muhamedanismus an; freilich giebt es auch muhamedanische, überhaupt orientalische Philosophen und Theologen, welche den Dingen außer Gott Selbstthätigkeit zuschreiben, aber die entgegengesetzte Anschauung ist die herrschende oder doch die charakteristische. Gott, sagt z. B. der rechtgläubige muhamedanische Philosoph Algazel — eine Stelle, die ich der früheren beifüge — „Gott ist die einzige wirkende Ursache in der ganzen Natur; durch diese ist es eben so möglich, daß das Feuer das Werg berührt, ohne daß dieses verbrennt, als daß das Werg verbrennt ohne Berührung des Feuers. Es giebt keinen Naturlauf, kein Naturgesetz; der Unterschied zwischen Wundern und natürlichen Begebenheiten ist nichtig". Die abendländische Theologie laborirt daher an dem erwähnten Widerspruch auch selbst in den streng= und rechtgläubigsten Köpfen. Freilich liegt dieser Widerspruch im Wesen der Theologie; denn ist ein Gott, so ist eine Welt unnöthig und umgekehrt. Wie sollen also diese sich gegenseitig ausschließenden Wesen in ihren Thätigkeiten sich vertragen und vereinigen können? Die Thätigkeit Gottes hebt die Thätigkeit der Welt und umgekehrt die Thätigkeit der Welt jene auf. Habe ich das gethan, so hat es nicht Gott gethan, hat es Gott gethan, so habe ich's nicht gethan; Eins schließt das Andere aus. Wie paßt hierher die Vorstellung des Mittels? die Vorstellung, daß Gott vermittelst meiner dies gethan? Mit einem Mittel verträgt sich keine Selbstthätigkeit. Kurz Gott und Welt zugleich sein und wirken lassen wollen, das führt auf die ungereimtesten Widersprüche, auf die lächerlichsten Sophismen und Kniffe, wie dies die Geschichte der Theologie in der Lehre vom sogenannten Concursus Dei, dem Mitwirken Gottes namentlich in den freien Handlungen der Menschen sattsam bewiesen hat. Ein Beispiel. „Da der Christ, sagt z. B. der strenggläubige, aber eben deswegen exemplarische Calvin in seiner Institution der christlichen Religion, auf's Gewisseste überzeugt ist, daß Nichts zufällig, sondern Alles nach Gottes Anordnung geschieht, so wird er stets seine Blicke auf Gott, als die vorzüglichste oder erste Ursache der Dinge richten, den untergeordneten Ursachen aber die Stelle einräumen, die ihnen gebührt. Er wird nicht zweifeln, daß eine besondere, sich auf's Einzelnste erstreckende Vorsehung über ihn wacht, die Nichts zulassen wird, außer was zu seinem Wohl und Heil dient. Alles, was daher glücklich und nach Herzenswunsch von Statten geht, das wird er allein auf Gott beziehen, davon wird er allein Gott als die Ursache betrachten, mag er nun durch der Menschen Dienst seine Wohlthätigkeit empfunden oder von unbeseelten Geschöpfen Hülfe empfangen haben. Denn er wird so in seinem Herzen denken: Wahrlich der Herr ist es, welcher ihre Seele mir geneigt machte, damit sie die Instrumente seiner wohlwollenden Gesinnung gegen mich würden. Er wird also Gott, wenn er Gutes empfängt von Menschen, verehren und preisen als den hauptsächlichen Urheber; aber die Menschen als seine Diener ehren und erkennen, daß er durch Gottes Willen Denen verbunden ist, durch deren Hand er ihm Wohlthaten erweisen wollte". Wir haben hier das ganze Elend der Theologie, wie es in dieser Materie sich ausspricht, vergegenwärtigt. Wenn Gott die vorzüglichste, oder hauptsächliche Ursache oder vielmehr schlechtweg die Ursache des mir von den Menschen erwiesenen Guten ist — denn nur die Causa präcipua ist ja die eigentliche Ursache — wie soll ich die Menschen ehren, wie mich denen verbunden fühlen, durch die mir Gott Gutes erwies? Es ist ja nicht i h r Verdienst; Gott hat sie mir geneigt gemacht, nicht ihr eignes Herz, ihr eignes Wesen; Gott hätte mir eben so gut durch andere, selbst mir übelwollende Menschen oder durch andere als menschliche Wesen, ja hätte mir eben so gut durch sich selbst ohne Mittel helfen können. Das Mittel ist ganz gleichgültig, ganz wesenlos, ganz unfähig, Gesinnungen der Dankbarkeit, der Verehrung, der Liebe gegen sich zu erwecken, so wenig als es der Topf ist, vermittelst welches man mir, wenn ich am Verdursten bin, einen Trunk Wasser reicht. Finde Keiner dieses Gleichniß unpassend! Die Menschen sind ja, wie es in der Bibel heißt, dasselbe im Vergleich zu Gott, was die Töpfe im Vergleich zu dem Töpfer sind. Wir sehen daher an diesem Beispiel, wie die Theologie im Widerspruch mit ihrem Glauben an Gott, als die allmächtige, Alles bewirkende Ursache, capitulirt mit dem natürlichen Gefühl und Sinn des Menschen, welcher die Wesen, von denen er Wohlthaten empfängt, auch als die Ursachen derselben betrachtet, sich daher zu Dank, Liebe und Verehrung gegen sie verbunden fühlt. Wir sehen, wie sich Gott und Natur, Gottesliebe und Menschenliebe widersprechen, wie sich Gottes Wirkung und Natur- oder Menschenwirkung nicht, außer durch Sophistik, vereinigen lassen. E n t wed e r G o t t o d e r N a t u r! Ein Drittes, Mittleres, ein beide Vereinigendes giebt es nicht. Entweder bekennt Gott und läugnet die Natur, oder, wenn ihr dieses nicht könnt, wenn ihr wenigstens ihr Dasein zugeben müßt, weil eurem Glauben zum Trotz eure Sinne euch das Dasein der Natur aufbringen, so sprecht ihr wenigstens alle Ursächlichkeit, alles Wesen ab, sagt, daß sie bloßer Schein, bloße Maske ist; o d e r bekennt Euch zur Natur und läugnet, daß ein Gott ist, ein Gott hinter ihr sein Wesen treibt, ein Gott durch sie wirkt. Und wenn ihr Gott als die wahre Ursache oder vielmehr schlechtweg als die Ursache des

Guten betrachtet — denn nur die wahre Ursache ist die erste Ursache —
so läugnet auch nicht, daß die Ursache des Bösen, das dem Menschen
von anderen Menschen oder Wesen geschieht, Gott ist. Aber diese Consequenz läugnet unconsequenter Weise der Theismus. Derselbe Calvin,
welcher die Menschen, die Gutes thun, nur als Instrumente Gottes betrachtet, erklärt es für eine Unsinnigkeit und Gottlosigkeit, zu folgern,
daß, wenn z. B. ein Meuchelmörder einen rechtschaffenen Mann ermordet, derselbe nur ein den Beschluß oder Willen Gottes vollstreckendes
Werkzeug sei, daß also alle Verbrechen nur durch Gottes Anordnung
und Willen geschehen. Und doch ist dieses eine nothwendige Consequenz. Sind die wirklichen, natürlichen Wesen nur Mittel, nur Instrumente Gottes, so sind sie es, sie mögen Gutes oder Böses thun.
Läugnet ihr, daß der Mensch aus eigener Kraft, aus eigenem Herzen
Gutes thut, so läugnet auch, daß er aus eigenem Herzen Uebles, Böses
thut; sprecht ihr dem Menschen die Ehre eines Wohlthäters ab, so
sprecht ihm auch die Schande eines Uebel- und Missethäters ab; denn
um Böses zu thun, dazu gehört eben so viel, ja oft noch mehr Kraft und
Macht, als Gutes zu thun; aber alle Kraft, alle Macht ist ja nach
euch Gottes Kraft und Macht. Wie lächerlich und zugleich wie bos-
haft ist es, dem Menschen einerseits die Ursächlichkeit ab-, andererseits
wieder zuzusprechen, das Gute ihm als Gnade zu spenden, das Böse
als Schuld ihm anzurechnen! Aber das ist das Wesen der Theologie,
personificirt, des Theologen, daß er ein Engel gegen Gott, aber ein
Teufel gegen den Menschen ist; daß er das Gute Gott, aber das Böse
dem Menschen, der Creatur, der Natur zuschreibt. Allerdings kommt
das Gute, was ein Mensch thut, nicht blos auf seine eigene Rechnung,
ist nicht blos das Werk seines eigenen Willens, sondern auch das Resultat der natürlichen und gesellschaftlichen Bedingungen, Verhältnisse
und Umstände, unter denen ein Mensch gezeugt und empfangen, erzogen
und gebildet wurde. Aber es ist der rohste, tiefste und abergläubischste
Egoismus, zu glauben, daß diese Bedingungen, Verhältnisse und Um-

stände und die unter ihrem Einfluß in mir erzeugten Neigungen und Gesinnungen in den Absichten und Rathschlüssen eines Gottes ihren Grund haben. So gut die Zweckmäßigkeit der Natur nur ein menschlicher oder vielmehr theologischer Ausdruck ist von dem innigen und unendlichen Zusammenhang, in dem Alles in der Natur mit einander steht, so gut ist der Wille oder Rathschluß Gottes, durch welchen ein Mensch diese oder jene Neigungen, Triebe, Anlagen, Fähigkeiten hat, nur ein Anthropomorphismus, ein populär menschlicher Ausdruck von dem Zusammenhange, in welchem jeder Mensch geworden ist, was er ist. Dies ist der einzige vernünftige Sinn von der Vorstellung oder Lehre, daß der Mensch nicht durch seinen Willen, sondern durch den Willen, die Gnade Gottes ist, was er ist. Die Gnade Gottes ist der personificirte Zufall, oder die personificirte Nothwendigkeit, der personificirte Zusammenhang, in dem die Menschen werden, leben und weben. Ich bin, was ich bin, nur als ein Sohn des 19. Jahrhunderts, nur ein Theil der Natur, wie sie in diesem Jahrhundert beschaffen ist; denn auch die Natur verändert sich, darum hat jedes Jahrhundert seine eigene Krankheit, und ich bin nicht durch meinen Willen in dieses Jahrhundert versetzt worden. Aber gleichwohl kann ich, so wenig ich mein Wesen von dem Wesen dieses Jahrhunderts absondern, mich als ein außer demselben existirendes, von ihm unabhängiges Wesen denken kann, so wenig meinen Willen von diesem Wesen absondern; ich bin, ich mag wollen oder nicht, ich mag mir dessen bewußt sein oder nicht, mit diesem Loos oder Schicksal, mit dieser Nothwendigkeit, Glied dieser Zeit zu sein, einverstanden; ich bin, was ich von Natur, was ich ohne Willen bin, zugleich mit Willen; ich kann nichts Andres sein wollen, als ich bin, d. h. im Wesentlichen oder dem Wesen nach bin. Meine gleichgültigen, zufälligen Beschaffenheiten kann ich mir anders denken, kann ich ändern wollen, aber nicht mein Wesen; mein Wille ist von meiner Natur, meinem Wesen, aber nicht meine Natur von meinem Willen abhängig; mein Wille richtet sich, auch o h n e daß ich es weiß und will, nach meinem Wesen, aber mein Wesen, d. h. die wesentliche Beschaffenheit meiner Individualität richtet sich nicht nach meinem Willen, wenn ich auch noch so sehr mich anstrenge und überbiete. Der Mensch kann allerdings, obwohl sein Wesen sich nicht von seiner Zeit absondern läßt, wünschen: ach! wäre ich doch in Athen zur Zeit eines Phidias und Perikles geboren worden! Aber solche Wünsche sind nur phantastisch, und selbst sie sind bestimmt durch das Wesen der Zeit, in der ich geboren und gebildet wurde, bestimmt durch das Wesen, das ich bin und das ich selbst durch diese phantastische Versetzung an fremde Orte und Zeiten nicht ändere. Denn nur in einer Zeit, die Sinn und Verstand für das alte athenische Leben hat, und nur in einem Menschen, dessen eigenes Wesen sich zu jenem Leben und Wesen hingezogen fühlt, kann ein solcher Wunsch entstehen. Und wenn ich mich auch wirklich in Gedanken nach Athen versetze, so falle ich dadurch nicht außer mein Jahrhundert, außer mein Wesen hinaus, was unmöglich; denn ich denke mir ja dieses Athen nur nach meinem Kopfe, nur im Sinne dieses meines Jahrhunderts; es ist nur ein Abbild meines eigenen Wesens, denn jede Zeit denkt sich die Vergangenheit nur nach sich. Kurz der Mensch ist das, was er ist, wesentlich ist, auch mit Willen; er kann sich nicht mit seinem Wesen entzweien; selbst seine in der Phantasie darüber hinausgehenden Wünsche sind durch dasselbe bestimmt, fallen immer, so weit sie sich scheinbar von demselben entfernen, auf dasselbe zurück, wie der in die Höhe geschleuderte Stein auf die Erde. Also: so viel ich auch durch Selbstthätigkeit, durch meine Arbeit, durch Willensanstrengung bin, ich bin, was ich bin, geworden nur im Zusammenhang mit diesen Menschen, diesem Volke, diesem Orte, diesem Jahrhundert, dieser Natur, nur im Zusammenhang mit diesen Umgebungen, Verhältnissen, Umständen, Begebenheiten, welche den Inhalt meiner Biographie bilden. Dies ist der einzige vernünftige Sinn, der dem Glauben, daß der Mensch nicht sich, nicht seinem Verdienst, seiner eigenen Kraft allein, sondern Gott es zu verdanken habe, was er ist und hat, zu Grunde liegt. Aber mit demselben

Rechte als das Gute kommt auch nicht das Böse allein auf meine
Rechnung; es ist nicht meine Schuld, wenigstens nicht allein meine,
es ist auch die Schuld der Verhältnisse, die Schuld der Menschen, mit
denen ich von Anfang an in Berührung stand, die Schuld der Zeit, in
der ich geboren und gebildet wurde, daß ich diese Fehler, diese Schwächen habe. Wie jedes Jahrhundert seine eigenen Krankheiten, so hat
es auch seine eigenen vorherrschenden Laster, d. h. vorherrschenden Neigungen zu Diesem oder Jenem, die an sich nicht schlecht, sondern nur
durch ihr Uebergewicht, durch ihre Unterdrückung anderer, gleichberechtigter Neigungen oder Triebe schlecht oder lasterhaft werden. Daduch
wird übrigens keineswegs die Freiheit des Menschen aufgehoben, wenigstens die vernünftige, die in der Natur begründete, die Freiheit, die sich
als Selbstthätigkeit, Arbeitsamkeit, Uebung, Bildung, Selbstbeherrschung, Anstrengung, Bemühung äußert und bewährt; denn das Jahrhundert, die Umstände und Verhältnisse, die natürlichen Bedingnisse,
unter denen ich geworden, sind keine Götter, keine allmächtigen Wesen.
Die Natur überläßt vielmehr den Menschen sich selbst; sie hilft ihm
nicht, wenn er sich nicht selbst hilft, sie läßt ihn untergehen, wenn er
nicht schwimmen kann, aber ein Gott läßt mich nicht im Wasser unter-
sinken, wenn ich gleich nicht durch eigne Kraft und Kunst mich in ihm
erhalten kann. Schon die Alten hatten das Sprüchwort: „wenn's
Gott will, kannst du auch auf einer Binse schwimmen". Selbst das
Thier muß sich selbst seine Lebensmittel suchen, muß es sich höchst sauer
werden lassen, muß alle ihm zu Gebote stehenden Kräfte anwenden, bis
es seine Nahrung findet; wie muß sich oft die Raupe quälen, bis sie
das ihr angemessene Blatt findet, wie der Vogel, bis er ein Insekt oder
einen andern Vogel erhascht! Aber ein Gott überhebt die Menschen und
selbst die Thiere der Selbstthätigkeit; denn er sorgt für sie; er ist das
Thätige; sie sind nur das Leidende, das Empfangende. So brachten
die Raben auf Befehl des Herrn dem Elia „Brot und Fleisch des Morgens und des Abends". Aber „wer bereitet dem Raben die Speise"?

Gott, „der dem Vieh sein Futter giebt, wie es in den Psalmen und im Hiob heißt, den jungen Raben, die ihn anrufen". Mit der Natur reimt sich daher wohl die vernünftige Freiheit, die Selbstständigkeit und Selbst= thätigkeit der Menschen, der individuellen Wesen überhaupt, aber nicht mit einem allmächtigen, Alles wissentlich und absichtlich vorausbestim= menden Gotte. All die zahllosen herzverderbenden und kopfverwirrenden Widersprüche, Schwierigkeiten und Sophismen, welche in der Theologie die mit ihrem Gotte als dem allein oder hauptsächlich thätigen Wesen nicht zusammenvereinbare Selbstthätigkeit und Selbstwirksamkeit der Geschöpfe, der Creaturen verursacht, verschwinden daher oder werden doch wenig= stens auflösbar, wenn man an die Stelle der Gottheit die Natur setzt.

Wie die Theisten das moralische Ueble, das Böse dem Menschen Schuld geben, nur das Gute von Gott ableiten, so haben sie auch das physische Uebel, das Uebel in der Natur, theils direct, theils indirect, theils ausdrücklich, theils stillschweigend der Materie oder der unver= meidlichen Nothwendigkeit der Natur Schuld gegeben. Wenn dieses Uebel nicht wäre, so wäre auch nicht dieses Gute, sagen sie, wenn der Mensch nicht hungerte, so hätte er auch keinen Genuß vom und keinen Trieb zum Essen, wenn er kein Bein brechen könnte, so hätte er auch keine Knochen, er könnte folglich nicht gehen; wenn er keine Schmerzen empfände bei einer Verwundung, so hätte er keinen Antrieb sich zu schützen; darum seien die oberflächlichen Wunden viel schmerzhafter, als die tiefgehenden. Es ist daher eine Thorheit, sagen sie, wenn die Athei= sten die Uebel, Leiden, Schmerzen des Lebens als Beweise gegen einen gütigen, weisen, allmächtigen Schöpfer anführen. Es ist allerdings auch ganz richtig, daß, wenn dieses oder jenes Uebel nicht wäre, auch nicht dieses oder jenes Gut sein könnte; aber diese Nothwendigkeit gilt nur für die Natur, nicht für einen Gott. So gut Gott ein Wesen ist, in dem der Theist sich eine Seligkeit denkt, ohne Unseligkeit, eine Voll= kommenheit ohne Unvollkommenheit, so gut, so nothwendig knüpft sich auch an einen Gott die Vorstellung, daß er Gutes ohne Uebles,

eine Welt ohne alle Leiden und Mängel schaffen könne. Darum glaubt
ja der Christ an eine zukünftige Welt, in der das wirklich der Fall ist,
in der wirklich das beseitigt ist, was der Atheist als Beweis anführt,
daß die Welt keinen göttlichen Ursprung hat. Ja, die alten Christen
hatten diese Welt schon im Paradies. Wenn Adam im Stande seiner
Unschuld, seiner Vollkommenheit, mit der er aus Gottes Händen kam, geblieben wäre, so würde sein Körper unzerstörbar und unverwundbar, die
Natur überhaupt von allen den Uebeln und Mängeln, mit denen sie jetzt
behaftet ist, verschont geblieben sein. Alle die Gründe, mit welchen die
Theisten die Uebel der Welt, d. h. hier der natürlichen, nicht der bürgerlichen, rechtfertigen, gelten nur, wenn man die Natur als den Grund der
Existenz der Dinge annimmt, die Natur als erste Ursache denkt, aber nicht,
wenn man einen Gott als Urheber der Welt annimmt. Allen Theodiceen,
allen Rechtfertigungen Gottes liegt daher auch in der That, sei es nun
bewußt oder unbewußt, die Natur als etwas Selbstständiges zu Grunde;
sie beschränken Gottes Thätigkeit, Gottes Allmacht durch das Wesen
und die Wirkung der Natur, die Freiheit Gottes, die doch die Welt
ganz anders hätte schaffen können, als sie ist, durch die Vorstellung der
Nothwendigkeit, die doch nur aus der Natur stammt, nur auf sie paßt.
Dies zeigt sich besonders auch in den herrschenden Vorstellungen von
der Vorsehung. So erließ z. B. der Erzbischof von Paris 1846 einen
Brief, worin er die Gläubigen zu Gebeten auffordert, „auf daß bei
der Papstwahl keine fremdartigen Einflüsse Gottes gnädigen Absichten widerstreben möchten". So erließ vor Kurzem
(Januar 1849) der König von Preußen einen Armeebefehl, worin es
heißt: „in dem verflossenen Jahr, wo Preußen der Verführung und
dem Hochverrath ohne Gottes Hülfe erlegen wäre, hat meine
Armee ihren alten Ruhm bewährt und neuen geerntet". Aber was ist
das für ein schwaches Wesen, dessen gnädigen Absichten fremdartige Einflüsse widerstreben und widerstehen können! Was ist das für eine Hülfe
Gottes, die ohne Bajonette und Shrapnels keine Kraft und keinen

Erfolg hat? was das für eine Allmacht, die zu ihrer Unterstützung mili-
tärische Macht bedarf? was das für ein Gott, der seinen Ruhm mit
dem Ruhm der königlich preußischen Armee theilt? Entweder gebt Gott
allein die Ehre, wie die alten Theisten und Christen, welche glaubten,
daß Gott ohne Bajonette und Shrapnels helfen, daß man durch das
bloße Gebet Feinde besiegen könne, daß das Gebet, d. h. die Macht der
Religion, oder was eins ist, die Macht Gottes, allmächtig ist; oder
gebt allein der Brutalität der materiellen Kräfte und Mittel die Ehre,
daß sie geholfen. Wir sehen an diesen Beispielen, die sich übrigens bis
ins Unendliche vermehren ließen, denn jedes Intelligenzblatt liefert dergleichen, wie gottlos selbst die namentlich modernen Gottesgläubigen
sind, wie sie ihren Gott in der That verläugnen und herabsetzen, während sie ihm mit dem Munde Elogen machen, indem sie der Materie,
der Welt, dem Menschen eine von ihm unabhängige, selbstständige Macht
und Wirksamkeit zuschreiben, ihrem Gott nur die Rolle eines müßigen
Zuschauers oder Inspectors, höchstens nur in der äußersten Noth die
eines Beispringers und Aushelfers erweisen. Schon der gewöhnliche
Ausdruck: Hülfe Gottes, Beistand Gottes charakterisirt diesen häßlichen Zwiespalt zwischen Gott und Natur; denn wer mir hilft, bei-
steht, der hebt nicht meine Thätigkeit auf; er unterstützt mich nur; er
nimmt nur einen Theil der Arbeit, der Last auf sich. Welch eine un-
würdige Vorstellung aber, wenn man einmal einen Gott glaubt, ihm
die Allmacht, wenigstens der That nach, abzusprechen, ihm die Macht
der Natur und des Menschen beizugesellen und zu dieser seine Zuflucht
zu nehmen. Wenn ein Auge über mir wacht, wozu brauche ich denn
selbst ein Auge zu haben, selbst mich vorzusehen? Wenn ein Gott für
mich sorgt, warum brauche ich für mich zu sorgen? Wenn ein gütiges
und zugleich allmächtiges Wesen ist, was soll mir die beschränkte Macht
natürlicher Mittel und Kräfte? Uebrigens wollen wir die Abendländer
nicht tadeln, daß sie ihren religiösen Glauben nicht bis auf seine practischen Consequenzen treiben, daß sie vielmehr eigenmächtig die Folgen

ihres Glaubens wegstreichen, ihren Glauben in der Wirklichkeit, in der
Praxis verläugnen; denn nur dieser Inconsequenz, diesem practischen
Unglauben, diesem instinctartigen Atheismus und Egoismus verdanken
wir alle Fortschritte, alle Erfindungen, durch die sich die Christen von
den Muhamedanern, die Abendländer überhaupt von den Morgenländern
auszeichnen. Wer sich auf die Allmacht Gottes verläßt, wer glaubt, daß
Alles, was geschieht und ist, durch Gottes Willen geschieht und ist, der
wird nimmermehr auf Mittel sinnen, den Uebeln der Welt abzuhelfen,
weder den natürlichen Uebeln, so weit diese aufhebbar sind, denn wider
den Tod wird kein Arzneimittel gefunden werden, noch den Uebeln der
bürgerlichen Welt. „Jedem, sagt Calvin in der schon mehrmals angeführten Schrift, wird von der Gottheit seine Lage und sein Stand angewiesen. Salomon ermahnt daher mit dem Spruche: „„Loos wird
geworfen in den Schoos, aber es fället wie der Herr will,““ die Armen
zur Geduld, weil diejenigen, welche mit ihrem Loose nicht zufrieden
sind, eine ihnen von Gott aufgelegte Last abzuschütteln suchen. So tadelt auch ein anderer Prophet, der Psalmist die Gottlosen, welche der
menschlichen Geschicklichkeit oder dem Glücke es zuschreiben, daß einige
zu Ehrenstellen kommen, die andern in Niedrigkeit verbleiben." Dies
ist eine nothwendige Folge von dem Gottesglauben, von dem Glauben
an die Vorsehung, wo dieser Glaube nicht ein blos theoretischer, thatloser,
ungläubiger, sondern ein wahrer, practischer Glaube ist. Einige Kirchenväter hielten es sogar für eine gottlose Kritik der Werke Gottes, sich den
Bart abscheeren zu lassen. Ganz richtig! Der Bart verdankt dem Willen
und der Absicht Gottes, die sich ja auch auf das Einzelnste erstrecken, seine
Existenz; wenn ich mir den Bart abscheeren lasse, so drücke ich damit ein
Mißfallen aus; ich table indirect den Urheber des Bartes; ich empöre mich
gegen seinen Willen; denn Gott sagt: der Bart sei! indem er ihn wach-
sen läßt, aber ich sage: er sei nicht! indem ich mir ihn abscheeren lasse.
Alles sein lassen, wie es ist, das ist die nothwendige Folge von dem
Glauben, daß ein Gott die Welt regiert, Alles durch Gottes Willen

geſchieht und iſt. Jede eigenmächtige Veränderung der beſtehenden Ord=
nung der Dinge iſt eine frevelhafte Revolution. Wie in einem abſolut
monarchiſchen Staate die Regierung nichts dem Volke zu thun überläßt,
alle politiſche Thätigkeit ſich aneignet, ſo läßt auch in der Religion Gott
nichts dem Menſchen übrig, ſo lange Gott noch ein abſolutes, uneinge=
ſchränktes Weſen iſt. „Darum, ſagt Luther in ſeiner Auslegung des
Predigers Salomonis, iſt dies die beſte und höchſte Weisheit, alles
Gott heimſtellen und befehlen.... Gott laſſen walten und
regieren und alles, was unrecht geſchiehet oder denen Frommen wehe
thut, dem befehlen, welcher endlich Alles genau und recht richten
wird.... Derohalben willſt du gern Freude, Friede und gute Tage
haben, ſo warte bis daß ſie dir Gott giebt“. Aber wie geſagt, die Chri=
ſten haben zu ihrem und unſerem Heil in Gemäßheit des Geiſtes und
Charakters des Abendlandes, insbeſondere des Germanenthums gegen
die Conſequenzen ihrer aus dem Morgenlande ſtammenden religiöſen
Glaubenslehren und Vorſtellungen die menſchliche Selbſtthätig=
keit geltend gemacht, freilich aber auch dadurch ihre Religion, ihre
Theologie, die ſie gleichwohl bis auf dieſen Tag wenigſtens noch theo=
retiſch feſthielten, zu einem Gewebe der albernſten Widerſprüche, Halb=
heiten und Sophismen, zu einem unausſtehlichen, charakterloſen Miſch=
maſch von Glauben und Unglauben, Theismus und Atheismus gemacht.

Neunzehnte Vorlesung.

Die Kamtschadalen haben, wie uns die theistischen Reisebeschreiber erzählen und sich ausdrücken, einen höchsten Gott, den sie Kutka nennen, und für den Schöpfer des Himmels und der Erde halten. Von ihm, sagen sie, sei Alles gemacht und entstanden. Sie halten sich aber für viel klüger als Gott und Niemanden für thörichter, unsinniger und dummer als ihren Kutka. Wenn er, sagen sie, klug und vernünftig gewesen wäre, so würde er die Welt viel besser erschaffen, nicht so viele unübersteigliche Berge und Klippen darein gesetzt, nicht so viel reißende Ströme und anhaltende Sturmwinde gemacht haben. Wenn sie daher im Winter an einem hohen Berge auf= und abfahren, so können sie sich nicht enthalten, ganz entsetzlich auf den Kutka zu schelten. „Wir entsetzen uns billig, bemerkt hiezu ein rationalistischer Schriftsteller, über diese Tollheiten". Ich entsetze mich darüber aber gar nicht; ich verwundere mich vielmehr darüber, daß die Christen so wenig Selbsterkenntniß besitzen und nicht bemerken, daß sie sich nicht dem Wesen nach von den Kamtschadalen unterscheiden. Sie unterscheiden sich nur darin von ihnen, daß sie ihrem Aerger über die Rohheiten und Brutalitäten der Natur nicht in Scheltworten, wie die Kamtschadalen, sondern in Thaten Luft machen. Die Christen ebnen Berge oder führen wenigstens gang=bare, bequeme Wege über sie; sie setzen reißenden Strömen Dämme ent=

gegen, oder leiten sie ab; kurz sie verändern die Natur nach ihrem Sinn, zu ihrem Besten, so viel sie nur können. Jede solche That drückt aber eine Kritik der Natur aus; ich trage keinen Berg ab, wenn ich mich nicht vorher über sein Dasein geärgert, nicht vorher ihn verwünscht, verflucht habe; indem ich ihn abtrage, verwandle ich nur diesen Fluch in die That. Gegen anhaltende Sturmwinde, die den Kamtschabalen ein Grund sind, den Urheber derselben zu schelten, haben zwar die Christen noch kein directes Heilmittel erfunden, wie denn überhaupt das Reich der Lüfte am wenigsten erkannt und bewältigt ist; aber die Christen wissen durch andere Mittel, die ihnen die Cultur an die Hand giebt, sich gegen die Unbilden des Klima's zu schützen. In der Bibel heißt es zwar: „Bleib' im Lande und nähre dich redlich"; aber gleichwohl reisen die Christen, natürlich, wenn „die Vorsehung" ihnen die Mittel dazu gegeben, in Bäder, in Länder überhaupt, wo sie ein besseres, ihnen zuträgliches Klima finden. Wenn ich aber einen Ort verlasse, so verfluche, verwünsche ich ihn thatsächlich; ich denke oder sage vielleicht selbst: hier ist ein ganz verfluchtes Klima; hier kann ich es nicht länger aushalten; hier gehe ich zu Grunde; also fort! Wenn nun aber der Christ sein Vaterland verläßt, sei es nun zeitlich oder für immer, so verläugnet er practisch seinen Glauben an die göttliche Vorsehung; denn sie ist es ja, die ihn an diesen Ort hat gesetzt, weil sie denselben trotz oder vielmehr vielleicht gerade wegen seines unangenehmen und körperlich ungesunden Klima's für den ihm passendsten erkannt und also vorausbestimmt hat. Die Vorsehung erstreckt sich ja über das Besondere und Einzelne; ja, eine Vorsehung, wie sie rationalistische Theisten sich denken, die sich nur auf die Gattung, das Allgemeine, die allgemeinen Naturgesetze erstrecke, ist keine Vorsehung, außer nur dem Namen nach. Wenn ich daher diesen Ort verlasse, an den mich die Vorsehung hingesetzt, wenn ich diesen Berg abtrage, den sie offenbar absichtlich gerade so hoch und gerade an diesen Platz hingestellt hat, wenn ich einen Damm diesem reißenden Strom setze, der doch offenbar seine Gewalt nur durch

Gottes Willen und Macht hat, so negire, so verläugne ich durch meine practische Thätigkeit meine religiöse Theorie und Glaubensvorstellung, daß Alles, was Gott thut, wohlgethan, Alles, was Gott macht, weise, untadelhaft, unverbesserlich ist, denn Gott hat ja nicht Alles über Bausch und Bogen, so nur im Allgemeinen gemacht, sondern alles Einzelne. Wie kann ich also eine gewaltsame Veränderung machen, wie die göttlichen Absichten meinen menschlichen Absichten unterwerfen, wie der Macht Gottes, die sich in der Macht dieses reißenden Stromes, in der Größe dieses Berges offenbart, die menschliche Macht entgegensetzen? Ich kann es nicht, wenn ich meinen Glauben durch die That bestätigen will. Als die Knider, erzählt Herobot, eine kleine Strecke Landes durchgraben wollten, um aus ihrem Lande eine vollkommene Insel zu machen, wehrte es ihnen die Pythia mit diesen Versen:

„Befestigt nicht den Isthmus und durchgrabt ihn nicht,
Die Insel hätte Zeus gemacht, wenn er's gewollt."

Und als Rom der Vorschlag gemacht wurde, die Zuflüsse der Tiber abzugraben, um ihre Ueberschwemmungen zu verhindern, da sträubten sich, wie Tacitus in seinen Annalen erzählt, die Reatiner dagegen mit den Worten, die Natur, was hier offenbar so viel ist als Gott, habe aufs Beste für die menschlichen Interessen gesorgt, indem sie den Flüssen ihre Mündungen, ihren Lauf, ihren Ursprung wie ihr Ende gegeben habe. Alle Culturmittel, alle Erfindungen, welche der Mensch gemacht, um sich gegen die Brutalitäten der Natur zu schützen, wie z. B. die Blitzableiter, hat daher der consequente, religiöse Glaube als Eingriffe in das göttliche Regiment verdammt, selbst noch, — wer sollte es denken? — in unserer Zeit. Als der Schwefeläther als ein schmerzstillendes Mittel entdeckt und angewandt ward, so protestirten, wie mir von einem vollkommen glaubwürdigen Mann erzählt wurde, die Theologen einer protestantischen Universität, der Universität Erlangen dagegen, namentlich gegen die Anwendung desselben bei schweren Entbindungen,

weil es in der Bibel heiße: „mit Schmerzen sollst du gebären", weil
also das Gebären mit Schmerzen eine ausdrückliche Verordnung, ein
Willensbeschluß Gottes sei. So dumm und so teuflisch zugleich macht
der theologische Glaube den Menschen! Doch wieder zurück von den
protestantischen Theologen und Universitäten zu den Kamtschadalen, die
weit mehr Verstand haben; denn sie haben ganz recht, wenn sie den
Urheber der steilen, der menschlichen Cultur unzugänglichen Berge, der
reißenden, die Saaten und Fluren zerstörenden Ströme, der anhaltenden
Sturmwinde für ein verstandloses und unsinniges Wesen halten; denn
die Natur ist blind und verstandlos; sie ist, was sie ist und thut, was
sie thut, nicht absichtlich, nicht mit Wissen und Willen, sondern noth=
wendig, oder, wenn wir den Menschen, wie sich gehört, zur Natur rech=
nen, er ist ja auch ein Naturwesen, ein Naturgeschöpf, sie hat ihren
Verstand nur im Verstande des Menschen. Nur der Mensch ist es ja,
der durch seine Anordnungen und Bildungen den Stempel des Bewußt=
seins und Verstandes der Natur aufdrückt, nur er ist es, der nach und
nach im Laufe der Zeiten die Erde zu einem vernünftigen, dem Menschen
entsprechenden Wohnorte umgeschaffen und einst zu einem noch mensch=
licheren, noch vernünftigeren Wohnort, als sie jetzt ist, umschaffen wird.
Selbst das Klima verändert ja die menschliche Cultur. Was ist jetzt
Deutschland und was war es einst, selbst noch zur Zeit Cäsar's! Wie
vertragen sich aber solche gewaltsame Umgestaltungen, die der Mensch
gemacht, mit dem Glauben an eine übernatürliche, göttliche Vorsehung,
die Alles gemacht und von der es heißt: „Gott sahe an Alles, was
er gemacht und siehe da, es war sehr gut."

Fünftens muß ich noch eine Behauptung mit einigen Worten er=
läutern. Ich habe gesagt, man habe die Vorsehung hauptsächlich auch
aus solchen Erscheinungen der Natur zu beweisen gesucht, welche der
Folge eines bestehenden oder naturnothwendigen Uebels abhelfen oder
vorbeugen. Man hat daher besonders auch in den Waffen der Thiere,
womit sie sich gegen ihre Feinde wehren, und in den Schutzmitteln der

Organe des menschlichen und thierischen Körpers diese Beweise einer besonderen Vorsehung erblickt. So ist „das Auge durch die Augen= wimper vor dem Einfliegen störender Stoffe, durch die Augenbrauen gegen den von der Stirne rinnenden Schweiß, durch die Augenknochen gegen Verletzung geschützt und durch das Augenlid kann es ganz gedeckt werden". Aber warum ist denn nicht das Auge gegen die verberblichen Folgen eines Faustschlags, eines Steinwurfs oder andere das Auge oder die Sehkraft wenigstens zerstörende Einwirkungen geschützt? Darum, weil das Wesen, welches das Auge bildet, kein allmächtiges und all= wissendes Wesen ist, kein Gott. Hätten ein Alles sehendes Auge und eine Alles vermögende Hand das Auge gemacht, so wäre auch das Auge gegen a l l e   m ö g l i c h e n Gefahren geschützt. Aber das Wesen, welches das Auge gebildet, hat bei dessen Bildung nicht an den Stein= wurf, nicht an den Faustschlag und unzählige andere zerstörende Wir= kungen gedacht, weil die Natur überhaupt nicht denkt, folglich auch nicht die Gefahren voraus weiß, die ein Organ oder Wesen treffen können, wie ein Gott. Jedes Wesen, jedes Organ ist nur gegen bestimmte Ge= fahren, bestimmte Einwirkungen geschützt, und dieser Schutz ist e i n s   m i t   d e r   B e s t i m m t h e i t dieses Wesens, dieses Organs, eins mit seiner Existenz, so daß es ohne diesen Schutz gar nicht existiren könnte. Was einmal existiren soll, muß auch die Mittel der Existenz haben, was einmal leben soll und leben will, muß auch im Staube sein, sein Leben zu behaupten, zu vertheidigen also gegen feindliche Angriffe. Das Leben ist ein Kampf, ein Krieg; unmittelbar mit dem Leben ist daher zugleich die W a f f e als Lebenserhaltungsmittel gegeben. Es ist daher thöricht, wenn man die Waffen, die Schutzmittel für sich besonders her= vorhebt und zu Beweisen einer Vorsehung macht. Ist das Leben noth= wendig, so ist auch das Lebenserhaltungsmittel nothwendig. Ist der Krieg da, so ist auch die Waffe da, kein Krieg ohne Waffe. Will man sich also über die Schutzmittel eines Organs, eines Thieres verwundern, so muß man sich über das Dasein dieses Organs, dieses Thieres ver=

wundern. Aber alle diese Schutzmittel sind beschränkter Natur und eins mit der Beschaffenheit eines Organs, eines Wesens; aber eben wegen dieser ihrer Einheit mit der Natur eines Wesens, eines Organs sind sie keine Beweise von einem absichtlich und willkürlich schaffenden Wesen, und eben wegen dieser ihrer Beschränktheit keine Beweise eines allmächtigen und allwissenden Gottes, denn ein Gott schützt ein Wesen, ein Organ gegen alle nur immer mögliche Gefahren. Jedes Wesen ist geworden unter Bedingungen, die eben nicht mehr enthielten, als gerade zur Erzeugung dieses Wesens hinreichte, jedes Wesen sucht sich nach Kräften zu behaupten, sucht sich so viel als möglich, so viel, als es seine beschränkte Natur erlaubt, zu erhalten; jedes Wesen hat einen Selbsterhaltungstrieb. Aus diesem Selbsterhaltungstrieb, der aber eins mit der individuellen Natur eines Organs, eines Wesens, aber nicht aus einem allmächtigen und allwissenden Wesen stammen die Waffen, die Schutzmittel der Thiere und Organe.

Endlich muß ich noch eines Einwandes erwähnen, den die Theisten gegen die früheren Atheisten oder Naturalisten vorbrachten, welche die Menschen und Thiere aus der Natur ohne Gott entstehen ließen, übrigens auf eine Art, die freilich keine genügende war. Wenn die Natur einst durch ursprüngliche Erzeugung ohne schon vorhandene Thiere und Menschen Thiere und Menschen hervorbrachte, warum geschieht es denn jetzt nicht mehr? Ich erwidere: weil Alles in der Natur seine Zeit hat, weil die Natur nur etwas kann, wenn die dazu nöthigen Bedingungen gegeben sind; wenn also jetzt nicht mehr geschieht, was einst, so müssen damals Bedingungen vorhanden gewesen sein, die jetzt fehlen. Aber es kann einst eine Zeit kommen, wo die Natur dasselbe thut, wo die alten Thiergeschlechter und Menschen vergehen, und neue Menschen, neue Geschlechter erstehen. Die Frage, warum es jetzt nicht mehr geschieht, kommt mir gerade so vor, als wollte man fragen, warum trägt denn der Baum nur Früchte im Herbste, nur Blüthen im Frühling, könnte er denn nicht in Einem fort ohne Unterbrechung blühen und

Früchte tragen? oder warum kommt denn dieses Thier nur gerade zu dieser Zeit in die Brunst? könnte es nicht immerfort brünstig und trächtig sein? Nur die Individualität, nur die Einmalheit, sit venia verbo! ist das Salz der Erde, das Salz der Natur; nur die Indi= vidualität, ist das Zeugungs= und Schöpfungsprincip; nur ganz indi= viduelle Bedingungen und Verhältnisse der Erde, Erdrevolutionen, die und wie sie seitdem nicht mehr stattgefunden, waren es, welche die organischen Wesen, wenigstens die und wie sie seit der letzten großen geologischen Epoche auf der Erde sind, hervorbrachten. Auch der Mensch oder menschliche Geist bringt nicht immer, zu jeder Zeit ori= ginale Werke hervor; nein! es ist immer nur eine Epoche im Leben des Menschen, die glücklichste, die günstigste, es sind Lebensereig= nisse, Lebensmomente, Lebensbedingungen, die sich später nie mehr wieder finden, die sich nicht wiederholen, wenigstens nicht in ihrer ursprünglichen Frische, nur solche Momente sind es, wo er originale Werke producirt; in den meisten andern repetirt er sich nur, verviel= fältigt er nur auf dem Wege der gemeinen, gewöhnlichen Fortpflan= zung seine Original=Schöpfungen.

Mit dieser Anmerkung schließe ich das Kapitel von der Natur. Ich habe damit den ersten Theil meiner Aufgabe erfüllt. Diese war, zu be= weisen, daß der Mensch seinen Ursprung nicht vom Himmel, sondern von der Erde, nicht von Gott, sondern von der Natur ableiten, daß der Mensch sein Leben und Denken mit der Natur beginnen müsse, daß die Natur keine Wirkung eines von ihr unterschiedenen Wesens, sondern, wie die Philosophen sagen, Ursache ihrer selbst, daß sie kein Geschöpf, kein gemachtes oder gar aus Nichts geschaffnes, sondern ein selbstistän= diges, nur aus sich zu begreifendes, nur von sich abzuleitendes Wesen sei, daß die Entstehung der organischen Wesen, die Entstehung der Erde, die Entstehung der Sonne selbst, wenn wir sie entstanden denken, immer nur ein natürlicher Proceß gewesen sei, daß wir, um die Entstehung derselben uns zu veranschaulichen und begreiflich zu machen, nicht vom Menschen, vom Künstler, vom Handwerker, vom Denker, der die Welt aus seinen Gedanken aufbaut, sondern von der Natur ausgehen müssen, wie die alten Völker, welche ihrem richtigen Naturinstinct zufolge in ihrer religiösen und philosophischen Weltentstehungslehre wenigstens einen Naturproceß, den Zeugungsproceß zum Urbild und Schöpfungs= princip der Welt machten, daß, wie die Pflanzen vom Keime, das Thier vom Thiere, der Mensch vom Menschen, so Alles in der Natur von einem ihm gleichen, stoff= oder wesensverwandten, natürlichen We= sen entsprungen sei, kurz, daß die Natur nicht aus einem Geiste abge= leitet, nicht aus einem Gotte erklärt werden könne, weil alle Eigen= schaften Gottes, so weit diese keine offenbar menschlichen sind, selbst nur von der Natur abgezogen und abgeleitet sind. Aber so einleuchtend es an und für sich ist, daß das sinnliche, körperliche Wesen der Natur nicht von einem geistigen, d. i. abstracten Wesen abgeleitet werden kann, so ist doch Etwas in uns, was uns diese Ableitung glaublich macht, ja natürlich, selbst nothwendig erscheinen läßt, Etwas, was sich dagegen sträubt, das natürliche, sinnliche, körperliche Wesen als erstes, uran= fängliches, unübersteigliches Wesen zu denken, Etwas, woraus auch der Glaube, die Vorstellung entsprungen, daß die Welt, die Natur ein Product des Geistes, daß sie sogar aus Nichts entstanden sei. Ich habe aber diesen Einwand schon beseitigt und erklärt, indem ich zeigte, daß der Mensch von dem Sinnlichen das Allgemeine abzieht und dieses nun dem Sinnlichen als Grund voraussetzt. Es ist daher das Abstractions= vermögen des Menschen, und die mit demselben verbundene Einbildungs= kraft (denn nur durch die Einbildungskraft verselbstständigt der Mensch die abstracten, allgemeinen Begriffe, denkt sie als Wesen, als Ideen), welche ihn bestimmen, über das Sinnliche hinauszugehen, und die körperliche, sinnliche Welt von einem unsinnlichen, abstracten Wesen abzuleiten. Aber es ist thöricht, diese subjective, menschliche Nothwendigkeit zu einer objectiven zu machen, deswegen, weil der Mensch, wenn er sich einmal

vom Sinnlichen zum Uebersinnlichen, d. h. zum Gedachten, Abstracten,
Allgemeinen erhoben hat, vom Allgemeinen, Abstracten zum Concreten
herabsteigt, dieses aus jenem ableitet, nun auch wirklich, d. h. in natura
dieses aus jenem entstehen zu lassen. Daß dieses verkehrt ist, erhellt
eben daraus, daß man, um das Körperliche, Materielle aus dem Geiste
entspringen lassen zu können, zu der hohlen, phantastischen Vorstellung
einer Schöpfung aus Nichts seine Zuflucht nehmen muß. Wenn ich
aber sage: die Welt ist aus Nichts geschaffen, so sage ich damit gar
Nichts; es ist dieses Nichts eine bloße Ausrede, wodurch ich der Frage:
Woher hat denn der Geist die nicht geistigen, die materiellen, körperlichen Stoffe der Welt genommen? ausweiche. Es ist dieses Nichts,
ob es gleich einst ein eben so heiliger Glaubensartikel war, als die
Existenz Gottes, weiter nichts als einer von den unzähligen theologischen
oder pfäffischen Kniffen und Pfiffen, welche Jahrhunderte lang die
Menschheit bethört haben. Und diesem Nichts weicht man aus, wenn
man an die Stelle desselben Gott setzt, wie Jacob Böhm und Hegel,
und statt: Gott schuf die Welt aus Nichts, sagt: er schuf sie aus sich,
als der geistigen Materie. Damit komme ich vielmehr, wie ich auch
schon früher zeigte, um keinen Schritt weiter, denn wie kommt aus der
geistigen Materie, wie aus Gott überhaupt die wirkliche Materie? Mag
man daher noch so viele theologische und speculative Kniffe und Pfiffe
ersinnen, um die Welt von einem Gotte ableiten zu können, es bleibt
dabei: das, was die Welt zur Welt, das Sinnliche zum Sinnlichen,
die Materie zur Materie macht, ist Etwas, was theologisch und philosophisch nicht weiter deducirt und vermittelt werden kann, etwas Unableitbares, schlechthin Seiendes, nur durch sich selbst zu Fassendes, nur
von und durch sich selbst Verständliches. Ich habe hiermit den ersten
Theil meiner Aufgabe vollendet.

Ich gehe nun zu dem zweiten und letzten Theil meiner Aufgabe,
welche ist, zu beweisen, daß der von der Natur unterschiedene Gott nichts

Anbres ist, als das eigene Wesen des Menschen, gleichwie ich im ersten Theil zu zeigen hatte, daß der vom Menschen unterschiedene Gott nichts Anbres, als die Natur oder das Wesen der Natur. Ober, im ersten Theil hatte ich zu beweisen, daß das Wesen der Naturreligion die Natur, daß sich in der Natur und Naturreligion nichts Anbres offenbart und barstellt, als die Natur; jetzt habe ich zu beweisen, daß sich in der Geistesreligion nichts Anbres ausspricht und offenbart, als das Wesen des menschlichen Geistes. Ich habe schon in den ersten Stunden erklärt, daß ich in diesen Vorlesungen von den untergeordneten Unterschieden der Religion absehe, daß ich die Religion nur auf zwei große Unterschiede oder Gegensätze rebucire, auf Naturreligion und Menschen= oder Geistes= religion, auf Heidenthum und Christenthum. Ich komme daher jetzt vom Wesen der Naturreligion oder des Heidenthums zum Wesen des Christenthums. Ehe ich aber an dieses selbst komme, müssen die Ueber= gangsstufen, die Gründe, welche den Menschen von der Natur abziehen, den Menschen auf sich zurückführen, den Menschen bestimmen sein Heil nicht außer sich, sondern in sich zu suchen, wenigstens in Kurzem ange= geben, dabei aber Momente entwickelt werden, welche eben so die Gei= stes= als Naturreligion, also überhaupt die Religion angehen, und von der größten Wichtigkeit sind, um das Wesen der Religion zu begreifen, aber dem successiven Gang gemäß, dem der Mensch im Sprechen und Denken unterworfen ist, erst jetzt wenigstens vollständig zur Sprache kommen können. Der Uebergang von der Naturreligion zum eigent= lichen Theismus oder Monotheismus erstreckt sich im „Wesen der Reli= gion" von §. 26—41.

Die Natur ist der erste Gegenstand der Religion, aber die Natur ist da, wo sie religiös verehrt wird, dem Menschen nicht Gegenstand als Natur, wie sie es uns ist, sondern als ein menschenähnliches oder viel= mehr menschliches Wesen. Der Mensch betet die Sonne auf dem Stand= punkt der Naturreligion an, weil er sieht, wie Alles von ihr abhängt, wie kein Gewächs, kein Thier, kein Mensch ohne sie bestehen kann, aber er würde sie doch gleichwohl nicht religiös verehren, nicht anbeten, wenn er nicht die Sonne sich vorstellte als ein Wesen, das sich von freien Stücken, wie der Mensch, am Himmel bewegt, wenn er nicht die Wirkungen der Sonne sich vorstellte als freiwillige Gaben, die aus reiner Güte sie der Erde spendet. Würde der Mensch die Natur ansehen als das, was sie ist, mit den Augen, womit wir sie ansehen, so würde aller Beweggrund zu religiöser Verehrung hinwegfallen. Das Gefühl, das den Menschen zur Verehrung eines Gegenstandes treibt, setzt ja voraus, daß der Gegenstand für diese Verehrung nicht unempfindlich, daß er also Gefühl, daß er ein Herz und zwar ein menschliches, für die menschlichen Angelegenheiten empfindliches Herz hat. So flehten die Griechen im Perserkrieg mit Opfern die Winde an, aber nur, weil sie dieselben für ihre Mitkämpfer, ihre Bundesgenossen gegen die Perser ansahen. Die Athener verehrten besonders den Boreas, den Nordwind und baten ihn um seinen Beistand, aber sie betrachteten ihn auch, wie Herodot erzählt, als ein ihnen befreundetes, ja verwandtes Wesen, denn er hatte die Tochter ihres Königs Erechtheus zur Frau. Was ist denn nun aber das, was einen Naturgegenstand in ein menschliches Wesen umschafft? Die Phantasie, die Einbildungskraft. Sie ist es, die ein Wesen uns anders darstellt, als es in Wirklichkeit ist; sie ist es, welche die Natur dem Menschen in jenem, den Verstand be- oder verzaubernden, das Auge blendenden Lichte erscheinen läßt, für welches die menschliche Sprache den Ausdruck: Göttlichkeit, Gottheit, Gott erfunden hat; sie also ist es, welche die Götter der Menschen erschafft. Ich habe schon gesagt, daß das Wort Gott, Gottheit ursprünglich nur ein Allgemeinname, aber kein Eigenname ist, daß das Wort Gott ursprünglich kein Subject, sondern nur ein Prädicat, d. h. kein Wesen, sondern eine Eigenschaft ausdrückt, die auf jeden Gegenstand paßt oder angewendet wird, welcher eben dem Menschen im Lichte der Phantasie als ein göttliches Wesen erscheint, welcher auf den Menschen, so zu sagen, einen göttlichen Eindruck macht. Jeder Gegenstand kann daher ein Gott oder, was eins ist, ein Gegenstand religiöser Verehrung werden. Ich sage: es ist eins: ein Gott oder ein Gegenstand der religiösen Verehrung; denn es giebt kein anderes Merkmal der Gottheit, als die religiöse Verehrung: ein Gott ist, was religiös verehrt wird. Aber religiös verehrt wird eben nur ein Gegenstand, wenn und wiefern er ein Wesen, ein Gegenstand der Phantasie oder Einbildungskraft ist.

Zwanzigste Vorlesung.

Jeder Gegenstand kann nicht nur, sondern wird auch wirklich vom Menschen als Gott, oder was eins ist, religiös verehrt. Dieser Standpunkt ist der sogenannte Fetischismus, wo der Mensch ohne alle Kritik und Unterscheidung alle möglichen Gegenstände und Dinge, seien sie nun künstliche oder natürliche, Producte der Natur oder des Menschen, zu seinen Göttern macht. So wählen sich z. B. die Neger in Sierra-Leona Hörner, Krebsscheeren, Nägel, Kieselsteine, Schneckenhäuser, Vogelköpfe, Wurzeln zu ihren Göttern, tragen sie in einem Beutel am Halse mit Glasperlen und anderen Zierrathen geschmückt. (Bastholm a. a. O.) „Die Otahaiter beteten die Flaggen und Wimpel der europäischen Schiffe an, die Madagassen hielten mathematische Instrumente für Götter, die Ostjaken bezeugten einer Nürnberger Uhr, welche die Gestalt eines Bären hatte, religiöse Verehrung." (Meiners a. a. O.) Was ist aber der Grund, daß Menschen Schneckenhäuser, Krebsscheeren, Flaggen und Wimpel zu ihren Göttern machen? Die Phantasie, die Einbildungskraft, die um so mächtiger, je größer die Unwissenheit des Menschen ist. Die Wilden wissen nicht, was eine Uhr, eine Flagge, ein mathematisches Instrument ist; sie bilden sich daher ein, sie seien etwas Andres, als sie in Wirklichkeit sind; sie machen daraus ein phantastisches Wesen, einen Fetisch, einen Gott. Die theoretische Ursache oder Quelle der Religion und ihres Gegenstandes, Gottes ist daher die Phantasie, die Einbildungskraft. Die Christen bezeichnen das theoretische Religionsvermögen mit dem Worte: Glauben. Religiös und gläubig ist ihnen eins, eben so Unglaube und Gottesläugnung oder Irreligion. Wenn wir aber näher untersuchen, was dieses Wort bedeutet, so ist es nichts Andres, als die Einbildungskraft. Der Glaube, sagt Luther, die größte Auctorität in dieser Materie, der größte Glaubensheld der Deutschen, der deutsche Apostel Paulus, wie man ihn genannt hat, „der Glaube, sagt er z. B. in seiner Auslegung des Ersten Buchs Moses, ist in der Wahrheit allmächtig .... dem Gläubigen alle Dinge möglich sein. Denn der Glaube machet aus dem, das nichts ist, daß es sei, und aus den Dingen, so unmöglich sind, machet er alles möglich." Aber diese Allmacht des Glaubens ist nur die Allmacht der Phantasie, der Einbildungskraft. Die Symbole des christlichen Glaubens sind, wenigstens nach lutherischem Glauben, die Taufe und das Abendmahl. Der Stoff, die Materie der Taufe ist das Wasser, die Materie des Abendmahls Wein und Brot, aber dem Glauben ist das natürliche Wasser der Taufe ein geistliches Wasser, wie Luther sagt, ist das Brot das Fleisch, der Wein das Blut des Herrn, d. h. die Einbildungskraft ist es, die Wein in Blut, Brot in Fleisch verwandelt. Der Glaube glaubt an Wunder, ja Glaube und Wunderglaube ist eins; der Glaube bindet sich nicht an die Gesetze der Natur; der Glaube ist frei, unumschränkt; er glaubt alles Mögliche. „Sollte dem Herrn etwas unmöglich sein?" Aber diese an keine Gesetze der Natur gebundene Kraft des Glaubens oder Gottes ist eben die Kraft der Einbildung, der nichts unmöglich ist. Der Glaube steht auf das Unsichtbare; „der Glaube ist nicht derer Dinge, die man siehet, heißt es in der Bibel, sondern derer, die man nicht siehet." Aber auch die Einbildungskraft ist nicht derer Dinge, die man siehet, sondern derer, die man nicht siehet. Die Einbildungskraft hat es nur mit Dingen und Wesen zu thun, die nicht mehr oder noch nicht, oder wenigstens nicht gegenwärtig sind. „Der Glaube, sagt Luther in der angeführten Auslegung, hänget sich stracks an das Ding, das noch lauter Nichts ist, und wartet darauf, bis daß daraus Alles werde." „Der Glaube hat es eigentlich nur, sagt er an einer andern, schon in meinem Luther angeführten Stelle, mit der Zukunft zu thun, nicht mit dem Gegenwärtigen." Darum verzagt der Gläubige nicht, wenn es ihm gegenwärtig schlecht geht; er hofft auf eine bessere Zukunft. Aber der hauptsächliche Gegenstand der Einbildungskraft ist eben die Zukunft. Die Vergangenheit, obwohl auch ein Gegenstand der Phantasie, beschäftigt uns, interessirt uns nicht so sehr, wie die Zukunft; denn sie liegt hinter uns; sie ist unabänderlich; sie ist vorbei. Was sollen wir also uns viel um sie kümmern? Aber anders ist es mit der Zukunft, die uns ja erst bevorsteht. Und allerdings hat Luther in dieser Hinsicht vollkommen recht, wenn er den Unglauben an der Zukunft tadelt, wenn er es tadelt, daß der Mensch verzweifelt, wenn er in dem gegenwärtigen Augenblick keinen Ausweg sieht; denn der heutige Tag ist nicht der jüngste Tag; die Gegenwart nicht das Ende der Geschichte. Es kann Alles noch ganz anders werden, als es jetzt ist, so traurig auch der Blick in die Gegenwart. Namentlich gilt dies in socialen und politischen Dingen, in Dingen, die die Menschheit im Ganzen betreffen; denn den Einzelnen befallen allerdings Unglücksfälle, wo die Hoffnung auf Besserung oder nur Aenderung verschwindet, wo „Verzweiflung Pflicht ist".

Gott, sagen die Christen, ist kein Gegenstand der Sinnlichkeit; er kann nicht gesehen, nicht gefühlt werden; aber er ist auch, sagen wenigstens die strenggläubigen Christen, kein Gegenstand der Vernunft; denn sie stützt sich nur auf die Sinne; Gott kann nicht bewiesen; er kann nur geglaubt werden, oder Gott existirt nicht in den Sinnen, nicht in der Vernunft; er existirt nur im Glauben, d. h. er existirt nur in der Einbildung. Luther sagt in seiner Kirchenpostille: „Ich habe oft gesagt, daß sich Gott eben also gegen den Menschen erzeiget, wie derselbige gesinnt ist, und wie du benkest und glaubest, so hast du ihn. Wer ihn gnädig oder zornig, süße oder sauer mahlet in seinem Herzen, ber hat ihn also. Denkest du er zürne mit dir und wolle dein nicht, so widerfähret dir also. Kannst du aber sagen: Ich weiß, daß er will mein gnädiger Vater sein u. s. w., so hast du es auch also." "Wie wir ihn fühlen, sagt er in seinen Predigten über das erste Buch Mose, so ist er uns. Denkest du, er sey zornig und ungnädig, so ist er ungnädig." "Wenn du ihn, sagt er in seiner Auslegung der andern Epistel St. Petri, für einen Gott hältest, so thut er auch bei dir für einen Gott." Das heißt: Gott ist so, wie ich ihn glaube, wie ich ihn mir einbilde; oder: die Beschaffenheit Gottes hängt von der Beschaffenheit meiner Einbildungskraft ab. Was aber von der Eigenschaft, gilt auch von dem Dasein Gottes. Glaube ich, daß ein Gott ist, so ist ein Gott, scl. für mich; glaube ich nicht, daß er ist, so ist auch keiner, scl. für mich. Kurz ein Gott ist ein eingebildetes Wesen, ein Wesen der Phantasie; und weil die Phantasie die wesentliche Form oder das Organ der Poesie ist, so kann man auch sagen: die Religion ist Poesie, ein Gott ist ein poetisches Wesen.

Wenn man die Religion als Poesie auffaßt und bezeichnet, so liegt die Folgerung nahe, daß, wer die Religion aufhebt, d. h. in ihre Grundbestandtheile auflöst, auch die Poesie, die Kunst überhaupt aufhebt. In der That hat man diese Folgerung aus meinen Aufklärungen über das Wesen der Religion gezogen, und daher die Hände über den Kopf zusammengeschlagen vor Entsetzen über die gräßliche Veröbung, die in das Menschenleben durch diese Lehre gebracht würde, da sie allen poetischen Schwung der Menschheit raube, mit der Religion auch die Poesie zerstöre. Aber ich wäre der Tollheit, dem Wahnsinn verfallen, wenn ich die Religion in dem Sinne aufheben wollte, als meine Gegner mir Schuld geben. Ich hebe nicht die Religion auf, nicht die subjectiven, d. i. menschlichen Elemente und Gründe der Religion, nicht Gefühl und Phantasie, nicht den Drang, sein eigenes Inneres zu vergegenständlichen und zu personificiren, was ja schon in der Natur der Sprache und des Affects liegt, nicht das Bedürfniß, die Natur, aber auf eine ihrem

Wesen, wie es uns vermittelst der Naturwissenschaft bekannt geworden ist, entsprechende Weise zu vermenschlichen, zu einem Gegenstand religions=philosophisch poetischer Anschauung zu machen. Ich hebe nur den Gegenstand der Religion, oder vielmehr der bisherigen Religion auf; ich will nur, daß der Mensch nicht mehr sein Herz an Dinge hänge, die nicht mehr seinem Wesen und Bedürfniß entsprechen, die er folglich nur im Widerspruch mit sich glauben und verehren kann. Es giebt aller= dings viele Menschen, bei denen sich die Poesie, die Phantasie nur an Gegenstände der überlieferten Religion anknüpft, denen man daher mit diesen Gegenständen auch alle Phantasie nimmt. Aber Viele sind noch nicht Alle, und was für Viele nothwendig, ist deßwegen noch nicht an sich nothwendig, und was jetzt nothwendig, ist deßwegen noch nicht immer nothwendig. Liefert uns denn aber nicht das menschliche Leben, nicht die Geschichte, nicht die Natur Stoff genug zur Poesie? Hat die Malerei keinen Stoff mehr, wenn sie nicht mehr die Gegenstände der christlichen Religion zu ihren Stoffen nimmt? Ich hebe so wenig die Kunst, die Poesie, die Phantasie auf, daß ich vielmehr die Religion nur insofern aufhebe, als sie nicht Poesie, als sie gemeine Prosa ist. Damit kommen wir sogleich auf eine wesentliche Beschränkung des Satzes: die Religion ist Poesie. Ja, sie ist es; aber mit dem Unter= schiede von der Poesie, von der Kunst überhaupt, daß die Kunst ihre Ge= schöpfe für nichts Andres ausgiebt, als sie sind, für Geschöpfe der Kunst; die Religion aber ihre eingebildeten Wesen für wirkliche We= sen ausgiebt. Die Kunst muthet mir nicht zu, daß ich diese Landschaft für eine wirkliche Gegend, dieses Bild des Menschen für den wirklichen Menschen selbst halten soll, aber die Religion muthet mir zu, daß ich dieses Bild für ein wirkliches Wesen halten soll. Der bloße Kunstsinn erblickt in den Götterstatuen der Alten nur Kunstwerke; aber der reli= giöse Sinn der Heiden erblickte in diesen Kunstwerken, in diesen Statuen Götter, wirkliche, lebendige Wesen, denen sie Alles thaten, was sie nur immer einem verehrten und geliebten wirklichen Wesen thaten. Sie banden die Götterbildnisse an, damit sie ihnen nicht davon liefen, sie kleideten und schmückten sie, bewirtheten sie mit kostbaren Speisen und Getränken, legten sie auf weiche Speisesophas hin — wenigstens geschah dies bei den Römern mit den männlichen Göttern, denn die Göttinnen durften so wenig als vor Zeiten die Römerinnen bei Tische liegen —, badeten und salbten sie, versahen sie mit allen Bedürfnissen der menschlichen Toilette und Eitelkeit, mit Spiegeln, Handtüchern, Striegeln, Kammerdienern und Kammerjungfern, machten ihnen des Morgens ihre Aufwartung, wie den vornehmen Herren, ergötzten sie mit Schauspielen und andern Lustbarkeiten. Seneca erzählt sogar bei Augustin von einem alten abgelebten Komödianten, der täglich im Capitolium sein Possenspiel trieb, gleich als könnte er noch den Göttern ein Vergnügen bereiten, nachdem ihn längst die Menschen satt hatten. Eben deswegen, weil die Götterbilder oder Statuen Götter hießen und waren, hieß auch der Bildhauer oder überhaupt Bildmacher Theopoios, d. h. Gottmacher, die Bildhauerkunst Gottmacherkunst. (¹⁷)

Dasselbe, was wir hier bei den gebildetsten Völkern des Alterthums sehen, finden wir noch jetzt bei den rohen Völkern, nur daß ihre Götter und Götzen keine Meisterstücke der menschlichen Kunstgeschicklichkeit sind, wie die der Griechen und Römer. So haben die Ostjaken*) z. B. zu ihren Götzen Puppen von Holz mit einem Menschengesichte. „Und diese ihre Götzen versehen sie mit Schnupftabak und legen etwas Bast bei, in der Meinung, daß der Götze, wenn er geschnupft hat, die Nase damit auf Ostjakisch verstopfen soll. Ereignet es sich, daß durchreisende Russen in der Nacht, wenn Alles schläft, den Tabak entwenden, so wundern sich die Ostjaken am Morgen, wie der Götze so viel hat schnupfen können." (Bastholm a. a. O.) Aber nicht nur die Heiden, auch die Christen waren und sind noch zum Theil Bilderverehrer, auch

---

*) Die meisten sind jetzt jedoch Christen.

sie hielten und halten noch zum Theil die religiösen Bilder für wirkliche Wesen, für die Gegenstände selbst, die diese Bilder vorstellen. Die gelehrten Christen unterschieden wohl das Bild von dem Gegenstande, sagten, daß sie nur den Gegenstand vermittelst des Bildes, nicht das Bild selbst verehrten und anbeteten; aber das Volk ließ diesen subtilen Unterschied fallen. In der griechischen Kirche kämpften bekanntlich die Christen sogar zwei Jahrhunderte lang mit einander für und wider die Bilderverehrung, bis endlich der Bilderdienst siegte. Unter den Christen zeichnen sich besonders unsere lieben östlichen Nachbarn, die Russen, als Bilderverehrer aus. „Jeder Russe hat ..... gewöhnlich einen Abdruck des h. Nikolas oder eines andern Heiligen in Kupfer in seiner Tasche. Ueberall trägt er ihn bei sich. Zuweilen sieht man einen Soldaten oder Bauern seinen kupfernen Gott aus der Tasche ziehen, darauf spucken, ihn mit der Hand reiben und reinigen, ihn vor sich hinsetzen, sich vor ihm unter tausend Bekreuzungen niederwerfen, Seufzer ausstoßen und vierzigmal ausrufen: Gospodi Pomiloy, d. i. Gott erbarm dich meiner. Dann steckt er seinen Gott wieder in die Tasche und geht weiter.“ Jeder Russe hat ferner in seinem Hause mehrere Heiligenbilder, vor denen sie Licht anzünden. „Wenn ein Mann bei seiner Frau schlafen will, so bedeckt er die Heiligenbilder vorher mit einem Tuche. Die russischen Freudenmädchen sind gleichfalls sehr ehrerbietig gegen die Heiligen. Wenn sie Besuche haben und sich ihren Freuden überlassen wollen, so verhüllen sie vor allen Dingen ihre Bilder und löschen die vor denselben brennenden Kerzen aus.“ (Stäulin, Magazin für Religionsgeschichte.) Wir sehen, nebenbei bemerkt, an diesem Beispiel, wie leicht sich der Mensch in der Religion, mit deren Aufhebung man gewöhnlich die Moral, als hätte diese keinen selbstständigen Grund, aufgehoben wähnt, mit der Moral abfindet. Er braucht nur das Bild seines Gottes zu verhängen; oder er braucht nur, wenn er es nicht so plump machen will, wie ein russisches Freudenmädchen oder ein russischer Bauer, über die göttliche Strafgerechtigkeit den Mantel der christlichen

Liebe, der göttlichen Barmherzigkeit zu hängen, um ungehindert zu thun, was ihm zu thun beliebt.

Ich habe die angeführten Beispiele vom Bilderdienst nur dazu angeführt, um daran den Unterschied von der Kunst und Religion zu zeigen. Beide sind darin eins, daß sie Bilder schaffen; — der Dichter schafft Bilder in Worten, der Maler in Farben, der Bildhauer in Holz, Stein, Metall — aber der Künstler, wenn sich keine Religion einmischt, verlangt von seinen Bildern nichts weiter, als daß sie richtig und schön sind; er giebt uns einen Schein der Wirklichkeit; aber er giebt diesen Schein der Wirklichkeit nicht für die Wirklichkeit aus; die Religion dagegen betrügt den Menschen oder vielmehr der Mensch betrügt sich selbst in der Religion; denn sie giebt den Schein der Wirklichkeit für Wirklichkeit aus: sie macht aus dem Bilde ein lebendiges Wesen, ein Wesen, das aber nur in der Einbildung lebendig ist; — in Wahrheit ist ja das Bild nur Bild —, ein Wesen, das eben deswegen ein göttliches Wesen ist und heißt; denn das Wesen eines Gottes ist, daß er ein eingebildetes, unwirkliches, phantastisches Wesen ist, das aber gleichwohl ein reales, ein wirkliches Wesen sein soll. Die Religion verlangt daher nicht von ihren Bildern, wie die Kunst, daß sie richtig, dem darzustellenden Gegenstand entsprechend und schön sind — im Gegentheil die eigentlich religiösen Bilder sind die häßlichsten, unförmlichsten; so lange die Kunst der Religion dient, nicht sich selbst angehört, bringt sie immer Werke hervor, die auf den Namen von Kunstwerken noch gar keinen Anspruch machen können, wie die Geschichte der griechischen und christlichen Kunst beweist — die Religion verlangt vielmehr von ihren Bildern, daß sie dem Menschen nützlich seien, daß sie ihm in der Noth helfen; sie giebt daher — denn nur lebendige Wesen können ja helfen — ihren Bildern Leben und zwar menschliches Leben nicht nur dem Schein, der Gestalt nach, wie der Künstler, sondern der That nach, d. h. menschliches Gefühl, menschliche Bedürfnisse und Leidenschaften, bringt ihnen daher selbst Speise und Getränke dar. So unsinnig es übrigens ist, wenn der Ostjake von dem Götzen, der Alles, was er hat und ist, der Gutmüthigkeit und Einbildungskraft, der Beschränktheit und Unwissenheit des Ostjaken verdankt, wenn überhaupt der Mensch von Bildern und Statuen Hülfe erwartet; so liegt doch diesem Unsinn wieder der Sinn zu Grunde, daß eigentlich nur der Mensch dem Menschen helfen kann, daß ein Gott, der dem Menschen helfen soll, menschliche Gefühle und folglich menschliche Bedürfnisse haben muß, denn sonst hat er ja selbst auch kein Gefühl für menschliche Noth. Wer nie empfunden, was der Hunger, wird auch einem Hungernden nicht aus der Noth helfen. Was aber die Macht zu helfen hat, das hat auch die Macht zu schaden. Die Religion betrachtet also im Unterschiede von der Kunst die Bilder, die sie schafft, als Gegenstände des Abhängigkeitsgefühles, als Wesen, welche die Macht zu nützen und zu schaden haben, als Wesen, welchen der Mensch daher seine Huldigungen, Opfer darbringt, vor denen er niederknieet, die er anbetet, um sie sich geneigt zu machen.

Ich habe aber die Beispiele aus dem Bilderdienst nicht angeführt, um an ihnen den Unterschied zwischen der Kunst und Religion etwa nur in Beziehung auf die sogenannten götzendienerischen Religionen zu zeigen; ich habe sie angeführt, weil sich in ihnen das Wesen der Religion überhaupt, so auch das Wesen der christlichen Religion auf eine sinnfällige Weise darstellt. Der Mensch muß überall von dem Sinnlichen, als dem Einfachsten und Unläugbarsten und Deutlichsten aus-, und erst von da zu den complicirteren, abstracten, dem Auge entzogenen Gegenständen übergehen. Der Unterschied zwischen der christlichen und heidnischen Religion ist nur, daß die Bilder der christlichen Religion, wenigstens da, wo sie ihren Unterschied vom Heidenthum festhält, wo sie nicht selbst heidnisch wird oder ist, keine steinerne, metallene, hölzerne oder farbige, sondern geistige Bilder sind. Die christliche Religion stützt sich nicht auf die Sinne, sondern, wie ich gelegentlich schon in einer der ersten Vorlesungen sagte, auf das Wort, — das Wort Got-

tes, wie die alten, gläubigen Christen die Bibel nannten, welche sie als
eine besondere Offenbarung Gottes der Natur entgegensetzten — nicht
auf die Macht der Sinnlichkeit, wie die Heiden, welche der Macht der
sinnlichen Liebe und Zeugungskraft das Dasein, die Schöpfung der
Welt zuschrieben, sondern auf die Macht des Wortes: Gott sprach:
„es werde Licht, und es ward Licht“, es werde die Welt, und es ward
die Welt. „Gottes Wort, sagt Luther, ist also eine köstliche theure
Gabe, welche Gott hoch hält und achtet, daß er auch Himmel und Erden,
Sonne, Mond und Sterne gegen diese Worte für nichts hält, denn
durch das Wort sind alle Creaturen erschaffen.“ „Himmel und
Erde werden vergehen, aber meine Worte werden nicht vergehen.“ Oder, da das Wort (subjectiv für den Menschen) durch das
Gehör vermittelt ist, so kann man sagen, wie ich schon früher im Vorbeigehen bemerkte, daß sich die christliche Religion auch auf den Sinn
stützt; aber nur auf das Ohr. „Nimm das Wort weg, sagt in seiner
christlichen Religionslehre Calvin, und es bleibt kein Glaube übrig.“
„Obgleich der Mensch, sagt derselbe, seine Augen ernstlich auf die Betrachtung der Worte Gottes (d. i. der Natur) wenden soll, so muß er
doch vor Allem oder insbesondere die Ohren auf das Wort richten,
denn das in der herrlichen Form der Welt eingedrückte Bild Gottes ist
nicht wirksam genug.“ Eben deswegen eifert Calvin auch gegen jedes
körperliche Bild von Gott, weil seine Majestät nicht von dem Auge gefaßt werden könne, und verwirft den von der zweiten Nicenischen Sy-
node ausgesprochenen Satz, daß „Gott nicht durch das Anhören des
Wortes allein, sondern auch durch den Anblick der Bilder erkannt
werde.“ Cornelius Agrippa von Nettesheim sagt in seiner Schrift von
der Ungewißheit und Eitelkeit der Wissenschaften: „Wir (nämlich
Christen) dürfen nicht lernen aus dem verbotenen Buch der Bilder, sondern aus dem Buch Gottes, welches ist das Buch der h. Schrift. Wer
also Gott kennen lernen will, der suche ihn nicht in den Bildern der
Maler und Bildhauer, sondern forsche, wie Johannes sagt, in der

Schrift, denn sie zeuget von ihm. Die aber nicht lesen können, sollen das Wort der Schrift hören, denn ihr Glaube kommt, wie Paulus sagt, aus dem Gehör. Und Christus sagt bei Johannes: meine Schafe hören meine Stimme." „Das Wort Gottes, sagt Luther in seiner Auslegung des 18. Psalms, ist ein solches Wort, das, wenn man nicht alle Sinne zuschließt und es allein mit dem Gehör vernimmt und ihm Glauben beimißt, so kann man es nicht fassen." Die Sinne außer dem Ohr läßt daher die christliche Religion weg, nimmt sie nicht in den Gegenstand ihrer Verehrung auf. Der heidnische Gott dagegen ist auch ein Gegenstand der anderen, selbst der körperlichen Sinne; der heidnische Gott, der in Bildern von Holz, Stein, Farbe sein Dasein hat, dem Menschen sich offenbart und darstellt, der kann selbst mit Händen gegriffen; er kann aber eben deswegen auch zertrümmert und zerschlagen werden — die Heiden selbst zertrümmerten oft ihre Götter oder warfen sie in den Koth aus Wuth, wenn sie sich von ihnen getäuscht wähnten, wenn sie keine Hülfe erhielten, — der heidnische Gott ist kurz um als ein körperliches Ding allen möglichen Unbillen der Natur und Menschenwelt ausgesetzt. Die Kirchenväter verlachten die Heiden, daß sie Wesen oder Dinge als Götter verehrten, vor denen doch selbst die Schwalben und andere Vögel so wenig Respect hätten, daß sie sie mit ihrem Koth besudelten. Der christliche Gott dagegen ist kein so zerbrechliches und zerstörbares, kein so auf einen Ort beschränktes, in einen Tempel eingeschlossenes oder einschließbares Wesen, wie der steinerne oder hölzerne Gott der Heiden; denn er ist ein bloßes Wort- und Gedankenwesen. Das Wort kann ich aber nicht zerschlagen, nicht in Tempel einschließen, nicht mit den Augen sehen, mit den Händen greifen; das Wort ist ein unkörperliches, ein geistiges Wesen. Das Wort ist etwas Allgemeines; das Wort Baum bedeutet und umfaßt alle Bäume, Birken, Buchen, Tannen, Eichen ohne Unterschied, ohne Einschränkung; aber das körperliche, sinnliche Ding, das der Heide verehrt, dieser Baum da, diese steinerne Statue, ist ein einzelnes Ding, ist etwas

Beschränktes und ist nur an diesem Orte, aber nicht an anderen Orten. Der christliche Gott ist daher ein allgemeines, allgegenwärtiges, uneingeschränktes, unendliches Wesen; aber alle diese Eigenschaften kommen auch dem Worte zu. Kurz das Wesen des christlichen, geistigen Gottes als des Wesens, das nicht mit den Sinnen ergriffen wird, das nicht in der Natur oder Kunst, sondern in der heiligen Schrift sein eigentliches Wesen offenbart, stellt uns Nichts dar, als das Wesen des Wortes. Oder anders ausgedrückt: die Unterschiede des christlichen Gottes vom heidnischen reduciren sich nur auf den Unterschied des Wortes von den sinnlichen Materialien, woraus der heidnische Gott besteht. Aus dem christlichen und jüdischen Gott folgt daher, streng genommen, keine Kunst — denn alle Kunst ist sinnlich — höchstens nur die Poesie, als die im Worte nur sich ausspricht, aber nicht Malerei und Bildhauerkunst. Unser Gesetzgeber, sagt der gelehrte Jude Josephus, verbot uns Bilder zu machen, weil er die Kunst Bilder zu machen für Etwas hielt, das weder Gott, noch Menschen Nutzen bringt. Wo aber der Gott des Menschen nicht sinnlich, bildlich dargestellt werden darf und kann, wo die Sinnlichkeit von dem Verehrungswürdigen, dem Göttlichen, dem Höchsten ausgeschlossen ist, da kann auch die Kunst nicht das Höchste erreichen, da kann sie überhaupt nicht gedeihen, wenigstens nur im Widerspruch mit dem religiösen Princip. Aber gleichwohl ist auch der christliche Gott eben so gut ein Product der Einbildungskraft, ein Bild, wie der heidnische, nur ein geistiges, unfaßliches Bild, ein Bild, wie es das Wort ist. Das Wort, der Name ist ein Product der — natürlich mit Verstand und nach dem Eindruck der Sinne wirkenden — Einbildungskraft, das Bild eines Gegenstandes. In der Sprache ahmt der Mensch die Natur nach; der Laut, der Ton, das Geräusch, das ein Gegenstand macht, ist daher das Erste, was der Mensch von der Natur aufgreift, was er zum Kennzeichen oder Merkmal macht, wodurch er sich einen Gegenstand vorstellt, womit er ihn benennt. Doch das gehört nicht hierher. Im Christenthume handelt es so sich nicht um das

Wort, wie es ein Ausdruck, ein Bild des Aeußeren, sondern des Inneren ist.

Da nun also der christliche Gott sich nicht in Bildern von Stein
oder Holz, auch nicht unmittelbar in der Natur, sondern nur im Worte
offenbart und ausspricht, folglich nichts Körperliches, Sinnliches, sondern Geistiges ist, das Wort aber auch ein Bild ist; so folgt, daß auch
der christliche, selbst der rationalistische Gott ein Bild der Einbildungskraft, folglich, wenn Bilderdienst Götzendienst, auch der geistige Gottesdienst der Christen Götzendienst ist. Das Christenthum warf dem
Heidenthum Götzendienst vor; der Protestantismus warf dem Katholicismus, dem alten Christenthum, Götzendienst vor, und der Rationalismus wirft jetzt dem Protestantismus, wenigstens dem alten orthodoxen,
Götzendienst vor, weil er einen Menschen als Gott, ein Bild Gottes
also — denn der Mensch ist ja ein solches — statt des eigentlichen Ori-
ginals, statt des eigentlichen Wesens verehrt habe. Ich aber gehe noch
weiter und sage: auch der Rationalismus, ja jede Religion, jede Reli-
gionsweise, die einen Gott, d. h. ein nicht wirkliches, ein von der wirklichen Natur, dem wirklichen Menschenwesen abgezogenes und unterschiedenes Wesen an die Spitze stellt, zum Gegenstand ihrer Verehrung
macht, ist Bilderdienst und folglich Götzendienst, wenn überhaupt, wie
gesagt, Bilderdienst Götzendienst ist. Denn nicht Gott schuf den Menschen nach seinem Bilde, wie es in der Bibel heißt, sondern der Mensch
schuf, wie ich im Wesen des Christenthums zeigte, Gott nach seinem
Bilde. Und auch der Rationalist, der sogenannte Denk- oder Vernunftgläubige, schafft den Gott, den er verehrt, nach seinem Bilde; das
lebendige Urbild, das Original des rationalistischen Gottes ist der rationalistische Mensch. Jeder Gott ist ein Wesen der Einbildung, ein
Bild, und zwar ein Bild des Menschen, aber ein Bild, das der
Mensch außer sich setzt und als ein selbstständiges Wesen vorstellt (18).
So wenig nämlich der Mensch sich Götter erdichtet, um zu dichten, so
wenig seine Dichtung, seine religiöse Poesie oder Phantasie eine un-

interessirte, uneigennützige ist, so wenig ist sie eine maßlose und unbeschränkte, sondern ihr Gesetz, ihr Maß ist der Mensch. Die Einbildungskraft richtet sich ja nach der wesentlichen Beschaffenheit eines Menschen; der düstere, furchtsame, schreckhafte Mensch bildet sich schreckliche Wesen in seiner Einbildungskraft, schreckliche Götter; der lebensfrohe, heitere Mensch dagegen auch heitere, freundliche Götter. So verschieden die Menschen, so verschieden sind auch die Geschöpfe ihrer Einbildungskraft, ihre Götter; freilich kann man hinterdrein auch umgekehrt sagen, so verschieden die Götter, so verschieden die Menschen.

Einundzwanzigste Vorlesung.

Ehe ich in dem Thema der gestrigen Vorlesung fortfahre, muß ich einem möglichen Mißverständniß vorbeugen, welches ich nur deswegen gestern nicht berührte, um mich nicht im Lauf meiner Entwicklung zu unterbrechen. Ich habe gesagt, daß eben so, wie die Götter, die Gegenstände des heidnischen Glaubens, so auch die Gegenstände des christlichen Glaubens Erzeugnisse der Einbildungskraft seien. Hieraus kann man nun folgern und hat man in der That gefolgert, daß die biblische Geschichte sowohl des Alten und Neuen Testamentes pure Fabel, pure Erdichtung sei. Aber keineswegs ist diese Folgerung gerechtfertigt, denn ich behaupte nur, daß die Gegenstände der Religion so, wie sie ihr Gegenstand sind, Wesen der Einbildungskraft, nicht aber, daß diese Gegenstände an und für sich selbst Einbildungen sind. So wenig aus der Behauptung, daß die Sonne, wie sie die heidnische Religion vorstellt, nämlich als ein persönliches, göttliches Wesen, daß also der Sonnengott ein eingebildetes Wesen ist, folgt, daß die Sonne selbst auch ein eingebildetes Wesen ist, so wenig ist aus der Behauptung, daß der Moses, wie ihn die jüdische Religionsgeschichte, der Jesus, wie ihn die christliche Religion und Religionsgeschichte des Neuen Testamentes darstellt, Wesen der Einbildungskraft sind, zu folgern, daß deswegen Moses

16 *

und Jesus an und für sich selbst keine geschichtlichen Personen gewesen. Denn zwischen einer Person als geschichtlicher und religiöser ist derselbe Unterschied, wie zwischen dem natürlichen Gegenstand **als solchem** und demselben, wie ihn die Religion vorstellt. Die Phantasie erzeugt nichts aus sich, sonst müßten wir an eine Schöpfung aus Nichts glauben, die Phantasie entzündet sich nur an natürlichen und geschichtlichen Stoffen. So wenig der Sauerstoff ohne einen Brennstoff die das Auge entzückende Erscheinung des Feuers erzeugt, [19] so wenig erzeugt die Einbildungskraft ohne einen gegebenen Stoff ihre religiösen und poetischen Gestalten. Aber eine geschichtliche Person, **wie sie** Gegenstand der Religion, ist eben eine nicht mehr geschichtliche, eine von der Einbildungskraft umgeformte Person. Ich läugne also nicht, daß ein Jesus gewesen, eine historische Person also war, der die christliche Religion ihren Ursprung verdankt, ich läugne nicht, daß er gelitten für seine Lehre; aber ich läugne, daß dieser Jesus ein Christus, ein Gott oder Gottessohn, ein von einer Jungfrau geborenes, wunderthätiges Wesen gewesen sei, daß er Kranke durch sein bloßes Wort geheilt, Stürme durch seinen bloßen Befehl beschwichtigt, Todte, die schon der Verwesung nahe waren, erweckt, und selbst von dem Tode auferweckt worden sei, kurz ich läugne, daß er **so** gewesen ist, wie ihn die Bibel uns darstellt; denn in der Bibel ist Jesus kein Gegenstand der schlichten, historischen Erzählung, sondern der Religion, also keine geschichtliche, sondern religiöse Person, d. h. ein in ein Wesen der Einbildung, der Phantasie umgesetztes und umgewandeltes Wesen. Und ein thörichtes oder wenigstens unfruchtbares Bestreben ist es, die geschichtliche Wahrheit von den Zusätzen, Entstellungen und Uebertreibungen der Einbildungskraft scheiden zu wollen. Es fehlen uns hierzu die historischen Mittel. Der Christus, der oder wie er uns in der Bibel überliefert ist — und wir wissen von keinem andern — ist und bleibt ein Wesen, ein Geschöpf der menschlichen Einbildungskraft.'

Die Einbildungskraft, welche die Götter des Menschen schafft, knüpft sich aber zunächst nur an die Natur an; die Erscheinungen der Natur, namentlich die Erscheinungen, von denen der Mensch am meisten sich abhängig fühlt und erkennt, sind es ja auch, die den größten Eindruck auf die Einbildungskraft machen, wie ich schon in den ersten Stunden zeigte. Was ist das Leben ohne Wasser, Feuer, Erde, Sonne, Mond? welchen Eindruck machen aber auch diese Gegenstände auf das theoretische Vermögen, auf die Phantasie! Und zunächst ist das Auge, womit der Mensch die Natur betrachtet, nicht der Versuche und Beobachtungen anstellende Verstand, sondern einzig die Einbildungskraft, die Phantasie, die Poesie. Aber was thut nun die Phantasie? sie bildet Alles nach dem Menschen; sie macht die Natur zu einem Bilde des menschlichen Wesens. „Ueberall, sagt trefflich B. Constant in seiner Schrift über die Religion, wo Bewegung ist, sieht der Wilde auch Leben; der rollende Stein scheint ihm entweder ihn zu fliehen, oder zu verfolgen; der tosende Strom stürzt sich auf ihn; irgend ein erzürnter Geist wohnt in dem schäumenden Wasserfalle; der heulende Wind ist der Ausdruck des Leidens oder der Drohung; der Widerhall des Felsen prophezeit oder giebt Antwort, und wenn der Europäer dem Wilden die Magnetnadel zeigt, so erblickt dieser darin ein seinem Vaterlande entführtes Wesen, das sich begierig und ängstlich nach ersehnten Gegenständen kehrt". Der Mensch vergöttert daher nur dadurch oder deswegen die Natur, daß er sie vermenschlicht, d. h. er vergöttert sich selbst, indem er die Natur vergöttert. Die Natur liefert nur das Material, den Stoff zum Gotte; aber die Form, die diesen rohen Stoff zu einem menschenähnlichen und dadurch göttlichen Wesen umgestaltet, die Seele liefert die Phantasie. Der Unterschied zwischen dem Heidenthum und Christenthum, dem Polytheismus und Monotheismus ist nur der, daß der Polytheist die einzelnen Gestalten und Körper der Natur für sich selbst zu Göttern macht, und eben deswegen das sinnliche, wirkliche, individuelle Wesen des Menschen, freilich unbewußt, zum Muster und Maaßstabe nimmt, wornach seine Phantasie die Natur=

dinge vermenschlicht und vergöttert. So wie der Mensch ein körper= liches Einzelwesen ist, so sind auch die Götter des Polytheisten körperliche, leibhafte Einzelwesen; er hat daher unzählig viele Götter; er hat so viele Götter, als er unterschiedene Wesensgattungen in der Natur bemerkt. Ja! er geht noch weiter: er vergöttert selbst die ein= zelnen Artunterschiede. Freilich knüpft sich auch diese Vergötterung, dieser religiöse Scholasticismus hauptsächlich an die Dinge an, die für den Egoismus des Menschen die größte Wichtigkeit haben; denn eben an solchen Gegenständen bemerkt der Mensch Alles mit Aufmerksamkeit, fixirt er mit seinem Auge die kleinsten Unterschiede und vergöttert sie dann vermittelst seiner Phantasie. Ein köstliches Beispiel hiervon liefern uns die Römer. Diese hatten z. B. für jede Stufe der Entwicklung, welche die den Menschen nützlichsten Gewächse, wie die Getreidearten, von An= fang bis zum Ende durchlaufen, für die Stufe des Keimens, für die des Schossens, für die, wo der Halm den ersten Knoten bildet, kurz für jeden in die Augen fallenden Abschnitt und Unterschied im Wachsthum des Getreides lauter besondere Gottheiten. So hatten sie auch für die Kinder eine Menge Götter — eine Göttin: Natio für die Geburt, eine Göttin: Educa für das Essen, eine Göttin: Potina für das Trinken der Kinder, einen Gott: Vagitanus für die schreienden oder weinenden, eine Göttin: Cunina für die in der Wiege liegenden, eine Göttin: Rumia für die säugenden Kinder.

Der Monotheist geht dagegen nicht von dem wirklichen, sinnlichen Menschen, der ein lebendiges Einzelwesen ist, aus, sondern er geht von Innen nach Außen, er geht vom Geiste des Menschen aus, der durch das Wort sich äußert, durch das bloße Wort Wirkungen hervorbringt, dessen bloßes Wort Macht hat zu schaffen. Der Mensch, der über An= deren steht, als ihr Herr, dem sie gehorchen, gebietet ja über Millionen durch sein bloßes Wort; er braucht nur zu befehlen, so geschieht durch andere ihm unterworfene Diener sein Wille. Der durch das bloße Wort wirkende und schaffende Geist und Wille des Menschen, namentlich des

despotisch oder monarchisch gebietenden Menschen ist also das, wovon
der Monotheist ausgeht, ist das Urbild seiner Phantasie, seiner Einbildungskraft. Der Polytheist vergöttert indirect den menschlichen Geist,
die menschliche Phantasie, denn die Naturdinge werden ihm ja nur
durch seine Phantasie zu Göttern, der Monotheist aber direct, geradezu.
Der monotheistische oder christliche Gott ist daher, was zu beweisen war,
eben so gut ein Product der menschlichen Phantasie, eben so ein Bild
des menschlichen Wesens, als der polytheistische, nur daß das menschliche
Wesen, wornach der Christ sich seinen Gott denkt und schafft, kein greif-
bares, faßbares, in den Schranken einer Statue, eines Bildes darstell-
bares Wesen ist. Vom christlichen und jüdischen Gott läßt sich kein
Bild machen; aber wer kann sich vom Geiste, vom Willen, vom Wort
ein körperliches Bild machen? Der Unterschied zwischen dem Monotheismus und Polytheismus besteht darin ferner, daß der Polytheismus
zum Ausgangspunkt und Fundament die sinnliche Anschauung hat,
welche uns die Welt in der Vielheit ihrer Wesen darstellt, der Monotheismus aber von dem Zusammenhang, von der Einheit der Welt
ausgeht, von der Welt, wie der Mensch sie im Denken und Einbilden
in ein Eins zusammenfaßt. Es ist nur e i n e Welt und folglich nur
e i n Gott, sagt z. B. Ambrosius. Die vielen Götter sind Geschöpfe
der sich unmittelbar an die Sinne anschließenden Einbildungskraft; der
Eine Gott ist ein Geschöpf der von den Sinnen abgezogenen, der mit
dem Abstractionsvermögen verbundenen Einbildungskraft. Je mehr
der Mensch von der Einbildungskraft beherrscht wird, desto sinnlicher
ist sein Gott; auch der Eine Gott; je mehr der Mensch an abgezogene
Begriffe gewöhnt ist, desto unsinnlicher, desto abgezogener, abgefeimter
ist sein Gott. Der Unterschied zwischen dem christlichen Gott, wie er
ein Gegenstand des Rationalisten, des Denkgläubigen, und zwischen
ihm, wie er Gegenstand des Alt- oder Vollgläubigen ist, besteht nur
darin, daß der rationalistische Gott ein abgefeimteres, abgezogeneres,
unsinnlicheres Wesen ist, als der mystische oder rechtgläubige Gott, be-

steht nur darin, daß der Rationalist seine Einbildungskraft durch die Abstractionskraft bestimmt, beherrscht, der Altgläubige aber seine Abstractionskraft oder sein Begriffsvermögen durch die Einbildungskraft überbietet oder beherrscht. Oder mit anderen Worten: der Rationalist bestimmt oder besser beschränkt durch die Vernunft — die Vernunft ist es ja, die wir der gewöhnlichen Sprach= und Denkweise nach als das Vermögen, abgezogene Begriffe zu bilden, bezeichnen und fassen — den Glauben; der Rechtgläubige beherrscht die Vernunft durch den Glauben. Der Gott der Altgläubigen kann Alles und thut wirklich, was der Vernunft widerspricht; er kann Alles, was die unumschränkte Einbildungskraft des Glaubens als möglich vorstellt, — und dieser ist nichts unmöglich —, d. h. der altgläubige Gott verwirklicht, was der Gläubige sich einbildet; er ist nur die verwirklichte, vergegenständlichte unbeschränkte Einbildungskraft des vollgläubigen Menschen. Der rationalistische Gott hingegen kann und thut nichts, was der Vernunft des Rationalisten oder vielmehr der durch die rationalistische Vernunft beschränkten Glaubens= und Einbildungskraft widerspricht. Aber gleichwohl ist der Rationalismus eben so gut Bilder= und Götzendienst — wenn Bilderdienst gleich Götzendienst —; denn eben so gut als der eigentliche sinnliche Götzendiener, welcher ein sinnliches Bild für Gott, für ein wirkliches Wesen hält, hält auch der Rationalist seinen Gott, das Geschöpf seines Glaubens, seiner Einbildungskraft und Vernunft, für ein w i r k l i c h e s, außer dem Menschen existirendes Wesen. Er ist wüthend und fällt in den Fanatismus des alten Glaubens zurück, wenn man ihm das Dasein eines, oder was eins ist, s e i n e s Gottes, — denn jeder hält nur s e i n e n Gott für Gott — abstreitet, wenn man ihm nachweisen will, daß sein Gott nur ein subjectives, d. i. nur eingebildetes, vorgestelltes, gedachtes Wesen ist, daß sein Gott nur ein Bild seines eigenen, rationalistischen, die Einbildungskraft durch die Abstractionskraft, den Glauben durch das Denkvermögen beschränkenden Wesens ist. Doch nun genug einstweilen von dem Unterschied der Rationalisten und der Orthodoxen, den wir später noch bekommen. Eine Zwischenbemerkung muß ich aber erst noch machen. Ich habe, wo ich Heidenthum und Christenthum, Glauben an viele Götter und Glauben an Einen Gott einander gegenüberstellte, nicht unterschieden zwischen dem Gegenstand der heidnischen Religion, wie er ein Naturgegenstand und wie er ein Kunstgegenstand ist; ich habe gleich bedeutend gesagt: Der Gott des Heidenthums ist diese Natur, dieses Bild, dieser Baum. Hierüber also dieses. Ich habe gesagt: die Einbildungskraft macht die Naturkörper, Sonne, Mond und Sterne, Pflanzen, Thiere, Feuer, Wasser, zu menschlichen, persönlichen Wesen, aber je nach den verschiedenen Wirkungen und Eindrücken, die ein Naturgegenstand macht, vermenschlicht, personificirt sie auch dieselben verschiedenartig. Der Himmel z. B. befruchtet die Erde durch den Regen, erleuchtet sie durch die Sonne, belebt sie durch die Wärme derselben. Der Mensch stellte sich daher in seiner Einbildung die Erde als empfangendes, weibliches, den Himmel als befruchtendes, männliches Wesen vor. Die religiöse Kunst hat nun keine andere Aufgabe, als die Naturgegenstände, oder die Ursachen der Naturerscheinungen und Naturwirkungen, wie sie sich der Mensch einbildet, in seiner religiösen Einbildungskraft vorstellt, sinnlich, anschaulich darzustellen, keine andere Aufgabe, als die religiösen Einbildungen zu verwirklichen. Was der Mensch glaubt, innerlich sich vorstellt, innerlich für wirklich hält, will er auch sehen außer sich als etwas Wirkliches. Durch die Kunst, Nota bene die religiöse Kunst, will der Mensch dem Existenz geben, was keine Existenz hat; die religiöse Kunst ist ein Selbstbetrug, eine Selbsttäuschung des Menschen; er will sich durch sie versichern, daß das ist, was nicht ist, gleichwie die gottesgläubigen Philosophen uns durch ihre erkünstelten Beweise vom Dasein eines Gottes weis machen wollen, daß wirklich ein Gott ist, daß wirklich außer uns existirt, was nur in unserm Kopfe ist. Was ist also das, dem die Kunst Existenz geben will? Ist es die Sonne, ist es die Erde, ist es der Himmel, die Luft, als die Ursache von Bliß und Donner? Nein, diese existiren, und was hätte es für ein Interesse für den Menschen, namentlich den religiösen, die Sonne darzustellen, wie sie unseren Sinnen erscheint. Nein! die religiöse Kunst will nicht die Sonne, sondern den Sonnengott, nicht den Himmel, sondern den Himmelsgott darstellen; sie will nur das darstellen, was die Phantasie in den sinnlichen Gegenstand hineinlegt, was folglich nicht sinnlich existirt; sie will nur den Himmel, nur die Sonne, sofern sie als ein persönliches Wesen gedacht wird, nur die Phantasie, nur die Sonne, wie sie kein Sinnen-, sondern ein Phantasiewesen, ein Wesen der Einbildung ist, versinnlichen. Die Hauptsache in der künstlerischen Darstellung eines Gottes ist seine Person, sein von der Phantasie erzeugtes, menschenähnliches Wesen, die Nebensache ist die Natur; der natürliche Gegenstand, obgleich der Gott nur dessen Personification ursprünglich ist, ist nur das Mittel, diesen Gott zu bezeichnen und wird nur als ein Instrument demselben beigesellt. So wird der Himmels- und Donnergott Zeus in der griechischen Religion, ob er gleich ursprünglich, wie in allen Naturreligionen, eins ist mit dem Donner und Bliß, abgebildet in der Hand den königlichen Scepter oder den flammenden Donnerkeil haltend. Das ursprüngliche Wesen des Gottes des Donners, die Natur ist also zu einem bloßen Instrumente der Person herabgesetzt. Aber gleichwohl ist zwischen dem Himmel als Naturwesen und dem Himmelsgott, der in einem Kunstwerk dargestellt wird, diese Gleichheit oder Einheit vorhanden, daß beide sinnliche, körperliche Wesen sind, — der Himmelsgott freilich nur der Einbildung nach — so daß wenigstens vor dem Gott, der kein sinnliches Wesen ist, der Unterschied zwischen dem Kunst- und Naturgegenstand wegfällt, oder es wenigstens nicht nothwendig war, diesen Unterschied hervorzuheben. Doch wieder zurück zu unserem Gegenstande! Ich habe behauptet, daß die Einbildungskraft das wesentliche Organ der Religion ist, daß ein Gott ein eingebildetes, bildliches Wesen, und zwar ein Bild des Menschen ist, daß auch die Naturgegenstände, wenn sie religiös angeschaut werden, menschenähnliche Wesen, eben deßwegen Bilder des Menschen sind, daß auch der geistige Gott der Christen nur ein durch die Einbildungskraft des Menschen erzeugtes, außer den Menschen hinausgesetztes, als ein selbstständiges, wirkliches Wesen vorgestelltes Bild des Menschenwesens ist, daß also die Gegenstände der Religion, natürlich so, wie sie ihr Gegenstand sind, nicht außer der Einbildungskraft existiren. Gegen diese Behauptung haben die Gläubigen, insbesondere die Theologen entsetzlich declamirt und ausgerufen: wie ist's möglich, daß das eine bloße Einbildung sei, was Millionen so viel Trost gewährt hat, dem Millionen selbst ihr Leben aufgeopfert haben? Aber das ist gar kein Beweis für die Wirklichkeit und Wahrheit dieser Gegenstände. Die Heiden haben ihre Götter eben so gut für wirkliche Wesen gehalten, haben ihnen Hekatomben von Stieren, haben ihnen sogar das Leben, sei es nun ihr eigenes, oder das anderer Menschen, aufgeopfert, und doch gestehen jetzt die Christen, daß diese Götter nur selbstgeschaffene, eingebildete Wesen waren. Was die Gegenwart für Wirklichkeit hält, das erkennt die Zukunft für Phantasie, für Einbildung. Es wird eine Zeit kommen, wo es eben so allgemein anerkannt sein wird, daß die Gegenstände der christlichen Religion nur Einbildung waren, als es jetzt allgemein von den Göttern des Heidenthums anerkannt ist. Es ist nur der Egoismus des Menschen, daß er seinen Gott für den wahren, die Götter anderer Völker für eingebildete Wesen hält. Das Wesen der Einbildungskraft, wo ihr kein Gegengewicht die sinnliche Anschauung und Vernunft entgegensetzt, ist eben das, daß sie das als wirklich dem Menschen erscheinen läßt, was sie ihm vorstellt. Welche Macht die Einbildungskraft über den Menschen ausübt, das mögen uns einige Beispiele aus dem Leben der sogenannten wilden Völker veranschaulichen. „Die Wilden in Amerika und Sibirien unternehmen keinen Zug, machen keinen Tausch, schließen keinen Vertrag, wenn sie nicht durch Träume dazu ermuntert sind. Das Kostbarste, was sie haben, was sie unbedenklich mit ihrem Leben vertheidigen würden, geben sie auf Treu und Glau-

ben eines Traumes hin. Die kamtschadalischen Weiber überlaffen
sich demjenigen ohne Widerstand, der sie in seinem Schlafe genoffen zu
haben versichert. Ein Jrokese träumte, daß man ihm einen Arm
abschneide, und er schneidet sich ihn ab; ein anderer, daß er seinen
Freund tödte, und er tödtet ihn". (B. Conftant a. a. O.)
Kann die Macht der Einbildungskraft höher getrieben werden als hier,
wo der geträumte Verluft eines Armes zum Grund und Gesetz des wirk=
lichen Verlustes; die träumerisch eingebildete Tödtung eines Freundes
zum Grund und Gesetz der wirklichen Tödtung gemacht wird, wo man
also einem bloßen Traum seinen Leib, seine Arme, seinen Freund selbst
aufopfert (20). Wie den Wilden noch jetzt, so galt auch den alten Völ=
kern der Traum für ein göttliches Wesen, für eine Offenbarung, eine
Erscheinung Gottes. Selbst die Christen halten zum Theil noch jetzt
die Träume für göttliche Eingebungen. Das aber, worin sich ein Gott
offenbart, worin ein Gott erscheint, ift nichts Andres, als das Wesen
deffelben. Ein Gott daher, der sich im Traume offenbart, ift nichts
Andres, als das Wesen des Traumes. Was ift denn nun aber das
Wesen des Traumes? Die nicht durch die Gesetze der Vernunft und
sinnlichen Anschauung beschränkte, im Zaum gehaltene Einbildungskraft
oder Phantasie. Folgt daraus, daß die Christen sich für ihre Glaubens=
gegenstände verfolgen ließen, ihnen Gut und Blut opferten, die Wahr=
heit und Wirklichkeit derselben? Mit Nichten; so wenig, als daraus,
daß der Jrokese seinem Traume zulieb seinen Arm abhaut, folgt, daß er
diesen Arm wirklich im Traum verloren hat; so wenig überhaupt daraus
die Wahrheit der Träume folgt, daß ihnen der Mensch, der sich von
Träumen beherrschen läßt, die Wahrheit der vernünftigen Sinnenan=
schauung aufopfert. Ich habe übrigens die Träume nur angeführt, als
sinnliche, augenfällige Beispiele von der religiösen Macht der Einbil=
dungskraft über den Menschen. Ich habe aber auch behauptet, daß die
Einbildungskraft der Religion nicht die freie des Künstlers ift, sondern,
daß sie einen practischen, egoistischen Zweck hat, oder daß die Einbil=

bungskraft der Religion in dem Abhängigkeitsgefühl ihre Wurzel hat, daß die religiöse Einbildungskraft sich hauptsächlich an die Gegenstände wendet, die das Abhängigkeitsgefühl im Menschen erregen. Das Abhängigkeitsgefühl des Menschen knüpft sich aber nicht nur an bestimmte Gegenstände an. Wie das Herz stets in Bewegung ist, in Einem fort pocht und klopft, so ruht auch nie im Menschen, namentlich in dem von der Einbildungskraft beherrschten, das Abhängigkeitsgefühl; denn bei jedem Schritte, den er thut, kann ihm ja ein Uebel geschehen, von jedem Gegenstande, er sei auch noch so geringfügig, kann ihm selbst der Tod gebracht werden. Dieses Angstgefühl, diese Unsicherheit, diese den Menschen stets begleitende Furcht vor Uebeln ist die Wurzel der religiösen Einbildungskraft, und da der religiöse Mensch alles Uebel, was ihm begegnet, bösen Wesen oder Geistern zuschreibt, so ist die Gespenster- und Geisterfurcht das Wesen der religiösen Einbildungskraft, wenigstens bei den ungebildeten Menschen und Völkern. Was der Mensch fürchtet, wovor er erschrickt, das verwandelt ja sogleich die Phantasie in ein böses Wesen oder umgekehrt, was ihm die Phantasie als solches vorstellt, das fürchtet er, und sucht es daher durch religiöse Mittel sich geneigt oder unschädlich zu machen. So hat man z. B. bei den Chiquitos in Paraguay, wie es in der „Geschichte von Paraguay von Charlevoir" heißt, „keine deutliche Spur von Religion angetroffen, doch fürchteten sie die Dämonen, die ihnen, wie sie sagten, unter den scheußlichsten Gestalten zu erscheinen pflegten. Den Anfang zu ihren Festen und Gastereien machten sie damit, daß sie die Dämonen anriefen, **sie möchten ihre Freude nicht stören**". Die Otahaiter glauben, daß, wenn Einer mit dem Fuße an einen Stein stößt und es ihn schmerzt, dies ein oder der Eatua, d. h. Gott gethan, so daß man von ihnen, wie es in Cook's dritter und letzter Reise heißt, „buchstäblich sagen kann, daß sie bei ihrem **Religionssystem immer auf bezauberten Boden treten.**" So glauben auch die Ashantis in Afrika, wenn sie des Nachts im Finstern über einen Stein fallen, ein böser Geist habe sich in den

Stein versteckt, um ihnen wehe zu thun. (Ausland. 1849 Mai.) So verwandelt die Phantasie einen Stein, über den der Mensch in seiner Unbesonnenheit stolpert, in einen Geist oder Gott! Aber wie leicht stolpert der Mensch wieder! Bei jedem Schritte kann ihm dieses Malheur begegnen. Stets sieht sich daher der von seinem Gefühl und seiner Einbildungskraft beherrschte Mensch von bösen Geistern umschwebt! So darf bei den nordamerikanischen Indianern Jemand nur Zahn- oder Kopfweh haben, so heißt es gleich: „die Geister sind unzufrieden und wollen versöhnt sein" (Heckewelder: Nachricht von der Geschichte, den Sitten und Gebräuchen der indianischen Völkerschaften). Besonders ausgezeichnet sind durch ihre Geister- und Gespensterfurcht die Völker des nördlichen Asiens, die dem sogenannten Schamanenthum huldigen, einer Religion, die in nichts Anderem besteht, als „in Geisterfurcht, Geisterbann und Geisterbeschwörung"; sie leben in einem fortwährenden Kampf „mit den feindlichen Geistern, die in der Wüste und über die weiten Schneefelder irre umherschweifen". (Stuhr, Religionssystem der heidnischen Völker des Orients.) Aber keineswegs wurzelt das Schamanenthum allein, wie Stuhr eben daselbst sagt, in diesem Glauben an Gespensterwesen, sondern mehr oder weniger die Religion aller Völker. Merkwürdig ist besonders, was von den nordamerikanischen Wilden erzählt wird. „So tapfer, stolz und unabhängig sich fühlend der nordamerikanische Indianer ist, so macht ihn doch seine Furcht vor Zauberei und Hexerei zu einem der furchtsamsten und schüchternsten Geschöpfe", wie sich Heckewelder ausdrückt. „Es ist unglaublich, fährt er fort, welchen Einfluß der Glaube der Indianer an Zauberkraft auf sein Gemüth hat. Sie sind nicht mehr dieselben Menschen in demselben Augenblick, wo ihre Einbildungskraft von dem Gedanken ergriffen wird, daß sie behext sind. Ihre Phantasie ist alsdann beständig thätig, die schrecklichsten und niederschlagendsten Bilder zu schaffen". Die Furcht vor Hexerei ist aber nichts als die Furcht, daß Einem ein Uebel von einem bösen Wesen auf sogenannte übernatürliche, zauberische Weise angethan werden könne. Und dieser Aberglaube, diese Einbildung ist so mächtig bei den Indianern, daß sie oft in Folge „der bloßen Einbildung, es sei ihnen ein Uebel angethan, sie seien behert, wirklich sterben" [21]. Eben so, wie Heckewelder, spricht sich Volney in seinem Gemälde von Nordamerika über die nordamerikanischen Wilden aus: „Die Furcht vor bösen Geistern ist eine ihrer herrschendsten und quälendsten Vorstellungen; ihre unerschrockensten Krieger sind in diesem Punkte den Weibern und Kindern gleich; ein Traum, eine Nachterscheinung im Gehölz, ein widriges Geschrei erschrecken sie." Aber eben so wie bei den genannten Völkern finden wir auch bei den Christen die übertriebensten Vorstellungen und Beschreibungen von den Uebeln und Todesgefahren, welche den Menschen auf allen Wegen und Stegen verfolgen und welche ihre religiöse Phantasie als Wirkungen eines dem Menschen feindlichen, bösen Wesens oder Geistes, des Teufels vorstellt, Wirkungen, welche nur durch die Gegenwirkungen eines guten, dem Menschen wohlwollenden und allmächtigen Gottes aufgehoben werden.

Die Götter sind also allerdings Phantasiegeschöpfe, aber Phantasiegeschöpfe, die mit dem Abhängigkeitsgefühl, mit der menschlichen Noth, mit dem menschlichen Egoismus in innigster Verbindung stehen, Phantasiegeschöpfe, die zugleich Gefühlswesen, Wesen oder Geschöpfe des Affects, insbesondere der Furcht und Hoffnung sind. Der Mensch verlangt von den Göttern, wie ich schon bei dem religiösen Bilderdienst sagte, daß sie ihm helfen, wenn er sie sich als gute Wesen, daß sie ihm nicht schaden, wenigstens nicht in seinen Plänen und Freuden stören, wenn er sie sich als böse Wesen vorstellt. Die Religion ist daher nicht nur eine Sache der Einbildungskraft, der Phantasie, nicht nur eine Sache des Gefühles, sondern auch eine Sache des Begehrungsvermögens, des Bestrebens und Verlangens des Menschen, unangenehme Gefühle zu beseitigen, und angenehme Gefühle sich zu verschaffen, das, was er nicht hat, aber haben möchte, zu erlangen, und das, was er hat, aber nicht haben möchte, wie z. B. dieses Uebel, diesen Mangel, zu verneinen, kurz sie ist eine Sache des Bestrebens des Menschen, von den Uebeln, die er hat oder fürchtet, befreit zu sein und das Gute, das er wünscht, das seine Phantasie ihm vorstellt, zu bekommen, — sie ist eine Sache des sogenannten Glückseligkeitstriebes.

Zweiundzwanzigste Vorlesung.

Der Mensch glaubt Götter nicht nur, weil er Phantasie und Gefühl hat, sondern auch, weil er den Trieb hat, glücklich zu sein. Er glaubt ein seliges Wesen, nicht nur weil er eine Vorstellung der Seligkeit hat, sondern weil er selbst selig sein will; er glaubt ein vollkommenes Wesen, weil er selbst vollkommen zu sein wünscht; er glaubt ein unsterbliches Wesen, weil er selbst nicht zu sterben wünscht. Was er selbst nicht ist, aber zu sein wünscht, das stellt er sich in seinen Göttern als seiend vor; die Götter sind die als wirklich gedachten, die in wirkliche Wesen verwandelten Wünsche des Menschen; ein Gott ist der in der Phantasie befriedigte Glückseligkeitstrieb des Menschen. Hätte der Mensch keine Wünsche, so hätte er trotz Phantasie und Gefühl keine Religion, keine Götter. Und so verschieden die Wünsche, so verschieden sind die Götter, und die Wünsche so verschieden, als es die Menschen selbst sind. Wer zum Gegenstande seiner Wünsche nicht Weisheit und Verständigkeit hat, wer nicht weise und verständig sein will, der hat auch keine Göttin der Weisheit zum Gegenstande seiner Religion. Wir haben bei dieser Gelegenheit wieder in Erinnerung zu bringen, was schon in den ersten Stunden vorgetragen wurde, daß wir, um die Religion zu erfassen, alle einseitigen, beschränkten Erklärungsgründe vermeiden, oder diesen Gründen keine andere Stelle in der Religion einräumen dürfen, als sie wirklich in ihr einnehmen. Inwiefern die Götter Mächte sind,

und zwar ursprünglich Naturmächte, die die menschliche Einbildungskraft in menschenähnliche Wesen umgeformt hat, so wirft sich der Mensch
vor ihnen in den Staub nieder; er fühlt vor ihnen sein Nichtsein; sie
sind Gegenstände des Nichtigkeitsgefühls, der Furcht, Ehrfurcht, An-
staunung, Bewunderung, furchtbare oder herrliche, majestätische Wesen,
die auf den Menschen alle die Eindrücke machen, die überhaupt ein mit
den Zauberkräften der Phantasie ausgestattetes Wesen oder Bild auf den
Menschen macht; insofern sie aber Mächte sind, welche die Wünsche
der Menschen erfüllen, welche dem Menschen geben, was er wünscht und
bedarf, sind sie Gegenstände des menschlichen Egoismus. Kurz die Religion hat wesentlich einen praktischen Zweck und Grund; der Trieb, aus
dem die Religion hervorgeht, ihr letzter Grund ist der Glückseligkeitstrieb, und wenn dieser Trieb etwas Egoistisches ist, also der Egoismus.
Wer dieses verkennt oder läugnet, der ist blind; denn die Religionsgeschichte bestätigt dies auf jedem ihrer Blätter, sie bestätigt es auf den
niedrigsten, wie auf den höchsten Standpunkten der Religion. Man
erinnere sich hierbei nur an die Zeugnisse, die ich in einer früheren Vorlesung aus den christlichen, griechischen und römischen Schriftstellern anführte. Es ist dieser Punkt der praktisch und theoretisch wichtigste; denn
wenn es erwiesen ist, daß der Gott nur dem Glückseligkeitstrieb des
Menschen seine Existenz verdankt, daß aber die Religion nicht diesen
Trieb, außer in der Einbildung, befriedigt, so ist es nothwendige Folge,
daß der Mensch auf andere Weise als religiöse, durch andere Mittel als
religiöse diesen Trieb zu befriedigen sucht. Also noch einige Belegstellen.
Während aber früher meine Aufgabe war, zu beweisen, daß die Selbstliebe der letzte Grund der Religion sei, so ist jetzt bestimmter meine
Aufgabe, zu beweisen, daß die Religion die menschliche Glückseligkeit zu
ihrem Zwecke hat, daß der Mensch die Götter nur deswegen verehrt
und anbetet, damit sie seine Wünsche erfüllen, damit er durch sie glücklich sei. „Bittet, heißt es in der Bibel, so wird euch gegeben; wer da
bittet, der empfähet. Welcher ist unter euch Menschen, so ihn bittet sein

Sohn ums Brot, der ihm einen Stein bietet? So denn ihr, die ihr doch arg seid, könnet dennoch euren Kindern gute Gaben geben, wie viel mehr wird euer Vater im Himmel Gutes geben denen, die ihn bitten." „Wer nun also könnte, sagt Luther in seiner Kirchenpostille, Gott und ihm selbst sein Hertz nehmen, daß er einen solchen Wahn und Muth gegen Gott dürfte tragen und von Hertzen zu ihm sagen: Du bist mein lieber Vater; was sollte er nicht dürfen bitten? und was könnte ihm Gott versagen? sein eigen Hertz wird's ihm sagen, daß ja seyn soll, was er nur bittet." Gott wird also dargestellt als ein die Wünsche erfüllendes, die Bitten erhörendes Wesen. Man betet, damit man Gutes empfange, damit man erlöst werde „aus Gefährlichkeiten, aus Nöthen und allerlei Widerwärtigkeiten." Je größer aber die Noth, die Gefahr, die Furcht, desto mächtiger regt sich auch der Selbsterhaltungstrieb, desto lebhafter ist der Wunsch errettet zu werden, desto brünstiger das Gebet. So wenden sich die Indianer, wie Heckewelder in der schon öfter angeführten Schrift als Augenzeuge erzählt, bei der Annäherung eines Sturmes oder Ungewitters an den Manitto der Luft (d. h. an den Gott der Luft, an die als ein persönliches Wesen vorgestellte Luft), daß er alle Gefahr von ihnen abwende; so beten die Chippewäer an den Seen von Canada zu dem Manitto der Gewässer, daß er dem zu hohen Anschwellen der Wogen wehren wolle, während sie über das Wasser fuhren. So opferten auch die Römer den Stürmen und den Fluthen des Meeres, so oft sie zur See gingen, dem Vulkan, dem Feuergott, wenn sie in Feuersnoth waren oder damit sie nicht in solche kämen. Wenn die Lenapen in den Krieg ziehen, so beten und singen sie nach Heckewelder vorher folgende Strophen: „O ich Armer, der ich ausziehe zu streiten gegen den Feind. Und weiß nicht, ob ich heimkehren werde, mich zu freuen der Umarmungen meiner Kinder und meines Weibes. O armes Geschöpf! dessen Leben nicht in seiner Hand, der über seinen Leib nicht Macht hat, doch aber seine Pflicht zu thun versucht für seines Volkes Wohlfahrt. O du großer Geist dort oben, habe Mitleid mit meinen Kindern und meinem Weibe! Verhüte, daß sie meinetwegen nicht trauern! Laß es mir in diesem Unternehmen gelingen, daß ich meinen Feind erschlagen möge und heimbringe die Siegeszeichen zu meiner theuern Familie und meinen Freunden, daß wir einander uns freuen. Habe Mitleiden mit mir und behüte mein Leben und ich will dir ein Opfer bringen." In diesem rührenden, einfachen Gebete haben wir alle angegebenen Momente der Religion beisammen. Der Mensch hat nicht den Erfolg seines Unternehmens in seiner Hand. Zwischen dem Wunsch und seiner Verwirklichung, zwischen dem Zweck und seiner Ausführung liegt eine Kluft von Schwierigkeiten und Möglichkeiten, die seinen Zweck vereiteln können. Mag mein Schlachtplan noch so vortrefflich sein, allerlei, sowohl natürliche als menschliche Vorfälle, ein Wolkenbruch, ein Beinbruch, zufällig verspätete Ankunft eines Hülfscorps und dergleichen Fälle können meinen Plan vereiteln. Der Mensch füllt daher durch die Phantasie diese Kluft zwischen dem Zweck und seiner Ausführung, zwischen dem Wunsche und der Wirklichkeit mit einem Wesen aus, von dessen Willen er alle diese Umstände abhängig denkt, dessen Gunst er daher nur zu erflehen braucht, um in seiner Vorstellung des glücklichen Ausgangs seines Vorhabens, der Erfüllung seiner Wünsche, versichert zu sein. (²²) Der Mensch hat nicht sein Leben in seiner Hand, wenigstens nicht unbedingt; irgend eine äußere oder innere Ursache, sei es auch nur das Zerreißen eines Aederchens in meinem Kopfe, kann plötzlich mein Leben enden, kann mich wider Wissen und Willen von Weib und Kindern, von Freunden und Verwandten trennen. Aber der Mensch wünscht zu leben; das Leben ist ja der Inbegriff aller Güter! Der Mensch verwandelt daher kraft seines Selbsterhaltungstriebes oder auf Grund seiner Lebensliebe unwillkürlich diesen Wunsch in ein Wesen, das ihn erfüllen kann, in ein Wesen, das Augen hat, wie der Mensch, um seine Thränen zu sehen, und Ohren, wie der Mensch, um seine Klage zu hören; denn die Natur kann diesen Wunsch nicht erfüllen; die Natur, wie sie in Wirklichkeit ist, ist kein persönliches

Wesen, hat kein Herz, ist blind und taub für die Wünsche und Klagen des Menschen. Was kann mir das Meer helfen, wenn ich es mir vorstelle als eine bloße Sammlung von Wassermassen, kurz als das, was es in Wirklichkeit ist, wie uns das Meer Gegenstand ist? Ich kann nur zu dem Meere flehen, daß es mich nicht verschlinge, wenn ich mir es als ein persönliches Wesen vorstelle, von dessen Willen die Bewegung des Meeres abhängt, dessen Willen, dessen Gesinnung ich mir daher durch Opfer und Gaben der Verehrung geneigt machen kann, wenn ich es mir also vorstelle als einen Gott. Es ist daher keineswegs nur die Beschränktheit des Menschen, gemäß welcher er Alles nur nach sich denkt, keineswegs nur die Unwissenheit, seine Unbekanntschaft mit dem, was die Natur ist, keineswegs nur die Einbildungskraft, die Alles verpersönlicht; es ist auch das Gemüth, die Selbstliebe, der menschliche Egoismus oder Glückseligkeitstrieb der Grund, daß er die Wirkungen und Erscheinungen der Natur von wollenden, geistigen, persönlichen, menschlich lebendigen Wesen ableitet, gleichgültig, ob er nun, wie der Glaube an viele Götter, viele persönliche Ursachen, oder, wie der Glaube an Einen Gott, nur eine mit Willen und Bewußtsein wirkende Ursache der Natur annimmt. Denn nur dadurch, daß der Mensch die Natur von einem Gott abhängig macht, macht der Mensch die Natur von sich selbst abhängig, bringt er die Natur in seine Gewalt. „Sühnbar, heißt es in Ovid's Fasten, ist Jupiters Blitz, lenkbar des Grimmigen Zorn." Wenn ein Naturgegenstand, z. B. das Meer ein Gott ist, wenn von dessen Willen die den Menschen so gefährlichen Stürme und Bewegungen des Meeres abhängen, der Wille des Meergottes aber durch die Gebete und Opfer der ihn verehrenden Menschen zu Gunsten derselben bestimmt wird — „Geschenke bezwingen selbst die Götter" —, so hängt ja indirect, d. h. mittelbar die Bewegung des Meeres vom Menschen ab; der Mensch beherrscht durch Gott oder vermittelst Gottes die Natur. So nahm einst eine Vestalin, welche fälschlich der Blutschuld angeklagt war, ein Sieb in die Hand und rief die Vesta mit den

Worten an: Vesta! wenn ich immer mit keuschen Händen Dir
diente, so bewirke, daß ich mit diesem Siebe Wasser aus der Tiber
schöpfe und in Deinen Tempel trage, — und die Natur selbst ge-
horchte, wie sich Valerius Maximus ausdrückt, den kühnen und
unbesonnenen Bitten der Priesterin, d. h. das Wasser lief seiner
Natur zuwider nicht durch das Sieb durch. So steht die Sonne
im Alten Testamente still auf Josua's Gebet oder Gebot. Gebet und
Gebot unterscheidet sich übrigens nicht wesentlich. Ueberwinde
(oder bezwinge, besiege), sagt z. B. der göttliche Tiberfluß zu Aeneas
bei Virgil, mit demüthigen Gebeten den Zorn der Juno,
überwinde, sagt desgleichen Helenus zu ihm, die mächtige Gebieterin
mit demüthigen Gaben. Das Gebet ist nur ein demüthiges Gebot, ein
Gebot aber in der Form der Religion. Die modernen Theologen haben
zwar das Wunder des Sonnenstillstands aus der Bibel ausgemerzt, die
Stelle für eine poetische Redensart oder sonst was, ich weiß es selbst
nicht mehr, erklärt. Aber es giebt noch genug andere eben so starke
Wunder in der Bibel, und es ist daher ganz eins, ob man dieses Wunder
gläubig stehen läßt oder ungläubig wegschafft. Eben so erfolgt auf das
Gebet des Elias Regen. „Das Gebet des Gerechten, heißt es im Neuen
Testament, vermag viel. Elias betete, daß es nicht regnen sollte und es
regnete nicht auf Erden drei Jahre und sechs Monde. Und er betete
abermal und der Himmel gab den Regen". Und der Psalmist sagt:
„Gott thut den Willen derer Gottesfürchtigen". „Gott, sagt Luther
in seiner Auslegung des andern Buchs Mose in Beziehung auf diese
Bibelstelle, Gott machet es, wie Derjenige will, so da gläubet". Und noch heute beten die Christen bei anhaltender Trockne um
Regen, bei anhaltendem Regen um Sonnenschein; sie glauben also,
wenn sie es gleich in der Theorie läugnen, daß der Wille Gottes, von
dem sie Alles abhängig denken, durch das Gebet des Menschen bestimmt
werde, Regen und Sonnenschein zu geben und zwar wider den Naturlauf; denn würden sie glauben, daß Regen und Sonnenschein sich dann erst

.einstellen, wenn es eben die Natur mit sich bringt, so würden sie nicht beten, — das Gebet wäre eine Thorheit — nein! sie glauben, daß durch das Gebet die Natur beherrscht, die Natur den menschlichen Wünschen und Bedürfnissen unterwürfig gemacht werden könne. Eben deswegen gilt dem Menschen, wenigstens dem an die religiösen Vorstellungen gewöhnten, die Lehre, welche die Natur durch sich selbst begreift, welche die Welt oder Natur nicht von dem Willen eines Gottes, eines dem Menschen wohlwollenden, menschenähnlichen Wesens abhängig macht, für eine trostlose und deswegen unwahre Lehre; denn obgleich der Theist in der Theorie die Unwahrheit der Trostlosigkeit voraussetzt, thut, als ob er nur aus Gründen der Vernunft sie verwerfe, so folgt doch in der Praxis, d. h. in der That und Wahrheit die Unwahrheit nur aus der Trostlosigkeit; man verwirft sie deswegen als unwahr, weil sie trostlos, d. h. nicht gemüthlich, nicht so behaglich ist, nicht so dem menschlichen Egoismus schmeichelt, als die entgegengesetzte Lehre, welche die Natur von einem Wesen ableitet, das den Naturlauf nach den Gebeten und Wünschen des Menschen bestimmt. „Die Epikurder, sagt schon der gemüthliche Plutarch in seiner Schrift von der Unmöglichkeit, nach Epikur glücklich zu leben, sind dadurch allein schon bestraft, daß sie die Vorsehung läugnen, indem sie sich dadurch der Wonne berauben, welche der Glaube an eine göttliche Vorsehung einflößt“. „Welche Beruhigung, welche Wonne, sagt Hermogenes bei Plutarch in derselben Schrift, liegt in der Vorstellung, daß die Wesen, die Alles wissen und Alles können, so wohlwollend gegen mich sind, daß wegen der Sorge, die sie für mich tragen, stets ihr Auge über mir wacht, sowohl bei Tag und Nacht, ich mag thun, was ich will, und daß sie mir, um den Ausgang jeder Unternehmung zu offenbaren, allerlei Zeichen geben!“ „Ohne Gott leben, sagt desgleichen ein englischer Theolog, Cudworth, heißt ohne Hoffnung leben. Denn welche Hoffnung oder welches Vertrauen soll der Mensch auf die sinnlose und leblose Natur setzen“? Und führt dabei den Spruch eines griechischen

Dichters, des Linus an: „Alles ist zu hoffen (an Nichts zu verzwei-
feln), denn Alles vollbringt Gott mit Leichtigkeit, Nichts ist ein Hinderniß
für ihn".

Ein Glaube, eine Vorstellung, die aber nur deswegen festgehalten
wird, nur deswegen, wenn auch nicht den Worten, doch der That nach
für wahr gilt, weil sie tröstlich, gemüthlich ist, weil sie dem Egoismus,
der Selbstliebe des Menschen schmeichelt, ist auch nur aus dem Gemüthe,
aus dem Egoismus, aus der Selbstliebe entsprungen. Aus dem Eindruck, den eine Lehre auf den Menschen macht, ist sicher der Schluß auf
den Ursprung derselben. Worauf ein Ding, d. h. hier ein eingebildetes,
vorgestelltes Ding wirkt, daher stammt es auch. Was das Herz, wie
man sagt, kalt läßt, für dasselbe gleichgültig ist, das hat auch in keinem
herzlichen oder egoistischen Interesse des Menschen seinen Grund. Nun
ist es aber eine der Selbstliebe des Menschen zusagende Vorstellung,
daß die Natur nicht mit unabänderlicher Nothwendigkeit wirkt, sondern
daß über der Nothwendigkeit der Natur ein menschenliebendes, menschenähnliches Wesen steht, ein Wesen mit Willen und Verstand, welches die
Natur lenkt und regiert, so wie es dem Menschen zuträglich, welches
den Menschen in seinen besonderen Schutz nimmt, den Menschen vor
den Gefahren schützt, die ihn jeden Augenblick von der rücksichtslos und
blind wirkenden Natur bedrohen. Ich gehe ins Freie hinaus; in demselben Augenblick fällt ein Stein vom Himmel herab; nach der Naturnothwendigkeit fällt er auf meinen Kopf und schlägt mich todt; denn
ich bin gerade in die Richtung des Falls dieses Steines gekommen, und
die Schwere, kraft welcher der Stein herabfällt, hat keinen Respect vor
mir, ich mag noch so vornehm, noch so gescheidt sein. Aber ein Gott
lähmt die Kraft der Schwere, hebt ihre Wirkung auf, um mich zu retten, weil ein Gott mehr Achtung vor dem Leben des Menschen, als
vor den Gesetzen der Natur hat, oder er weiß wenigstens, wenn er kein
Wunder thun will, so gescheidt und klug, so rationalistisch pfiffig die
Umstände zu drehen und zu wenden, daß der Stein, ohne die Natur-

geſetze zu verletzen, vor welchen die Rationaliſten einen gewaltigen Reſpect haben, mir keinen Schaden thut. Wie gemüthlich
iſt es daher, unter dem Obdach des himmliſchen Schutzes einher-
zuwandeln, wie gemüthlos und troſtlos, ſich unmittelbar, wie der
Ungläubige, den impertinenten Meteorſteinen, Hagelſchlägen, Regen-
güſſen und Sonnenſtichen der Natur auszuſetzen! Ich muß aber
ſogleich den Gang der Entwicklung durch die Bemerkung unterbrechen,
daß, wenn gleich dieſe Vorſtellung der göttlichen Vorſehung und andere
religiöſe Vorſtellungen wegen ihrer Gemüthlichkeit und Herzlichkeit,
wegen ihrer der Selbſtliebe des Menſchen zuſagenden Beſchaffenheit
aus der Selbſtliebe, aus dem Herzen entſpringen, ſie doch daraus nur
entſpringen, ſo lange das Herz im Dienſte der Einbildungskraft ſteht
und eben deswegen auch nur in religiöſen Einbildungen ſeinen Troſt
findet. Denn ſo wie der Menſch ſeine Augen öffnet, ſo wie er unge-
blendet durch religiöſe Vorſtellungen die Wirklichkeit anſieht, wie ſie
iſt, ſo empört ſich das Herz gegen die Vorſtellung einer Vorſehung
wegen ihrer Parteilichkeit, mit der ſie den Einen rettet, den Anderen
untergehen läßt, die Einen zum Glück und Reichthum, die Anderen
zum Unglück und Elend beſtimmt, wegen ihrer Grauſamkeit oder Un-
thätigkeit wenigſtens, mit der ſie Millionen von Menſchen den gräß-
lichſten Leiden und Martern unterworfen. Wer kann die Gräuel der
Despotie, die Gräuel der Hierarchie, die Gräuel des religiöſen Glaubens und Aberglaubens, die Gräuel der heidniſchen und chriſtlichen
Criminaljuſtiz, die Gräuel der Natur, wie den ſchwarzen Tod, die
Peſt, die Cholera mit dem Glauben an eine göttliche Vorſehung zuſam-
menreimen? Die gläubigen Theologen und Philoſophen haben zwar
allen ihren Verſtand aufgeboten, um dieſe augenfälligen Widerſprüche
der Wirklichkeit mit der religiöſen Einbildung einer göttlichen Vorſehung auszugleichen; aber es verträgt ſich weit mehr mit einem wahr-
heitliebenden Herzen, weit mehr ſelbſt mit der Ehre Gottes oder eines
Gottes, ſein Daſein geradezu zu läugnen, als durch die ſchändlichen

und albernen Kniffe und Pfiffe, welche die gläubigen Theologen und Philosophen zur Rechtfertigung der göttlichen Vorsehung ausgeheckt haben, sein Dasein kümmerlich zu fristen. Es ist besser, ehrenvoll zu fallen, als ehrlos zu bestehen. Der Atheist läßt aber Gott ehren-voll fallen, der Theist, der Rationalist dagegen ehrlos, à tout prix bestehen!

Dreiundzwanzigste Vorlesung.

Die Religion hat also einen practischen Zweck. Sie will dadurch, daß sie die Naturwirkungen zu Handlungen, die Naturproducte zu Gaben, sei's nun eines oder mehrerer persönlicher, menschenähnlicher Wesen macht, die Natur in die Hand des Menschen bringen, dem Glückseligkeitstrieb des Menschen dienstbar machen. Die Abhängigkeit des Menschen von der Natur ist daher wohl, wie ich im Wesen der Religion sage, der Grund und Anfang der Religion, aber die Freiheit von dieser Abhängigkeit, sowohl im vernünftigen, als unvernünftigen Sinne, ist der Endzweck der Religion. Oder die Gottheit der Natur ist wohl die Grundlage der Religion, aber die Gottheit des Menschen ist der Endzweck der Religion. Was daher der Mensch auf dem Standpunkt der Vernunft durch Bildung, durch Cultur der Natur erreichen will: ein schönes, glückliches, von den Rohheiten und blinden Zufälligkeiten der Natur geschütztes Dasein, das will der Mensch auf dem Standpunkt der Uncultur durch die Religion erreichen. Das Mittel, die Natur den menschlichen Zwecken und Wünschen angenehm zu machen, ist im Anfang der menschlichen Geschichte daher einzig die Religion. Der hilf- und rathlose, der mittellose Mensch weiß sich nicht anders zu helfen, als durch Bitten und mit ihnen verbundene Gaben, Opfer, wodurch er den Gegenstand, vor dem er sich fürchtet, von dem er sich bedroht und abhängig fühlt, sich geneigt zu machen sucht, oder durch

Zauberei, welche aber eine irreligiöse Form der Religion ist; denn die Zauberkraft, d. h. die durch bloße Worte, durch den bloßen Willen die Natur beherrschende Macht, welche der Zauberer sich zuschreibt oder selbst ausübt, versetzt der religiöse Mensch in den Gegenstand außer sich. Uebrigens kann auch Beten und Zaubern verbunden sein, so daß die Gebete nichts Andres sind, als Beschwörungs- und Zauberformeln, wodurch man die Götter auch wider ihren Willen zwingen kann, die Wünsche des Menschen zu erfüllen. Selbst auch bei den frommen Christen hat das Gebet nicht immer den Charakter religiöser Demuth, sondern es tritt auch oft gebieterisch auf. „Wenn wir, sagt z. B. Luther in seiner Auslegung des ersten Buchs Mose, in der Noth und Anfechtung sind, da haben wir nicht sonderliche Acht auf die hohe Majestät (Gottes), sondern sagen stracks: Hilf lieber Gott! Nun hilf Gott! Laß Dich das erbarmen im Himmel. Da machen wir keine lange Vorrede."

Gebet und Opfer sind also Mittel, wodurch der rath- und hülflose Mensch aller Noth abzuhelfen und die Natur zu bezwingen sucht. So beten die Chinesen, wie Sonnerat erzählt, bei einem Seesturm, wo die Gefahr am meisten Thätigkeit und Geschicklichkeit erfordert, den Kompaß an und gehen betend mit demselben zu Grunde; so bitten die Tungusen zur Zeit einer Epidemie andächtig und mit feierlichen Verbeugungen die Krankheit, sie möchte an ihren Hütten vorübergehen; so bringen die schon früher erwähnten Khands, wenn die Blattern ausbrechen, der Gottheit der Blattern das Blut von Ochsen, Schafen und Schweinen dar; und die Einwohner der Insel Amboina, einer ostindischen Insel, oder specieller einer der Gewürzinseln, „bringen bei dem Ausbruch bösartiger Krankheiten allerlei Gaben und Opfer zusammen, packen sie in ein Schiff und stoßen es in das Meer, in der Hoffnung, daß die Seuchen dadurch versöhnt, den ihnen gebrachten Gaben und Opfern folgen, und die Insel Amboina verlassen würden." (Meiners a. a. O.) So wendet sich also der sogenannte Götzendiener sogar statt gegen, an den

Gegenstand, an die Ursache des Uebels mit frommen Gebeten, um ihn zu bezwingen. Das thut nun freilich der Christ nicht; aber er unterscheidet sich darin nicht von dem Polytheisten oder Götzendiener, daß er, statt durch Selbstthätigkeit, durch Cultur, durch eigenen Verstand, durch das Gebet an den allmächtigen Gott die Uebel der Natur beseitigen, die Natur überhaupt sich willfährig machen will. Freilich müssen wir hier sogleich auf den Unterschied zwischen den alten und modernen, oder den ungebildeten und gebildeten Christen aufmerksam machen; denn jene verließen und verlassen sich nur auf die Allmacht des Gebetes oder Gottes; diese aber beten zwar auch noch: behüte uns vor Uebeln, behüte uns vor Feuersgefahr! in der Praxis jedoch verlassen sie sich nicht mehr auf die Kraft des Gebetes, sondern suchen sich durch Feuerassecuranzen und Lebensversicherungsanstalten zu schützen. Freilich muß ich sogleich hinzusetzen, um Mißverständnisse zu beseitigen, daß die Cultur nicht allmächtig ist, wie der religiöse Glaube oder die religiöse Einbildung. So wenig die Natur aus Leber Gold, aus Staub Korn machen kann, wie der Gott, der Gegenstand der Religion, so wenig thut die Cultur, die die Natur nur durch die Natur, d. h. natürliche Mittel bemeistert, Wunder. Aber so viel steht fest, daß unzählige Uebel, die sonst der Mensch durch religiöse Mittel beseitigen wollte, aber nicht beseitigen konnte, die Bildung, die menschliche Thätigkeit durch Anwendung natürlicher Mittel gehoben oder doch gemildert hat. Die Religion ist daher das kindliche Wesen des Menschen. Oder: in der Religion ist der Mensch ein Kind. Das Kind kann nicht durch eigene Kraft, durch Selbstthätigkeit seine Wünsche erfüllen, es wendet sich mit Bitten an die Wesen, von denen es sich abhängig fühlt und weiß, an seine Eltern, um vermittelst derselben zu erhalten, was es wünscht. Die Religion hat ihren Ursprung, ihre wahre Stellung und Bedeutung nur in der Kindheitsperiode der Menschheit, aber die Periode der Kindheit ist auch die Periode der Unwissenheit, Unerfahrenheit, Unbildung oder Uncultur. Die in späteren Zeiten entstandenen Religionen, wie die christliche, die

man als neue bezeichnet, waren keine wesentlich neue Religionen; sie
waren kritische Religionen; sie haben die aus den ältesten Zeiten der
Menschheit stammenden religiösen Vorstellungen nur reformirt, vergei-
stigt, dem fortgeschrittenen Standpunkt der Menschheit angepaßt. Oder
wenn wir auch die späteren Religionen als wesentlich neue fassen, so ist
doch die Periode, wo eine neue Religion entspringt, im Verhältniß zu
der späteren Zeit die Periode der Kindheit. Gehen wir nur auf das
uns Nächste, auf die Zeit zurück, wo der Protestantismus entstanden.
Welche Unwissenheit, welcher Aberglaube, welche Rohheit herrschten
damals! Welche kindische, rohe, pöbelhafte, abergläubische Vorstellungen hatten selbst unsere gotterleuchteten Reformatoren! Aber eben
deswegen hatten sie auch gar nichts Andres im Sinne, als nur eine
religiöse Reformation, ihr ganzes Wesen, namentlich Luther's, war
nur von dem religiösen Interesse in Beschlag genommen. Die Religion
entspringt also nur in der Nacht der Unwissenheit, der Noth, der Mittel-
losigkeit, der Uncultur *), in Zuständen, wo eben deßwegen die Einbildungskraft alle anderen Kräfte beherrscht, wo der Mensch in den über-
spanntesten Vorstellungen, den exaltirtesten Gemüthsbewegungen lebt;
aber sie entspringt zugleich aus dem Bedürfniß des Menschen nach Licht,
nach Bildung oder wenigstens nach den Zwecken der Bildung, sie ist
selbst nichts Andres, als die erste, aber selbst noch rohe, pöbelhafte Bil-
dungsform des Menschenwesens; daher eben jede Epoche, jeder gewich-
tige Abschnitt in der Cultur der Menschheit mit der Religion beginnt.
Alles daher, was später Gegenstand der menschlichen Selbstthätigkeit,
Sache der Bildung wird, war ursprünglich Gegenstand der Religion;
alle Künste, alle Wissenschaften oder vielmehr die ersten Anfänge,
die ersten Elemente derselben, — denn so wie eine Kunst, eine

---

*) Selbst noch heute greifen unsere in allen tiefern menschlichen Angelegenheiten
unwissenden und rohen Regierungen, um dem Elend der Welt zu steuern, zur
Religion, statt zu positiven Hülfs- und Bildungsmitteln.

Wissenschaft sich entwickelt, vervollkommnet, so hört sie auf, Religion zu
sein, — waren anfänglich Sache der Religion und ihrer Vertreter, der
Priester.   So war die Philosophie, die Poesie, die Sternkunde, die
Politik, die Rechtskunde, wenigstens die Entscheidung schwieriger Fälle,
die Ermittelung von Schuld und Unschuld, eben so die Arzneikunde einst
eine religiöse Sache und Angelegenheit.   So hatte z. B. bei den alten
Aegyptern die Arzneikunde „einen religiös astrologischen Charakter.
Wie jeder einzelne Theil des Jahres, so stand auch jeder einzelne Theil
des menschlichen Körpers unter dem Einfluß einer besondern Gestirn=
gottheit . . . . . Ein Rechtsstreit, eine Heilung konnte nicht unternom=
men werden, ohne die Gestirne zu befragen." (E. Röth: Die ägyp=
tische und zoroastrische Glaubenslehre.)   So sind noch heute bei den
Wilden die Zauberer oder Herenmeister, welche mit den Geistern oder
Göttern in Verbindung stehen, welche also die Geistlichen, die Priester
der Wilden sind, die Aerzte.   Auch bei den Christen war sonst die Heil=
kunst oder die Kraft wenigstens zu heilen eine Sache der Religion, des
Glaubens.   In der Bibel haften sogar an den Kleidungsstücken der
Heiligen, der Glaubenshelden, der Gottesmänner Heilkräfte.   Ich er=
innere hier nur an das Kleid Christi, dessen Saum man nur zu berühren
brauchte, um zu genesen, an die Schweißtüchlein und Koller des Apo=
stels Paulus, die man, wie es in der Apostelgeschichte heißt, nur über
die Kranken zu halten brauchte, und die Seuchen wichen von ihnen und
die bösen Geister fuhren aus.   Die religiöse Medicin beschränkt sich je=
doch keineswegs nur auf sogenannte übernatürliche Mittel, auf Beschwö=
rung, Zauberei, Gebet, Glaubens= oder Gotteskraft; sie wendet auch
n a t ü r l i c h e H e i l m i t t e l an.   Aber im Anfange der menschlichen
Bildung haben eben diese natürlichen Heilmittel religiöse Bedeutung.
So hatten die Aegypter, bei welchen, wie wir eben sahen, die Medicin
ein Theil der Religion war, allerdings auch natürliche Heilmittel; —
wie sollte sich denn auch der Mensch nur mit religiösen Mitteln, mit
Gebet und Zauberformeln begnügen können? sein Verstand, sei er auch

noch so unentwickelt, oder noch so sehr durch den Glauben unterdrückt, sagt ihm ja, daß man überall auf Mittel, und zwar dem Gegenstand, dem Zweck entsprechende Mittel sinnen müsse —; aber die „Bücher, in denen die Heilmittel und Heilarten der Aegypter aufgezeichnet waren, wurden zu den heiligen Büchern gerechnet, daher waren alle Neuerungen aufs strengste verboten; ein Arzt, der ein neues Mittel anwandte, und so unglücklich war, seinen Patienten nicht zu retten, ward mit dem Tode bestraft". Wir haben an dieser ägyptischen Heilighaltung der herkömmlichen Arzneimittel ein deutliches Beispiel, wie die ersten Bildungs= oder Culturmittel Sacramente sind. Bei uns Christen sind Wasser, sind Wein und Brot nur Mittel der Sacramente; aber ursprünglich war das Wasser wegen der wohlthätigen Wirkungen und Eigenschaften, die man an ihm entdeckte, und die zur Bildung des Menschen und seiner Wohlfahrt beitrugen, ein Sacrament, d. h. etwas Heiliges, ja Göttliches. Das Waschen und Baden war bei den alten Völkern eine religiöse Pflicht und Angelegenheit. (23). Man machte sich ein Gewissen daraus, die Gewässer zu verunreinigen. Die alten Perser ließen ihr Wasser nie in einen Fluß, spuckten nie hinein. Auch bei den Griechen durfte man nicht mit ungewaschenen Händen durch einen Fluß gehen, noch in die Mündung eines Flusses oder in eine Quelle sein Wasser lassen. Eben so, ja noch heiliger, als das Wasser, waren das Brot und der Wein, weil zu ihrer Entdeckung schon eine größere Bildung erforderlich war, als zur Entdeckung der wohlthätigen Eigenschaften des Wassers, die ja schon die Thiere kennen. Das „heilige Brot" gehörte zu den Mysterien der griechischen Religion. Selbst „noch unter uns, bemerkt richtig Hüllmann in seiner: „Theogonie, Untersuchungen über den Ursprung der Religion des Alterthums" (Berlin 1804), herrscht ein gewisses religiöses Gefühl für Brot und Getreide, das unter anderen den Kornwucher für die gehässigste von allen Arten des Wuchers erklärt, das bei dem gemeinen Manne, sobald derselbe etwas von dieser Frucht umkommen sieht, in den Ausruf über=

geht: das liebe Brot! das liebe Getreide!" Die Erfindung des Brotes, wie des Weines ward einem Gotte zugeschrieben, weil das Brot,
weil der Wein selbst für etwas Göttliches und Heiliges galt. Heißt es
ja doch selbst in der Bibel: „der Wein erfreut des Menschen Herz".
Alles Wohlthätige, alles Nützliche, alles Erfreuliche, alles das menschliche Leben Verschönernde und Veredelnde war aber den Alten, wie wir
eben an dem Beispiel des Brotes und Weines sehen, etwas Göttliches,
Heiliges, Religiöses. Je unwissender die Menschen waren, je entblöß-
ter an Mitteln, sich Genüsse zu verschaffen, sich ein menschenwürdiges
Dasein zu geben, sich gegen die Rohheiten der Natur zu schützen, desto
höhere Verehrung mußten sie gegen die Erfinder solcher Mittel hegen,
desto heiliger das Mittel selbst halten. Daher war den sinnigen Griechen Alles, was den Menschen zum Menschen macht, ein Gott, so z. B.
das häusliche Feuer, weil es die Menschen um den Herd versammelt,
den Menschen dem Menschen nähert, kurz ein für den Menschen wohlthätiges Wesen ist. Aber eben weil der ensch die ersten Heilmittel,
die ersten Elemente der menschlichen Bildung und Glückseligkeit zu Sacramenten machte, so wurde im Laufe der Entwickelung der Menschheit
stets die Religion der Gegensatz der eigentlichen Bildung, der Hemmschuh
der Entwickelung; denn jeder Neuerung, jeder Veränderung in der alten
hergebrachten Weise, jedem Fortschritt setzte sich die Religion feindlich
entgegen.

Das Christenthum kam zu einer Zeit in die Welt, wo Wein und
Brot und andere Culturmittel längst erfunden waren, wo es also nicht
mehr Zeit war, die Erfinder derselben zu vergöttern, wo diese Erfindungen bereits ihre religiöse Bedeutung verloren hatten; das Christenthum
brachte ein anderes Culturmittel in die Welt: die Moral, die Sitten-
lehre, das Christenthum wollte ein Heilmittel geben wider die moralischen, nicht wider die physischen und politischen Uebel, gegen die
Sünde. Bleiben wir bei dem Beispiel vom Weine, um hieran den
Unterschied des Christenthums vom Heidenthume, d. h. dem gemeinen,

volksthümlichen zu erläutern. Wie könnt ihr, sagten die Christen zu
den Heiden, den Wein vergöttern? was ist er für eine Wohlthat? Un=
mäßig genossen, bringt er Tod und Verderben. Er ist nur eine Wohl=
that, wenn er mit Mäßigkeit, mit Weisheit, wenn er moralisch getrun=
ken wird; also hängt die Nützlichkeit und Schädlichkeit eines Dings
nicht von ihm selbst, sondern nur von seinem moralischen Gebrauch ab.
Das Christenthum hatte darin Recht. Aber das Christenthum machte
die Moral zur Religion, d. h. das Sittengesetz zu Gottesgebot; die
Sache der menschlichen Selbstthätigkeit zu einer Sache des Glaubens.
Der Glaube ist ja im Christenthum das Princip, der Grund der Sit=
tenlehre; „aus dem Glauben kommen die guten Werke,"
heißt es. Das Christenthum hat keinen Weingott, keine Brot= oder
Getreidegöttin, keine Ceres, keinen Poseidon oder Gott des Meeres und
der Schifffahrt; es kennt keinen Gott der Schmiede= oder Feuerkunst,
wie den Vulkan; aber es hat doch noch einen Gott im Allgemeinen;
oder vielmehr einen moralischen Gott, einen Gott der Kunst mora=
lisch und selig zu werden. Und mit diesem Gotte setzen sich die Christen
noch heute aller radicalen, aller gründlichen Bildung entgegen, denn der
Christ kann sich keine Moral, kein sittliches oder menschliches Leben den=
ken ohne Gott; er leitet daher die Moral von Gott ab, wie der heid=
nische Dichter die Gesetze und Arten der Dichtkunst von den Göttern und
Göttinnen der Dichtkunst, der heidnische Schmied und Feuerkünstler die
Kunstgriffe seines Handwerks von dem Gotte Vulkan ableitete. Aber wie
sich jetzt die Schmiede und Feuerkünstler überhaupt, ohne einen besondern
Gott zu ihrem Schutzpatron zu haben, auf ihr Handwerk verstehen, so
werden auch einst die Menschen sich auf die Kunst verstehen, ohne einen
Gott moralisch und selig zu werden. Ja erst dann werden sie wahrhaft
moralisch und selig werden, wenn sie keinen Gott mehr haben, keine
Religion mehr bedürfen; denn nur so lange eine Kunst noch unvollkom=
men, noch in den Windeln liegt, bedarf sie des religiösen Schutzes; denn
eben durch die Religion füllt der Mensch die Mängel seiner Bildung

aus; nur aus Mangel an universeller Bildung und Anschauung macht er, wie der ägyptische Priester seine beschränkten Arzneimittel, seine moralischen Heilmittel zu Sacramenten, seine beschränkten Vorstellungen zu heiligen Dogmen, die Eingebungen seines eignen Geistes und Gemüthes zu Geboten und Offenbarungen Gottes. Kurz Religion und Bildung widersprechen sich, obgleich man allerdings die Bildung, insofern als die Religion die erste, älteste Culturform ist, die w a h r e, die v o l l e n d e t e R e l i g i o n nennen kann, so daß nur der w a h r h a f t G e b i l d e t e der w a h r h a f t R e l i g i ö s e ist. Indeß ist dies doch ein Mißbrauch der Worte, denn mit dem Worte: Religion verknüpfen sich immer abergläubische und inhumane Vorstellungen; die Religion hat wesentlich der Bildung widerstrebende Elemente in sich; indem sie die Vorstellungen, Gebräuche, Erfindungen, die der Mensch in seiner Kindheit machte, auch dem Menschen in seinem Mannesalter noch zu Gesetzen machen will. Wo ein Gott dem Menschen sagen muß, daß er Etwas thue, wie er den Israeliten befahl, daß sie ihrer natürlichen Nothdurft sich an einem besonderen Orte, an einem Abtritte entledigen sollten, da befindet sich der Mensch auf dem Standpunkt der Religion, aber zugleich auch der tiefsten Rohheit; wo aber der Mensch Etwas aus sich selbst thut, weil es ihm seine eigene Natur, seine eigene Vernunft und Neigung sagt, da hebt sich die Nothwendigkeit der Religion auf, da tritt an ihre Stelle die Bildung. Und sowie es uns jetzt lächerlich und unbegreiflich ist, wie ein Gebot des natürlichen Anstandes einst ein religiöses war, so wird es einst den Menschen, wenn sie aus dem Zustande unserer Scheincultur, aus dem Zeitalter der religiösen Barbarei heraus sein werden, unbegreiflich vorkommen, daß sie die Gebote der Moral und Menschenliebe, um sie auszuüben, als Gebote eines Gottes denken mußten, der sie für das Halten derselben belohnt, für das Nichthalten derselben bestraft.

> „Wer, sagt Luther, auf gut säuisch leben will,
> Wie Epicurus steckt das Ziel,

> Der halt von Gott und Menschen nichts,
>> Glaubs sey kein Gott ders sicht und richt,
> Glaub, daß kein Leb'n nach diesem sey,
>> Obgleich dein Hertz dawider schrey,
> Denk, bist gebohren dir allein,
>> Was du siehst, g'hör in Kragen dein,
> Sauff, friß, spey, scheiß, biß voll und toll,
>> Gleichwie ein Sau, pfleg dein nur wohl."

Wir haben hier ein eclatantes Beispiel, wie die Cultur des rohen Men=
schen die Religion ist, wie aber diese Cultur, die Religion, selbst noch
Rohheit, Barbarei ist. Der religiöse Mensch wird vom Fressen und
Saufen abgehalten, nicht weil er eine Abneigung dagegen hat, nicht
weil er etwas dem Menschenwesen Widersprechendes, Häßliches, Thie=
risches darin findet, sondern aus Furcht vor den Strafen, die ein himm=
lischer Richter, sei's nun in diesem oder jenem Leben, darauf gesetzt hat
oder aus Liebe zu seinem Herrn, kurz aus religiösen Gründen. Die
Religion ist der Grund, daß er kein Thier, die Scheidewand zwischen
der Humanität und Bestialität; d. h. in sich selbst hat er die Bestia=
lität, außer und über sich die Humanität. Der Grund seiner Mensch=
lichkeit, seines nicht Saufens, nicht Fressens ist ja nur Gott, ein Wesen
außer ihm, ein Wesen, das er als ein von sich unterschiedenes, außer
ihm existirendes Wesen wenigstens vorstellt; wenn kein Gott ist — das
ist der Sinn der angeführten Worte Luther's — so bin ich eine Bestie,
d. h. eben der Grund und das Wesen meiner Humanität liegt außer
mir. Wo aber der Mensch den Grund seiner Humanität außer sich hat
in einem, wenigstens seiner Vorstellung nach, nicht menschlichen Wesen,
wo er also aus nicht menschlichen, aus religiösen Gründen menschlich
ist, da ist er eben auch noch kein wahrhaft menschliches, humanes We=
sen. Ich bin nur dann Mensch, wenn ich aus mir selbst das Mensch=
liche thue, wenn ich die Humanität als die nothwendige Bestimmung
meiner Natur, als die nothwendige Folge meines eigenen Wesens er=
kenne und ausübe. Die Religion hebt nur die Erscheinungen des Uebels,
aber nicht die Ursachen desselben auf; sie verhindert nur die Ausbrüche

der Rohheit und Bestialität, aber sie hebt nicht ihre Gründe auf, sie kurirt nicht radical. Nur wo die Handlungen der Menschlichkeit aus in der Natur des Menschen liegenden Gründen abgeleitet werden, ist eine Harmonie zwischen Princip und Consequenz, Grund und Folge; ist Vollkommenheit. Dies thut oder bezweckt aber die Bildung. Die Religion soll die Bildung ersetzen, ersetzt sie aber nicht; die Bildung aber ersetzt wirklich die Religion, macht sie überflüssig. „Wer Wissenschaft hat, sagt schon Goethe, braucht die Religion nicht." Ich setze statt des Wortes: Wissenschaft Bildung, weil Bildung den ganzen Menschen umfaßt, wenn gleich auch dieses Wort beanstandet werden kann, wenn man wenigstens an das denkt, was man jetzt gewöhnlich unter Bildung versteht. Doch welches Wort ist makellos? Nicht die Menschen religiös zu machen, sondern zu bilden, Bildung durch alle Klassen und Stände zu verbreiten, das ist daher jetzt die Aufgabe der Zeit. Mit der Religion vertragen sich, wie die Geschichte bis auf unsere Tage beweist, die größten Gräuel, aber nicht mit der Bildung. Mit jeder Religion, die auf theologischen Grundlagen beruht, und nur mit der Religion in diesem Sinne haben wir es immer zu thun, ist Aberglaube verbunden; aber der Aberglaube ist jeder Grausamkeit und Unmenschlichkeit fähig. Man kann sich hier nicht mit dem Unterschiede von falscher und wahrer Religion oder Religiosität helfen. Die wahre Religion, von welcher man alles Schlechte und Gräuelhafte wegläßt, ist nichts, als die durch Bildung, durch Vernunft beschränkte und erleuchtete Religion. Und wenn daher Menschen, welche sich zu dieser Religion bekennen, die Menschen=opfer, die Ketzerverfolgungen, die Hexenverbrennungen, die Todesstrafen „armer Sünder" und dergleichen Gräuelthaten theoretisch und praktisch, mit Worten und mit der That verwerfen, so kommt das nicht auf Rech=nung der Religion, sondern auf Rechnung ihrer Bildung, ihrer Ver=nunft, ihrer Gutmüthigkeit und Menschlichkeit, die sie nun natürlich auch in die Religion hineintragen.

Gegen die bisherige Entwickelung, daß die Religion nur in den älteſten Zeiten der Menſchheit, überhaupt nur in den Zeiten der Rohheit und Unbildung ihren Urſprung nehme und daher nur in ſolchen Zeiten in voller Friſche und Lebenskraft daſtehe, daß Religion und Bildung Gegenſätze ſeien, kann man anführen, daß ja gerade oft die gebildetſten, die gelehrteſten, die weiſeſten Menſchen im höchſten Grade religiös waren. Allein dieſe Erſcheinungen erklären ſich — abgeſehen von den andern Gründen, die in meiner ganzen bisherigen Entwickelung enthalten ſind, denn hier handelt es ſich nur um den Gegenſatz der Religion und Bildung, ein Gegenſatz, den Niemand läugnen kann und wird, denn man kann Religion ohne Bildung und Bildung ohne Religion haben — erklären ſich, ſage ich, daraus, daß überhaupt oft im Menſchen ſich die größten, unvereinbarſten Widerſprüche vorfinden. Die Geſchichte der Menſchheit, namentlich aber eben die Religionsgeſchichte liefert hiervon die merkwürdigſten Beiſpiele, und nicht nur an Einzelnen, ſondern ſelbſt an ganzen Nationen. Die gebildetſten Völker des Alterthums, deren Schriften noch heute die Grundlage der gelehrten Bildung ausmachen, die kunſtſinnigen, geiſtreichen Griechen, und die praktiſchen, thatkräftigen Römer, welchem lächerlichen, unſinnigen religiöſen Aberglauben huldigten ſie nicht und ſelbſt in ihren beſten Zeiten! Der römiſche Staat ſelbſt beruhte eigentlich nur auf der Weiſſagerei*) aus der Beſchaffenheit der Opferthiere, aus den Blitzen und andern gewöhnlichen und ungewöhnlichen Naturerſcheinungen, aus dem Geſang, Flug und Fraß der Vögel, denn die Römer unternahmen nichts Wichtiges, z. B. keinen Krieg, wenn ihre heiligen Hühnchen keinen Appetit hatten. In vielen ihrer religiöſen Gebräuche und Vorſtellungen unterſcheiden ſich die Griechen und Römer nicht von den rohſten, ungebildetſten Völkern. Man kann daher in einer gewiſſen Sphäre ein gebildeter und geſcheidter

---

*) D. h. auf religiöſem Lug und Trug, worauf übrigens auch jetzt noch der chriſtliche Thron und Altar beruht. Iſt es nicht z. B. ein offenbarer Betrug, wenn man jetzt noch nach den Reſultaten der ſelbſt von Theologen angeſtellten Unterſuchungen über die Bibel, dieſelbe bei dem Volke für das Wort Gottes ausgiebt?

Mann fein, und doch auf dem Gebiete der Religion dem thörichtſten Aberglauben unterworfen fein.

Wir finden dieſen Widerſpruch beſonders im Beginne der neueren Zeit. Die Reformatoren der Philoſophie und Wiſſenſchaften überhaupt waren Freigeiſter und Abergläubige zugleich; ſie lebten in dem unſeligen Zwieſpalt zwiſchen Staat und Kirche, Weltlichem und Geiſtlichem, Menſchlichem und Göttlichem. Das ſogenannte Weltliche unterwarfen ſie ihrer Kritik; in kirchlichen und religiöſen Dingen aber waren ſie ſo gläubig, wie die Kinder und Weiber, unterwarfen ſie demüthig ihre Vernunft den unſinnigſten, phantaſtiſchſten Vorſtellungen und Glaubens= artikeln. Der Grund dieſer widerwärtigen Erſcheinung iſt leicht zu er= klären. Die Religion heiligt ihre Vorſtellungen und Gebräuche, macht von ihnen das Heil der Menſchen abhängig; bringt ſie dem Menſchen als Gewiſſensſache auf. So vererben ſie ſich unverändert und unangeta= ſtet von Geſchlecht zu Geſchlecht fort. So waren in dem religiöſen Aegypten, wie Plato in ſeinen Geſetzen bemerkt, die Kunſtwerke ſeiner Zeit und die ſchon vor Jahrtauſenden gefertigten vollkommen gleich, weil jede Neuerung verpönt war, und in Oſtindien darf noch heute nach Paullinus a S. Bartholomäo (Brahmanenſyſtem, 1791) kein Maler und Bildhauer ein religiöſes Bild verfertigen, wenn es nicht mit den uralten Bildern in den Tempeln übereinſtimmt. Während daher in allen andern Stücken der Menſch fortgeſchritten iſt, bleibt er in der Re= ligion ſtockblind und ſtockdumm auf dem alten Flecke ſtehen. Die reli= giöſen Einrichtungen, Gebräuche und Glaubensartikel beſtehen noch als heilig fort, wenn ſie gleich mit der fortgeſchrittenen Vernunft und dem veredelten Gefühle des Menſchen im ſchreiendſten Widerſpruche ſtehen, wenn ſelbſt längſt der urſprüngliche Grund und Sinn dieſer Einrich= tungen und Vorſtellungen gar nicht mehr bekannt iſt. Auch wir leben noch in dieſem widerwärtigen Widerſpruch zwiſchen Religion und Bil= dung; auch unſere religiöſen Lehren und Gebräuche ſtehen im größten Gegenſatze zu unſerem gegenwärtigen geiſtigen und materiellen Stand=

punkt; aber biesen häßlichen und grundverderblichen Widerspruch aufzu=
heben, das ist eben unsere Aufgabe jetzt. Die Aufhebung dieses Wider=
spruchs ist die unerläßliche Bedingung der Wiedergeburt der Menschheit,
die einzige Bedingung einer, so zu sagen, neuen Menschheit und neuen
Zeit. Ohne sie sind alle politischen und socialen Reformen eitel und
nichtig. Eine neue Zeit bedarf auch einer neuen Anschauung und Ueber=
zeugung von den ersten Elementen und Gründen der menschlichen
Existenz, wenn wir das Wort Religion beibehalten wollen, — einer
neuen Religion!

Vierundzwanzigste Vorlesung.

Die Erscheinung, daß Verstand wenigstens in gewissen Lebens-
sphären sich mit dem unverständigsten Aberglauben, politische Freiheit
mit religiösem Knechtsinn, naturwissenschaftliche, industrielle Fortschritte
mit dem religiösen Stillstande, selbst mit der Bigotterie vertragen, hat
Manche auf die oberflächliche Ansicht und Behauptung gebracht, daß die
Religion für das Leben, namentlich das öffentliche, politische Leben ganz
gleichgültig sei; das Einzige, was man in dieser Beziehung erstreben
müsse, sei unbedingte Freiheit zu glauben, was man wolle. Ich erwidere
aber dagegen, daß solche Zustände, wo politische Freiheit mit religiöser
Befangenheit und Beschränktheit verbunden ist, keine wahren sind. Ich
für meinen Theil gebe keinen Pfifferling für politische Freiheit, wenn
ich ein Sclave meiner religiösen Einbildungen und Vorurtheile bin.
Die wahre Freiheit ist nur da, wo der Mensch auch religiös frei ist;
die wahre Bildung nur da, wo der Mensch seiner religiösen Vorurtheile
und Einbildungen Herr geworden ist. Das Ziel des Staats kann aber
kein anderes sein, als wahre, vollkommene Menschen — vollkommen
freilich nicht im Sinne der Phantastik — zu bilden; ein Staat daher,
dessen Bürger bei freien politischen Instituten religiös unfrei sind, kann
daher kein wahrhaft menschlicher und freier Staat sein. Der Staat
macht nicht die Menschen, sondern die Menschen machen den Staat.
Wie die Menschen, so der Staat. Wo einmal ein Staat besteht, da

werben freilich die Einzelnen, die durch Geburt oder Einwanderung Glieder desselben werden, durch den Staat bestimmt; aber was ist der Staat im Verhältniß zu den Einzelnen, die in ihn kommen, anders, als die Summe und Verbindung der bereits existirenden, diesen Staat bildenden Menschen, die kraft der ihnen zu Gebote stehenden Mittel, kraft der von ihnen geschaffenen Einrichtungen die Zu- und Nachkommenden nach ihrem Geist und Willen bestimmen? Wo daher die Menschen politisch frei, religiös unfrei sind, da ist auch der Staat kein vollkommener oder noch nicht vollendeter. Was aber den zweiten Punkt betrifft, die Glaubens- und Gewissensfreiheit, so ist's allerdings die erste Bedingung eines freien Staates, daß „Jeder nach seiner Façon selig werden", Jeder glauben kann, was er will. Aber diese Freiheit ist eine sehr untergeordnete und inhaltslose; denn sie ist nichts Andres, als die Freiheit oder das Recht, daß Jeder auf eigene Faust ein Narr sein kann. Der Staat in unserem bisherigen Sinne kann allerdings nichts weiter thun, als sich aller Eingriffe in das Gebiet des Glaubens zu enthalten, als unbedingte Freiheit in dieser Beziehung zu geben. Aber die Aufgabe des Menschen im Staate ist, nicht nur zu glauben, was er will, sondern zu glauben, was vernünftig ist; überhaupt nicht nur zu glauben, sondern auch zu wissen, was er wissen kann und wissen muß, wenn er ein freier und gebildeter Mensch sein will. Nicht kann man sich hier mit der Schranke des menschlichen Wissens helfen. Im Gebiete der Natur giebt es allerdings noch genug Unbegreifliches; aber die Geheimnisse der Religion, die aus dem Menschen entspringen, kann auch der Mensch bis auf den letzten Grund erkennen. Und eben, weil er es kann, soll er es auch. Endlich ist eine durchaus oberflächliche, von der Geschichte, selbst von dem gewöhnlichen Leben tagtäglich widerlegte Ansicht, daß die Religion keinen Einfluß auf das öffentliche Leben habe. Diese Ansicht stammt daher nur aus unserer Zeit, wo der religiöse Glaube nur noch eine Chimäre ist. Wo ein Glaube freilich keine Wahrheit im Menschen mehr ist, da hat er auch keine practischen Folgen, da bringt er keine weltgeschichtlichen Thaten mehr hervor. Aber wo das der Fall, wo der Glaube nur eine Lüge noch ist; da befindet sich der Mensch im häßlichsten Widerspruch mit sich, da hat der Glaube daher wenigstens moralisch verderbliche Folgen. Eine solche Lüge ist aber der moderne Gottesglaube. Nur die Aufhebung dieser Lüge ist daher die Bedingung einer neuen, thatkräftigen Menschheit.

Die eben erwähnte Erscheinung, daß Religiosität im gewöhnlichen Sinne des Worts oft mit den entgegengesetztesten Eigenschaften verbunden ist, hat Viele zu der Hypothese oder Annahme geführt, daß es ein besonderes Organ der Religion oder ein ganz specifisches, besonderes, religiöses Gefühl gebe. Allein mit größerem Rechte könnte man ein besonderes Organ des Aberglaubens annehmen. In der That heißt der Satz: die Religion, d. h. der Glaube an Götter, an Geister, an sogenannte höhere, unsichtbare Wesen, welche über den Menschen herrschen, ist dem Menschen eingeboren, wie irgend ein anderer Sinn, dieser Satz heißt in vernünftiges und ehrliches Deutsch übersetzt: der Aberglaube ist dem Menschen eingeboren, wie schon Spinoza behauptete. Die Quelle und Stärke des Aberglaubens ist aber die Macht der Unwissenheit und Dummheit, welche die größte Macht auf Erden ist, die Macht der Furcht oder des Abhängigkeitsgefühles und endlich die Macht der Einbildungskraft, welche aus jedem Uebel, dessen Ursache der Mensch nicht kennt, aus jeder Erscheinung, sei es auch nur eine flüchtige Lufterscheinung, eine Gasart, die den Menschen erschreckt, weil er nicht weiß, was es ist, ein böses Wesen, Geist oder Gott macht, aus jedem Glücksfall, aus jedem Fund, jedem Gut, das ihm der Zufall zuführt, ein gutes Wesen, einen guten Geist oder Gott, oder wenigstens das Werk eines solchen macht. So glaubten z. B. die Caraiben, daß es ein böser Geist sei, der durch das Schießgewehr wirke, daß ein böser Geist bei einer Mondsfinsterniß den Mond verschlinge, daß der böse Geist selbst da gegenwärtig sei, wo sie einen üblen Geruch bemerkten. Im entgegengesetzten Sinne heißt es aber bei Homer, wenn Einem der Zufall irgend etwas Erwünschtes plötzlich in die Hand spielt, ein Gott habe es gebracht. Der Glaube an Teufel ist daher dem Menschen eben so eingeboren oder natürlich, als der Glaube an Gott, so daß, wenn man ein besonderes Gottesgefühl oder Gottesorgan annimmt, man auch ein besonderes Teufelsgefühl oder Teufelsorgan im Menschen annehmen muß. Bis auf die neueste Zeit war auch in der That beider Glaube unzertrennlich; noch im vorigen Jahrhundert war einer, der das D a s e i n d e s T e u = f e l s läugnete, eben so gut ein G o t t l o s e r, als der das Dasein eines guten oder eigentlich sogenannten Gottes läugnete. Noch im vorigen Jahrhundert vertheidigten die Gelehrten den Teufelsglauben mit dem= selben Aufwand von Scharfsinn, mit welchem die heutigen Gelehrten den Gottesglauben vertheidigen. Noch im vorigen Jahrhundert bezeich= neten die Gelehrten, selbst die protestantischen, mit derselben Dünkelhaf= tigkeit die Teufelsläugnung als einen Unsinn, mit welcher sie jetzt den Atheismus als Unsinn bezeichnen. Ich verweise deshalb auf die in den Anmerkungen zu meinem P. Bayle enthaltenen Beweisstellen aus Walch's philosophischem Lexikon. Nur die Halbheit und Charakterlo= sigkeit des modernen Rationalismus hat den einen Theil des religiösen Glaubens behalten, den andern fallen lassen, hat dieses Band zwischen dem Glauben an gute und böse Geister oder Götter zerrissen. Wenn man daher die Religion, d. h. den Gottesglauben deswegen in Schutz nimmt, weil er menschlich sei, weil fast alle Menschen an ihn glaubten, weil es nothwendig für den Menschen sei, sich eine „f r e i e“, d. h. menschliche Ursache der Natur zu denken, so muß man auch so consequent, so ehrlich sein und aus demselben Grunde den Glauben an Teufel und Heren, kurz den Aberglauben, die Unwissenheit und Dummheit des Menschen in Schutz nehmen; denn nichts ist menschlicher, nichts allge= mein verbreiteter, als die Dummheit, nichts natürlicher, nichts mehr dem Menschen angeboren, als die Unwissenheit, die Ignoranz. Die negative theoretische Ursache oder Bedingung wenigstens aller Götter ist ja die Unwissenheit des Menschen, seine Unfähigkeit, sich in die Natur hineinzudenken; und je unwissender, je beschränkter, je roher der Mensch ist, desto mehr denkt er von sich in die Natur hinein, desto weniger kann er von sich abstrahiren. So glaubten die Peruaner, wenn sie eine Sonnenfinsterniß sahen, daß die Sonne wegen eines von ihnen begangenen Fehlers bös auf sie sei. Sie glaubten also, daß die Sonnenfinsterniß nur die Folge einer freien Ursache, d. h. eines Unwillens, einer üblen Laune sei. Wenn sich aber der Mond verfinsterte, so hielten sie ihn für krank und besorgten, er möge sterben, alsdann vom Himmel fallen, sie alle erschlagen und das Ende der Welt verursachen. Wenn er aber wieder sein Licht bekam, so freuten sie sich darüber als ein Zeichen seiner Wiedergenesung. So trägt der Mensch auf dem Standpunkte der Religion, auf dem Standpunkt, worin der Gottesglaube wurzelt, seine Krankheiten selbst auf die himmlischen Körper über! Die Indianer am Orinoko halten sogar Sonne, Mond und Sterne für lebendige Geschöpfe. „Einer sagte einstmals zu Salvator Gilii: diese da oben sind Menschen, wie wir". Die Patagonier glauben, daß die Sterne ehemalige Indianer gewesen, und daß die Milchstraße ein Feld sei, wo sie auf der Straußenjagd sind; die Grönländer glauben desgleichen, daß Sonne, Mond und Sterne ihre Vorfahren gewesen, die bei einer besonderen Gelegenheit in den Himmel versetzt worden; eben so glaubten andere Völker, daß die Sterne die Wohnungen oder selbst die Seelen der großen Todten seien, die wegen ihrer Verdienste in den Himmel versetzt worden, also dort ewig leuchteten und glänzten. So glaubten, wie Sueton erzählt, die Römer, als nach Cäsar's Tod sich ein Komet am Himmel zeigte, daß dieser Stern die anima, die Seele des Cäsar sei. Kann der Mensch die Anmaßung seiner Unwissenheit, die Vermenschlichung der Natur, die Unterwerfung derselben unter eine freie Ursache, d. h. unter die menschliche Einbildungskraft und Willkür weiter treiben, als wenn er in den Sternen seine Collegen oder Ahnen oder die Ordenssterne erblickt, womit die Menschen nach dem Tode wegen ihrer Verdienste decorirt werden? Die modernen Gottesgläubigen lächeln über solche Vorstel=

lungen, aber sie sehen nicht ein, daß ihr Gottesglaube auf demselben
Standpunkt, demselben Grunde beruht, auf welchem diese Vorstellungen, nur daß sie nicht den Menschen mit Haut und Haaren, nicht, wie
ich schon entwickelte beim Unterschiede von Polytheismus und Monotheismus, das Individuum, das körperliche Einzelwesen, sondern das
vermittelst des Absonderungsvermögens vom Individuum, vom Leibe
abgezogene Wesen des Menschen zum Grunde der Natur machen, hinter
ihr spuken laffen. Es ist aber im Grunde ganz eins, ob ich, wie die
Patagonier, die Erscheinungen des Himmels von Gemüthsstimmungen
und Willensbestimmungen, den Schein der Sonne von ihrer Gutmüthigkeit und Freundlichkeit, ihre Verfinsterung von ihrer Bosheit, ihrer
Ungnade gegen den Menschen ableite, oder wie der Christ, der Gottesgläubige die Natur überhaupt von einer freien Ursache oder dem Willen
eines persönlichen Wesens, denn nur ein persönliches Wesen hat Willen,
ableite. Wo der Gottesglaube noch ein wahrer, wo er daher ein con-
sequenter, ein strenger, zusammenhängender Glaube ist, kein lüderlicher,
zerrissener Glaube, wie der moderne Gottesglaube, da ist Alles willkürlich, da giebt es keine physikalischen Gesetze, keine Naturmacht, da
werden die den Menschen in Furcht versetzenden, die schrecklichen, Unglück
verursachenden Erscheinungen der Natur von dem Zorne Gottes oder,
was eins ist, dem Teufel, die entgegengesetzten Erscheinungen der Natur
von der Güte Gottes abgeleitet. Aber diese Ableitung des Naturnothwendigen von einer freien Ursache hat ihren theoretischen Grund nur
in der Unwissenheit und Einbildungskraft des Menschen. Daher die
Menschen, nachdem sie sich einige Kenntnisse von den gewöhnlichen Erscheinungen der Natur erworben hatten, hauptsächlich nur in den ungewöhnlichen und unbekannten Naturerscheinungen, d. h. in den Erscheinungen der menschlichen Unwissenheit die Spuren und Beweise einer
willkürlichen oder freien Ursache erblickten. So war es z. B. mit den
Kometen. Weil diese selten erschienen, weil man nicht wußte, was man
aus ihnen machen sollte, so erblickten noch bis zu Anfang des vorigen

Jahrhunderts die Menschen, selbst auch der gelehrte Pöbel, in ihnen willkürliche Zeichen, willkürliche Erscheinungen, die Gott zur Besserung und Züchtigung der Menschen am Himmel hervorbringe. Der Rationalismus dagegen hat die willkürliche, freie Ursache bis auf den Anfang der Welt zurückgedrängt, außerdem erklärt er sich Alles natürlich, Alles ohne Gott, d. h. er ist zu faul, zu lüderlich, zu oberflächlich, als daß er bis auf den Anfang, bis auf die Principien seiner natürlichen Erklärungsweise und Anschauung zurückginge; er ist zu faul, um darüber nachzudenken, ob die Frage nach dem Anfange der Welt überhaupt eine vernünftige oder kindische, nur in der Unwissenheit und Beschränktheit des Menschen begründete Frage ist; er weiß sich diese Frage nicht vernünftig zu beantworten; er füllt daher die Leere in seinem Kopfe mit der Einbildung einer „freien Ursache" aus. Aber er ist so inconsequent, sogleich wieder diese freie Ursache aufzugeben, die Freiheit mit der Nothwendigkeit der Natur abzubrechen; statt daß der alte Glaube die erste Freiheit in einer ununterbrochenen Kette von Freiheiten, d. h. von willkürlichen Handlungen, von Wundern fortsetzt. Nur die Bewußtlosigkeit, die Charakterlosigkeit, die Halbheit kann den Gottesglauben mit der Natur und Naturwissenschaft verbinden wollen. Glaube ich einen Gott, eine „freie Ursache", so muß ich auch glauben, daß der Wille Gottes allein die Nothwendigkeit der Natur ist, daß das Wasser nicht durch seine Natur, sondern durch den Willen Gottes naß macht, daß es daher jeden Augenblick, so Gott will, brennen, die Natur des Feuers annehmen kann. Ich glaube an Gott, heißt: ich glaube, daß keine Natur, keine Nothwendigkeit ist. Entweder lasse man den Gottesglauben fahren, oder man lasse die Physik, die Astronomie, die Physiologie fahren! Niemand kann zwei Herren dienen. Und wenn man den Gottesglauben in Schutz nimmt, so nehme man auch, wie gesagt, den Teufels-, Geister- und Hexenglauben in Schutz. Dieser Glaube ist nicht nur wegen seiner gleichen Allgemeinheit, sondern auch wegen seiner gleichen Beschaffenheit und Ursache unzertrennlich vom Gottesglauben. Gott ist der Geist der Natur,

d. h. der personificirte Eindruck der Natur auf den Geist des Menschen, oder das geistige Bild des Menschen von der Natur, das er aber von der Natur absondert und als ein selbstständiges Wesen denkt. Eben so ist der Geist des Menschen, der nach dem Tode umgeht, d. h. das Gespenst nichts Andres, als das Bild von dem gestorbenen Menschen, das auch noch nach dem Tode übrig bleibt, das aber der Mensch personificirt, als ein von dem wirklichen, lebendigen, leiblichen Wesen des Menschen unterschiedenes Wesen vorstellt. Wer also sich zu dem einen Geist oder Gespenst, dem großen Naturgespenst bekennt, der bekenne sich auch zu dem anderen Geiste oder Gespenst, dem Menschengespenst. Doch ich bin in Folge einer äußeren Veranlassung von meiner eigentlichen Aufgabe abgekommen. Ich habe nur sagen wollen, daß, wenn man ein besonderes Organ für die Religion im Menschen annehmen will, man vor allen Dingen ein besonderes Organ für den Aberglauben, für die Unwissenheit und Denkfaulheit im Menschen annehmen muß. Nun giebts aber Menschen, welche in dieser Beziehung rationalistisch, ungläubig, in anderer Beziehung abergläubisch sind, weil sie eben über gewisse Dinge nicht klar geworden sind, weil gewisse, oft ganz unbekannte Einflüsse und Gründe sie eben nicht über diesen oder jenen Punkt hinauskommen lassen. Wollte man diese Widersprüche organisch erklären, so müßte man daher zwei sich geradezu entgegengesetzte Organe oder Sinne in einem und demselben Menschen annehmen. Ja, es giebt Menschen, welche in der That verläugnen, verwerfen, verlachen, was sie im Kopfe bekennen, und umgekehrt im Kopfe läugnen, was sie im Herzen bekennen, welche sich z. B. vor Gespenstern fürchten, während sie doch läugnen, daß es Gespenster giebt, ja über sich selbst sich ärgern und schämen, daß sie ein Hemd bei der Nacht für einen Geist, für ein Gespenst ansahen. Wenn man zur Erklärung einer besonderen Erscheinung sogleich zu einem besonderen Sinne oder Organ seine Zuflucht nehmen wollte, so müßte man daher in diesen Menschen ein besonderes Organ für die heilige Geisterwelt und Gespensterfurcht, und ein anderes Organ für die profane Läugnung der Gespensterwelt annehmen. Es ist allerdings nichts bequemer, als für eine auffallende Erscheinung sogleich eine ganz besondere Ursache ausfindig zu machen; aber eben diese Bequemlichkeit muß uns schon diese Erklärungsweise verdächtig machen. Was nun aber insbesondere die Religion betrifft, so berechtigt uns gar nichts, sie aus einem besonderen Gefühl, einem besonderen Sinne oder Organ abzuleiten, wie unsere ganze bisherige Erklärung derselben gezeigt hat. Zum deutlichen Beweise appellire ich jedoch noch an die Sinne. Nur aus seinen Erscheinungen, aus seinen Wirkungen, seinen in die Sinne fallenden Aeußerungen können wir ja so Etwas erkennen, so auch die Religion. Der wichtigste, ihr Wesen am meisten offenbarende und zugleich augenfälligste Act der Religion ist aber das Gebet oder die Anbetung; denn die Anbetung ist ja das in die Sinne fallende, in sinnlichen Geberden und Zeichen sich darstellende Gebet. Betrachten wir daher die verschiedenen Anbetungsweisen der Völker, so werden wir finden, daß die religiösen Gefühle sich nicht von den Gefühlen unterscheiden, die der Mensch auch außer und ohne Religion im eigentlichen Sinne hat. „Der allgemeinste, natürlichste Ausdruck, sagt Meiners, der hierüber wie über andere Punkte in seiner angeführten Schrift das Wichtigste gesammelt hat, der allgemeinste, natürlichste Ausdruck der Demüthigung vor höheren Naturen, wie vor unumschränkten Beherrschern, war das Niederwerfen des ganzen Körpers auf die Erde. Das Niederfallen auf die Kniee war, wenn auch nicht so gemein, als das Niederwerfen des ganzen Körpers, doch sehr häufig unter den verschiedensten Völkern. Die Aegypter ehrten durch Knieen ihre Götter, wie ihre Könige und deren Vertraute. Die Juden durften sich eben so wenig, als die heutigen Muhamedaner, beim Beten hinsetzen, weil der Wohlstand es von jeher im Morgenlande untersagte, daß Unterthanen sich in Gegenwart ihrer Beherrscher, Clienten vor ihren Patronen, Weiber, Kinder und Knechte vor ihren Männern, Vätern und Herren niederließen. Im alten Orient, wie im alten Griechenlande

und Italien drückten von undenklichen Zeiten her Unterthanen ihren
Beherrschern, Knechte ihren Herren, Frauen und Kinder ihren Männern
und Vätern Ehrfurcht und Ergebenheit dadurch aus, daß sie ihnen ent=
weder die Hände oder die Kniee und den Saum der Kleider oder endlich
die Füße küßten. Was Untergebene ihren Vorgesetzten thaten, das
thaten die Menschen überhaupt den Göttern. Sie küßten also entweder
die Hände oder die Kniee oder die Füße der Bildnisse der Götter. Die
freien Griechen und Römer erlaubten sich sogar das Kinn und den
Mund von Götterstatuen zu küssen". Wir sehen an diesem Beispiele,
daß die Menschen keine anderen Ehrenbezeigungen, keine anderen Aus=
drucksweisen ihrer Empfindungen und Gesinnungen gegen die göttlichen
Wesen haben, als gegen die menschlichen Wesen, daß daher die Gesin=
nungen und Gefühle, die der Mensch einem religiösen Gegenstande,
einem Gotte gegenüber hat, er auch nicht religiösen Gegenständen gegen=
über empfindet, also die Gefühle der Religion keine besonderen sind, oder
daß es kein specifisch religiöses Gefühl giebt. Der Mensch wirft sich
auf die Kniee nieder vor seinen Göttern; aber dasselbe thut er auch vor
seinen Herrschern, vor Denen überhaupt, die sein Leben in der Hand
haben; er fleht auch sie um Erbarmen demüthigst an; kurz er bezeigt
dieselbe Ehrfurcht den Menschen als den Göttern. So verehrten
die Römer mit der nämlichen Pietät oder Frömmigkeit, mit welcher sie
die Götter verehrten, das Vaterland, die Blutsverwandten, die Eltern.
Die Frömmigkeit, die Pietät ist, wie Cicero sagt, die Gerechtigkeit gegen
die Götter, aber sie ist auch, wie derselbe an einer anderen Stelle sagt,
die Gerechtigkeit gegen die Eltern (24). Bei den Römern war daher
auch, wie Valerius Marimus bemerkt, dieselbe Strafe auf die Ver=
letzung der Götter und Eltern gesetzt. Aber noch höher als die Würde
der Eltern, die doch den Göttern gleich geachtet waren, stand, wie der=
selbe sagt, die Majestät des Vaterlands, d. h. der höchste Gott der Rö=
mer war Rom. Bei den Indiern gehört zu den fünf großen religiö=
sen Ceremonien oder Sacramenten, die nach Menu's Gesetzbuch ein

Hausvater täglich feiern soll, „das Sacrament der Menschen", das Sacrament der Gastfreundschaft, die Hochachtung und Ehrerbietung gegen Gäste. Namentlich hat aber der Orient die Verehrung der Fürsten bis auf den höchsten Grad des religiösen Servilismus getrieben. So müssen z. B. in China alle Unterthanen, selbst die tributpflichtigen Staatsoberhäupter vor dem Kaiser dreimal niederknieen und neunmal die Erde mit dem Kopfe berühren, und an gewissen Tagen des Monats erscheinen die vornehmsten Mandarinen vor dem Kaiser, und wenn er auch nicht selbst gegenwärtig sein sollte, so erweisen sie doch dem leeren Throne dieselbe Ehrfurcht. Ja selbst vor den kaiserlichen Mandaten und Schreiben muß man niederknieen und neunmal mit dem Kopfe die Erde berühren. Die Japaner halten ihren Kaiser für so erhaben, daß „selbst nur die Großen der ersten Klasse das Glück genießen, des Kaisers Füße sehen zu dürfen, ohne indeß ihren Blick höher richten zu dürfen. Eben deßwegen, weil der Mensch, namentlich der Orientale die höchste Ehrfurcht, deren nur der Mensch fähig ist, seinem Regenten gegenüber empfindet, so hat sie auch seine Phantasie zu Göttern gemacht, sie mit allen Eigenschaften und Titeln der Gottheit ausgeschmückt. Allgemein bekannt sind die hyperbolischen Titel der Sultane und der Kaiser von China. Aber selbst kleine ostindische Fürsten heißen „Könige der Könige, Brüder der Sonne, des Mondes und der Sterne, Herren der Ebbe und Fluth und des Weltmeeres." Auch bei den Aegyptern wurde das Königthum mit der Gottheit identificirt, und zwar so sehr, daß der König Ramses sogar dargestellt wird, wie er sich selbst als Gott anbetet. Die Christen haben von den Orientalen wie die Religion, auch diese Vergötterung der Fürsten ererbt. Die Eigenschaften oder Titel der Gottheit, welche die heidnischen Kaiser führten, waren auch die Titel der ersten christlichen Kaiser. Und noch heute drücken die Christen sich ihren Fürsten gegenüber so demüthig, so servil aus, als man sich nur einem Gotte gegenüber ausdrücken kann. Noch heute sind die Titel ihrer Fürsten eben so phantastische Hyperbeln und Uebertreibungen, als

die Titel, womit von jeher die religiöse Schmeichelei die Götter zu ver=
herrlichen suchte. Noch heute sind die Unterschiede, die sie zwischen den
Titeln der göttlichen und fürstlichen Macht machen, nur diplomatische
Rangs=, aber keine Wesensunterschiede. Eben daher, weil es kein be=
sonderes religiöses Gefühl, keinen besonderen religiösen Sinn und folg=
lich auch keinen besonderen religiösen Gegenstand, keinen Gegenstand
giebt, der ausschließlich und allein auf religiöse Verehrung Anspruch
machte, kommt auch der Unterschied zwischen Götzen= und Gottesdienst.

Fünfundzwanzigste Vorlesung.

Der Unterschied zwischen Götzendienst und Gottesdienst entspringt da, wo der Mensch einen Gegenstand, er sei nun ein natürlicher, sinnlicher oder geistiger, vor allen anderen bevorzugt, und diesem allein die Gefühle, die der Mensch auch einem anderen Gegenstande gegenüber empfinden, die Ehrenbezeigungen, die er auch einem anderen Gegenstande beweisen kann, zueignen will. Die Religion, d. h. die Religion, die sich in öffentlichen Bekenntnissen, in bestimmten, gottesdienstlichen Formen ausspricht, sage ich im Wesen des Christenthums, ist ein öffentliches Liebesbekenntniß. Den Gegenstand, das Weib, das die höchste Macht über den Mann ausübt, das, in seinen Augen wenigstens, das vorzüglichste und höchste Weib ist, das in ihm eben deswegen ein Abhängigkeitsgefühl erzeugt, das Gefühl, daß er ohne dasselbe nicht leben, wenigstens nicht glücklich sein kann, das erwählt er zum Gegenstande seiner Liebe und macht es, wenigstens so lange er es nicht besitzt, so lange es nur ein Gegenstand seiner Wünsche und Einbildungen ist, zu einem Gegenstande auch der höchsten Verehrung, zu einem Gegenstande, dem er dieselben Opfer und Huldigungen darbringt, als der Religiöse seinem Gott. Mit der Religion — auch die Liebe ist Religion — ist es nun eben so. Die Religion, wenigstens die eklektische, kritische, unterscheidende, verehrt den Baum, aber nicht jeden ohne Unterschied, sondern den erhabensten, höchsten; den Fluß, aber den mächtigsten, wohlthätigsten, wie z. B. die Aegypter den Nil, die Juder den Ganges; die Quelle, aber nicht jede, sondern die durch besondere Eigenschaften sich auszeichnende Quelle, wie z. B. die alten Deutschen besonders die Salzquellen verehrten; die leuchtenden Himmelskörper, aber nicht jeden, sondern den hervorragendsten, die Sonne, den Mond, die Planeten oder sonst ausgezeichnete Gestirne; oder sie verehrt das menschliche Wesen, aber nicht in jeder beliebigen Person, sondern in der Person eines schönen Menschen, wie die Griechen, z. B. die Aegestaner, den Philipp von Kroton, ob er gleich in ihr Land eingefallen, vergötterten, weil er der schönste Mann war, oder in der Person eines Fürsten, eines Despoten, wie die Orientalen, oder in der Person eines um das Vaterland verdienten Helden, wie die Griechen und Römer, oder das Wesen des Menschen im Allgemeinen, den Geist, die Vernunft, weil sie diese für das Herrlichste, Vorzüglichste, Höchste hält. Aber wie ich die Liebe, die Ehre, welche ich d i e s e m Weibe erweise, auch einem anderen Weibe erweisen kann, so kann ich auch die Ehre, die ich diesem Baume erweise, auch einem anderen erweisen, gleichwie die Deutschen die Eiche, die Slaven die Linde verehrten; so kann ich die Ehre, die ich dem abgezogenen Wesen des Menschen, dem Geiste bezeige, auch dem wirklichen, individuellen Menschenwesen, die Ehre, die ich dem abgezogenen Wesen der Natur und als Ursache derselben gedachten Wesen, dem Gott, dem Schöpfer bezeige, auch dem sinnlichen Wesen der Natur, der Creatur bezeigen; denn das sinnliche Wesen, die Creatur hat alle Sinne des Menschen f ü r   s i c h, das unsinnliche Wesen aber alle Sinne g e g e n sich und übt daher eine weit geringere Macht über den Menschen aus. Daher entspringt die Eifersucht der Religion, die Eifersucht ihres Gegenstandes, Gottes. Ich bin ein eifersüchtiger Gott, heißt es von Jehovah im Alten Testamente. Und diesen Spruch haben die Juden und Christen in tausendfältigen Variationen wiederholt. Eifersüchtig ist aber Gott oder wird er vorgestellt, weil die Gefühle oder Affecte und Gesinnungen der Ergebenheit, der Liebe, der Verehrung, des Vertrauens, der Furcht man eben so gut auch auf einen anderen Gegenstand, auf andere Götter, andere Wesen, wie die natürlichen und menschlichen Wesen, übertragen kann, Gott aber eben diese für sich allein in Anspruch nimmt. Erst durch sogenannte positive, d. i. willkürliche Gesetze entsteht daher der Unterschied zwischen Götzen- und Gottesdienst. Ihr sollt nicht auf Menschen trauen, sondern auf mich; ihr sollt euch nicht fürchten vor Naturerscheinungen, sondern vor mir allein; ihr sollt nicht die Sterne anbeten, als käme von ihnen euer Wohl und Heil, sondern mich, der ich die Sterne zu eurem Dienste gemacht habe, so spricht der Gott Jehovah, der monotheistische Gott überhaupt zu seinen Dienern, um sie vor dem Götzendienste zu bewahren. Aber er brauchte nicht so zu reden, nicht zu gebieten, daß die Menschen nur ihm allein vertrauten und dienten, wenn es ein besonderes religiöses Gefühl, ein besonderes religiöses Organ gäbe. So wenig ich dem Auge zu befehlen brauche: Du sollst nicht hören, nicht dem Schalle dienen, oder dem Ohre: Du sollst nicht sehen, nicht dem Lichte die Aufwartung machen, so wenig brauchte der Gegenstand der Religion dem Menschen zu sagen: Du sollst mir nur dienen, wenn es ein besonderes religiöses Organ gäbe; denn dieses würde sich eben so wenig irgend einem andern, nicht religiösen Gegenstande zuwenden, als sich das Ohr dem Lichte, oder das Auge dem Gegenstande des Ohres zuwendet. Und so wenig das Auge eifersüchtig ist auf das Ohr, so wenig es befürchtet, daß das Ohr ihm seinen Gegenstand entführen und sich zueignen werde, so wenig könnte Gott auf die natürlichen und menschlichen Wesen eifersüchtig sein oder gedacht werden, wenn es ein ausschließlich religiöses oder göttliches, nur ihm entsprechendes Organ gäbe. Das Organ der Religion ist das Gefühl, ist die Einbildungskraft, ist das Verlangen oder Bestreben, glücklich zu sein, aber diese Organe erstrecken sich keineswegs nur auf besondere Gegenstände, auf die Gegenstände, die man als religiöse bezeichnet, gleich als wenn es solche gäbe, da doch jeder Gegenstand, jede Kraft, jede Erscheinung, sowohl menschliche, als natürliche, Gegenstand der Religion

werden kann. Aber Gegenstand der Religion, der Religion wenigstens
im eigentlichen Sinne, wird ein Gegenstand der Phantasie, des Gefühls,
des Glückseligkeitstriebs nur unter besondern Bedingungen, unter den
eben bisher entwickelten Bedingungen, unter der Bedingung des Stand=
punkts, wo dem Menschen aus Mangel an Bildung, an Wissenschaft,
an Kritik, an Unterscheidung zwischen dem Subjectiven und Objectiven
ein Gegenstand oder Wesen nicht zugleich als Das, was es selbst, was
es in Wirklichkeit, was es als ein Object des Verstandes und Sinnes
ist, sondern nur als Gefühlswesen, als Phantasiewesen, als Glück=
seligkeitswesen Gegenstand ist. Denn allerdings ist auch dem Natura=
listen die Natur ein Gegenstand des Glückseligkeitstriebes, denn wer
kann glücklich sein z. B. in einem Kerkerloch ohne Raum, ohne Luft,
ohne Licht? ein Gegenstand der Einbildungskraft, selbst der Phantasie,
ein Gegenstand des Gefühles, selbst des Abhängigkeitsgefühles, aber
nur auf Grund ihres wirklichen, gegenständlichen Wesens, und eben
deswegen wird er nicht von seinem Glückseligkeitstrieb hinter's Licht ge=
führt, nicht von seinem Gefühl übermannt, nicht von seiner Phantasie
überflügelt, so daß ihm die Natur als subjectives, d. i. persönliches,
willkürliches, gnädiges und ungnädiges, strafendes und belohnendes
Wesen erschiene, folglich als ein Wesen, welches nothwendig, seiner
Natur nach ein Gegenstand von Opfern und Bußen, von Lob= und Dank=
liedern, von ehrfurchtsvollen Bitten und Kniebeugungen, d. h. ein Ge=
genstand der Religion ist. Auch der Naturalist oder Humanist verehrt,
um noch ein anderes Beispiel zu geben, die Todten noch, aber nicht reli=
giös, nicht als Götter, weil er nicht, wie die religiöse Einbildungskraft
die nur vorgestellten Wesen zu wirklichen, persönlichen Wesen macht,
weil er nicht die Empfindungen, die der Todte auf ihn macht, auf
den Gegenstand überträgt, nicht die Todten für furchtbare, schreckliche
Wesen, überhaupt nicht für Wesen hält, die noch Willen, noch Vermö=
gen zu schaden oder nützen haben, die man ehren, fürchten, bitten und
besänftigen muß, wie ein wirkliches Wesen.

Doch nun zurück zu unserem eigentlichen Thema. Den Uebergang von dem Heidenthum zum Christenthum, von der Religion der Natur zu der Religion des Geistes oder des Menschen machte ich vermittelst der Einbildungskraft. Zuerst zeigte ich, daß ein Gott ein Bild, ein Wesen der Einbildung sei, wobei ich zugleich den Unterschied zwischen dem christlichen oder monotheistischen und dem heidnischen oder polytheistischen Gotte zeigte, nämlich daß der heidnische Gott ein materielles, körperliches, einzelnes Bild, der christliche Gott aber ein geistiges Bild, das Wort sei, daß man daher, um das Wesen des christlichen Gottes zu erkennen, nur das Wesen des Wortes zu begreifen brauche. Hierauf beschränkte ich aber meine Ableitung der Religion aus der Einbildungskraft, unterschied die Erzeugnisse der religiösen Einbildungskraft von bloßen dichterischen Einbildungen oder Fictionen, zeigte, daß die religiöse Einbildungskraft nur im Bunde mit dem Abhängigkeitsgefühl wirkt, daß die Götter keineswegs nur Wesen der Einbildung, sondern auch Gegenstände der Herzensnoth, Gegenstände der Gefühle sind, die in den wichtigsten Momenten des Lebens, in Glück und Unglück den Menschen ergreifen, daß die Götter eben deßwegen, weil der Mensch Angenehmes, Gutes zu erhalten, Unangenehmes, Uebles zu beseitigen sucht, auch Gegenstände des Strebens, des Verlangens nach Glückseligkeit sind. Dieser Punkt brachte uus auf den Unterschied zwischen Religion und Bildung, Gebet und Arbeit: die Religion stimme darin mit der Bildung, der Cultur, der Arbeit überein, daß sie die Zwecke der Cultur habe, aber die Zwecke ohne Culturmittel erreichen wolle. Nachdem ich also diesen Unterschied angedeutet, kehre ich zur Religion, als einer Sache des Glückseligkeitstriebes zurück. Ich sprach bei dieser Gelegenheit den kühnen Satz aus: die Götter sind die verwirklichten, oder die als wirkliche Wesen vorgestellten Wünsche der Menschen; der Gott ist nichts als der in der Phantasie befriedigte Glückseligkeitstrieb des Menschen. Ich bemerkte aber, daß die Götter so verschieden seien als die Wünsche der Menschen oder Völker, denn obgleich alle Menschen glücklich sein wollen, so macht doch der eine dieses, der andere jenes zum Gegenstande seiner Glückseligkeit. Die Heiden haben daher andere Götter, als die Christen, weil sie andere Wünsche haben. Oder: der Unterschied des christlichen Gottes von dem heidnischen beruht nur auf dem Unterschiede der christlichen Wünsche von den Wünschen der Heiden. „Wie Dein Hertze, so Dein Gott," sagt Luther. „Alle Völker, sagt Meiners in der angeführten Schrift, baten die Götter bis auf Entstehung des Christenthums blos um zeitliche Güter und um die Abwendung von zeitlichen Uebeln. (25) Wilde Fischer- und Jägervölker beteten zu den Göttern, daß sie den Fischfang und die Jagd, Hirtenvölker, daß die Götter ihre Weiden und Heerden, ackerbauende Nationen, daß die Götter ihre Gärten und Felder beglücken möchten. Alle ohne Ausnahme baten um Gesundheit und langes Leben für sich und die Ihrigen, um Reichthum, günstige Witterung und Sieg über die Feinde und Widersacher." D. h. die Heiden hatten beschränkte Wünsche, sinnliche, materielle, in der Sprache der Christen, irdische, fleischliche Wünsche. Aber eben deßwegen hatten sie auch materielle, sinnliche, beschränkte Götter, und eben so viele Götter, als es sinnliche, wünschenswerthe Güter giebt. So hatten sie einen Gott des Reichthums, einen Gott der Gesundheit, einen Gott des Glücks, des guten Erfolgs u. s. w. und, da die Wünsche der Menschen sich nach ihrem Stande, ihrer Beschäftigung richten, so hatte jeder Stand bei den Griechen und Römern seine besondern Götter, der Hirte Hirtengötter, der Ackerbauer Bauerngötter, der Kaufmann seinen Merkur, den er um Profit anflehte. (26) Die Gegenstände der heidnischen Wünsche sind übrigens keine „unsittlichen"; es ist nicht unsittlich, Gesundheit zu wünschen, im Gegentheil, es ist dies ein ganz vernünftiger Wunsch; es ist auch nicht unsittlich, zu wünschen, reich zu sein — danken ja doch die frommen Christen selbst ihrem Gotte, wenn sie eine reiche Erbschaft oder sonst einen glücklichen Fund machen, — unsittlich oder vielmehr unmenschlich, denn nur das Unmenschliche ist das Unsittliche, waren nur dann die Wünsche oder Gebete der Heiden um Reichthum, wenn sie die

Götter baten, sie möchten z. B. ihre Verwandten, ihre Eltern sterben laffen, um dadurch in den Besitz ihrer Güter zu kommen. Die heidnischen Wünsche waren Wünsche, die nicht die Natur des Menschen, nicht die Gränzen dieses Lebens, dieser wirklichen, sinnlichen Welt überstiegen. Aber eben deswegen waren auch ihre Götter keine so unbeschränkte supranaturalistische, d. i. übernatürliche Wesen, wie der christliche Gott. Nein! wie die Wünsche der Heiden keine außer- und überweltlichen Wünsche waren, so waren es auch nicht ihre Götter; sie waren vielmehr eins mit der Welt, Weltwesen. Der christliche Gott macht mit der Welt, was er will, er schafft sie selbst aus Nichts, weil sie selbst nichts für ihn ist, weil er selbst war, als die Welt noch Nichts war; aber der heidnische Gott ist in seinem Schaffen und Wirken an den Stoff, an die Materie gebunden; selbst die heidnischen Philosophen, welche sich am meisten den Vorstellungen des Christenthums näherten, glaubten an die Ewigkeit der Materie, des Grundstoffs der Welt, gaben ihrem Gotte nur die Rolle eines Weltbildners, aber nicht eigentlichen Schöpfers. Der Gott der Heiden war aber an die Materie gebunden, weil die heidnischen Wünsche und Gedanken an ten Stoff, den Inhalt der wirklichen Welt gebunden waren. Der Heide trennte sich nicht von der Welt, von der Natur ab; er konnte sich nur als einen Theil derselben denken; er hatte daher keinen von der Welt unterschiedenen und losgerissenen Gott. Die Welt war ihm ein göttliches, herrliches Wesen, oder vielmehr das Höchste, Schönste, was er sich denken konnte. Gleichbedeutend gebrauchen daher die heidnischen theistischen Philosophen die Worte: Gott, Welt, Natur. Wie der Mensch, so sein Gott; der heidnische Gott ist das Bild des heidnischen Menschen, oder wie ich mich im Wesen des Christenthums ausdrücke, tas vergegenständlichte, als ein selbstständiges Wesen vorgestellte Wesen des heidnischen Menschen. Das Gemeinschaftliche oder Gleiche in den verschiedenen Göttern oder Religionen ist nur das Gleiche der menschlichen Natur. So verschieden die Menschen, so sind sie doch alle Menschen, diese Gleichheit und Einheit des Menschengeschlechts, der menschlichen Organisation ist die Gleichheit der Götter; der Aethiopier malt sich Gott schwarz, wie er selbst, der Kaukasier so, wie seine Farbe; aber alle geben ihren Göttern menschliche Gestalt oder menschliches Wesen. Uebrigens ist es oberflächlich, von der Verschiedenheit der Götter abzusehen; dem Heiden ist nur der heidnische Gott, der Gott, der eins ist mit seinem Unterschiede von anderen Völkern und Menschen, Gott, dem Christen nur der christliche Gott. Viele strenge Christen haben daher den Heiden geradezu den Gottesglauben abgesprochen, denn die Götter der Heiden sind keine Götter im Sinne der Christen, widersprechen vielmehr schon wegen ihrer Vielheit dem christlichen Begriffe der Gottheit. Der christliche Gott ist nun aber nichts Andres als das personificirte oder vergegenständlichte, als ein selbstständiges Wesen von der Einbildungskraft vorgestellte Wesen des christlichen Menschen. Der Christ hat überirdische, übersinnliche, übermenschliche, überweltliche Wünsche. Der Christ, wenigstens der wahre Christ, der keine heidnischen Elemente in sich aufgenommen, wie die modernen Welt- und Maulchristen, wünscht sich nicht Reichthum, nicht Ehrenstellen, nicht langes Leben, nicht Gesundheit. Was ist Gesundheit in den Augen der Christen? Dieses ganze Leben ist ja selbst nichts als eine Krankheit, nur im ewigen Leben ist wahre Gesundheit, wie der heilige Augustin sagt. Was ist langes Leben im Sinne des Christen? Im Vergleich mit der Ewigkeit, die der Christ in seinem Kopfe hat, ist ja das längste Leben ein verschwindender Augenblick. Was ist irdischer Glanz und Ruhm? Im Vergleich zu der himmlischen Glorie dasselbe, was ein Irrlicht im Vergleich zum Himmelslicht ist. Aber eben wegen dieser seiner Wünsche hat der Christ auch einen überirdischen, übermenschlichen, außer- und überweltlichen Gott. Der Christ betrachtet sich selbst nicht, wie der Heide, als ein Glied der Natur, als einen Theil der Welt. „Wir haben hier keine bleibende Stätte, heißt es in der Bibel, sondern die zukünftige suchen wir." „Unser Wandel (d. h. unser Indigenat, unser Heimathsrecht) ist im Himmel." Der Mensch, sagt

der Kirchenvater Lactanz ausdrücklich, ist kein Erzeugniß der Welt, noch
ein Theil der Welt; der Mensch, sagt Ambrosius, ist „über der Welt.“
„Eine Seele, sagt Luther, ist besser, denn die ganze Welt.“   Der Christ
hat eine freie Ursache der Natur, einen Herrn der Natur, dessen Willen,
dessen Wort die Natur parirt, einen Gott, der nicht an den sogenannten
Causalnexus, an die Nothwendigkeit, an die Kette gebunden ist, welche
die Wirkung an Ursache und Ursache an Ursache knüpft, während der
heidnische Gott an die Nothwendigkeit der Natur gebunden ist, selbst seine
Lieblinge nicht von dem Loos der Nothwendigkeit zu sterben erlösen kann.
Der Christ hat aber eine freie Ursache, weil er sich in seinen Wünschen
nicht an den Zusammenhang, nicht an die Nothwendigkeit der Natur
bindet.   Der Christ wünscht sich und glaubt eine Existenz, ein Leben,
wo er allen Bedürfnissen, aller Nothwendigkeit der Natur überhaupt ent=
rissen ist; wo er lebt, aber ohne athmen, ohne schlafen, ohne essen, ohne
trinken, ohne zeugen und gebären zu müssen, während bei den Heiden
selbst Gott der Nothwendigkeit des Schlafes, der Liebe, des Essens und
Trinkens unterworfen ist, weil eben der Heide sich nicht von der Noth=
wendigkeit der Natur losriß, sich keine Existenz ohne die natürlichen Be=
dürfnisse denken konnte.   Der Christ verwirklicht daher diese seine Wünsche,
frei zu sein von allen Bedürfnissen und Nothwendigkeiten der Natur, in
einem Wesen, das wirklich frei ist von der Natur, das alle der Verwirk=
lichung dieser christlichen Wünsche widerstrebenden Schranken und Hin=
dernisse der Natur aufheben und beseitigen kann und einst wirklich auf=
hebt.   Die Natur ist ja die einzige Schranke der menschlichen Wünsche.
Die Schranke des Wunsches, zu fliegen wie ein Engel, oder in einem Nu
an einem erwünschten, entfernten Orte zu sein, ist die Schwere; die
Schranke des Wunsches, immer mich mit religiösen Betrachtungen und
Gefühlen zu beschäftigen, das leibliche Bedürfniß; die Schranke des
Wunsches, sündlos oder, was eins ist, selig zu sein (²⁷), die Fleischlich=
keit und Sinnlichkeit meiner Existenz; die Schranke des Wunsches, ewig
zu leben, d. h. die der Verwirklichung dieses Wunsches entgegenstehende

Schranke der Tod, die Nothwendigkeit der Endlichkeit, der Sterblichkeit. Alle diese Wünsche verwirklicht also, oder: die Möglichkeit ihrer Verwirklichung verschafft sich der Christ in einem Wesen, das seiner Einbildung nach über und außer der Natur ist, gegen dessen Willen die Natur nichts ist und vermag. Was der Mensch nicht wirklich ist, aber zu sein wünscht, das macht er zu seinem Gotte oder das ist sein Gott. Der Christ wünscht, ein vollkommenes, sündloses, unsinnliches, keinen leiblichen Bedürfnissen unterworfenes, seliges, unsterbliches, göttliches Wesen zu sein, aber er ist es nicht; er stellt sich daher das, was er selbst zu sein wünscht und einst zu werden hofft, als ein von ihm unterschiedenes Wesen vor, welches er Gott nennt, welches aber im Grunde nichts Andres ist, als das Wesen seiner eigenen übernatürlichen Wünsche, also sein eigenes über die Gränzen der Natur hinausgehendes Wesen. Der Glaube an den Anfang der Welt von einem freien, außerweltlichen, übernatürlichen Wesen hängt daher aufs innigste zusammen mit dem Glauben an das ewige, himmlische Leben. Die Bürgschaft, daß die übernatürlichen Wünsche des Christen in Erfüllung gehen, liegt ja eben nur darin, daß die Natur selbst von einem übernatürlichen Wesen abhängt, nur der Willkür dieses Wesens ihre Existenz verdankt. Ist die Natur nicht von einem Gott, ist sie aus sich, ist sie nothwendig, so ist auch der Tod nothwendig, so sind überhaupt alle die Gesetze oder Naturnothwendigkeiten, denen die menschliche Existenz unterworfen ist, unabänderlich, unüberwindbar. Wo die Natur keinen Anfang hat, da hat sie auch kein Ende. Der Christ glaubt und wünscht aber das Ende der Natur oder Welt; er glaubt und wünscht, daß alle Naturverrichtungen und Naturnothwendigkeiten aufhören werden, er muß daher auch an einen Anfang und zwar einen geistigen, willkürlichen Anfang der Natur, des leiblichen Wesens und Lebens glauben. Die nothwendige Voraussetzung des Endes ist der Anfang, die nothwendige Voraussetzung des Unsterblichkeitsglaubens der Glaube an die göttliche Allmacht, die selbst die Todten erweckt, der nichts unmöglich, vor der kein natürliches Gesetz, keine Nothwendigkeit besteht. Vermittelst der Schöpfung aus Nichts, die ja das größte Meisterstück der göttlichen Allmacht, giebt sich der Mensch die Gewißheit, sage ich im Wesen des Christenthums, oder, besser ausgedrückt, bringt er sich den tröstlichen Glauben bei, daß die Welt nichts ist und vermag gegen den Menschen. „Wir haben einen Herrn, sagt Luther, der größer ist, denn die ganze Welt; wir haben einen so mächtigen Herrn, daß, wenn er nur spricht, alle Dinge geboren werden. Wofür sollten wir uns denn fürchten, wenn uns der günstig ist?" „Wer da gläubet, sagt derselbe in seiner Auslegung Mose, daß Gott ein Schöpfer sei, der aus dem, das nicht ist, alles macht, der muß von Nothwegen also schließen und sagen: darum kann Gott auch Todte auferwecken." Eins mit dem Glauben an Gott, wenigstens im Sinne des Christen, also an den christlichen Gott ist darum der Glaube an Wunder.

Sechsundzwanzigste Vorlesung.

Der Begriff des Wunders ist einer der wichtigsten, um das Wesen der Religion, insbesondere der christlichen zu erkennen. Wir müssen uns daher etwas bei demselben aufhalten. Vor Allem müssen wir uns hüten, die Wunder der Religion mit den sogenannten Wundern der Natur zu verwechseln, z. B. mit den „Wundern des Himmels", wie ein Astronom seine Astronomie überschrieb, mit den „Wundern der Geologie", oder Erdgeschichte, wie ein Engländer seine Geologie betitelte. Die Wunder der Natur sind Dinge, die unsere Be- und Verwunderung erregen, weil sie über den Kreis unserer beschränkten Begriffe, unserer nächsten, gewöhnlichen Erfahrungen und Vorstellungen hinausgehen. So bewundern wir z. B. die versteinerten Gerippe von den Thiergeschlechtern, die einst auf der Erde hausten, von den Dino- und Megatherien, von den Ichthyo- und Plesiosauern, diesen ungeheuern Eidechsenarten, weil ihre Größe weit über das Maaß hinausgeht, das wir von den gegenwärtig lebenden Thiergeschlechtern abgezogen haben. Aber die religiösen Wunder haben nicht das Mindeste gemein mit den Dino- und Megatherien, den Ichthyo- und Plesiosauern der Geologie. Die sogenannten Wunder der Natur sind Wunder für uns, aber keine Wunder an sich oder für die Natur; sie haben ihren Grund im Wesen der Natur, mögen wir nun diesen entdecken und begreifen oder nicht. Allein die theistischen, religiösen Wunder übersteigen die Kräfte der Natur; sie haben nicht nur keinen Grund im Wesen der Natur, sondern sie widersprechen demselben; sie sind Beweise, sind Werke eines von der Natur unterschiedenen, eines außer- und übernatürlichen Wesens. „Obgleich, sagt z. B. der gelehrte Vossius in seiner Schrift über den Ursprung und Fortgang des Heidenthums, Gott den Himmeln ihre Ordnung vorgeschrieben hat, so hat er sich doch nicht das Recht genommen, dieselbe abzuändern, da er selbst der Sonne still zu stehen gebot. Wider die Ordnung der Natur, welche man eine nothwendige nennt, wider die Naturnothwendigkeit also gebar auf seinen Befehl eine Jungfrau, wurden die Blinden sehend, die Todten öfters lebendig". Um das religiöse Wunder glaublich zu machen, hat man allerdings stets die natürlichen Wunder, die doch keine Wunder sind, vorgeschützt. Dieser Kniff gehört zu den vielen, frommen Betrügereien, die man sich zu allen Zeiten, in allen Religionen erlaubte, um die Menschen zu bethören und in der religiösen Knechtschaft zu erhalten. Der Unterschied zwischen beiden Wundern geht aber auf eine augenfällige Weise schon daraus hervor, daß das natürliche Wunder etwas ganz Gleichgültiges für den Menschen ist; aber bei dem religiösen Wunder der Mensch interessirt, sein Egoismus betheiligt ist. Das religiöse Wunder hat daher seinen Grund nicht in der äußeren Natur, sondern im Menschen. Das religiöse Wunder hat zu seiner Voraussetzung einen menschlichen Wunsch, ein menschliches Bedürfniß. Die religiösen Wunder geschehen in der Noth, geschehen nur da, wo der Mensch von einem Uebel erlöst sein will, von einem Uebel, von dem er aber, so lange es nur natürlich zugeht, nicht erlöst sein kann. In den Wundern versinnlicht sich das Wesen der Religion. Wie diese, ist auch das Wunder nicht nur eine Sache des Gefühls und der Phantasie, sondern auch des Willens, des Glückseligkeitstriebes. Das Wunder bestimme ich daher im Wesen des Christenthums als einen realisirten supranaturalistischen, d. h. als einen verwirklichten

oder als verwirklicht vorgestellten übernatürlichen Wunsch. Ich sage
einen übernatürlichen, weil des Christen Wünsche ihrem Gegenstande
und Inhalt nach über die Gränzen der Natur und Welt hinausgehen.
Uebrigens sind die Wünsche überhaupt wenigstens der Form, der Art
und Weise nach, wie sie erfüllt sein wollen, Supranaturalisten. Ich
wünsche z. B. zu Hause zu sein, während ich weit davon in der Fremde
herumschweife. Der Gegenstand dieses Wunsches ist nichts Un- und
Uebernatürliches; denn ich kann ihn ja auf dem natürlichen Wege erreichen; ich darf nur nach Hause reisen. Aber das Wesen des Wunsches
ist gerade, daß ich jetzt ohne Zeitverlust zu Hause sein möchte, daß ich
da, wo ich in Gedanken bin, sogleich auch in Wirklichkeit sein möchte.
Betrachten wir nun die Wunder, so werden wir finden, daß in ihnen
nichts Andres vergegenständlicht, versinnlicht, verwirklicht ist, als das
Wesen des Wunsches. Christus heilt Kranke; Kranke heilen ist kein
Wunder; wie viele Kranken genesen auf natürlichem Wege! aber er
heilt sie so, wie der Kranke wünscht geheilt zu sein, augenblicklich, nicht
auf dem langweiligen, beschwerlichen und kostspieligen Weg der natürlichen Heilmittel.. „Er spricht, sagt Luther, sey gesund! und man wird
gesund. Also daß er keiner Arzney bedarf, sondern spricht sie
mit seinem Wort gesund". Christus heilt Kranke selbst aus der Ferne;
er braucht gar nicht leiblich sich an Ort und Stelle zu bewegen, um zu
heilen; aber der Kranke kann auch seinen Arzt nicht erwarten; der
Wunsch ist es eben, der den Menschen auch noch aus der Ferne her-
zaubert, herwünscht; der Wunsch bindet sich nicht an die Schranke von
Raum und Zeit; der Wunsch ist unumschränkt, ungebunden, frei wie
ein Gott. Christus heilt aber nicht nur Krankheiten, die an sich auch
auf natürlichem Wege hätten gehoben werden können; er heilt auch un-
heilbare Krankheiten; er macht Blindgeborene sehend.*) „Von der

---

*) Die Kunst heilt auch Blindgeborene, aber nur in dem Fall, wo die Blindheit
heilbar, die Heilung folglich kein Wunder ist.

Welt an ist's nicht erhöret, daß Jemand einem geborenen Blinden die Augen aufgethan habe. Wäre dieser nicht von Gott, er könnte nichts thun". Aber auch diese göttliche Wunderkraft versinnlicht, vergegenwärtigt uns nur die Kraft der menschlichen Wünsche. Dem menschlichen Wunsch ist nichts unmöglich, nichts unheilbar. Christus weckt die Todten auf, so den Lazarus, „der schon vier Tage im Grabe gelegen war", „der selbst schon stank; denn er ist vier Tage gelegen". Aber wir wecken in unseren Wünschen, in unserer Phantasie täglich geliebte Todte auf. Freilich bleibt es bei uns nur beim Wunsche, nur bei der Phantasie. Aber ein Gott kann, was der Mensch wünscht, d. h. die religiöse Einbildungskraft verwirklicht in ihren Göttern die Wünsche des Menschen. Gottesglauben und Wunderglauben ist daher eins; Wunder und Gott unterscheiden sich nur, wie Handlung und handelndes Wesen. Die Wunder sind die Beweise, daß das wunderwirkende Wesen ein allmächtiges Wesen ist, d. h. ein Wesen, das alle Wünsche des Menschen erfüllen kann und eben deswegen als ein göttliches Wesen von den Menschen bezeichnet und verehrt wird. Ein Gott, der keine Wunder mehr thut, also keine Wünsche erfüllt, keine Gebete erhört, außer deren Erfüllung schon im Laufe der Natur gegründet, natürlich möglich ist, die also auch ohne ihn, ohne Gebet in Erfüllung gehen würden, ist ein unbrauchbarer, nutzloser Gott. Nichts ist oberflächlicher, willkürlicher, als die Weise, wie die modernen Christen, die sogenannten Denkgläubigen oder Rationalisten mit den Wundern umgehen, wie sie dieselben wegschaffen und doch noch das Christenthum, den christlichen Gott behalten wollen, wie sie dieselben natürlich erklären, also den Sinn, den das Wunder hat und haben soll, vernichten, oder sonst wie auf die leichtfertigste Weise sich über sie hinwegsetzen. Ein moderner, schon früher erwähnter Denkgläubiger führt sogar für seine oberflächliche und leichtfertige Behandlung des Wunders folgende Stelle aus Luther an: „Weil viel mehr am Worte gelegen ist, denn an den Werken und Thaten Christi, und wenn man deren eines gerathen müßte, beſſer wäre, daß wir der Werke und Hiſtorien ermangelten, denn des Worts und der Lehre, ſo ſind die Bücher billig am höchſten zu loben, die am meiſten die Lehre und das Wort des Herrn Chriſti handeln. Denn wenn gleich die Wunderwerke Chriſti nicht wären und wir nichts davon wüßten, hätten wir dennoch genug an dem Worte, ohne welches wir nicht könnten das Leben haben". Wenn Luther hier und da gleichgültig iſt gegen das Wunder, ſo meint er nur das Wunder, wie es ohne religiöſen Sinn, ohne Glauben nur als eine hiſtoriſche, d. h. vergangene, todte Begebenheit betrachtet wird. Was haben die anderen Menſchen davon, daß dieſer oder jener Jude wunderbar geheilt, dieſer oder jener wunderbar geſpeiſt wurde? Das Wunder erſtreckt ſich, als hiſtoriſches Factum, nur auf dieſe Zeit und dieſen Ort, wo es geſchehen; es hat inſofern allerdings, wie die Denkgläubigen ſagen, einen relativen, nur auf die Zeitgenoſſen, denen dieſe Wunder zu Augen und zu Gute kamen, bezüglichen Werth. Aber das iſt eben nicht der wahre religiöſe Sinn des Wunders. Das Wunder ſoll der thatſächliche Beweis ſein, daß der Wunderthäter ein allmächtiges, übernatürliches, göttliches Weſen iſt. Nicht das Wunder ſollen wir anſtaunen, ſondern die Urſache, das Weſen, das dieſes Wunder thut und ähnliche Wunder thun kann, wenn es die Noth des Menſchen erfordert. Das Wort, die Lehre iſt freilich inſofern mehr als Werk, inwiefern das Werk nur Einzelnen zu Gute kommt, an Zeit und Raum gebunden iſt, während das Wort überall hinbringt, ſeinen Sinn auch nicht in unſerer Zeit verliert. Aber gleichwohl ſagt das Wunder, wenn ich es recht verſtehe, daſſelbe, was das Wort, die Lehre, nur daß die Lehre allgemein, in Worten ſagt, was das Wunder in ſinnlichen Beiſpielen ausſpricht. Das Wort ſagt: „ich bin die Auferſtehung und das Leben. Wer an mich glaubt, der wird leben, ob er gleich ſtürbe. Und wer da lebt und glaubet an mich, der wird nimmermehr ſterben". Was ſagt aber das Wunder der Auferweckung des Lazarus von den Todten? was die eigene Auferſtehung Chriſti aus dem Grabe? Es ſagt daſſelbe, aber in Bei-

spielen und bestätigt sinnlich, in einzelnen Thaten, was das Wort im
Allgemeinen sagt. Das Wunder ist daher eben so gut eine Lehre, ein
Wort, nur ein dramatisches, ein Schauspiel. Das Wunder, sage ich
im Wesen des Christenthums, hat allgemeine Bedeutung, die Bedeutung
eines Exempels. „Diese Wunder sind v o r u n s, die wir erwählet
sind, geschrieben", sagt Luther. „Diese That, als der Durchgang durch
das rothe Meer ist zur Figur, zum Exempel und Beispiel geschehen, uns
anzuzeigen: daß es uns auch also gehen werde", d. h. daß in ähnlichen
Nothfällen ähnliche Wunderthaten Gott thun werde. Wenn also Luther
geringschätzend von den Wundern spricht, so gilt dies nur von den Wundern, inwiefern sie als todte, historische, uns nichts angehende Begebenheiten betrachtet werden. Aber mit derselben Geringschätzung spricht
Luther auch von anderen Gegenständen, ja von allen Lehren,
allen Glaubensartikeln, wenn sie nur historisch betrachtet, wenn sie
nicht in Beziehung auf die Gegenwart, auf den lebendigen Menschen
gesetzt werden, selbst von Gott, wenn er nur als Wesen an sich, nicht
als ein Wesen für den Menschen betrachtet wird. Man vergleiche die
besonders im „Wesen des Glaubens im Sinne Luther's" angeführten
Stellen. Wenn also Luther geringschätzend von den Wundern spricht,
so ist der Sinn seiner Geringschätzung dieser: was hilft es Dir zu glauben, daß Christus den Lazarus vom Tode erweckt hat, wenn Du nicht
glaubst, daß er auch Dich, auch Deinen Bruder, Dein Kind vom Tode
erwecken kann, wenn er will? was hilft's zu glauben, daß Christus 5000
Mann mit fünf Gerstenbroten sättigte, wenn Du nicht glaubst, daß er
Dich, daß er überhaupt alle Hungerleider mit eben so wenigen oder
ohne alle Mittel sättigen kann, so er natürlich will? Die Kraft, Wunder
zu thun, schrieb daher auch Luther keineswegs nur der ersten Zeit des
Christenthums zu, wo es nach der gewöhnlichen Annahme allein nothwendig gewesen sei, zur Ausbreitung des christlichen Glaubens Wunder
zu thun. Eine alberne Unterscheidung, nebenbei bemerkt! Die Wunder
sind entweder i m m e r nothwendig, oder n i e nothwendig. So wären

z. B. zu keiner Zeit Wunder nothwendiger als zu unserer Zeit, wo es so viele und gründliche Ungläubige giebt, wie vielleicht zu keiner anderen Zeit. Luther schrieb also keineswegs nur die Wunderkraft der ersten Zeit des Christenthums zu: „Wir haben, sagt er, noch die Macht, solche Zeichen zu thun", freilich nur dann, wie er wo anders sagt, wenn sie nöthig sind. Es ist daher nichts willkürlicher, gesetzloser, unwahrer, als wenn man den Gottesglauben vom Wunderglauben, die christliche Lehre von dem christlichen Wunder abtrennen will. Das ist gerade so, als wenn man den Grund von seinen Folgen, die Regel von ihrer An- wendung, die Lehre von den Beispielen, in denen sie sich erst bewährt, abtrennen und für sich festhalten will. Wollt ihr keine Wunder, nun so wollt auch keinen Gott. Geht ihr aber über die Welt, über die Natur zur Annahme eines Gottes hinaus, nun so geht auch über die Wirkungen der Natur hinaus. Ist ein Gott, d. h. ein von der Natur, von der Welt unterschiedenes Wesen Ursache der Natur oder Welt; so muß es auch nothwendig von den Naturwirkungen unterschiedene Wir- kungen geben, welche eben Beweise, Handlungen dieses von der Natur unterschiedenen Wesens sind. Diese Wirkungen sind aber die Wunder. Es giebt keine anderen Beweise vom Dasein eines Gottes, als Wun- der. Gott ist nicht nur ein von der Natur unterschiedenes, sondern auch ein ihr entgegengesetztes Wesen. Die Welt ist ein sinnliches, körper- liches, leibliches, Gott aber, dem Glauben selbst unserer Denkgläubigen zufolge, ein nicht sinnliches, nicht körperliches Wesen; wenn es nun aber ein solches Wesen giebt, so muß es nothwendig auch Wirkungen dieses Wesens geben, also Wirkungen, welche den Naturwirkungen ent- gegengesetzt sind, widersprechen. Diese Widersprüche mit dem Wesen der Natur sind aber die Wunder. Läugne ich Wunder, so muß ich bei der Natur, bei der Welt stehen bleiben, und wenn ich mir auch gleich selbst die Natur, die Welt, d. h. diese in unsere Sinne fallenden Kör- per, diese Sterne, diese Erde, diese Pflanze, diese Thiere entstanden, ver- ursacht denke, so kann ich doch nur eine nicht dem Wesen nach von der

Natur unterschiedene Ursache derselben annehmen, auf die ich daher nur mißbräuchlich den Namen Gottes anwende; denn ein Gott bezeichnet immer ein willkürliches, geistiges, phantastisches, von der Natur unterschiedenes Wesen. Um über die Natur hinaus, d. h. zu einem Gotte zu kommen, muß ich einen Satz, einen Sprung machen. Dieser Sprung ist das Wunder. Der Rationalismus, der Denkgläubige glaubt aber einen Gott; er glaubt, wie der angeführte Rationalist sich ausdrückt, daß man „das, was wir Gesetz, Weltordnung nennen, ohne allen Grund in die Natur der Dinge selbst legt, die doch kein Gesetz geben, sondern nur dasselbe empfangen kann." Die Natur giebt allerdings keine Gesetze, aber sie empfängt auch keine. Gesetze geben nur menschliche Herrscher und Gesetze empfangen nur menschliche Unterthanen; aber beide Begriffe sind nicht auf die Natur anwendbar, aus dem einfachen Grunde, weil eben Sonne, Mond und Sterne und die sie zusammensetzenden Stoffe keine Menschen sind. Es war kein Gesetzgeber, der dem Sauerstoff geboten, sich nur in dieser bestimmten Gewichtsmenge mit anderen Stoffen zu verbinden, noch hat der Sauerstoff dieses Gesetz empfangen, sondern es liegt in seiner Beschaffenheit, die eins mit der Natur und Existenz des Sauerstoffes ist. Der Rationalismus nimmt aber einen Gott an, welcher der Welt, wie der König seinen Unterthanen, Gesetze giebt, die nicht in der Natur der Welt, der Dinge liegen; er muß also auch annehmen, wenn er consequent sein will, daß es Beweise von der Existenz eines solchen Gesetzgebers giebt, Beweise, daß das, was wir Gesetz, Weltordnung nennen, nicht in der Natur der Dinge liegt; diese Beweise sind aber die Wunder. Der Beweis z. B., daß es kein nothwendiges, in der Natur des Weibes begründetes Gesetz ist, sondern vom Willen Gottes allein abhängt, daß dasselbe nur durch einen Mann Mutter wird, dieser Beweis wird nur dadurch gegeben, daß es auch ohne Mann schwanger wird. Die Wunder glaubt aber der Denkgläubige nicht; die läugnet er, d. h. er läugnet die in die Sinne fallenden, handgreiflichen ungereimten Wirkungen und Folgen des Gottesglaubens; aber die Ursachen dieser Ungereimtheiten, weil diese nicht in die Augen fallen, weil diese erst durch gründliches Denken und Forschen ermittelt werden, und er dazu zu faul, zu beschränkt, zu oberflächlich ist, die läßt er bestehen. Und doch muß ich, will ich consequent sein, mit den Wirkungen auch die Ursache aufheben oder mit der Ursache auch die Wirkungen gelten lassen. Die Natur von Gott abhängig machen, heißt die Weltordnung, heißt die Nothwendigkeit der Natur vom Willen abhängig machen; heißt an die Spitze der Natur einen Fürsten, einen König, einen Herrscher stellen. Aber so wie der Fürst nur dadurch beweist, daß er ein wirklicher Herrscher ist, daß er Gesetze geben und aufheben kann, so beweist auch ein Gott nur seine Gottheit dadurch, daß er Gesetze abschaffen, oder wenigstens augenblicklich, wenn es die Noth erheischt, suspendiren kann. Der Beweis, daß er sie gegeben, ist nur, daß er sie aufhebt. Diesen Beweis aber liefert das Wunder. „Gott, sagt der Bischof Nemesius in seiner Schrift von der Natur des Menschen, ist nicht nur außer aller Nothwendigkeit, sondern er ist auch Herr und Macher (sc. der Nothwendigkeit); denn da er ein Wesen ist, welches Alles kann, was er will, so thut er nichts weder aus Nothwendigkeit der Natur, noch aus Verordnung des Gesetzes; Alles ist für ihn möglich (zufällig), selbst das Nothwendige. Und damit dies gezeigt würde, hielt er einst auf den Lauf der Sonne und des Mondes, die sich nothwendig bewegen und immer auf dieselbe Weise verhalten, um zu zeigen, daß nichts für ihn nothwendig, sondern Alles nach Willkür möglich ist".

Der Denkgläubige sucht der Nothwendigkeit des Wunders durch die Ausrede auszuweichen, daß er sagt: „der göttliche Wille ist der vollkommenste, als solcher kann er nicht sich ändern, sondern er muß unveränderlich auf ein Ziel hinwirken; der göttliche Wille muß daher auch der stetigste sein, er muß uns als unabänderliches Gesetz, als feststehende Regel erscheinen, die nie eine Ausnahme zuläßt". Wie lächerlich! ein Wille, der nicht als Wille, der als unabänderliches Gesetz erscheint, ist eben auch kein Wille, ist nur eine geistliche Phrase und Umschreibung der Naturnothwendigkeit, ist nur ein Ausdruck der rationalistischen Halbheit und Ungründlichkeit, welche zu sehr von der Theologie beherrscht ist, um die Natur in ihrer vollen Wahrheit, und zu sehr von der Natur, um die Theologie in ihren Consequenzen anzuerkennen, welche daher ein Ebenbild ihrer eigenen Unentschiedenheit, einen Willen, der kein Wille, und eine Nothwendigkeit, die keine Nothwendigkeit ist, an die Spitze der Welt stellt. Ein Wille, der immer dasselbe thut, ist kein Wille. Wir sprechen nur deßwegen der Natur den Willen, die Freiheit ab, weil sie immer und immer dasselbe thut. Wir sagen, daß nur deßwegen der Apfelbaum aus Nothwendigkeit, nicht aus Willensfreiheit Aepfel trägt, weil er nur Aepfel, und zwar immer nur Aepfel derselben Art und Beschaffenheit trägt; wir sprechen nur deßwegen dem Vogel die Freiheit des Singens ab, weil er immer dieselben Lieder singt, also keine anderen singen kann. Der Mensch aber bringt nicht immer dieselben Früchte hervor, wie der Baum; er singt nicht immer dieselben Lieder wie der Vogel; er singt bald dieses, bald jenes, bald ein trauriges, bald ein lustiges. Verschiedenheit, Mannigfaltigkeit, Veränderlichkeit, Unregelmäßigkeit, Gesetzwidrigkeit sind allein die Erscheinungen, die Wirkungen, als deren Ursache wir uns ein freies, wollendes Wesen denken. So schloßen die Christen aus dem unveränderlichen und regelmäßigen Lauf der Gestirne, daß sie keine göttlichen, freien Wesen wären, wie die Heiden glaubten, denn wenn ihre Bewegung eine freie wäre, so würden sie sich bald dahin, bald dorthin bewegen. Sie hatten Recht: ein freies Wesen bewahrheitet sich nur in freien, unstetigen Aeußerungen. Der Fluß, die Quelle, die vor unserem Auge und Ohre vorbeirauscht, macht, höchstens nur bald schwächer, bald stärker, je nachdem sich die Wassermaße vermehrt oder vermindert, also dem Wesen nach immer denselben Eindruck auf mich. Aber wie verschieden wirkt auf mich der Gesang des Menschen! Bald stimmt er mich so, bald so; bald erregt er die, bald jene ganz widersprechende Empfindung; bald fällt er in diese, bald in jene Tonart. Ein monotones Wesen, ein Wesen, das sich immer gleichbleibend äußert, immer gleichförmig wirkt, ist daher so wenig ein freies, als das immer in seinen Wirkungen sich gleichbleibende, unveränderliche Wasser ein freies, menschliches Wesen ist. Thöricht ist es, wenn der Vernunftgläubige die Wunderthätigkeit deßwegen von Gott entfernt, weil sie eine zu menschliche Vorstellung sei. Wenn man die Menschlichkeit oder Menschenähnlichkeit Gottes aufhebt, so hebt man auch die Gottheit auf. Was Gott von den Menschen unterscheidet, das ist eben die Natur, das sind nur die von der Natur abgezogenen Eigenschaften oder Kräfte, wie z. B. die Kraft der Natur, durch welche das Gras wächst, das Kind im Mutterleibe sich bildet. Will man also ein Wesen, das nichts mit dem Menschen gemein hat, so setze man an die Stelle Gottes die Natur; will man aber ein Wesen, das Wille, Verstand, Bewußtsein, Persönlichkeit, wie der Mensch hat, so wolle man auch ein vollkommenes, ganzes, menschliches Wesen, so läugne man also auch nicht, daß Gott Wunder wirkt, daß er zu verschiedenen Zeiten und in verschiedenen Umständen auch Verschiedenes thue und beabsichtige, kurz daß sein Wille so veränderlich sei, als der Wille eines Monarchen, eines Menschen überhaupt, denn nur ein veränderlicher Wille ist Wille. Voluntas hominis, sagen die Juristen, est ambulatoria usque ad mortem, d. h. der Wille des Menschen ist veränderlich bis an seinen Tod. Was ich immer, unveränderlich will, brauche ich nicht zu wollen; das Immer, die Unveränderlichkeit ist die Aufhebung, der Tod des Willens. Ich will gehen, weil ich bis jetzt gesessen oder gestanden; arbeiten, weil ich bis jetzt geruht und gefaulenzt; ruhen, weil ich bisher gearbeitet habe. Wille ist nur, wo Gegensätze, wo Unstetigkeiten, wo Ab- und Unterbrechungen stattfinden. Dieser Wechsel, diese Unterbrechung des ewigen Einerlei der Natur ist aber auf dem Gebiete des religiösen Glaubens, welcher ein wollendes

Wesen an die Spitze der Welt setzt, das Wunder. Das Wunder läßt
sich daher nicht vom Gottesglauben losreißen ohne die größte Willkür.
Aber eben diese Willkür, diese Halbheit, dieser Mangel an Gründlich-
keit ist das Wesen unserer Denkgläubigen oder Rationalisten, unserer
modernen Christen überhaupt. Noch ein Beispiel, um diese meine Behauptung zu rechtfertigen. Derselbe angeführte Rationalist läßt sich,
im Widerspruch übrigens mit manchen anderen Rationalisten, welche
die Auferstehung so erklären, daß Christus nicht wirklich gestorben sei
am Kreuze, die Auferstehung gefallen, nimmt sie als ein historisches
Factum an, aber nicht nur ohne die Folgerungen zu ziehen, die mit der
Annahme dieser Auferstehung verbunden sind, sondern auch ohne die
näheren Umstände, welche in der h. Schrift dieses angebliche Factum
begleiten, anzunehmen. Daß, wie Marcus, Matthäus, Lucas einstimmig erzählen, beim Tode Jesu der Vorhang im Tempel vor dem Aller-
heiligsten von oben bis unten in zwei Stücke zerrissen, daß, wie Matthäus erzählt, die Felsen zerrissen, die Gräber sich aufthaten, die Erde
selbst erbebte, sowohl beim Tode, als bei der Auferstehung Christi, das
erklärt er für Ausschmückung der mündlichen Ueberlieferung. Allein
wenn Christus wirklich von den Todten auferstanden ist, nicht aus einem
bloßen Scheintod wieder zum Leben erwachte, so war diese Auferstehung von den Todten ein Wunder, und zwar ein ungeheuer großes
und wichtiges Wunder; denn es war ja der Sieg über den Tod, der
Sieg über die Naturnothwendigkeit, und zwar die allerhärteste, die
allerunbeugsamste, welche selbst die heidnischen Götter aufzuheben
zu schwach waren. Wie ist es daher möglich, daß ein so großes
Wunder vereinzelt dasteht? Müssen mit diesem Wunder nicht noch
andere Wunder verbunden gewesen sein? Ist es nicht natürlich, nicht
nothwendig, wenn man einmal dieses Wunder annimmt, zu glauben,
daß die ganze Natur erbebte, als die Kette der Naturnothwendigkeit,
die Kette, welche den Todten an den Tod, an das Grab fesselt,
gewaltsam zerrissen wurde? Wahrlich, unsere gläubigen Vorfahren

waren weit denkgläubiger, als unsere jetzigen Denkgläubigen; denn ihr Glaube war ein zusammenhängendes Ganzes; sie dachten, wenn ich dieses glaube, so muß ich auch jenes glauben, ob es mir gleich nicht behagt; wenn ich den Grund annehme, so muß ich auch die Folge auf mich nehmen, kurz, wenn ich A sage, so muß ich auch B sagen.

Siebenundzwanzigste Vorlesung.

Ich habe in der vorigen Stunde behauptet, daß die wundervollen Ereignisse beim Tode Jesu mit der Auferstehung im innigsten Zusammenhange stehen. Ist nämlich Christus auferstanden von den Tobten, so ist die Auferstehung ein Wunder, ein Beweis der göttlichen Allmacht, vor welcher der Tod nichts ist; ein Wunder kann aber nicht für sich allein dastehen und bedarf zu seiner Beglaubigung anderer wunderbarer und außerordentlicher Ereignisse. Die Auferstehung stünde ganz sinnlos da, wenn sie nicht durch andere Wunder vorbereitet und unterstützt würde. Bei dem Tode eines Wesens, das von den Tobten wieder auferstaht, und dadurch den Beweis der Welt geben soll, daß es keinen Tod giebt, denn das ist der Sinn der Auferstehung, kann es nicht so gewöhnlich und natürlich zugehen, wie bei dem Tode irgend eines gemeinen Menschen. Wenn ich daher einmal so weit gehe, wie der genannte Rationalist, daß ich die mit der Auferstehung in einem innigen Zusammenhang stehenden Wunder für Sagen, für dichterische Ausschmückung, für Werke der Phantasie erkläre, so muß ich nothwendig noch einen Schritt weiter gehen, und auch die Auferstehung selbst für ein Werk der religiösen Einbildungskraft erklären. Was der Mensch wünscht, nothwendig wünscht — nothwendig nach dem Standpunkt, worauf er steht — das glaubt er. Der Wunsch ist das Verlangen, daß Etwas sei, was nicht ist; die Einbildungskraft, der Glaube stellt es dem Menschen als seiend vor. So wünschten sich die Christen ein himmlisches Leben; sie hatten keine irdischen Wünsche wie die Heiden, kein Interesse weder an der natürlichen, noch der politischen Welt. „Die Definition, sagt z. B. der griechische Kirchenvater Theodoret, die Plato vom wahren Philosophen giebt, daß er sich nicht um das politische Wesen und Treiben bekümmere, paßt nicht auf die heidnischen Philosophen, sondern nur auf die Christen, denn Sokrates, der größte Philosoph, trieb sich in Gymnasien und Werkstätten herum, diente selbst als Soldat. Aber Die, welche die christliche oder evangelische Philosophie ergriffen, haben sich von dem politischen Getümmel zurückgezogen und in einsamen Orten der religiösen Beschauung und der dieser entsprechenden Lebensart gewidmet, ohne durch die Sorge für Weiber, Kinder und irdische Güter zerstreut zu werden." Die Wünsche der Christen gingen nach einem anderen besseren Leben, und sie glaubten daher, daß es ein solches gebe. Wer kein anderes Leben wünscht, glaubt auch keines. Der Gott, die Religion ist aber nichts, als der in der Phantasie befriedigte Glückseligkeitstrieb, Glückseligkeitswunsch des Menschen. Den christlichen Wunsch eines himmlischen, seligen Lebens, eines Lebens ohne Ende, ohne die Schranke des Todes, stellte daher die religiöse Einbildungskraft als erfüllt vor in dem vom Tode auferstandenen Christus; denn von seiner Auferstehung hängt ja die Auferstehung, die Unsterblichkeit des Christen ab; er ist ja das Vorbild derselben. Die Erfüllung dieses Wunsches oder vielmehr der Glaube an die Erfüllung desselben, die wirkliche Auferstehung Christi mag nun allerdings, abgesehen davon, daß der Glaube an eine Auferstehung überhaupt schon lange vor dem Christenthum bestand, schon ein Glaubensartikel der zoroastrischen oder persischen Religion war, eine historische Veranlassung gehabt haben, nämlich die, daß Christus von den Seinigen für todt gehalten, als todt betrauert worden war, und daher, als er wiederkam, von ihnen als ein wirklich vom Tode Auferstandener angesehen wurde. Aber es ist Pedantismus und gänzlicher Mißverstand der Religion, die religiösen Thatsachen, die nur im

Glauben existiren, auf geschichtliche Thatsachen zurückführen, die ihnen zu Grunde liegende geschichtliche Wahrheit ermitteln zu wollen. Das Geschichtliche ist nichts Religiöses und das Religiöse nichts Geschichtliches, oder eine geschichtliche Person, ein geschichtliches Ereigniß ist, so wie es Gegenstand der Religion wird, nicht mehr Geschichtliches, sondern ein Ding, ein Geschöpf des Gemüths, der Einbildungskraft. So ist auch der Jesus, wie ich schon in einer frühern Stunde sagte, der und wie er uns in der Bibel überliefert wird, keine geschichtliche Person mehr, sondern eine religiöse; er ist uns dargestellt hier als ein wundervolles, wunderthätiges, allmächtiges Wesen, welches alle Wünsche des Menschen, d. h. alle die Wünsche, die nichts Schlechtes, nichts im Sinne des Christen Unsittliches wollen, erfüllen kann und wirklich erfüllt, als ein Wesen folglich der Phantasie, der Einbildungskraft.

Um das Wunder wegzuschaffen, hilft sich der Denkgläubige auch mit diesem Grunde, daß, wie der angeführte Rationalist sagt, „der Wunderbegriff, wenn er einen wissenschaftlichen Beweis (?) für die Offenbarung geben soll, bestimmt werden muß als eine solche Thatsache in der Sinnenwelt, welche nicht durch den natürlichen Zusammenhang wirkender Ursachen erklärt werden kann, wo also zu schließen ist, daß Gottes Hand unmittelbar eingegriffen und gewirkt habe. Um aber gewiß zu sein, daß eine Thatsache nicht nach der Naturordnung erfolgt sein könne, müßte man die ganze Natur und alle Gesetze derselben vollständig kennen. Da nun aber kein Mensch eine solche Erkenntniß hat, oder haben kann, so kann auch das Urtheil, daß eine Thatsache schlechthin nicht aus dem Zusammenhange der Dinge entsprungen sein könne, sondern durch eine außerordentliche Einwirkung der göttlichen Allmacht entsprungen sein müsse, niemals zu völliger Evidenz gebracht werden." Allein die Wunder unterscheiden sich auf eine so augenfällige und unverkennbare Weise von den Wirkungen der Natur, daß man schlechtweg, ohne Bedenken behaupten kann, daß sie nicht aus dem Zusammenhang der natürlichen Dinge und Ursachen entsprungen sein können, weil eben die Wünsche und Einbildungen des Menschen, welche uns die Wunder als wirkliche Thatsachen vorstellen, außer und über dem Zusammenhange der Dinge, außer und über der Nothwendigkeit der Natur stehen, gleichwie der Wunsch des unheilbaren Blinden, zu sehen, außer allem natürlichen Zusammenhang mit der Natur der Blindheit, ja in directem Widerspruch mit den natürlichen Bedingungen und Gesetzen der Erfüllbarkeit dieses Wunsches steht; daher die Bestimmung der alten Theologen, daß das Wunder nicht nur über, sondern auch gegen die Naturordnung, gegen das Wesen der Natur sei, vollkommen richtig ist; denn sie stellt uns die Natur des Wunsches dar. Allerdings kann man also apodictisch, wie die Philosophen sprechen, d. h. mit unbedingter Gewißheit und Entschiedenheit behaupten, daß die Wunder nicht aus der Natur, d. h. der äußern Natur erklärt werden, daß sie nur durch außerordentliche Einwirkung der göttlichen Allmacht entstanden sein können; nur ist zu bemerken, daß diese göttliche, übernatürliche Macht eben die Macht der menschlichen Wünsche und Einbildungskraft ist. Kurz das Wesen der Religion, das Wesen der Gottheit offenbart nur das Wesen des Wunsches und der mit ihm unzertrennlich verbundenen Einbildungskraft; denn nur die Einbildungskraft ist es, welche auch den Gott des Denkgläubigen, den Gott des philosophischen Denkers, der nichts ist als sein eigenes Denkwesen, als ein außer dem Denken existirendes Wesen vorstellt. Aus der gegebenen Erklärung erhellt auch, wie thöricht die Frage oder der Streit um die Möglichkeit, Wirklichkeit und Nothwendigkeit der Wunder ist. Dieser Streit, diese Frage kann nur entstehen, wenn man das Wunder a u   s i c h   s e l b s t betrachtet, oder nur an die äußere Erscheinung sich hält, ohne auf den inneren psychologischen oder menschlichen Grund, dem diese äußere Erscheinung allein ihre Existenz verdankt, zurück zu gehen. Der psychologische oder menschliche Ursprung des Wunders erhellt übrigens auf augenscheinliche Weise auch schon daraus, daß die Wunder d u r c h   M e n s c h e n oder, wie sich der religiöse Glaube ausdrückt, durch Gott vermittelst der Menschen geschehen. Hierin liegt auch der augenfällige Unterschied zwischen den sogenannten natürlichen und den religiösen Wundern, den wir früher berührten. Die religiösen Wunder sind nicht denkbar ohne den Menschen; denn sie beziehen sich nur auf den Menschen. Die natürlichen Wunder, d. h. die von uns bewunderten Erscheinungen der Natur sind, auch wenn kein Mensch ist und sie bewundert. Die Wunder der Geologie, die Mega- und Dinotherien, die Ichthyosauren existirten, wenigstens nach der Annahme unserer gegenwärtigen Geologie, ehe noch die Menschen existirten; aber ehe es einen Josua gab, wurde auch nicht die Sonne in ihrem natürlichen Lauf unterbrochen.

Es scheint auf den ersten oberflächlichen Blick paradox, d. h. auffallend und sonderbar, die Religion aus den Wünschen des Menschen abzuleiten, ja sogar die Gottheit, das gegenständliche Wesen der Religion als eins mit dem Wunsche zu erklären; denn in der Religion, wenigstens der christlichen, betet ja der Mensch: Herr! nicht mein, sondern Dein Wille geschehe; die Religion gebietet ja Aufopferung der menschlichen Wünsche. Aber der Christ — natürlich der ächte, antike, nicht der moderne Christ — opfert nur auf den Wunsch des Reichthums, den Wunsch, Kinder zu bekommen, den Wunsch der Gesundheit oder des langen Lebens, aber nicht den Wunsch der Unsterblichkeit, den Wunsch göttlicher Vollkommenheit und Seligkeit. Er unterordnet alle diese in seinem Sinne zeitlichen, irdischen, fleischlichen Wünsche dem Einen Haupt- und Grundwunsch der Seligkeit; und von diesem Wunsche, von der Vorstellung, von der Phantasie eines ewigen himmlischen Lebens unterscheidet sich nicht die christliche Gottheit; sie ist nur dieser personificirte, als ein wirkliches Wesen vorgestellte Wunsch. Gottheit und Seligkeit ist daher dem wahren Christen eins. Selbst der Mensch, der keine solche überschwänglichen, überirdischen Wünsche hat, wie der Christ, der auf dem Boden der Wirklichkeit, dem Boden des wirklichen Lebens und Menschen mit seinen Wünschen stehet, ja selbst der, welcher ganz gemein egoiſtiſche Wünſche hat, muß unzählige Nebenwünſche ſeinem Hauptwunſch, wenn er ihn verwirklichen will, aufopfern. Ein Menſch, der keinen andern Wunſch hat, als reich zu werden oder geſund zu bleiben, muß unzählige Wünſche unterdrücken, wenn er wirklich reich werden, wirklich geſund bleiben will. So ſehr er in dieſem Augenblick dieſes Vergnügen ſich zu verſchaffen wünſcht, er muß es ſich verſagen, wenn er über der Befriedigung eines augenblicklichen Triebs, Reizes oder Wunſches nicht ſeinen Grundwunſch vereiteln will. Wenn es daher heißt in der chriſtlichen Religion: nicht mein, ſondern Dein Wille geſchehe! ſo iſt der Sinn dieſer Worte nur d e r : nicht d e r Wille, nicht d e r Wunſch, der Dieſes oder Jenes will und wenn er erfüllt wird, mir vielleicht ſpäter zum Verderben gereicht, nicht der Wille der überhaupt ſogenannten zeitlichen Güter geſchehe; aber keineswegs iſt damit geſagt, daß nicht der Wille des Glückſeligkeitstriebs überhaupt, nicht der Wunſch des bleibenden, ewigen Glücks, der himmliſchen Glückſeligkeit geſchehen ſoll. Der Chriſt ſetzt ja voraus, wenn er wünſcht oder betet, daß der Wille Gottes geſchehe, daß dieſer Wille nur das Beſte, das Wohl des Menſchen, wenigſtens ſein ewiges Wohl und Heil wolle. (28) Der Zurückführung der Religion und der Götter auf die Wünſche der Menſchen widerſpricht alſo keineswegs die Reſignation, die Verzichtung auf Befriedigung dieſer oder jener einzelnen Wünſche, welche die Religion gebietet. Es ſteht feſt: wo der Menſch aufhört, hört auch die Religion auf, aber wo der Wunſch aufhört, hört auch der Menſch auf. Keine Religion, kein Gott ohne Wunſch; aber auch kein Menſch ohne Wunſch! Der Unterſchied zwiſchen den Wünſchen, o h n e w e l c h e e s k e i n e R e - l i g i o n oder Gottheit, und den Wünſchen, o h n e w e l c h e e s k e i n e M e n ſ c h h e i t g i e b t, ohne welche der Menſch nicht Menſch iſt, iſt nur der, daß die Religion Wünſche hat, die nur in der Einbildungs- kraft, im Glauben ſich erfüllen; der Menſch aber als ſolcher oder der Menſch, der an die Stelle der Religion die Bildung, die Vernunft, die Naturanſchauung, an die Stelle des Himmels die Erde ſetzt, Wünſche hat, die nicht die Grenzen der Natur und Vernunft überspringen, die im Bereiche der natürlichen Möglichkeit und Verwirklichung liegen.

Der scheinbare Widerspruch zwischen dem Wesen des Wunsches und dem Wesen der Religion läßt sich auch so ausdrücken. Die Wünsche des Menschen sind willkürlich, gesetz- und zügellos; aber die Religion giebt Gesetze, legt dem Menschen Pflichten, Beschränkungen auf. Allein die Pflichten sind nichts Andres, als die Grundtriebe, die Grundanlagen, die Grundwünsche des Menschen, welche in den Zeiten und Zuständen der Unbildung die Religion oder Gott, in den Zeiten der Bildung die Vernunft, die eigene Natur des Menschen zu Gesetzen macht, denen er diese oder jene besondern Begierden, Wünsche und Leidenschaften unterwerfen soll. Alle Religionen, vorzüglich aber die, welche in der Geschichte der menschlichen Cultur von Bedeutung sind, hatten nichts Andres im Sinne, als das Wohl des Menschen. Die Pflichten, die Beschränkungen, die sie den Menschen auferlegten, legten sie ihnen nur auf, weil sie ohne dieselben nicht den Grundzweck, den Grundwunsch des Menschen, glücklich zu sein, erreichen und erfüllen zu können glaubten. Es giebt allerdings Fälle im Leben, wo die Pflicht und der Glückseligkeitstrieb im Menschen in Widerspruch gerathen, wo man seiner Pflicht selbst sein Leben opfern muß; aber solche Fälle sind tragische, unglückliche oder überhaupt besondere, außergewöhnliche Fälle. Man kann sie nicht als Grund anführen, um damit den Widerspruch von Pflicht und Moral und Glückseligkeitstrieb zum Gesetz, zur Norm, zum Princip zu erheben. Die Pflicht hat ursprünglich und gesetzmäßig nichts Andres im Sinne und Auge, als das Wohl, als das Glück des Menschen. Was der Mensch wünscht, vor allem Anderen wünscht, das macht er sich zum Gesetz, zur Pflicht. Wo die Existenz oder, was eins ist, das Wohl eines Volkes, — denn was ist die Existenz ohne Wohl, ohne Glück? — und eben damit auch des einzelnen Menschen an den Ackerbau gebunden war, wo der Mensch nicht glücklich, nicht Mensch sein konnte — denn nur der glückliche Mensch ist Mensch, voller, freier, wahrer, sich als Mensch fühlender Mensch — ohne Ackerbau, wo also der Hauptwunsch des Menschen das Gedeihen und Gelingen des Acker-baus war, da war derselbe auch eine religiöse Pflicht und An-gelegenheit. Und wo der Mensch seine menschlichen Wünsche und Zwecke nicht erreichen kann, ohne die ihn belästigenden wilden Thiere zu vernichten, da ist diese Vernichtung eine religiöse Pflicht, da ist das Thier selbst, das dem Menschen zur Erfüllung dieser Wünsche, zur Ver-wirklichung seiner Glückseligkeit, zur Erreichung seiner menschlichen Zwecke verhilft, der Hund, wie in der alten persischen Religion, ein reli-giöses, ein heiliges, ein göttliches Thier. Kurz der Gegensatz von Pflich-ten und Wünschen ist nur ein von besonderen Fällen des Menschenlebens abgezogener, hat keine allgemeine Wahrheit und Gültigkeit. Im Gegen-theil: was der Mensch im Grunde seines Herzens wünscht, das ist die einzige Regel und Pflicht seines Lebens und Thuns. Die Pflicht, das Gesetz verwandelt nur in einen Gegenstand des Willens und Bewußt-seins, was der unbewußte Trieb des Menschen will. Ist es, um auf den Grund der geistigen Unterschiede und Neigungen des Menschen dieses im Beispiel zu zeigen, Dein — versteht sich begründeter — Wunsch, Dein Trieb, ein Künstler zu werden, so ist es auch Deine Pflicht, einer zu werden, und darnach Deine ganze Lebensweise zu bestimmen. Wie kommt denn nun aber der Mensch dazu, daß er seine Wünsche in Göt-ter, in Wesen verwandelt, wie z. B. den Wunsch, reich zu werden, in einen Gott des Reichthums, den Wunsch der Fruchtbarkeit in eine Gott-heit, die fruchtbar macht, den Wunsch, selig zu werden, in einen seligen Gott, den Wunsch, nicht zu sterben, in ein den Tod überwindendes, un-sterbliches Wesen? Was der Mensch wünscht, je nach seinem Stand-punkt, nothwendig, wesentlich wünscht, das glaubt er, wie gesagt, das hält er auf dem Boden, in dem die Religion wurzelt, für etwas Wirk-liches oder Mögliches; er zweifelt nicht, daß es sein kann; die Bürg-schaft seiner Möglichkeit ist ihm eben sein Wunsch. Der Wunsch gilt ihm an und für sich selbst schon für eine Zaubermacht. In der altdeutschen Sprache ist „Wünschen so viel als Zaubern". In der altdeutschen Sprache und Religion hieß der höchste Gott sogar unter anderem auch Wunsch, womit die alte Sprache, wie Jacob Grimm in seiner deutschen Mythologie sagt, den „Inbegriff von Heil und Seligkeit, die Erfüllung aller Gaben ausdrückte", und er glaubt, daß das Wort: Wunsch abstammt von Wunjo, welches Freude, Wonne oder Vollkommenheit jeder Art bedeutet. Grimm betrachtet es daher als einen Ueberrest des alten heidnischen Sprachgebrauchs, daß mehrere Dichter des 13. Jahrhunderts den Wunsch personificiren, als ein gewaltiges, schöpferisches Wesen darstellen, und bemerkt dabei, daß man bei ihnen in den meisten Fällen an die Stelle des Namens: Wunsch, den Namen Gottes setzen könne. Wenn er aber dabei die Bedeutung des Wunsches in der späteren Sprachweise, wo er das Streben nach den Gaben und Vollkommenheiten, die Gott·besitzt, bedeutet, von der ursprünglichen Bedeutung unterscheidet, so ist nicht zu übersehen, daß ursprünglich im Sinne der Sprache und Religion der Wunsch und der Gegenstand des Wunsches eins ist. Was ich zu haben wünsche, das habe ich ja in der Einbildung, was ich zu sein wünsche — gesund, reich, vollkommen — das bin ich ja wirklich in der Einbildung; denn indem ich mir Gesundheit wünsche, stelle ich mich als gesund vor. Eben deswegen ist der Wunsch als Wunsch ein göttliches Wesen, eine übernatürliche Zaubermacht, denn alle nur immer wünschenswerthen Kräfte und Gaben schüttet er aus dem Füllhorn der Phantasie über mich aus. Es hat mit dem heidnischen Wunsch dieselbe Bewandtniß, wie mit dem christlichen Segen. Segnen ist so viel als Gutes wünschen, Segen also so viel als Wunsch, aber der Segen bedeutet auch den Gegenstand, das Gute, das man sich und Anderen wünscht. „Daher auch in der Schrift, sagt Luther in seiner „Auslegung des Segens", die gemeine Weise zu reden ist: Gieb mir einen Segen. Hast du nicht mehr Segen? das ist: Gieb mir etwas, als Gut, Brot, Kleid. Denn es ist alles eitel Gottes Gaben und durch seinen Segen haben wir, was wir haben, und heißet auch darum ein Segen, das ist eine Gottes Gabe, die er uns durch seinen Segen gibt". Der Unterschied zwischen dem göttlichen Wunsch oder Segen und dem menschlichen Wunsch oder Segen ist nur der, daß der göttliche Wunsch der erfüllte, verwirklichte menschliche Wunsch ist. Gott heißt daher Wunsch aus demselben Grunde, aus welchem Gott überhaupt als der in der Phantasie befriedigte Glückseligkeitswunsch des Menschen bezeichnet werden kann, ja muß, aus demselben Grunde, aus welchem „das Gebet allmächtig" heißt, aus welchem die göttliche Allmacht selbst nur die in ein gegenständliches Wesen verwandelte oder als solches vorgestellte Allmacht des menschlichen Gebetes und Wunsches ist. Die Religion stellt, wie die Dichtkunst, das als wirklich, als sinnlich existirend vor, was nur in der Vorstellung existirt, verwandelt Wünsche, Gedanken, Einbildungen, Gemüthszustände in wirkliche vom Menschen unterschiedene Wesen. Der Glaube an Hexerei und Zauberei kommt eben daher, daß die Menschen dem Wunsche eine über den Menschen hinausgehende, nach Außen wirkende Macht und Kraft zuschrieben, daß sie glaubten, daß einem Menschen wirklich das Uebel geschehe, welches man ihm anwünsche. Die Römer und Griechen stellten die Wünsche des Rachegefühls, die Verwünschungen, die Flüche selbst als Götter oder vielmehr Göttinnen vor, d. h. als Wesen, welche die Flüche vollstreckten, die Wünsche der Rache erfüllten. Dort hießen sie Dirä, hier Arä. Was vom Fluch, gilt auch vom Segen. „In der heil. Schrift, sagt Luther in seiner Auslegung Mose, sind thätliche Segen, nicht allein Wünsch-Segen, sondern die dasjenige gewißlich bestimmen, mit der That geben und mitbringen, wie die Worte lauten.... Wenn ich also sagte: wollte Gott, daß dir deine Sünden vergeben würden ... das möchte man einen Segen der Liebe nennen. Aber der Segen der Verheißung und des Glaubens und der gegenwärtigen Gaben lautet also: Ich absolvire dich von deinen Sünden". Das heißt eben: der Glaube, die Einbildungskraft verwandelt das Subjective in Objectives, das Vorgestellte in Wirkliches, das: „O wär' ich! O hätt' ich!" in: das Ich bin, ich habe, das Wunschwesen in Thatwesen. Weil aber der Mensch, wie sich von selbst versteht, seine Wünsche, seien sie nun gute oder böse, Segnungen oder Verwünschungen, in gewisse Worte und Formeln faßt, so schreibt er eben diesen Formeln, Worten, Namen außer den Menschen hinausgehende, gegenständliche Wirkungen, d. i. Zauberkräfte zu. So glaubten z. B. die religiösen Römer, daß man durch gewisse Gebets = oder Zauberformeln Regen und Wetter machen und vertreiben, die Früchte auf dem Felde verheren, Häuser vor Feuersbrunst schützen, Wunden und Krankheiten heilen, Menschen, die davon laufen wollen, bannen könne. So glauben noch jetzt die Altbaiern, daß man Einen „zu tobt beten," d. h. durch Gebete tödten könne. Eben aus diesem Glauben oder Aberglauben kommt es auch, daß die Menschen sich scheuen, die Worte oder Namen von Dingen, die sie fürchten, auszusprechen, weil sie mit dem Namen auch den Gegenstand, den er bezeichnet, herbeizuzaubern oder sich auf den Hals zu laden wähnen. Die nordamerikanischen Wilden fürchten sich zum Theil so sehr vor den Todten, daß sie auch nicht einmal den Namen der Verstorbenen aussprechen, daß Lebende von gleichem Namen einen andern Namen annehmen. Sie glauben also, daß der Todte — als Todter, als Gespenst — so lange existirt, als er genannt und vorgestellt wird, daß er dagegen nicht mehr existirt, wenn er für sie nicht mehr existirt, daß er nicht ist, wenn sie ihn nicht denken, nicht nennen. So glaubten auch die Griechen und Römer, daß ein Omen, ein Vorbedeutungszeichen nur dann eine Wirkung habe, wenn man es beachte, was freilich ganz richtig ist, denn es hat nur eine gute oder schlimme Wirkung, wenn ich demselben eine erfreuliche oder traurige Bedeutung gebe. Eben so glauben viele Völker, ja die meisten im kindlichen oder rohen Zustand, daß, wenn sie von den Todten träumen, die Todten ihnen wirklich erscheinen; sie halten überhaupt das Bild, die Vorstellung von einem Wesen, von einem Gegenstand für dieses Wesen, für diesen Gegenstand selbst. Ungebildete Völker glauben selbst, daß die Seele im Traume außer den

Leib hinausspaziere und an Orte sich hinbegebe, wohin die Phantasie den Menschen im Traume versetzt; sie halten also diese Traumfahrten für wirkliche Fährten, die Lügen und Märchen, die ihnen die Phantasie vorsagt, für Wahrheiten und Thatsachen. Die Grönländer glauben sogar, daß auch im Wachen die Seele sich vom Leibe trenne und Reisen mache, weil man ja auch im Wachen oft in Gedanken sich an ferne Orte versetzt, nicht da geistig ist, wo man leiblich ist. Wir haben an diesen Vorstellungen übrigens nur sinnliche, rohe, augenfällige Beispiele, wie überhaupt der Mensch das Subjective in Objectives verwandelt, d. h. das, was nur in ihm, nur in seinem Denken, Vorstellen, Einbilden existirt, zu etwas außer dem Denken, Vorstellen, Einbilden Existirenden macht, namentlich, wenn das, was er vorstellt, ein Gegenstand ist, der mit dem Glückseligkeitstrieb zusammenhängt, ein Gegenstand, den er wünscht als ein Gut, fürchtet als ein Uebel; denn wie die Furcht macht auch die Liebe, das Verlangen, die Sehnsucht nach Etwas den Menschen blind, so daß er nichts Andres sieht, als was er eben liebt und wünscht, alles Andere darüber vergißt. Oder anders ausgedrückt: der Mensch verwandelt nicht gleichgültig jede Vorstellung, jede Einbildung, jeden Gedanken und Wunsch, sondern hauptsächlich nur solche in Wesen, die mit seinem eignen Wesen auf's innigste zusammenhängen, welche ein charakteristischer Ausdruck seines Wesens sind, die eben deswegen für ihn so wirklich sind, als sein eigenes Wesen, die für ihn den Charakter der Nothwendigkeit haben, weil eben diese Vorstellungen in seinem Wesen begründet sind. So hielten die Heiden ihre Götter für wirkliche Wesen, weil sie sich keine anderen Götter denken konnten, weil diese nur mit ihrem heidnischen Wesen übereinstimmten, den heidnischen Bedürfnissen und Wünschen entsprachen. Die Christen dagegen zweifeln nicht, daß die Götter der Heiden nur eingebildete Wesen sind, aber nur weil die Güter, welche diese Götter spendeten, die Wünsche, welche diese Götter erfüllten, im Sinne der wahren Christen eitle, nichtige Wünsche sind. Es ist im Sinne des wahren

Christen nicht nothwendig, gesund zu sein, wozu also einen Gott der Gesundheit? nicht nothwendig, reich zu sein, wozu also einen Gott des Reichthums? Es ist in ihrem Sinne nur nothwendig, was zur ewigen himmlischen Seligkeit verhilft. Kurz der Christ hält nur die Gedanken, Vorstellungen, Einbildungen für wirkliche Wesen, welche mit seinem christlichen Wesen übereinstimmen und zusammenhängen, welche ein Abbild seines eigenen Wesens sind, welche sein eigenes Wesen vergegenständlichen. So zweifelt der Christ nicht an der Wahrheit und Wirklichkeit der Unsterblichkeit, eines anderen Lebens nach dem Tode, und doch existirt dieses Leben nur in seiner Vorstellung, seiner Einbildung. Und er zweifelt deswegen nicht, weil diese Einbildung mit dem christlichen, über die Wirklichkeit hinausschweifenden Wesen zusammenhängt. Eben deswegen, weil der Mensch nur einen Gott glaubt, der das eigene Wesen des Menschen ausdrückt und abspiegelt, weil er nur das gedachte, vorgestellte oder eingebildete Wesen, welches mit seinen innersten Herzenswünschen in Einklang steht, für ein wirkliches Wesen hält; eben deswegen habe ich im Wesen des Christenthums den Satz ausgesprochen, daß der Glaube an Gott nichts Andres sei, als der Glaube des Menschen an sich selbst, daß er in seinem Gotte nichts verehrt, nichts liebt, als sein eigenes Wesen, daß es aber eben deswegen jetzt nothwendig, jetzt unsere Aufgabe sei, diese unbewußte, verkehrte, phantastische Verehrung und Liebe des Menschen in bewußte, gerade, vernünftige Verehrung und Liebe zu verwandeln.

Achtundzwanzigste Vorlesung.

Der Mensch verwandelt also seine Gefühle, Wünsche, Einbildungen, Vorstellungen und Gedanken in Wesen, d. h. das, was er wünscht, vorstellt, denkt, gilt ihm für ein Ding, selbst außer seinem Kopfe, wenn es gleich nur in seinem Kopfe steckt. „Alle Gegenstände des Gedankens, sagt Kleuber in seinem Zendavesta von der Ormuzdreligion, aber es gilt von jeder, nur daß die Gegenstände nicht dieselben sind, alle Gegenstände des Gedankens (d. h. hier alle Gedankenunterschiede oder Gedankenwesen) sind hier zugleich wirkliche Wesen und damit auch Gegenstände der Huldigung". Daher kommt es auch, daß der Mensch selbst das Nichts, welches nur ein Gedanke, ein Wort ist, außer sich hinaus gesetzt hat, und zu der unsinnigen Vorstellung gekommen ist, daß vor der Welt Nichts gewesen, daß die Welt sogar aus Nichts geschaffen sei. Aber der Mensch verwandelt hauptsächlich nur die Gedanken und Wünsche in Wesen, in Dinge, in Götter, welche mit seinem Wesen zusammenhängen. So verwandelt z. B. der Wilde jede schmerzliche Empfindung in ein böses, den Menschen peinigendes Wesen, jedes Bild seiner Einbildungskraft, das ihn in Furcht und Schrecken versetzt, in ein teuflisches Gespenst. So verwandelt der humane Mensch seine menschlichen Gefühle in göttliche Wesen. Unter allen Griechen hatten allein die Athener, nach Vossius, dem Mitleid, dem Mitgefühl einen Altar errichtet. So verwandelt der politische Mensch

feine politischen Wünsche und Ideale in Götter. So gab es in Rom
eine Freiheitsgöttin, der Gracchus einen Tempel erbaute; so hatte auch
die Eintracht einen Tempel; so auch das öffentliche Wohl, so die Ehre,
kurz Alles, was dem politischen Menschen von besonderer Wichtigkeit
ist. Das Reich der Christen war dagegen kein Reich von dieser Welt;
sie betrachteten den Himmel als ihr Vaterland. Die ersten Christen
feierten daher nicht, wie die Heiden, den Geburtstag, sondern den To-
destag des Menschen, weil sie in dem Tode nicht nur das Ende dieses
Lebens, sondern zugleich den Anfang des neuen, himmlischen Lebens
erblickten. Das ist ihr Unterschied von den Heiden, deren ganzes Wesen in das Wesen der natürlichen und bürgerlichen Welt versunken war.
Die Christen verwandelten daher nur die mit diesem ihrem Unterschied,
diesem ihrem Wesen zusammenhängenden Wünsche, Gedanken und Vorstellungen in Wesen. Die Heiden machten den Menschen mit Haut
und Haaren zum Gotte, die Christen machen nur das geistige und gemüthliche Wesen des Menschen zum Gotte. Die Christen lassen alle
sinnlichen Eigenschaften, Leidenschaften und Bedürfnisse von ihrem Gott
weg, aber nur weil sie dieselben von ihrem eigenen Wesen wegdenken,
weil sie glauben, daß auch ihr Wesen, ihr Geist sich, wie sie sich ausdrücken, von dieser körperlichen Schale und Hülle abschäle, daß sie einst
Wesen werden, welche nicht mehr essen, nicht mehr trinken, welche reine
Geister sind. Das, was der Mensch noch nicht wirklich ist, aber einst
zu werden hofft und glaubt, einst werden will, was daher nur ein Gegenstand des Wunsches, der Sehnsucht, des Strebens und eben deßwegen kein Gegenstand der sinnlichen Anschauung, sondern nur der
Phantasie, der Einbildung ist, das nennt man ein Ideal, auf deutsch:
ein Ur-, Vor- und Musterbild. Der Gott des Menschen oder Volkes,
wenigstens des Volkes, welches nicht, wie der Wilde, stets auf dem
alten Fleck, auf dem Boden der Rohheit stehen bleibt, das weiter kommen will, das eben deßwegen eine Geschichte hat — denn die Geschichte
hat ihren Grund nur in dem Trieb und Bestreben des Menschen, sich zu

vervollkommnen, sich ein angemessenes Dasein zu verschaffen — der Gott eines solchen Volkes ist nichts Andres, als sein Ideal. „Ihr sollt vollkommen sein, gleich wie euer Vater im Himmel vollkommen ist", heißt es im Neuen Testament. Und im Alten Testament heißt es: „Ich bin der Herr, euer Gott, darum sollt ihr euch heiligen, daß ihr heilig seid, denn ich bin heilig". Wenn man daher unter Religion gar nichts Andres versteht, als überhaupt Cultus eines Ideals, so hat man vollkommen recht, wenn man die Aufhebung der Religion unmenschlich nennt, denn daß sich der Mensch ein Ziel seines Strebens, ein Vorbild setzt, ist nothwendig. Aber das Ideal, wie es Gegenstand der Religion, so auch der christlichen Religion, kann nicht unser Muster sein. Der Gott, das religiöse Ideal ist zwar immer ein menschliches Wesen; aber doch so, daß eine Menge dem wirklichen Menschen zukommende Eigenschaften an ihm weggelassen sind; er ist nicht das ganze menschliche Wesen; er ist nur Etwas vom Menschen, etwas aus dem Ganzen Herausgerissenes, ein Aphorismus der menschlichen Natur. So reißen die Christen den Geist, die Seele dem Menschen aus dem Leibe heraus, und machen diesen herausgerissenen, entleibten Geist zu ihrem Gotte. Selbst die Heiden, wie z. B. die Griechen, welche den Menschen so zu sagen mit Haut und Haaren zum Gotte machten, selbst diese machten doch nur die menschliche Gestalt, wie sie ein Gegenstand des Auges, aber nicht, wie sie ein Gegenstand des körperlichen Tastsinns ist, zur Gestalt ihrer Götter. Ob sie gleich in der Praxis, im Leben, im Cultus ihre Götter wie wirkliche Menschen behandelten, ihnen sogar Speise und Trank darbrachten, so waren die Götter doch in ihrer Vorstellung, ihrer Dichtkunst abgezogene Wesen, Wesen ohne wirkliches Fleisch und Blut. Namentlich gilt dies aber vom christlichen Gott. Wie kann nun aber ein abgezogenes, unsinnliches, unkörperliches Wesen, ein Wesen ohne sinnliche Bedürfnisse, Triebe und Leidenschaften mir zumuthen, daß ich, ein körperliches, sinnliches, wirkliches Wesen, ihm gleichen, ihm ähnlich sein soll? Wie kann es für mich das Gesetz, das Muster meines Lebens und Thuns sein? wie überhaupt mir Gesetze geben? Der Mensch begreift nicht Gott, sagt die Theologie, aber Gott begreift auch nicht die Menschen, sagt die Anthropologie. Was weiß ein Geist von sinnlichen Trieben, Bedürfnissen und Leidenschaften? Woher sind denn die Gesetze der Moral, schreien die Gläubigen, wenn kein Gott ist? Die Thoren! Gesetze, die der menschlichen Natur entsprechen, sind auch nur aus dem Menschen entsprungen. Ein Gesetz, das ich nicht erfüllen kann, das über meine Kräfte geht, das ist auch kein Gesetz für mich, kein menschliches Gesetz; aber ein menschliches Gesetz hat eben deßwegen auch einen menschlichen Ursprung. Ein Gott kann alles Mögliche, d. h. alles nur immer Einbildbare, und kann daher auch alles Mögliche dem Menschen zumuthen. So gut er zu den Menschen sagen kann: Ihr sollt vollkommen und heilig sein, wie ich, so gut kann er auch zu den Menschen sagen: Ihr sollt nicht essen und trinken; denn ich, der Herr euer Gott, esse und trinke auch nicht. In den Augen eines Gottes ist ja das Essen und Trinken etwas höchst Unanständiges, Unheiliges, Thierisches. Gesetze, die ein Gott dem Menschen giebt, d. h. Gesetze, die ein abgezogenes und eben deßwegen nur in der Einbildung existirendes Wesen zu ihrem Grund und Ziel haben, taugen daher nichts für den Menschen, haben zu ihrer Folge die größte Heuchelei, denn ich kann nicht Mensch sein, ohne meinen Gott zu verläugnen, oder die größte Unnatur, wie die Geschichte des Christenthums und anderer ähnlicher Religionen bewiesen hat. Die nothwendige Folge eines geistigen, d. h. abstracten, abgezogenen Wesens oder Gottes, welches der Mensch zum Gesetz seines Lebens macht, ist die Maceration, die Mortification, die Selbstentfleischung, die Selbstentleibung. Das materielle Elend der Christenwelt hat daher zuletzt seinen Grund nur in ihrem geistigen Gott oder Ideal. Ein geistiger Gott kümmert sich nur um das Seelenheil, aber nicht um das körperliche Wohl des Menschen. Ja, das Körperwohl steht sogar in größtem Widerspruch mit dem Seelenheil, wie die frömmsten und ausgezeichnetsten Christen gesagt haben.

Statt des religiösen Ideals muß sich der Mensch daher jetzt ein anderes Ideal setzen. Unser Ideal sei kein castrirtes, entleibtes, abgezogenes Wesen, unser Ideal sei der ganze, wirkliche, allseitige, vollkommene, ausgebildete Mensch. Nicht nur das Seelenheil, nicht nur die geistige Vollkommenheit, auch die körperliche Vollkommenheit, die körperliche Wohlfahrt und Gesundheit gehöre zu unserem Ideal! Die Griechen leuchten uns auch hierin mit ihrem Beispiel voran. Körperliche Spiele und Uebungen gehörten zu ihren religiösen Festen.

Mit dem religiösen Ideal verknüpfen sich ferner immer allerlei un=vernünftige, selbst abergläubische Vorstellungen. Die Religion stellt nämlich zugleich dieses Ideal als ein Wesen vor, von dessen Willen das Schicksal des Menschen abhängt, als ein persönliches, oder doch selbst=ständiges, vom menschlichen Wesen unterschiedenes Wesen, das der Mensch verehren, lieben und fürchten soll, kurz, dem er alle die Empfin=dungen und Gesinnungen zuwenden soll, die man nur einem wirklichen, lebendigen Wesen gegenüber empfinden kann. Der Mensch hat keine Vorstellung, keine Ahnung von einer anderen Wirklichkeit, einer anderen Existenz, als einer sinnlichen, physischen. Die Religion stellt daher das Ideal, obwohl es nur ein Gedankenwesen oder nur moralisches Wesen ist, zugleich als ein physisches Wesen vor. Sie macht das im Sinne des Menschen höchste Wesen oder Vorbild auch zu dem an sich ersten Wesen, zu dem Wesen, woraus alle anderen sinnlichen, körperlichen Wesen entsprungen sind und von dem sie in ihrem Sein abhängen. Dies ist der Unsinn der Religion, daß sie das Ziel des Menschen zum Anfang der Welt, zum Princip der Natur macht. Weil er sich abhän=gig fühlt und weiß von seinem Ideal, weil er fühlt, daß er ohne dies Ziel nichts ist, daß er mit ihm den Zweck und Grund seines Daseins verliert, so glaubt er auch, daß die Welt überhaupt nicht ohne dieses Urbild bestehen kann, daß sie ohne dasselbe nichts ist. Es ist die mensch=liche Eitelkeit, die keineswegs nur in der glänzenden Uniform des Staats, sondern auch in dem demüthigen Mönchs= oder Priestergewand der Religion sich geltend macht, es ist, ein modernes Wort gebraucht, die Romantik, welche ihrem religiösen Ideal den ersten Platz einräumt, ja alle anderen Dinge zum Opfer darbringt, um damit ihre Verehrung auszudrücken. Wie der Liebhaber, wenigstens der romantische Liebhaber, die Tugenden und Reize aller anderen Frauen im Vergleich zu seiner Geliebten in Nichts verschwinden sieht, wie sie in seinen Augen die Einzige, die Unvergleich= liche, die namenlos, die unbeschreiblich Schöne, der Ausbund, der In= begriff aller weiblichen Tugenden und Reize ist, so daß für die anderen Frauen nichts übrig bleibt, als der Mangel an allen jenen Reizen, die eben die Einzige in sich schon verschlungen hat, so geht es dem Menschen auch mit dem Ideal seiner religiösen Liebe. Alle anderen Dinge und Wesen verschwinden vor demselben in Nichts; denn es ist der Inbegriff aller Tugenden, aller Vollkommenheiten. Das Dasein aller anderen Dinge ist an sich ihm unerklärlich, weil gleichgültig, wie dem roman= tischen Liebhaber das Dasein aller anderen Frauen; aber weil sie nun einmal da sind, trotz seines religiösen Ideals, welches allein werth ist zu existiren, so muß er sich doch einen, wenn auch noch so schlechten Grund ihres Daseins ausfindig machen; und er findet diesen nur in ihrer, freilich sehr entfernten, Aehnlichkeit mit dem religiösen Ideal, nur darin, daß sie doch etwas Göttliches, etwas, wenn auch sehr wenig Vollkommenes in sich haben, gleichwie der romantische Liebhaber den anderen Frauen wenigstens die Gnade anthut, sie doch auch neben seiner Einzigen existiren zu lassen, weil sie doch auch Aehnlichkeit mit der Einzigen haben. Die andern Frauen sind ja doch wenigstens auch Frauen, gleichwie die anderen Wesen auch We s e n sind, so gut als das göttliche Wesen. Aus diesem eben entwickelten Grunde also, freilich nicht aus diesem allein, kommt es also, daß der Mensch seinem religiösen Ideal den ersten Rang unter allen Wesen einräumt, und beßwegen nicht nur alle anderen Wesen nach ihm, sondern auch aus ihm entstehen läßt. N a c h ihm läßt er sie entstehen, weil sie nach ihm dem Range nach kom= men, weil er das dem Range nach erste Wesen auch zu dem der Zeit nach erften Wefen macht, weil der Menfch, namentlich der Menfch der alten Welt, aus welcher die Religion entfprungen, das Aeltere, Frühere als ein höheres Wefen anfieht, als das Jüngere, Neuere*); aus ihm aber läßt er fie entftehen nur aus einem negativen, b. i. nichtigen Grunde; nur aus dem Grunde feiner Unwiffenheit, nur weil er nicht weiß, woher er fie fonft entftehen laffen foll. Ein Bock zieht immer einen anderen nach fich. Der erfte Bock der Religion ift, daß fie das religiöfe Ideal zum Urwefen, zum erften Wefen macht, der zweite, daß fie die anderen Wefen aus ihm kommen läßt; aber der erfte zieht nothwendig den zweiten nach fich. „Dem Anfange leifte Widerftand!" Diefer Satz gilt auch in der Religion, gilt auch in der Politik. Aber fo fehr diefer Satz in der Medicin, Moral und Pädagogik allgemein angenommen und gepriefen wird, fo fehr verfchrieen ift er in der Politik, in der Religion. Der Rationalismus, um ein Beifpiel aus der Religion, die ja unfer Gegenftand ift, zu geben, curirt und bemerkt überall richtig die handgreiflichen Böcke des religiöfen Glaubens, die aber eben nur Böcke zweiten, untergeordneten Ranges find; die Grundböcke aber, welche erft die anderen Böcke zur Folge haben, läßt er als unantaftbare Heiligthümer beftehen. Auf die Frage des Rationaliften an den Atheiften: was der Atheismus fei? ift daher die Antwort die: der Rationalismus ift ein unausgebackener, halber, ungründlicher Atheismus; der Atheismus ift der vollendete gründliche Rationalismus. Oder die Antwort ift diefe: der Rationalismus ift ein Chirurg; der Atheift ein Mediciner. Der Chirurg heilt nur die handgreiflichen Uebel, der Mediciner die inneren, nicht mit Fingern und Zangen faßbaren Uebel. Doch wieder von diefer Epifode zurück zu unferem Thema.

Der Gott, das religiöfe Ideal des Chriften ift der Geift. Der Chrift befeitigt fein finnliches Wefen; er will nichts wiffen von dem gemeinen, „thierifchen" Trieb des Effens und Trinkens, dem gemeinen,

---

*) Z. B.: Antiquitas proxime accedit ad Deos. (Cicero de Legibus.)

„thierischen" Trieb der Geschlechts- und Kinderliebe; er betrachtet den Leib als einen Makel und Schandfleck, der seinem Adel, seiner Ehre, an sich ein geistiges Wesen zu sein, von Geburt an anklebt, als eine nur zeitlich nothwendige Herablassung und Verläugnung seines wahren Wesens, als einen schmutzigen Reisekittel, als ein pöbelhaftes Incognito seines himmlischen Staates. Er will blos Geist sein und werden. Zwar haben die alten Christen an die Auferstehung des Fleisches geglaubt, ja der Unterschied des Glaubens der Christen, wenigstens der alten, von dem Glauben der heidnischen Philosophen besteht darin, daß sie nicht nur eine Unsterblichkeit des Geistes, des Denkvermögens, der Vernunft, sondern auch eine leibliche Unsterblichkeit glaubten. „Ich will nicht allein der Seele nach, sondern auch dem Leibe nach leben. Das Corpus will ich mit haben," sagt Luther. Aber dieser Leib ist eben ein durchaus himmlischer, geistiger Leib, d. h. ein eingebildeter Leib, ein Leib, der, wie überhaupt die religiösen Gegenstände, uns nichts darstellt und vergegenwärtigt, als das Wesen der menschlichen Wünsche und Einbildungskraft. Der geistige Leib ist ein Leib, der, wie die Phantasie, die Einbildung des Menschen, in einem Nu an einem entfernten Orte ist, der, wie die Vorstellung, die Phantasie, durch verschlossene Thüren hindurchbringt, denn die verschlossene Thüre, die Wand ist ja kein Hinderniß, mir vorzustellen, mir in der Einbildung zu vergegenwärtigen, was hinter der Wand, hinter der Thüre vorgeht; ein Leib, dem kein Faustschlag und Fußtritt, keine Hieb- und Schußwunden beigebracht werden können, so wenig als einer Einbildung, einem Phantasie-, einem Traumbild Fußtritte und Faustschläge gegeben werden können; er ist daher ein ganz wunderbarer Körper, der verwirklichte übernatürliche Wunsch des Menschen, einen Körper zu haben, ohne Krankheit, ohne Uebel, ohne Leiden, ohne Verwundbarkeit und Sterblichkeit und folglich auch ohne alle Bedürfnisse; denn aus den mannigfaltigen Bedürfnissen unseres Leibes entspringen ja auch die mannigfaltigen Krankheiten und Uebel desselben, wie z. B. aus dem Bedürfniß der Luft und folglich einer

Lunge die Leiden und Uebel der Lunge. Brauchten wir keine Luft und hätten daher keine Lunge, so hätten wir eine Quelle und Klasse von Krankheiten weniger, als wir jetzt haben. Aber das himmlische, geistige Corpus braucht keine Luft, keine Speisen, keine Getränke; es ist ein bedürfnißloses, göttliches, geistiges Corpus; kurz es ist ein nicht vom Wesen der menschlichen Einbildungen und menschlichen Wünsche unterschiedenes Ding, ein Leib, der in Wahrheit kein Leib ist. Trotz des himmlischen Leibes können wir daher als das Ideal, das Ziel des Christen, des alten selbst, den Geist setzen. Der Unterschied zwischen den verschiedenen Sorten der Christen besteht nur darin, daß die alten, wundergläubigen Christen hauptsächlich den Geist der Einbildungskraft, den mit sinnlichen, gemüthlichen Bildern geschwängerten Geist; die christlichen, gottesgläubigen Philosophen den Geist, der aus den Bildern allgemeine Begriffe abzieht, den denkenden Geist; die Rationalisten und Moralisten den Geist, der in Handlungen sich äußert, den praktischen, moralischen Geist, zu ihrem Ideal oder Muster haben.

Weil also dem Christen der Geist, das fühlende, denkende, wollende Wesen sein höchstes Wesen, sein Ideal ist, so macht er es auch zu dem ersten Wesen, zur Ursache der Welt; d. h. er verwandelt seinen Geist in ein gegenständliches, außer ihm existirendes, von ihm unterschiedenes Wesen, von welchem er daher auch die außer ihm existirende, gegenständliche Welt entspringen läßt, ableitet. Gott, sagt der Christ, Gott d. h. der vergegenständlichte, außer dem Menschen existirend gedachte Geist hat die Welt durch seinen Willen und Verstand hervorgebracht. Diesen weltschöpferischen Geist unterscheidet der Christ aber als den vollkommenen, unendlichen Geist von seinem oder dem menschlichen Geist überhaupt als dem unvollkommenen, beschränkten, endlichen Geist. Dieser Proceß der Unterscheidung, dieser Schluß von dem „endlichen" Geist auf einen unendlichen Geist, dieser Beweis vom Dasein eines Gottes, d. h. hier eines vollkommenen Geistes ist der psychologische. Während der sogenannte kosmologische Beweis von der Welt im Allgemeinen, der physiologische oder teleologische Beweis von der Ordnung und dem Zusammenhang, der Zweckmäßigkeit der Natur ausgeht, so geht dagegen der psychologische Beweis, welcher der das Wesen des Christenthums charakterisirende Beweis ist, von der Psyche oder der Seele, dem Geiste des Menschen aus. Der heidnische Gott ist ein von der Natur abgezogener, aus der Natur entsprungener; der christliche Gott ein von der Seele, dem Geiste abgezogener, aus der Seele entsprungener Gott. Der Schluß ist kürzlich dieser: der menschliche Geist ist; an seinem Dasein können wir nicht zweifeln; es ist etwas Unsichtbares, Unkörperliches in uns, das denkt, will und fühlt; aber das Wissen, Wollen und Können des menschlichen Geistes ist mangelhaft, beschränkt durch die Sinnlichkeit, abhängig vom Leibe; das Beschränkte, Endliche, Unvollkommene, Abhängige setzt aber etwas Unbeschränktes, Unendliches, Vollkommenes voraus; also setzt der endliche Geist einen unendlichen Geist als seinen Grund voraus; also ist ein solcher und dieser ist Gott. Aber folgt hieraus die Selbstständigkeit, die wirkliche Existenz eines solchen Geistes? Ist der unendliche Geist nicht eben der unendlich, der vollkommen sein wollende Geist des Menschen? Kommen bei der Entstehung dieses Gottes nicht auch die Wünsche des Menschen in Betracht? Wünscht nicht der Mensch frei von den Schranken des Leibes, wünscht er nicht allwissend, allmächtig, allgegenwärtig zu sein? Ist also nicht auch dieser Gott, dieser Geist der verwirklichte Wunsch des Menschen, unendlicher Geist zu sein? Haben wir nicht also auch in diesem Gotte das menschliche Wesen vergegenständlicht? Schließen denn nicht die Christen, selbst die heutigen denk- oder vernunftgläubigen Christen, aus dem Alles wissen Wollen, dem unendlichen Wissensdurst des Menschen, welcher aber hier nicht befriedigt werde und nicht befriedigt werden könne, aus dem unendlichen, durch kein Gut, kein Glück der Erde befriedigten Glückseligkeitstrieb, aus dem Verlangen nach vollkommener, durch keine sinnlichen Triebe befleckter Moralität auf die Nothwendigkeit und Wirklichkeit eines nicht auf die Zeit dieses Lebens und den Ort

dieser Erde beschränkten, nicht an den Leib, nicht an den Tod gebunde=
nen, unendlichen Lebens und Daseins des Menschen? Sprechen sie aber
nicht dadurch, wenn auch nicht geradezu, die Gottheit oder Göttlichkeit
des menschlichen Wesens aus? Ist denn ein ewig dauerndes, nie enden=
des, an keine Zeit und keinen Ort gebundenes, ein der Allwissenheit,
überhaupt unendlicher Vollkommenheit fähiges Wesen nicht ein Gott
oder göttliches Wesen? Ist also ihr Gott, ihr unendlicher Geist etwas
Andres, als das Vor= und Musterbild von dem, was sie einst selbst
werden wollen, das Urbild und Abbild ihres eigenen, in der Zukunft
sich entfaltenden Wesens? Was ist denn der Unterschied zwischen dem
göttlichen und menschlichen Geist? Einzig die Vollkommenheit oder Un=
endlichkeit; die Eigenschaften, die Wesensbestimmungen sind in beiden
gleich; der Geist hat nach den christlichen Psychologen nichts mit der
Materie, dem Körper gemein; er ist, wie sie sich ausdrücken, ein vom
sinnlichen, leiblichen Wesen absolut unterschiedenes Wesen; Gott ist es
aber desgleichen; Gott kann nicht gesehen, gefühlt, betastet werden; der
Geist auch nicht; der Geist denkt, Gott auch; die Christen, selbst die
vernunftgläubigen, erblicken ja in den Dingen nur verwirklichte, ver=
sinnlichte, verkörperte Gedanken Gottes; der Geist hat oder ist Bewußt=
sein, Wille, Persönlichkeit, Gott auch; der Unterschied ist nur, daß das,
was im Menschen beschränkt, endlich, in Gott unbeschränkt, unendlich
ist. Was offenbart sich denn nun aber in dieser Unendlichkeit der gött=
lichen Eigenschaften? Die Unendlichkeit oder Unbeschränktheit der mensch=
lichen Wünsche, der menschlichen Einbildungskraft und der menschlichen
Abstractionskraft, der Kraft oder Fähigkeit, das Allgemeine von dem
Einzelnen und Besonderen abzuziehen, wie ich z. B. von den vielen ver=
schiedenen Bäumen den Allgemeinbegriff des Baumes abziehe, indem ich
alle Unterschiede, alle Besonderheiten, wodurch sich die einzelnen Bäume
in der Wirklichkeit unterscheiden, weglasse. Der unendliche Geist ist
nichts als der Gattungsbegriff des Geistes, welcher aber von der Ein=
bildungskraft auf Befehl der menschlichen Wünsche und Glückseligkeits=

triebe als ein selbstständiges Wesen versinnlicht wird. „Je weniger bestimmt, sagt der heilige Thomas Aquino, je allgemeiner, je abgezogener ein Wort oder eine Bestimmung ist, desto mehr eignet sie sich für Gott, desto angemessener ist sie ihm.“ Wir haben schon früher dies gesehen bei der Frage von der Existenz, von dem Wesen Gottes überhaupt. Jetzt, wo wir im Wesen des Christenthums uns befinden, dessen Wesen der Geist ist, haben wir dieses an den geistigen Bestimmungen Gottes nachzuweisen. Gott, heißt es z. B. in der Bibel, ist die Liebe, d. h. Gott ist die Liebe im Allgemeinen gedacht; die menschliche Liebe besteht in verschiedenen Arten, als Freundesliebe, als Vaterlandsliebe, als Geschlechtsliebe, als Kinder- und Elternliebe, als wohlwollende Gesinnung gegen die Menschen überhaupt, als Menschenfreundlichkeit; sie gründet sich im Menschen auf Neigung, Empfindung, Sinnlichkeit; die Liebe nun, abgesondert von allen diesen ihren Arten, von allen sinnlichen und speciellen Bestimmungen, die Liebe, rein für sich selbst gedacht, ist die Liebe, wie sie Gott zugeschrieben oder als Gott gedacht wird. Ein anderes Beispiel ist das Wort Gottes oder das göttliche Wort. Die alten Christen, welche weit folgerichtiger dachten, als die modernen, welche fast die ganze Psychologie und Anthropologie in die Theologie verlegten, schrieben dem göttlichen Geist auch ein göttliches Wort zu und zwar ganz richtig. Der Geist äußert sich auf die geistigste, ihm entsprechendste Weise nur im Worte, ja Denken und Reden, wenn auch nicht äußerlich mit den Lippen, ist unzertrennlich; mit dem Worte verschwindet auch der Gedanke, mit dem Namen die Sache, die er bezeichnet; die Menschen fingen daher erst zu denken an, als sie zu sprechen anfingen, als sie Worte bildeten. Wenn man daher Gott Geist, Verstand zuschreibt, wenn man von Gedanken Gottes spricht, so muß man auch so consequent sein, von Worten Gottes zu reden. Schämt man sich nicht, die Welt, die sinnliche, körperliche, durch den Gedanken und Willen eines Geistes entstehen zu lassen, schämt man sich nicht, zu behaupten, daß die Dinge nicht deswegen gedacht werden, weil sie sind, sondern deswegen sind, weil sie gedacht werden; so schäme man sich auch nicht, dieselben durch das Wort entspringen zu lassen, so schäme man sich auch nicht, zu behaupten, daß nicht die Worte sind, weil die Dinge sind, sondern die Dinge nur der Worte wegen sind. Der Geist als Geist wirkt nur durch das Wort, tritt nur durch dasselbe aus sich heraus in die Welt, in die Erscheinung. Die alte Theologie und Religion ließen daher auf die dem Wesen Gottes als eines Geistes entsprechende Weise die Welt entspringen, indem sie dieselbe durch das Sprechen Gottes, das göttliche Wort entspringen ließen. Diese Vorstellung von der Entstehung der Welt durch das Wort ist übrigens keineswegs nur der jüdischen oder christlichen Religion eigenthümlich, sie kommt schon in der alten persischen Religion vor. Was im Griechischen Logos, heißt dort Honover, was auch nach den neuesten Forschern, wie Röth („die Aegyptische und Zoroastrische Glaubenslehre“), nichts Anderes bedeutet, als das Wort im eigentlichsten Sinn. Das Wort Gottes ist nun aber, wenigstens in der christlichen Theologie, nichts Anderes, als der Begriff des Worts überhaupt; das göttliche Wort ist nicht dieses oder jenes bestimmte Wort, kein lateinisches, deutsches, hebräisches, griechisches Wort, kein einzelnes oder besonderes, kein in der Luft verhallendes, kein zeitliches Wort; aber all diese und ähnliche Eigenschaften, womit die Theologen das Wort Gottes ausstatten, gelten von dem Begriff des Wortes oder von dem, was das Wort überhaupt, das Wort an sich ist: Diesen Gattungsbegriff nun aber, dieses allen den unzähligen verschiedenen Worten gemeinsame Wesen des Wortes verselbstständigt die religiöse und theologische Einbildungskraft als ein besonderes, persönliches, selbst wieder vom Worte oder dessen Wesen unterschiedenes Wesen, gleichwie sie das Wesen Gottes, obwohl es ursprünglich und in Wahrheit nichts Andres ist, als das Wesen der Welt, als ein vom Wesen der Welt unterschiedenes, besonderes Wesen vorstellt. Dasselbe, was von dem Worte, von der Liebe, dasselbe gilt von dem Geiste überhaupt, von dem Verstande, von dem Willen, von dem Be-

wußtſein, von der Perſönlichkeit, wie ſie Gott zugeſchrieben oder vergöt=
tert, als Gott vorgeſtellt werden. Es iſt immer nur eine menſchliche
Kraft, Eigenſchaft, Fähigkeit, die vergöttert wird, aber wie ſie vergöttert
wird, ſo wird ſie abgeſondert von allen den beſonderen Beſtimmungen,
die dieſe Kraft, Fähigkeit, Eigenſchaft als eine wirkliche, menſchliche
hat, ſo daß, wenn dieſe Verflüchtigung bis aufs Höchſte oder Aeußerſte
getrieben wird, zuletzt nichts übrig bleibt als der bloße Name, der
Name des Willens, der Name des Bewußtſeins, aber nicht das Weſen
des Bewußtſeins, das Weſen des Willens, nicht das, was eben erſt
Bewußtſein und Willen zu wirklichem Bewußtſein und Willen macht,
ſo daß alſo die Theologie zuletzt nur auf eine hohle, aber erbauliche
Phraſeologie hinausläuft.

Neunundzwanzigste Vorlesung.

Der Sinn oder Kern meiner Entwickelung des psychologischen Beweises vom Dasein Gottes, welchen ich als den das Wesen des Christenthums charakterisirenden bezeichnete, war der, daß der Beweis von dem Dasein eines Gottes oder vielmehr unendlichen Geistes — denn als solcher wird ja Gott im Christenthum bestimmt — nur ein indirecter, ungerader Beweis von der Unendlichkeit des menschlichen Geistes sei, der Beweis dagegen von der Unsterblichkeit auf unmittelbare, gerade Weise die Unendlichkeit als eine Eigenschaft des menschlichen Geistes ausspreche. Die Christen schließen nämlich, es müsse ein unendlicher Geist sein, weil ein endlicher, ein vollkommner, weil ein unvollkommner, ein allwissender, weil ein Einiges wissender, ein Alles könnender, weil ein Einiges vermögender Geist sei. Aber eben so schließen sie: es muß ein ewiges, unendliches Leben des Menschen geben, weil die geistigen Kräfte und Anlagen des Menschen innerhalb der Schranken dieses Lebens, dieses Leibes nicht Platz haben, nicht nach Wunsch und Vermögen sich entfalten können; es muß einst der Mensch Alles wissen, weil er Alles wissen will, weil er einen unbeschränkten Wissensdurst hat; es muß einst der Mensch oder menschliche Geist vollkommen sittlich und glücklich werden, oder, wie sich die modernen Denkgläubigen kluger und halber Weise ausdrücken, wenn auch nicht absolut vollkommen, doch wenigstens von Stufe zu Stufe bis zur Unendlichkeit fort immer voll-

kommener werden, weil er nicht nur eine unendliche Vervollkommnungs-
fähigkeit, sondern auch einen unendlichen Vervollkommnungs- und Glückseligkeitstrieb hat, einen Trieb, der auf dieser kleinen Erde, in dieser
kurzen Lebenszeit, in diesem Jammerthal aber unerfüllt bleibt. Wir
sehen hieraus, daß der Schluß auf einen Gott und der Schluß auf die
Unsterblichkeit im Grunde ein und derselbe Schluß ist, daß eben
deßwegen die Idee der Gottheit und die Idee der Unsterblichkeit im Wesen, im Grunde eine und dieselbe ist. Der Schluß auf einen Gott geht
nur dem Schluß auf Unsterblichkeit voraus; die Gottheit ist die Voraussetzung der Unsterblichkeit, ohne Gott keine Unsterblichkeit. Aber
die Unsterblichkeit ist erst der Sinn und Zweck von dem Dasein Gottes
oder von dem Schluß auf dessen Dasein. Ohne Gott hat der Unsterblichkeitsglaube keinen Anhaltspunkt, keinen Anfang, keinen Grund und
Boden, kurz kein Prinzip. Die Unsterblichkeit ist ein dem Zeugniß der
Sinne, welche die Wahrheit des Todtseins verbürgen, widersprechender,
ein übersinnlicher, überschwänglicher Wunsch und Gedanke. Wie kann
ich an die Wahrheit dieses Gedankens, an die Verwirklichung dieses
Wunsches glauben, wenn kein diesem Wunsch, diesem Gedanken entsprechendes, kein wider- und übersinnliches, überschwängliches Wesen
ist? Wie kann ich an die Natur, an die Welt diesen Glauben anknüpfen? In der Natur giebt es keine andere Unsterblichkeit, als die
der Fortpflanzung, als die, daß ein Wesen nur in den Wesen seines
Gleichen, nur der Art, der Gattung nach fortbauert, b. h. daß immer
an die Stelle des verstorbenen Individuums ein neues tritt. Bei den
niederen Thieren, wie z. B. bei den Schmetterlingen, ist sogar unmittelbar mit dem Zeugungsact der Tod verbunden. Der Schmetterling stirbt,
so wie er andere Schmetterlinge oder wenigstens die Eier, die Keime
derselben in die Welt gesetzt hat. Gäbe es keine Fortpflanzung, so gäbe
es auch keinen Tod; denn in der Zeugung erschöpft ein Wesen seine
Lebenskraft; in der Vervielfältigung seiner selbst, oder anders ausgedrückt, dadurch, daß es viele Wesen seines Gleichen, seiner Art in die

Welt setzt, hebt es die Einzigkeit und damit Nothwendigkeit seiner eigenen
Existenz auf. Der Mensch überdauert allerdings noch lange den Verlust seiner Zeugungskraft; aber wo das Zeugungsvermögen des Menschen erschöpft ist, da beginnt auch das Alter, da nähert er sich, wenn
auch langsam, dem Ende. Wie kann ich also an die Natur den Unsterblichkeitsglauben anknüpfen? Die Natur giebt den Tod, aber Unsterblichkeit giebt nur ein Gott. Freilich, wenn der Mensch einmal
Unsterblichkeit glaubt, so findet er in der Natur auch genug Beispiele
und Beweise dieses seines Glaubens, d. h. er legt die Natur nach seinem
Sinne, zu Gunsten seines Glaubens aus. Worin daher die Christen,
wie in dem Wechsel der Jahreszeiten, in dem Unter- und Wiederauf-
gang der Sonne Beweise oder Bilder ihrer Unsterblichkeit, ihrer Auferstehung erblickten, weil sie an dieselbe glaubten, Alles daher mit der
Brille dieses Glaubens ansahen, darin erblickten die Heiden, welche
keine Unsterblichkeit glaubten, gerade die Beweise oder Bilder ihrer Vergänglichkeit und Sterblichkeit. Das Eis, sagt z. B. Horaz, schmelzen
die Zephyre, den Frühling zertritt der Sommer, der verschwindet, sobald
der obstreiche Herbst seine Früchte ausgeschüttet, und gleich darauf kehrt
wieder der leblose Winter. Doch die Verluste des Himmels ersetzen
neue Mondläufe; wir nur, sinken wir einmal hinab, wo der fromme
Aeneas, wo der reiche Tullus und Ancus, sind Staub und Schatten.
Wie kann ich ferner glauben, daß nach dem sichtbaren, augenfälligen,
unläugbaren Untergang des Leibes die sogenannte Seele, der Geist, das
Wesen des Menschen noch übrig bleibt, wenn ich nicht glaube, daß es
eine Seele, einen Geist ohne Leib giebt, und daß dieser Geist ohne Leib
das höchste und mächtigste Wesen ist; das Wesen, im Vergleich zu
welchem alle sinnlichen, körperlichen Wesen Nichts sind und vermögen?
Der Glaube an die Unsterblichkeit setzt daher den Glauben an die Gött-
heit voraus, d. h. der Mensch denkt sich einen Gott, weil er sich ohne
einen Gott keine Unsterblichkeit denken kann. In der Vorstellung, in
der Doctrin, in der Lehre ist die Unsterblichkeit nur eine

Folge von dem Glauben an Gott; aber in der Praxis, oder in Wahrheit ist der Unsterblichkeitsglaube der Grund des Glaubens an einen Gott. Der Mensch glaubt nicht an die Unsterblichkeit, weil er an Gott glaubt, sondern er glaubt an Gott, weil er an die Unsterblichkeit glaubt, weil er ohne den Gottesglauben den Unsterblichkeitsglauben nicht begründen kann. Dem Scheine nach ist das Erste die Gottheit, das Zweite die Unsterblichkeit; aber der Wahrheit nach ist das Erste die Unsterblichkeit, das Zweite die Gottheit. Die Gottheit ist nur das Erste insofern, als sie das Mittel, die Bedingung zur Unsterblichkeit ist, oder anders ausgedrückt: sie ist das Erste, weil sie die personificirte, verselbstständigte Seligkeit und Unsterblichkeit, das als gegenwärtiges Wesen vorgestellte und verwirklichte zukünftige Wesen des Menschen ist, so daß der Glaube an Unsterblichkeit und Gottheit nicht besondere Glaubensartikel oder Glaubensgegenstände sind, sondern der Glaube an Gott unmittelbar der Glaube an Unsterblichkeit und umgekehrt der Glaube an Unsterblichkeit der Glaube an Gott ist.

Gegen diese Behauptung, welche Gott und Unsterblichkeit für eins, für nicht verschieden erklärt, kann man anführen, daß man an Gott glauben könne, ohne an Unsterblichkeit zu glauben, wie nicht nur viele Individuen, sondern selbst ganze Völker bewiesen. Allein ein Gott, mit dem sich nicht die Vorstellung oder der Glaube der Unsterblichkeit des Menschen verbindet, ist noch kein wahrer, eigentlicher Gott, ist nur ein vergöttertes Naturwesen; denn die Gottheit und Ewigkeit eines Naturwesens schließt allerdings nicht die Unsterblichkeit des Menschen in sich; denn die Natur hat kein Herz, ist unempfindlich für die Wünsche des Menschen, kümmert sich nicht um den Menschen. Wenn ich mir Sonne, Mond und Sterne als ewige Wesen denke, wie die alten Parsen und andere Völker, was folgt daraus für mich? Sonne, Mond und Sterne waren, ehe sie ein menschliches Auge erblickte, sie sind nicht, weil ich sie sehe, sondern ich sehe sie, weil sie sind; ob sie gleich nur sind, für ein sehendes Wesen, so sind sie doch nicht für mein Auge ohne jene Einwirkun auf das Auge, der wir den Namen Licht geben; kurz mein sie Sehen setzt ihr Dasein voraus; sie waren, ehe ich sie sah, und sie werden sein, wenn ich sie auch nicht mehr sehe; denn sie sind hoffentlich nicht dazu, um von mir gesehen zu werden. Was folgt daraus also für die Unsterblichkeit meines Auges, oder meines Wesens überhaupt? Der Gott, aus dem keine Unsterblichkeit erfolgt, ist also entweder irgend ein Naturgegenstand; oder: er ist zwar ein menschliches, aber aristokratisches Einzelwesen, wie die Götter der Polytheisten, namentlich der Griechen. Bei den Griechen heißen die Menschen die Sterblichen, die Götter die Unsterblichen. Die Unsterblichkeit ist hier auch eins mit dem Begriff der Gottheit; aber sie ist ein Privilegium der Gottheit; sie geht nicht auf den Menschen über, weil die Götter Aristokraten sind, die nichts von ihren Vorrechten ablassen, weil sie eifersüchtige, selbstsüchtige, neidische Wesen sind. Sie sind zwar durch und durch menschliche Wesen, sie haben alle Laster und Leidenschaften der Griechen an sich; aber sie bilden doch eine besondere Klasse von Wesen und lassen daher das gemeine Menschenpack nicht an ihrer Seligkeit und Unsterblichkeit Theil nehmen. „Die Götter haben den elenden Menschen die Angst und den Schmerz zugetheilt; sie selbst leben glücklich und sorglos", heißt es in der Ilias. Uebrigens hat wenigstens bei Homer, dem Vater oder Taufpathen der griechischen Götter, die Unsterblichkeit der Götter auch nicht viel zu sagen; denn, ob sie gleich nicht wirklich sterben, so können sie doch sterben. Oder der Gott, mit dem nicht der Glaube an Unsterblichkeit verbunden ist, ist nur ein Nationalgott, wie der Gott der alten Juden. Die Juden glaubten keine Unsterblichkeit, sondern nur eine Fortdauer des Geschlechts durch die Zeugung; sie wünschten sich nur ein langes Leben und Nachkommenschaft, wie überhaupt die alten, namentlich orientalischen Völker, bei denen es für das größte Unglück galt und noch jetzt gilt, kinderlos aus der Welt zu scheiden. Aber der Gott Jehovah, der alte wenigstens, unterscheidet sich, seinem Wesen nach nicht von dem Wesen der alten Israeliten. Was der Israelite haßte, das haßte auch sein Gott; was der Israelite gerne roch, das war auch dem Herrn ein lieblicher Geruch. „Noah opferte beim Herausgehen aus der Arche und der Herr roch den lieblichen Geruch". Ja die Speisen, die sie selbst aßen, die Hebräer, waren auch die Speise Gottes. An einen Nationalgott kann sich nur der Gedanke an die unendliche Ausdehnung und Dauer der Nation knüpfen. Ich will, sagte Jehovah zu dem Stammvater der Juden, Abraham, ich will Deinen Saamen segnen und mehren, wie die Sterne am Himmel und wie den Sand am Ufer des Meeres. Oder: der Gott, der dem Menschen nicht das Bewußtsein seiner Unsterblichkeit einflößt, indem der Mensch nicht die Bürgschaft findet, daß er ewig leben wird, ist nur noch ein Gott dem Namen, aber nicht der That nach. Ein solcher Namensgott ist z. B. der Gott mancher sogenannter speculativer Philosophen, welche die Unsterblichkeit läugnen und Gott festhalten; aber sie halten ihn nur deswegen fest, weil sie sich ohne denselben Vieles nicht denken und erklären können, weil er die Lücken ihres Systems und Kopfs ausfüllen muß; er ist daher nur ein theoretisches, philosophisches Wesen. Ein solcher Gott ist ferner der Gott mancher rationalistischer Naturforscher, welcher nichts Andres ist, als die personificirte Natur oder Naturnothwendigkeit, das Universum, das Weltall, womit sich freilich nicht die Vorstellung der Unsterblichkeit verträgt, denn in der Vorstellung des Weltalls verliert der Mensch sich aus dem Auge, sieht er sich verschwinden, oder nichts Andres, als die erste Ursache der Natur oder Welt; aber eine erste Welturfache ist noch lange kein Gott. Als die erste Ursache der Welt kann ich mir eine bloße Naturkraft denken. Ein Gott ist wesentlich ein Gegenstand der Verehrung, der Liebe, der Anbetung; aber eine Naturkraft kann ich nicht lieben, nicht religiös verehren, nicht anbeten. Ein Gott ist kein Naturwesen, keine Naturkraft, sondern ein Gott ist Abstractionskraft, Einbildungskraft und Herzenskraft. Ein Gott ist wesentlich ein herzliches Wesen; ein Gott, sage ich im vorletzten Paragraph der diesen

Vorlesungen zu Grunde gelegten Abhandlung vom Wesen der Religion, ist kein Ding, das Du mit dem Fernrohr am Himmel der Astronomie, oder mit dem Suchglas in einem botanischen Garten, oder mit dem mineralogischen Hammer in den Bergwerken der Geologie, oder mit dem anatomischen Messer in den Eingeweiden der Thiere und Menschen finden kannst: Du findest ihn nur im Glauben, nur in der Einbildungskraft, nur im Herzen des Menschen; denn er ist selbst nichts Andres, als das Wesen der Phantasie oder Einbildungskraft, das Wesen des menschlichen Herzens. Ein Gott ist daher wesentlich ein die Wünsche des Menschen erfüllendes Wesen. Nun gehört aber vor Allem zu den Wünschen des Menschen, wenigstens des Menschen, der seine Wünsche nicht durch die Naturnothwendigkeit beschränkt, der Wunsch nicht zu sterben, ewig zu leben; ja, dieser Wunsch ist der letzte und höchste Wunsch des Menschen, der Wunsch aller Wünsche, wie und weil das Leben der Inbegriff aller Güter ist; ein Gott, der daher nicht diesen Wunsch erfüllt, der nicht den Tod aufhebt oder wenigstens durch ein anderes neues Leben ersetzt, ist kein Gott, wenigstens kein wahrer, dem Begriffe eines Gottes entsprechender Gott. So grundlos der Glaube an die Unsterblichkeit ohne den Glauben an die Gottheit, so sinnlos ist der Glaube an Gott ohne den Glauben an eine Unsterblichkeit. Gott ist wesentlich ein Ideal, ein Urbild des Menschen; aber das Urbild des Menschen ist nicht für sich, sondern für den Menschen da; seine Bedeutung, sein Sinn, sein Zweck ist ja nur der, daß der Mensch werde, was das Urbild vorstellt; das Urbild ist nur das personificirte, als ein eigenes Wesen vorgestellte zukünftige Wesen des Menschen. Ein Gott ist daher wesentlich ein communistisches, kein aristokratisches Wesen; er theilt Alles, was er ist und hat, mit dem Menschen; alle seine Eigenschaften werden Eigenschaften des Menschen; und zwar mit vollem Rechte; sie sind ja aus dem Menschen entstanten; sie sind vom Menschen abgezogen, sie werden am Ende den Menschen wieder zurückgegben. „Gott ist selig, sagt z. B. Luther, aber er will nicht für sich allein selig sein".

Die Religion stellt Gott als ein selbstständiges, persönliches Wesen vor; sie stellt daher auch die Unsterblichkeit und andere göttliche Eigenschaften, deren der Mensch theilhaftig ist oder wird, als eine Gabe, als ein Geschenk gleichsam der göttlichen Liebe und Güte vor und dar. Aber der wahre Grund, daß der Mensch am Schlusse der Religion, bei dem wir jetzt stehen, in der Lehre von den letzten Dingen göttliches Wesen wird, der wahre Grund davon ist, weil Gott, wenigstens der christliche, nichts Andres, als das Wesen des Menschen. Ist aber das Wesen des Menschen göttliches Wesen, so ist die nothwendige Folge, daß auch die Individuen, die einzelnen Menschen Götter sind oder werden. Das Ideal oder Vorbild und zugleich die Bürgschaft von der Gottheit und Unsterblichkeit, nicht nur des Wesens des Menschen im Allgemeinen, des abgezogenen Wesens des Menschen, welches der Geist, die Vernunft, der Wille, das Bewußtsein ist, und welches in dem unsichtbaren, unfaßbaren Gott, dem sogenannten Gott Vater vergöttert wird, sondern auch des einzelnen, d. i. wirklichen Menschen, des Individuums, ist im Christenthum der Gottmensch Christus, in welchem es sich daher augenfällig zeigt und offenbart, daß das göttliche Wesen ein nicht vom Menschen unterschiedenes Wesen ist. Der moderne Denkglaube hat in seiner Halbheit, Taktlosigkeit und Oberflächlichkeit den Gottmenschen aufgegeben, aber den Gott festgehalten, d. h. er hat die Consequenz, die nothwendige Folge des Gottesglaubens aufgegeben, aber den Grund stehen lassen; er hat, wie ich schon bei einer anderen Gelegenheit zeigte, die Lehre beibehalten, aber die Anwendung, das Beispiel, den individuellen, sinnlichen Fall, in dem sich diese Lehre bewahrheitet, verworfen. Er hat den Geist beibehalten, — Gott ist ein Geist, sagt der Rationalist, wie der alte Christ, — aber er hat trotz seines Geistes und Vernunftglaubens den Kopf verloren; er hat Geist ohne Kopf, während der alte Christ ganz vernunft- und naturgemäß dem göttlichen Geist in dem Haupte seines Gottmenschen einen Kopf als das nothwendige Organ und Wahrzeichen des Geistes beifügte. Der Rationalist hat einen göttlichen Willen; aber ohne die nothwendigen Bedingungen und Aeußerungsmittel des Willens, ohne Bewegungsnerven und Muskeln, kurz ohne die Werkzeuge, durch welche der christliche Gott in den Wundern des Gottmenschen bestätigt und beweist, daß er einen wirklichen Willen hat; der Rationalist spricht von der göttlichen Güte und Vorsehung, aber er läßt das menschliche Herz des Gottmenschen weg, ohne welches doch Güte und Vorsehung bloße Worte ohne Wahrheit sind; der Rationalist gründet die Unsterblichkeit auf die Gottesidee, zwar nicht allein, doch nebenbei; er spricht von den göttlichen Eigenschaften als Bürgschaften der Unsterblichkeit, „so wahr als Gott ist, so wahr sind wir auch unsterblich"; aber gleichwohl verwirft er das Zeugniß dieser Unzertrennlichkeit oder Einheit der Gottheit und Unsterblichkeit, indem er die Einheit des göttlichen und menschlichen Wesens in dem Gottmenschen als götzendienerischen Aberglauben verwirft. Der Schluß: „so wahr als Gott ist, so wahr sind wir auch unsterblich", ist nämlich nur begründet und gerechtfertigt, wenn er den Satz zu seiner Voraussetzung hat oder in den Satz übersetzt wird: so wahr Gott Mensch ist, so wahr ist der Mensch Gott, so wahr ist folglich auch die Eigenschaft Gottes, nicht dem Tode, nicht der Nothwendigkeit eines Endes unterworfen zu sein, eine Eigenschaft des Menschen. Kurz die Folgerung der Unsterblichkeit des Menschen aus dem Begriffe und Dasein eines Gottes gründet sich nur auf die Einheit, d. h. die Nichtverschiedenheit des göttlichen und menschlichen Wesens. Selbst der religiöse Glaube, obwohl er die Unsterblichkeit nur als eine Folge der Güte Gottes darstellt, als eine Sache der Gnade, des freien Willens Gottes, gründet sie doch zugleich auf die Verwandtschaft des menschlichen und göttlichen Wesens und Geistes. Verwandtschaft setzt aber voraus Einheit und Gleichheit des Wesens oder der Natur, oder es ist vielmehr nur ein sinnlicher Ausdruck statt Einheit und Gleichheit. Darum kann selbst — und damit beschränke und berichtige ich einen früher ausgesprochenen Satz — an einen gegen den Menschen an sich gleichgültigen und rücksichtslosen Gegenstand, an ein Naturwesen, wie z. B. an die Sonne und andere Himmelskörper der Glaube des Menschen an Unsterblichkeit, freilich nicht in dem Sinne der christlichen Unsterblichkeit, sich anknüpfen; aber nur unter der Bedingung, daß der Mensch sich als ein mit diesen himmlischen Körpern verwandtes Wesen ansieht, glaubt, daß sein Wesen und das Wesen dieser Himmelskörper einer und derselben Natur ist. Bin ich himmlischer Abkunft, himmlischen Wesens, so kann ich natürlich so wenig sterben, als diese Himmelskörper, wenn ich sie mir als unsterblich denke. Ihre Unsterblichkeit verbürgt meine eigene; denn wie sollte der Vater seine eigenen Kinder fallen und sterben lassen? er würde ja dadurch gegen sein eigenes Fleisch und Blut, sein eigenes Wesen streiten. So wie ein himmlisches Wesen nur himmlische, so zeugt ein unsterbliches Wesen auch wieder nur unsterbliche Kinder oder Wesen. Darum leitet der Mensch von einem Gotte sein Dasein ab, um dadurch sich einer göttlichen Abkunft und vermittelst derselben der Göttlichkeit, d. i. Unsterblichkeit seines Wesens zu versichern. Wer über den Tod, die Folge der Naturnothwendigkeit hinauskommen will, der muß auch über den Grund derselben, die Natur selbst hinausgehen. Wer in der Natur nicht enden will, der kann auch nicht mit der Natur anfangen, sondern nur mit einem Gotte. Nicht die Natur, nein! ein übernatürliches göttliches Wesen ist der Urheber, die Ursache von mir, d. h. auf deutsch: ich bin ein übernatürliches göttliches Wesen; aber der Grund meiner Uebernatürlichkeit und Göttlichkeit ist nicht die Ableitung von einem übernatürlichen Wesen, sondern ich leite mich von einem solchen ab, weil ich im Grunde meines Wesens schon vor dieser Ableitung mich für ein solches halte und daher mich nicht aus der Natur, aus der Welt entsprungen denken kann. „Wir sehen, sagt Luther in seiner Auslegung des ersten Buchs Mose, daß der Mensch eine besondere Creatur sey, darum geschaffen, daß er der

Gottheit und Unſterblichkeit theilhaftig ſey, denn ein Menſch iſt eine beſſere Creatur, denn Himmel und Erde mit Allem, was darinnen iſt". „Ich bin ein Menſch, ſagt derſelbe an einer andern ſchon in meinen Schriften angeführten Stelle, das iſt ja ein höher Titel denn ein Fürſt ſein. Urſach: den Fürſten hat Gott nicht gemacht, ſondern die Menſchen, daß ich aber ein Menſch bin, hat Gott allein gemacht". Eben ſo ſagt der heidniſche, in ſeinen Lehren und Vorſtellungen aber ſich dem Chriſtenthume im höch-ſten Grade annähernde Philoſoph Epiktet: „Wenn ſich Einer das ge-hörig einprägte, daß wir Alle Gott zu unſerer hauptſächlichen Urſache haben, daß Gott der Vater der Menſchen (und Götter) iſt, ſo würde er ſicherlich nie klein oder niedrig von ſich denken. Wenn der Kaiſer Dich zu ſeinem Sohne annähme, ſo würde Niemand Deinen Stolz ertragen können. Soll alſo der Gedanke, daß Du Gottes Sohn biſt, Dich nicht erheben, nicht ſtolz machen"? Aber iſt denn nicht jedes Ding, jedes Weſen auch ein Geſchöpf Gottes? Hat denn nicht der Religion zufolge Gott Alles gemacht? Ja, aber er iſt nicht in demſelben Sinne Schöpfer der Thiere, Pflanzen, Steine, als er Schöpfer der Menſchen; er iſt in Beziehung auf die Menſchen der Vater derſelben; aber nicht Vater der Thiere, ſonſt würden die Chriſten auch Bruderſchaft mit den Thieren machen, gleich wie ſie daraus, daß Gott der Vater der Menſchen, ſchlie-ßen, daß alle Menſchen Brüder ſind und ſein ſollen. „Er (Gott), ſagt z. B. Luther in ſeiner Kirchenpoſtille, iſt ja euer Vater, und allein euer Vater, nicht der Vögel, noch der Gänſe oder Enten (auch nicht der gottloſen Heiden"). Eben ſo unterſchieden auch die Platonifer, welche faſt dieſelbe Theologie, wie die Chriſten, nur keine Chriſtologie hatten, zwiſchen Gott als Werkmeiſter, Macher und Gott als Vater; Gott, als Urheber der geiſtigen Weſen, der Menſchen nannten ſie Vater, Gott als Urheber der unbeſeelten Weſen und Thiere nannten ſie Werkmeiſter, Macher. (Plutarch: Platoniſche Fragen.) Der Sinn der Lehre, Gott iſt der Vater der Menſchen oder die Menſchen ſind die Kinder Gottes,

ist also, daß der Mensch göttlicher Abkunft, göttlichen, folglich auch un=
sterblichen Wesens ist. Gott, als der gemeinschaftliche Vater der Men=
schen, ist nichts, als die personificirte Einheit und Gleichheit des Men=
schengeschlechts, der Begriff der Gattung, worin alle Unterschiede der
Menschen aufgehoben, weggelassen sind, welcher Gattungsbegriff aber
im Unterschiede von den wirklichen Menschen als ein selbstständiges
Wesen vorgestellt wird. Es ist daher ganz natürlich und nothwen=
dig, daß die göttlichen Eigenschaften zu Eigenschaften des Menschen
werden; denn was von der Gattung, gilt auch von den Individuen;
die Gattung ist ja nur das alle Individuen Umfassende, das Allen Ge=
meine. Wo daher an einen Gott geglaubt wird ohne Unsterblich=
keitsglauben, da ist entweder der wahre Sinn und Begriff der
Gottheit noch nicht gefunden, oder wieder verloren gegangen. Die=
ser ist: Gott ist der personificirte Gattungsbegriff des Menschen, die
personificirte Göttlichkeit und Unsterblichkeit des Menschen. Der
Glaube des Menschen an Gott, versteht sich an Gott, inwiefern er
nicht das Wesen der Natur ausdrückt, ist daher, wie ich im Wesen des
Christenthums sagte, nur der Glaube des Menschen an sein eigenes
Wesen. Ein Gott ist nur ein die Wünsche des Menschen erfüllendes,
verwirklichendes Wesen, aber wie kann ich an ein Wesen glauben,
das meine Wünsche verwirklicht, wenn ich nicht vorher oder zugleich
an die Heiligkeit, an die Wesenhaftigkeit und Rechtmäßigkeit, an die
unbedingte Gültigkeit meiner Wünsche glaube? Aber wie kann ich an
die Nothwendigkeit der Erfüllung meiner Wünsche, welche der Grund
der Nothwendigkeit eines Wunscherfüllers, eines Gottes ist, glauben,
ohne an mich, ohne an die Wahrheit und Heiligkeit meines Wesens zu
glauben? Was ich wünsche, das ist ja mein Herz, mein Wesen. Wie
kann ich mein Wesen von meinen Wünschen unterscheiden? Der Glaube
an Gott ist daher nur abhängig von dem Glauben des Menschen an die
übernatürliche Hoheit seines Wesens. Oder: in dem göttlichen Wesen
vergegenständlicht er nur sein eigenes Wesen. In der göttlichen Allwis=

senheit erfüllt er nur, um noch einmal das Gesagte kurz zusammen zu
fassen, seinen Wunsch, Alles zu wissen, oder vergegenständlicht er nur
die Fähigkeit des menschlichen Geistes, in seinem Wissen nicht auf diesen
oder jenen Gegenstand beschränkt zu sein, sondern Alles zu umfassen;
in der göttlichen Allörtlichkeit oder Allgegenwart verwirklicht er nur den
Wunsch, an keinen Ort gebunden zu sein, oder vergegenständlicht er nur
die Fähigkeit des menschlichen Geistes, in Gedanken überall zu sein; in
der göttlichen Ewigkeit oder Allzeitlichkeit verwirklicht er nur den Wunsch,
an keine Zeit gebunden zu sein, nicht zu enden, oder vergegenständlicht
er nur die Endlosigkeit und (wenigstens, wenn er folgerichtig denkt) die
Anfangslosigkeit des menschlichen Wesens, der menschlichen Seele, denn
wenn die Seele des Menschen nicht sterben, nicht enden kann, so kann
sie auch nicht entstehen, nicht anfangen, wie Viele ganz consequent geglaubt haben; in der göttlichen Allmacht verwirklicht er nur den Wunsch,
Alles zu können, ein Wunsch, der mit dem Wunsch Alles zu wissen zusammenhängt oder nur eine Folge desselben ist; denn der Mensch kann
nur so viel, wie schon der Engländer Bacon sagt, als er weiß, wer ja
nicht weiß, wie man eine Sache macht, der kann sie auch nicht machen;
das Können setzt das Wissen voraus; wer daher Alles zu wissen wünscht,
der wünscht auch Alles zu können; oder: in der göttlichen Allmacht vergegenständlicht und vergöttert der Mensch nur sein Allvermögen, seine
unbeschränkte Fähigkeit zu Allem. Das Thier, sagt ein christlicher Denker, der selbst über die Wahrheit der christlichen Religion geschrieben,
Hugo Grotius, kann nur dieses oder jenes; aber die Macht, das Vermögen des Menschen ist unbeschränkt. In der göttlichen Seligkeit und
Vollkommenheit verwirklicht der Mensch nur den Wunsch, selbst selig
und vollkommen, folglich auch moralisch vollkommen zu sein; denn
ohne moralische Vollkommenheit giebt's keine Seligkeit: wer kann
selig sein mit Eifersucht, mit Neid und Mißgunst, mit Bosheit und
Rachegefühl, mit Habsucht und Trunksucht? Das göttliche Wesen also
ist das Wesen des Menschen, aber nicht, wie es der prosaischen Wirk-

lichkeit nach ist, sondern wie es den poetischen Forderungen, Wünschen und Vorstellungen des Menschen nach ist oder vielmehr sein soll und einst sein wird. Der heißeste, der innigste, der heiligste Wunsch und Gedanke des Menschen ist aber oder war wenigstens der Wunsch, der Gedanke des unsterblichen Lebens, der Gedanke und Wunsch des Menschen, ein unsterbliches Wesen zu sein. Das unsterblich gewünschte und gedachte Wesen des Menschen ist daher das göttliche Wesen. Oder: Gott ist nichts Andres, als das zukünftige, unsterbliche Wesen des Menschen, wie es aber im Unterschiede von dem gegenwärtigen, jetzt leiblich, sinnlich existirenden Menschen als ein selbstständiges Wesen gedacht wird. Gott ist ein nicht menschliches, ein übermenschliches Wesen; aber der zukünftige, unsterbliche Mensch ist auch ein Wesen über dem gegenwärtigen, wirklichen, sterblichen Menschen. So verschieden Gott vom Menschen, so verschieden ist der geglaubte, zukünftige oder unsterbliche Mensch von dem wirklichen, gegenwärtigen oder sterblichen Menschen. Kurz die Einheit, die Nichtverschiedenheit der Gottheit und Unsterblichkeit, folglich der Gottheit und Menschheit ist das gelöste Räthsel der Religion, namentlich der christlichen. Wie also die Natur, aber als ein Gegenstand und Wesen der menschlichen Wünsche und Einbildungskraft, der Kern der Naturreligion, so ist der Mensch, aber als Gegenstand und Wesen der menschlichen Wünsche, der menschlichen Einbildungs- und Abstractionskraft, der Kern der Geistesreligion, der christlichen Religion.

Dreißigste Vorlesung.

Ich bin mit dem Beweis, daß erst in der Unsterblichkeit der Sinn und Zweck der Gottheit gefunden und erreicht wird, daß die Gottheit und Unsterblichkeit eins sind, daß die Gottheit aus einem selbstständigen Wesen, welches sie zuerst ist, am Ende als Unsterblichkeit zu einer Eigenschaft des Menschen wird, an das Ziel meiner Aufgabe und damit an den Schluß meiner Vorlesungen gekommen. Ich wollte beweisen, daß der Gott der Naturreligion die Natur, der Gott der Geistesreligion, des Christenthums der Geist, überhaupt das Wesen des Menschen sei, und zwar zu dem Zwecke, daß der Mensch fürderhin in sich selbst, nicht mehr außer sich, wie der Heide, noch über sich, wie der Christ, den Bestimmungsgrund seines Handelns, das Ziel seines Denkens, den Heilquell seiner Uebel und Leiden suche und finde. Ich konnte diesen Beweis namentlich in Beziehung auf das uns am meisten interessirende Christenthum natürlich nicht durch alle einzelnen Lehren und Vorstellungen des Christenthums hindurch führen; ich konnte ihn noch weniger bis auf die Geschichte der christlichen Philosophie ausdehnen, wie ich anfangs vorhatte. Es ist aber auch nicht nothwendig, wenigstens bei einem Gegenstand, wie es der Gegenstand dieser Vorlesungen war, bis auf's Einzelne und Besondere sein Thema durchzuführen. Die Hauptsache sind überall die Elemente, die ersten Sätze, die Grundsätze, aus welchen untergeordnete Sätze sich durch bloße Folgerung ergeben. Und diese, die Grundsätze meiner Lehre habe ich gegeben und zwar auf die möglichst klare Weise. Freilich hätte ich mich kürzer fassen können in den ersten Vorlesungen. Aber mich entschuldigt der Umstand, daß ich kein akademischer Docent, daß ich nicht an Vorlesungen gewöhnt bin, kein ausgearbeitetes Heft vor mir liegen hatte und daher meinen Stoff nicht nach der Elle akademischer Zeitrechnung zu messen und einzutheilen verstand. Ich würde jedoch mit einem Hiatus, einem Mißton meine Vorlesungen schließen, wenn ich mit dem in der letzten Stunde ausge-führten Beweise schließen wollte; denn ich habe die Prämissen, die Vor-dersätze oder Voraussetzungen, von denen aus der Christ auf eine Gott-heit und Unsterblichkeit schließt, unangefochten bestehen lassen. Gott, sagte ich, ist der Verwirklicher oder die Wirklichkeit der menschlichen Wünsche der Glückseligkeit, Vollkommenheit, Unsterblichkeit. Wer also, kann man hieraus schließen, dem Menschen den Gott nimmt, der reißt ihm das Herz aus dem Leibe. Allein ich bestreite die Voraussetzungen, von welchen die Religion und Theologie auf die Nothwendigkeit und das Dasein der Gottheit, oder — es ist eins — der Unsterblichkeit schließen. Ich behaupte, daß die Wünsche, die sich nur in der Einbildung erfüllen, oder von denen aus auf das Dasein eines eingebildeten Wesens ge-schlossen wird, auch nur eingebildete, nicht wirkliche, wahre Wünsche des menschlichen Herzens sind; ich behaupte, daß die Schranken, welche die religiöse Einbildungskraft in der Gottheit oder Unsterblichkeit auf-hebt, nothwendige Bestimmungen des menschlichen Wesens sind, welche von demselben nicht abgesondert werden können, folglich keine Schran-ken, außer eben nur in der Einbildung des Menschen sind. So ist es z. B. keine Schranke des Menschen, daß er an Ort und Zeit gebunden ist, daß ihn „sein Leib an die Erde fesselt, wie der Vernunftgläubige sagt, und ihn daher verhindert zu wissen, was auf dem Monde, auf der Venus ist." Die Schwere, die mich an die Erde bindet, ist nichts An-deres, als die Erscheinung von meinem Zusammenhang mit der Erde, von meiner Unzertrennlichkeit von ihr; was bin ich, wenn ich diesen

Zusammenhang mit der Erde aufhebe? Ein Phantom; denn ich bin
wesentlich ein Erdwesen. Mein Wunsch, mich auf einen anderen Welt=
körper zu versetzen, ist daher nur ein eingebildeter Wunsch. Könnte sich
dieser Wunsch verwirklichen, so würde ich mich überzeugen, daß es nur
ein phantastischer, thörichter Wunsch gewesen, denn ich würde mich höchst
unbehaglich auf dem fremden Weltkörper befinden, und daher aber lei=
der! zu spät einsehen, daß es besser und vernünftiger gewesen wäre, auf
der Erde zu bleiben. Es giebt viele Wünsche des Menschen, die man
mißversteht, wenn man glaubt, sie wollten verwirklicht werden. Sie
wollen nur Wünsche bleiben, sie haben ihren Werth nur in der Einbil=
dung; ihre Erfüllung wäre die bitterste Enttäuschung des Menschen.
Ein solcher Wunsch ist auch der Wunsch des ewigen Lebens. Würde
dieser Wunsch erfüllt, die Menschen würden das ewige Leben herzlich
satt bekommen und sich nach dem Tode sehnen. In Wahrheit wünscht
sich der Mensch nur keinen frühzeitigen, keinen gewaltsamen, keinen
schrecklichen Tod. Alles hat sein Maaß, sagt ein heidnischer Philosoph,
Alles bekommt man zuletzt satt, selbst das Leben, und der Mensch
wünscht daher endlich auch den Tod. Der normale, naturgemäße Tod,
der Tod des vollendeten Menschen, der sich ausgelebt hat, hat daher
auch gar nichts Erschreckliches. Greise sehnen sich sogar oft nach dem
Tode. Der deutsche Philosoph Kant konnte vor Ungeduld den Tod
kaum erwarten, so sehnte er sich nach ihm, aber nicht, um wieder aufzu=
leben, sondern aus Verlangen nach seinem Ende. Nur der unnatür=
liche, der unglückliche Todesfall, der Tod des Kindes, des Jünglings,
des Mannes in seiner vollen Manneskraft empört uns gegen den Tod
und erzeugt den Wunsch eines neuen Lebens. Aber so schrecklich, so
schmerzlich solche Unglücksfälle für die Ueberlebenden sind, so berechtigen
sie uns doch zur Annahme eines Jenseits schon aus dem Grunde nicht,
weil diese abnormen Fälle — abnorm sind sie, sollten sie gleich häufiger
sein, als der naturgemäße Tod — nur auch ein abnormes Jenseits zur
Folge haben, nur ein Jenseits für die gewaltsam oder zu früh Gestorbe=

nen; aber ein solches absonderliches Jenseits wäre etwas Unglaubliches und Widersinniges. Aber so wie der Wunsch des ewigen Lebens ist auch der Wunsch der Allwissenheit und unbegränzter Vollkommenheit nur ein eingebildeter Wunsch, und der diesem Wunsch untergelegte unbeschränkte Wissens- und Vervollkommnungstrieb nur dem Menschen angedichtet, wie die tägliche Erfahrung und Geschichte beweist. Der Mensch will nicht Alles, er will nur wissen, wozu er eine besondere Vorliebe und Neigung hat. Selbst der Mensch von universellem Wissenstrieb, was eine seltene Erscheinung ist, will keineswegs Alles ohne Unterschied wissen; er will nicht alle Steine kennen, wie der Mineralog von Fach, nicht alle Pflanzen, wie der Botaniker; er begnügt sich mit dem Allgemeinen, weil dieses seinem allgemeinen Geist entspricht. Eben so will der Mensch nicht Alles können, sondern nur das, wozu er einen besonderen Trieb in sich verspürt; er strebt nicht nach einer unbegränzten, unbestimmten Vollkommenheit, die nur in einem Gott oder endlosen Jenseits sich verwirklicht, sondern nur nach einer bestimmten, begränzten Vollkommenheit, nach der Vollkommenheit innerhalb einer bestimmten Sphäre. Nicht nur die einzelnen Menschen sehen wir daher stehen bleiben, wenn sie einmal auf einen bestimmten Standpunkt, auf einen bestimmten Grad der Ausbildung und Vervollkommnung ihrer Anlagen angelangt sind, sondern selbst ganze Völker sehen wir Jahrtausende lang unverrückt auf demselben Standpunkt stehen bleiben. So stehen die Chinesen, die Inder heute noch da, wo sie bereits vor Jahrtausenden standen. Wie reimen sich diese Erscheinungen mit dem schrankenlosen Vervollkommnungstrieb, den der Rationalist dem Menschen andichtet und dem er daher in einem unendlichen Jenseits einen Platz einzuräumen sucht? Der Mensch hat im Gegentheil nicht nur einen Trieb, fortzuschreiten, sondern auch einen Trieb zu rasten, auf dem einmal gewonnenen, der Bestimmtheit seines Wesens entsprechenden Standpunkt zu beharren. Aus diesen entgegengesetzten Trieben entspringt der Kampf der Geschichte, der Kampf auch unserer Gegenwart. Die Progressisten, die sogenannten Revolutionärs, wollen vorwärts, die Conservativen wollen Alles beim Alten lassen, ob sie gleich, denn sie sind meistens auch Gläubige, in Beziehung auf den Tod nicht zu den Stabilen gehören, sondern im Jenseits, um ihr interessantes Dasein zu fristen, die radicalsten Veränderungen, die revolutionärsten Umgestaltungen ihres Wesens sich gefallen lassen. Aber auch die Revolutionärs wollen nicht bis ins Unendliche fortschreiten, sondern sie haben bestimmte Zwecke, mit deren Erreichung sie stehen bleiben, selbst stabil werden. Es sind daher immer nur andere, neue, junge Menschen, welche den Faden der Geschichte fortspinnen, den die alten Fortschrittsmänner abbrechen, so wie sie an das Ziel i h r e r Wünsche und damit an die Gränze ihres Wesens und Verstandes gekommen sind. Eben so wenig, als einen unbeschränkten Wissens- und Vervollkommnungstrieb hat der Mensch einen unbeschränkten, unersättlichen, nicht durch die Güter der Erde zu befriedigenden Glückseligkeitstrieb. Der Mensch, selbst der Unsterblichkeitsgläubige, ist vielmehr vollkommen zufrieden mit dem irdischen Leben, wenigstens so lange es ihm wohl geht, so lange es ihm nicht am Nothwendigen fehlt, so lange ihn nicht besonderes, schweres Unglück trifft. Der Mensch will nur die Uebel dieses Lebens beseitigt wissen, aber kein wesentlich anderes Leben. „Die Grönländer z. B. versetzen den Ort der Seligen unter das Meer, weil sie aus dem Meer die meiste Nahrung bekommen. Da ist, sagen sie, gutes Wasser und ein Ueberfluß an Vögeln, Fischen, Seehunden und Rennthieren, die man ohne Mühe fangen kann oder gar in einem großen Kessel lebendig gekocht findet." Hier haben wir ein Beispiel, ein Bild des menschlichen Glückseligkeitstriebes. Die Wünsche des Grönländers gehen nicht über die Gränze seines Landes, seiner Natur hinaus. Er will nicht wesentlich andere Dinge, als sein Land ihm darbietet; er will nur das, was es ihm giebt, von g u t e r Qualität und in r e i c h l i c h e r Menge. Er will auch im Jenseits nicht aufhören, Fische und Seehunde zu fangen, — das, was er ist, ist ihm keine Schranke, ist ihm nicht zur Last; er will nicht über seine

Gattung, seinen wesentlichen Staub und Lebensberuf hinaus — er will nur Jenseits bequemer und leichter sich den Fang machen. Welch ein bescheidener Wunsch! Der Culturmensch, dessen Geist und Leben nicht an einen beschränkten Ort gebunden, wie des Wilden Geist und Leben, welcher nichts kennt, als sein Land, dessen Verstand sich nicht weiter als einige geographische Meilen erstreckt, hat natürlich auch keine so beschränkten Wünsche. Er wünscht sich nicht blos, um bei dem Beispiel stehen zu bleiben, die genießbaren Thiere und Früchte seines Landes; er wünscht sich auch die Genüsse der fernsten Länder zu verschaffen; seine Genüsse und Wünsche sind im Vergleich zu denen des Wilden unendlich; aber gleichwohl gehen sie weder über die Natur der Erde, noch über die Natur des Menschen überhaupt hinaus. Der Gattung nach stimmt der Culturmensch mit dem Wilden überein; er will keine himmlischen Speisen, von denen er ja so Nichts weiß; er will nur Erzeugnisse der Erde; er will nicht das Essen überhaupt, er will nur den rohen, ausschließlich auf die Erzeugnisse dieses Ortes beschränkten Genuß aufheben. Kurz der vernünftige und naturgemäße Glückseligkeitstrieb geht nicht über das Wesen des Menschen, über das Wesen dieses Lebens, dieser Erde hinaus; er will nur die Uebel, die Beschränkungen aufheben, die wirklich aufzuheben, die nicht nothwendig sind, nicht zum Wesen des Lebens gehören. Wünsche daher, die über die menschliche Natur oder Gattung hinausgehen, wie z. B. der Wunsch, gar nicht zu essen, nicht mehr überhaupt den leiblichen Bedürfnissen unterworfen zu sein, sind eingebildete, phantastische Wünsche, folglich auch das Wesen, das diese Wünsche erfüllt, das Leben, wo sie erfüllt werden, nur ein eingebildetes, phantastisches Wesen und Leben. Die Wünsche dagegen, welche nicht über die menschliche Gattung oder Natur hinausgehen, welche nicht blos in der bodenlosen Einbildung und in unnatürlicher Gefühlsschwelgerei, sondern in einem wirklichen Bedürfniß und Trieb der menschlichen Natur ihren Grund haben, finden auch innerhalb der menschlichen Gattung, im Laufe der menschlichen Geschichte ihre Erfüllung. Der Schluß auf ein religiöses oder theologisches Jenseits, ein zukünftiges Leben zum Behuf der Vervollkommnung der Menschen wäre daher nur dann gerechtfertigt, wenn die Menschheit immer auf demselben Flecke stehen bliebe, wenn es keine Geschichte, keine Vervollkommnung, keine Verbesserung des Menschengeschlechts auf Erden gäbe, obgleich auch in diesem Falle jener Schluß deswegen noch kein wahrer, wenn gleich berechtigter wäre. Allein es giebt eine Culturgeschichte der Menschheit: verändern und cultiviren sich doch selbst Thiere und Pflanzen im Laufe der Zeit so sehr, daß wir selbst nicht mehr ihre Stammältern in der Natur auffinden und nachweisen können! Unzähliges, was unsere Vorfahren nicht konnten und wußten, können und wissen wir jetzt. Kopernikus — ein Beispiel, das ich schon in meiner Unsterblichkeitsfrage vom Standpunkt der Anthropologie anführte, aber mich nicht enthalten kann, hier zu wiederholen, weil es so treffend ist — betrauerte es noch auf seinem Sterbebette, daß er in seinem ganzen Leben den Planet Merkur auch nicht ein einziges Mal gesehen, so sehr er es auch gewünscht und sich darum bemüht hätte. Jetzt sehen ihn die Astronomen mit ihren trefflichen Fernrohren am hellen Mittag. So erfüllen sich die Wünsche des Menschen, die keine eingebildeten, phantastischen sind, im Laufe der Geschichte, der Zukunft. So wird auch, was für uns jetzt nur Wunsch, einst erfüllt werden, Unzähliges, was den dünkelhaften Beschützern und Verfechtern der gegenwärtigen Glaubensvorstellungen und religiösen Institute, der gegenwärtigen socialen und politischen Zustände für Unmöglichkeit gilt, einst Wirklichkeit sein; Unzähliges, was wir jetzt nicht wissen, aber wissen möchten, werden unsere Nachkommen wissen. An die Stelle der Gottheit, in welcher sich nur die grundlosen luxuriösen Wünsche des Menschen erfüllen, haben wir daher die menschliche Gattung oder Natur, an die Stelle der Religion die Bildung, an die Stelle des Jenseits über unserem Grabe im Himmel das Jenseits über unserem Grabe auf Erden, die **geschichtliche Zukunft**, die Zukunft der Menschheit zu setzen.

Das Christenthum hat sich die Erfüllung der unerfüllbaren Wünsche des Menschen zum Ziel gesetzt, aber eben deßwegen die erreichbaren Wünsche des Menschen außer Acht gelassen; es hat den Menschen durch die Verheißung des ewigen Lebens um das zeitliche Leben, durch das Vertrauen auf Gottes Hülfe um das Vertrauen zu seinen eigenen Kräften, durch den Glauben an ein besseres Leben im Himmel um den Glauben an ein besseres Leben auf Erden und das Bestreben, ein solches zu verwirklichen, gebracht. Das Christenthum hat dem Menschen gegeben, was er in seiner Einbildung wünscht, aber eben deßwegen nicht gegeben, was er in Wahrheit und Wirklichkeit verlangt und wünscht. In seiner Einbildung verlangt er ein himmlisches, überschwängliches, in Wahrheit aber ein irdisches, ein mäßiges Glück. Zum irdischen Glück gehört freilich nicht Reichthum, Luxus, Ueppigkeit, Pracht, Glanz und anderer Tand, sondern nur das Nothwendige, nur das, ohne was der Mensch nicht menschlich existiren kann. Aber wie unzählig viele Menschen ermangeln des Nothwendigsten! Aus diesem Grunde erklären es die Christen für frevelhaft oder unmenschlich, das Jenseits zu läugnen und eben damit den Unglücklichen, Elenden dieser Erde den einzigen Trost, die Hoffnung eines besseren Jenseits zu rauben. Eben hierin finden sie auch jetzt noch die sittliche Bedeutung des Jenseits, die Einheit desselben mit der Gottheit; denn ohne Jenseits sei keine Vergeltung, keine Gerechtigkeit, welche den hier, wenigstens ohne ihre Schuld Leidenden und Unglücklichen ihr Elend im Himmel vergelten müsse. Allein dieser Vertheidigungsgrund des Jenseits ist nur ein Vorwand, denn aus diesem Grunde folgt nur ein Jenseits, eine Unsterblichkeit für die Unglücklichen; aber nicht für die, welche auf Erden schon so glücklich waren, die für die Befriedigung und Ausbildung ihrer menschlichen Bedürfnisse und Anlagen nothwendigen Mittel zu finden. Für diese ergiebt sich aus dem angeführten Grunde nur die Nothwendigkeit, daß sie entweder mit dem Tode aufhören, weil sie schon das Ziel der menschlichen Wünsche erreicht haben, oder daß es ihnen im Jenseits schlechter geht als im

Dießeits, daß sie im Himmel die Stelle einnehmen, welche ihre Brüder einst auf Erden einnahmen. So glauben die Kamtschadalen wirklich, daß Diejenigen, welche hier arm waren, in der anderen Welt reich, die Reichen hingegen arm sein werden, damit zwischen den beiden Zuständen in dieser und jener Welt eine gewisse Gleichheit bestehe. Aber das wollen und glauben die christlichen Herren nicht, die aus dem angeführten Grunde das Jenseits vertheidigen; sie wollen dort eben so gut leben, als die Unglücklichen, die Armen. Es ist mit diesem Grunde für das Jenseits eben so wie mit dem Grunde für den Gottesglauben, welchen viele Gelehrte im Munde führen, indem sie sagen, der Atheismus sei zwar richtig, sie selbst seien Atheisten, aber der Atheismus sei nur eine Sache der gelehrten Herren, nicht der Menschen überhaupt, gehöre nicht für das allgemeine Publikum, nicht für das Volk; es sei daher unschicklich, unpractisch, ja frevelhaft, den Atheismus öffentlich zu lehren. Allein die Herren, die so reden, verstecken hinter dem unbestimmten, weitschichtigen Wort: Volk oder Publikum nur ihre eigene Unentschiedenheit, Unklarheit und Ungewißheit; das Volk ist ihnen nur ein Vorwand. Wovon der Mensch wahrhaft überzeugt ist, das scheut er sich nicht nur nicht, sondern das muß er auch öffentlich aussprechen. Was nicht den Muth hat, ans Licht hervorzutreten, das hat auch nicht die Kraft, das Licht zu vertragen. Der lichtscheue Atheismus ist daher ein ganz nichtswürdiger und hohler Atheismus. Er hat nichts zu sagen, darum traut er sich auch nicht, sich auszusprechen. Der Privat- oder Kryptoatheist sagt oder denkt nämlich nur bei sich: es ist kein Gott, sein Atheismus faßt sich nur in diesen verneinenden Satz zusammen und dieser Satz steht obendrein bei ihm vereinzelt da, so daß trotz seines Atheismus Alles bei ihm beim Alten bleibt. Und allerdings, wenn der Atheismus nichts weiter wäre, als eine Verneinung, ein bloßes Läugnen ohne Inhalt, so taugte er nicht für das Volk, d. h. nicht für den Menschen, nicht für das öffentliche Leben; aber nur, weil er selbst nichts taugte. Allein der Atheismus, wenigstens der wahre, der nicht lichtscheue, ist zugleich Bejahung, der Atheismus verneint nur das vom Menschen abgezogene Wesen, welches eben Gott ist und heißt, um das wirkliche Wesen des Menschen an die Stelle desselben als das wahre zu setzen. Der Theismus, der Gottesglaube dagegen ist verneinend; er verneint die Natur, die Welt und Menschheit: vor Gott ist die Welt und der Mensch Nichts, Gott ist und war, ehe Welt und Menschen waren; er kann ohne sie sein; er ist das Nichts der Welt und des Menschen; Gott kann die Welt, so glaubt der strenge Gottesgläubige wenigstens, jeden Augenblick zu Nichts machen; für den wahren Theisten giebt es keine Macht und Schönheit der Natur, keine Tugend des Menschen; Alles nimmt der gottesgläubige Mensch dem Menschen und der Natur, nur um damit seinen Gott auszuschmücken und zu verherrlichen. „Nur Gott allein ist zu lieben, sagt z. B. der heilige Augustin, diese ganze Welt aber, d. h. alles Sinnliche ist zu verachten". „Gott, sagt Luther in einem lateinischen Briefe, will entweder allein oder kein Freund sein". „Gott allein, sagt er in einem andern Briefe, gebührt Glaube, Hoffnung, Liebe, daher sie auch die theologischen Tugenden heißen". Der Theismus ist daher „negativ und destructiv"; nur auf die Nichtigkeit der Welt und des Menschen, d. h. des wirklichen Menschen baut er seinen Glauben. Nun ist aber Gott nichts Andres, als das abgezogene, phantastische, durch die Einbildungskraft verselbstständigte Wesen des Menschen und der Natur; der Theismus opfert daher das wirkliche Leben und Wesen der Dinge und Menschen einem bloßen Gedanken= und Phantasiewesen auf. Der Atheismus dagegen opfert das Gedanken= und Phantasiewesen dem wirklichen Leben und Wesen auf. Der Atheismus ist daher positiv, bejahend; er giebt der Natur und Menschheit die Bedeutung, die Würde wieder, die ihr der Theismus genommen; er belebt die Natur und Menschheit, welchen der Theismus die besten Kräfte ausgesogen. Gott ist eifersüchtig auf die Natur, auf den Menschen, wie wir früher sahen; er allein will verehrt, geliebt, bedient sein; er allein will Etwas, alles

Andere soll Nichts sein, d. h. der Theismus ist neidisch auf den Menschen und die Welt; er gönnt ihnen nichts Gutes. Aber Neid, Mißgunst, Eifersucht sind zerstörende, verneinende Leidenschaften. Der Atheismus aber ist liberal, freigebig, freisinnig; er gönnt jedem Wesen seinen Willen und sein Talent; er erfreut sich von Herzen an der Schönheit der Natur und an der Tugend des Menschen. Aber die Freude, die Liebe zerstören nicht, sondern beleben, bejahen. Aber eben so wie mit dem Atheismus ist es mit der von ihm unzertrennlichen Aufhebung des Jenseits. Wenn diese Aufhebung nichts weiter als eine leere, inhalt- und erfolglose Verneinung wäre, so wäre es besser oder doch gleichgültig, ob man es stehen oder fallen ließe. Allein die Verneinung des Jenseits hat die Bejahung des Diesseits zur Folge; die Aufhebung eines besseren Lebens im Himmel schließt die Forderung in sich: es soll, es muß besser werden auf der Erde; sie verwandelt die bessere Zukunft aus dem Gegenstand eines müßigen, thatlosen Glaubens in einen Gegenstand der Pflicht, der menschlichen Selbstthätigkeit. Allerdings ist es eine himmelschreiende Ungerechtigkeit, daß, während die einen Menschen Alles haben, die anderen Nichts haben, während die einen in allen Genüssen des Lebens, der Kunst und Wissenschaft schwelgen, die anderen selbst das Nothwendigste entbehren. Allein es ist thöricht, hierauf die Nothwendigkeit eines anderen Lebens zu gründen, wo die Menschen für die Leiden und Entbehrungen auf Erden entschädigt werden, so thöricht, als wenn ich aus den Mängeln der geheimen Justiz, die bisher bei uns bestanden, auf die Nothwendigkeit eines öffentlichen und mündlichen Gerichtsverfahrens erst im Himmel schließen wollte. Die nothwendige Folgerung aus den bestehenden Ungerechtigkeiten und Uebeln des menschlichen Lebens ist einzig der Wille, das Bestreben, sie abzuändern, aber nicht der Glaube an ein Jenseits, der vielmehr die Hände in den Schooß legt und die Uebel bestehen läßt. Aber, kann man dagegen einwenden, angenommen, daß die Uebelstände unserer bürgerlichen und politischen Welt gehoben werden können, was haben denn die davon, die in Folge dieser Uebelstände gelitten und bereits gestorben sind? Was haben die Vergangenen überhaupt von einer besseren Zukunft? Die haben allerdings nichts davon, aber sie haben auch nichts vom Jenseits. Das Jenseits kommt immer mit seinen Curen zu spät; es heilt ein Uebel, nachdem es vorbei ist, erst mit oder nach dem Tode, also da, wo der Mensch kein Gefühl mehr des Uebels, folglich auch kein Bedürfniß der Heilung mehr hat; denn der Tod hat zwar das Schlimme für uns, wenigstens so lange wir leben und uns ihn vorstellen, daß er uns mit dem Leben auch die Empfindung, das Bewußtsein des Guten, Schönen und Angenehmen raubt, aber auch das Gute, daß er uns mit der Empfindung, mit dem Bewußtsein von allen Uebeln, Leiden und Schmerzgefühlen erlöst. Die Liebe, welche das Jenseits erzeugt hat, welche den Leidenden mit dem Jenseits vertröstet, ist die Liebe, welche den Kranken heilt, nachdem er gestorben, den Durstenden labt, nachdem er verdurstet, den Hungernden speist, nachdem er bereits verhungert ist. Lassen wir daher die Todten in Frieden ruhen! Folgen wir hierin dem Beispiel der Heiden! „Die Heiden riefen, sage ich in meiner „Unsterblichkeitsfrage“, ihren geliebten Todten in das Grab nach: Sanft ruhen Deine Gebeine! oder: Ruhe in Frieden! während die Christen als Rationalisten dem Sterbenden ein lustiges vivas et crescas in infinitum in die Ohren schreien, oder als pietistische Seelenärzte à la Doctor Eisenbart auf Rechnung der Todesfurcht die Gottesfurcht als Unterpfand seiner himmlischen Seligkeit einblöken“. Lassen wir also die Todten und kümmern uns nur um die Lebendigen! Wenn wir nicht mehr ein besseres Leben glauben, sondern wollen, aber nicht vereinzelt, sondern mit vereinigten Kräften wollen, so werden wir auch ein besseres Leben schaffen, so werden wir wenigstens die crassen, himmelschreienden, herzzerreißenden Ungerechtigkeiten und Uebelstände, an denen bisher die Menschheit litt, beseitigen. Aber, um dieses zu wollen und zu bewirken, müssen wir an die Stelle der Gottesliebe die Menschenliebe als die einzige, wahre Religion setzen, an die Stelle des Gottesglaubens ben Glauben des Menschen an sich, an seine Kraft, den Glauben, daß das Schicksal der Menschheit nicht von einem Wesen außer oder über ihr, sondern von ihr selbst abhängt, daß der einzige Teufel des Menschen der Mensch, der rohe, abergläubische, selbstsüchtige, böse Mensch, aber auch der einzige Gott des Menschen der Mensch selbst ist.

Mit diesen Worten, meine Herren, schließe ich diese Vorlesungen und wünsche nur, daß ich die mir in diesen Vorlesungen gestellte, in einer der ersten Stunde ausgesprochene Aufgabe nicht verfehlt habe, die Aufgabe nämlich, Sie aus Gottesfreunden zu Menschenfreunden, aus Gläubigen zu Denkern, aus Betern zu Arbeitern, aus Candidaten des Jenseits zu Studenten des Diesseits, aus Christen, welche ihrem eigenen Bekenntniß und Geständniß zufolge „halb Thier, halb Engel" sind, zu Menschen, zu ganzen Menschen zu machen.

Zusätze und Anmerkungen.

1) Wenn man die Religion aus der Furcht erklärt, so muß man, wie ich in einer spätern Vorlesung andeute, nur nicht allein die unterste Art der Furcht, die Furcht vor dieser oder jener Naturerscheinung, die Furcht, die mit einem Seesturm, einem Donnerwetter, einem Erdbeben beginnt und endet, nicht also die zeitliche und örtliche, sondern vielmehr die auf keinen bestimmten Gegenstand eingeschränkte, alle nur immer möglichen Unglücksfälle in der Vorstellung umfassende, allgegenwärtige, immer= währende, d. i. unendliche Furcht des menschlichen Gemüthes im Auge haben. „Das wird, sagt Luther in seinem Trostschreiben an Chur= fürst Friedrich vom Jahr 1520 nach der Uebersetzung von Spalatin, alle gegenwärtige Uebel und bösen Dinge leichter, linder und geringer machen, wenn ein Mensch sein Gemüth zu den zukünftigen Uebeln oder bösen Dingen kehret, derer so viel, der massen und so groß sein, daß da= gegen allein die große und der vornehmsten Bewegungen eine des Ge= müths, die F u r ch t genannt, gegeben ist.... Also daß auch Sct. Paulus saget zu den Römern : Du sollt nicht hochweise sein, sondern D i ch f ü r ch= ten oder in der Furcht stehen. Und dieß Uebel ist so viel größer, so viel es ungewißer ist, welcher massen und wie groß es sein wird.... Also daß ein jegliches gegenwärtiges Uebel oder Beschwerung nichts An= bres denn eine Erinnerung ist eines großen Gewinnstes, damit uns Gott

24 *

verehret und uns nicht läßt unterdrückt werden von der großen Menge der Uebel, Beschwerung und Widerwärtigkeit, in denen wir seyn. Denn was ist das für ein Wunder, so jemand mit unendlichen und unzähligen Schlägen wird angefochten, und daß derselbige Mensch endlich mit einem einigen Schlage verletzt werde? Ja es ist eine Gnade, daß er nicht mit allen Schlägen getroffen ist". „Welche zahllosen Unfälle, sagt Augustin im Gottesstaat, hat nicht der Mensch von Außen her zu befürchten, von Hitze und Kälte, Stürmen, Platzregen, Anschwemmungen, Meteoren, Wetterleuchten, Donner, Hagel, Blitz, Erdbeben und Erdfällen, Einstürzen, von den Stößen und der Furcht oder auch Bosheit des Zugviehs, von den vielen giftigen Stauden, Gewässern, Lüften und Bestien, von den entweder nur beschwerlichen oder sogar tödtlichen Bissen der reißenden Thiere, von der Hundswuth? Was für Uebel hat man auf einer Seereise, was für Uebel hat man auf einer Landreise auszustehen? Wo in aller Welt kann man einen Schritt thun, ohne unerwarteten Unglücksfällen ausgesetzt zu sein? Es geht einer vom Markt nach Hause, er fällt mit seinen gesunden Beinen, er bricht das Bein und stirbt an dieser Wunde. Was scheint sicherer zu sein als das Sitzen? Und doch fiel der Priester Heli (Eli) von seinem Stuhl und starb darüber". „Unzählig, sagt Calvin in seiner Institution der christlichen Religion, sind die Uebel, welche das Leben des Menschen umlagern und es mit unzähligen Todesfällen bedrohen. Steige zu Schiffe; nur einen Fuß bist du vom Tode entfernt. Setze dich zu Pferde; der Fall eines Beines bringt dein Leben in Gefahr. Gehe durch die Straßen der Stadt; so viele Ziegelsteine auf den Dächern sind, so vielen Todesgefahren bist du ausgesetzt. Nimm das Messer in die Hand, so hast du den blanken Tod vor Augen. Siehe die wilden Thiere an, sie alle sind zu deinem Verderben mit Waffen versehen. Was kann also elender sein als das menschliche Leben"? Und der christliche Dichter, Herr D. W. Triller spricht sich in seinen „Denen Atheisten und Naturalisten entgegengesetzten poetischen Betrachtungen" hierüber also aus:

Fast jedem Dinge find bie Waffen,
Uns zu ertödten, angeschaffen;
Es zielet alles überall
                    Auf unfern Fall.

Durch Hagel, Feuer, Waffer, Winde,
Blitz, Felfen, tiefer Erde Schlünde,
Bley, Pulver, Schwefel, Gift und Rauch
                    Verfleugt der Hauch.

Stahl, Hacken, Beile, Meffer, Sägen,
Rad, Mörfer, Pfeile, Spieß und Degen,
Strang, Oel und Pech, Kalk, Sand und Koth
                    Gebraucht der Tod.

Ein Ey, ein Kern von Weinbeertrauben,
Ein Stückchen Glas von einer Schrauben,
Ein Apfel, Groschen, Haar und Bein,
                    Nichts ist zu klein.

Ein mäßig Schild von einer Kröten
Kann einen unvermuthet tödten,
Wie leicht schießt uns von einem Dach
                    Ein Ziegel nach!

Ja keines ist fast von ben Thieren,
Ob wir gleich über fie regieren,
Das uns nicht, wenn es ihm gelingt,
                    Zu Grabe bringt.

Ja Würmer gar und schlechte Maden
Zerbeißen unfern Lebensfaden,
Wir öffnen ihnen Thür und Thor
                    Durch Mund und Ohr.

Mensch geh in dich und denk zurücke,
Wie gar so manchem Ungelücke
Du allenthalben offen stehst
Und bald vergehst.

Du wirst zwar nur durch eine Gassen
In dieses Leben eingelassen,
Hingegen stehn zum Tode dir
Viel tausend für.

Doch nun genug des geistlichen Triller's, ob er gleich noch lange nicht aus ist! Wie entspringen denn nun aber aus der Furcht des Menschen die Götter? Auf verschiedene Weise. Ist z. B. der Mensch weniger empfindlich für das Gute als Ueble, ist er zu leichtsinnig oder gedankenlos, um das Gute des Lebens hervorzuheben, so hat er nur böse Götter; hält die Vorstellung und Empfindung des Uebeln das Gleichgewicht der Vorstellung und Empfindung des Guten, so hat er gleichmächtige gute und böse Götter; überwiegt dagegen die Vorstellung und Empfindung des Guten die des Uebeln, so hat er einen guten, die Macht des Bösen überwindenden Gott. Oder: die Furcht ist entweder der positive oder der negative Grund der Religion oder Gottheit; d. h. die Religion entspringt entweder aus Servilismus, oder aus Opposition gegen die Furcht. Im erstern Falle entspringen furchtbare, böse, im zweiten gute Götter. Die Furcht ist ein Uebel und das Verhalten gegen das Uebel entweder ein leidendes oder thätiges; entweder ich lasse es bestehen, ergebe mich darein, wenn auch widerwillig, oder setze mich ihm entgegen, reagire. So entspringt aus Reaction gegen die Furcht vor den unendlich vielen möglichen Uebeln und Todesgefahren, die als böse Geister beständig dem ängstlichen Gemüthe des Menschen in der Phantasie vorschweben, die Vorstellung eines unendlich guten Wesens, einer allmächtigen Liebe, die eben so viel im Guten vermag, als die Furcht im Schlimmen, die vor allen Uebeln schützen kann und in der Einbildung wirklich schützt.*) Die göttliche Liebe erstreckt sich nämlich nicht weiter, als die menschliche Furcht, denn sie kann nur so weit hinaus Gutes schaffen, als die Furcht Uebles schaffen kann; ewig währt der Himmel der Liebe, aber ewig währt auch die Hölle der Furcht; zahllos sind die Schaaren der Engel, die die Liebe, aber zahllos auch die Schaaren der Teufel, die die Furcht in die Welt gesetzt hat; die Liebe erstreckt sich bis auf den Aufang der Welt, aber die Furcht bis ans Ende der Welt; die Liebe hat den ersten, die Furcht aber den jüngsten Tag der Welt erschaffen. Kurz, wo die **schöpferische Allmacht der menschlichen Furcht** aufhört, da hört auch die Allmacht der göttlichen Liebe auf. Ein uns sehr nahe liegendes Beispiel von der Entstehung der Religion aus der Furcht und der Reaction gegen dieselbe haben wir an der Entstehung des Protestantismus, namentlich des Lutherthums, welches nur entsprang aus dem Schrecken, aus der Furcht vor dem unmenschlichen, zornigen, eifersüchtigen Gotte, welcher im A. T. selbst der Schrecken oder die Furcht Israels genannt wird, welcher ohne Rücksicht und Gefühl für die menschliche Natur von dem Menschen verlangt, daß er ihm gleichen, d. h. daß er nicht Mensch, nicht ein lebendiges Wesen, sondern ein Moralgespenst, ein buchstäbliches Gesetz sein soll. Aber Luther war trotz seines frühern Mönchs = und spätern Pfaffenthums eine zu praktische und sinnlich kräftige Natur, als daß er diesem Gotte, dessen einer Name: Schabbai von der Verwüstung, der Vertilgung sich herschreibt, durch Beten, Fasten und Selbstkreuzigungen sich

---

*) Eben von dieser allgegenwärtigen Furcht kommt es, daß der polytheistische Glaube oder Aberglaube jeden Ort, jeden Winkel, jeden Raumpunkt mit Schutzgöttern und Schutzgeistern erfüllt hat. So sagt z. B. Prudentius wider Symmachus: „Den Thoren, den Häusern, den Thermen, den Ställen pflegt Ihr ihre Genien zuzueignen, allen Plätzen und Theilen der Stadt viele Tausende von Genien anzudichten, damit ja jeder Winkel sein eignes Gespenst habe". Wenn daher die gelehrten Herren trotz der unzähligen Altäre, welche die Menschen der Furcht errichtet, dieselbe nicht als eine und zwar die erste Gottheit erkennen, so kommt das nur daher, daß sie überhaupt vor lauter Bäumen nicht den Wald sehen.

hätte opfern können. Luther wollte kein Engel, sondern Mensch sein; er war ein in der Theologie gegen die Theologie kämpfender Theolog; er suchte gegen das böse Wesen der Theologie, welche den Menschen unter dem Vorwand der Versöhnung mit Gott in Zwiespalt mit seinem eignen Wesen bringt, welche dem Menschen durch die Galle der göttlichen Eifersucht das Blut in seinem Herzen vergiftet, durch das Höllenfeuer des göttlichen Zorns das Hirn in seinem Kopfe verbrennt, welche den Menschen wegen des bloßen Triebes, Mensch zu sein, zum ewigen Tod verdammt, *) ein wirksames Heilmittel. Da er aber das Mittel wider die Schreckbilder der Religion oder Theologie in der Theologie oder Religion selbst, d. h. das Mittel wider das böse Wesen des unmensch= lichen Gottes in dem menschlichen Gott suchte, gleichwie der naturreli= giöse Mensch in der menschlichen Natur die Mittel gegen die unmensch= liche Natur, der Tunguse z. B. in der religiösen, menschlichen Epidemie das Heilmittel wider die natürliche, unmenschliche Epidemie sucht, so versteht es sich von selbst, daß die Cur keine radicale war und sein konnte. Dies beweisen Luther's Briefe, welche von großem psychologi= schen Interesse sind, weil sie uns den Unterschied zwischen der öffentlichen Person Luther's und seiner Privatperson, zwischen der Macht des Glau= bens auf der Kanzel und der Macht oder vielmehr Unmacht desselben auf dem eignen Herde zeigen — zeigen, wie wenig er die Andern so angepriesenen selig machenden Wirkungen des Glaubens an seiner eignen Person erfuhr, wie er beständig von den Schreckbildern seiner religiösen Einbildungskraft verfolgt wurde. Glücklicherweise fand Luther

---

*) Das menschenfeindliche, böse Wesen der christlichen Theologie hat sich mit claf= fischer Schärfe besonders in Calvin ausgesprochen. „Alle Begierden des Flei= sches — als wenn nicht auch die Begierde des ewigen Lebens eine fleischliche Begierde wäre — sind Sünden"; „jede Sünde ist Todsünde"; „das Gesetz, sagt Paulus, ist geistlich, damit zeigt er an, daß es nicht nur Gehorsam der Seele, des Geistes, des Wil= lens verlangt, sondern auch englische Reinheit (Angelicam puritatem) fordert, welche von allem fleischlichen Schmutz gereinigt nur nach Geist schmeckt". Welch ein teuflischer Unsinn unter der Maske einer Engelsseele!

troß seiner theologischen Befangenheit noch n e b e n und a u ß e r der Religion oder Theologie Heilmittel wider die Macht der Sünde, der Hölle, des Teufels oder, was auf Eins hinausläuft, des Gotteszornes. So schreibt er in einem lateinischen Briefe an L. Senfel, daß auch die Musik dem Menschen verschaffe, was sonst nur die Theologie allein verschaffe, nämlich ein heiteres und ruhiges Gemüth, daß der Teufel, der Urheber aller Sorgen und Friedensstörungen, auf die Stimme der Musik fast eben so davon fliehe, wie auf das Wort der Theologie. Ja in einem Briefe an H. Weller schreibt er, daß man bisweilen mehr trinken, spielen, scherzen, sogar sündigen müsse dem Teufel zum Trotz und Spott, um ihm keine Veranlassung zu Gewissensvorwürfen über Kleinigkeiten zu geben. Wahrlich, ein zwar höchst antitheologisches, (aber eben deßwegen höchst probates anthropologisches Heilmittel!

---

2)*) Ist das Abhängigkeitsgefühl oder Abhängigkeitsbewußtsein — beides ist ja im Menschen untrennbar, „was ich nicht w e i ß, macht mich nicht h e i ß" — der richtige universelle Begriff und Ausdruck für den subjectiven, d. i. menschlichen (und zwar praktischen, nicht theoretischen) Grund der Religion? Ob ich gleich für die bejahende Antwort auf diese Frage schon genug Beweise vorgebracht habe, so will ich doch noch mehrere anführen, aber nur aus den classischen Heiden, nicht aus den Christen und zwar nicht nur beßwegen, weil bei diesen die Dependenz, die Abhängigkeit der Creatur von der unabhängigen Ursache, der Causa independens sogar zu einem technischen Ausdruck ihrer Theologie und Metaphysik geworden, sondern auch beßwegen, weil die alten classi-

---

*) Ich fasse unter dieser Nummer eine Reihe von Erörterungen zusammen, welche die Elemente oder Fragmente einer selbstständigen Schrift sind, welche ich aber bei der Unsicherheit aller Unternehmungen in Folge unserer heil- und trostlosen Politik gleich diesen Vorlesungen angehängt habe und daher den geneigten Leser erst am Schlusse der Vorlesungen zu lesen ersuche.

schen Völker nicht, wie die Christen, die ursprünglichen, natürlichen Gefühle und Gesinnungen des Menschen unterdrückten oder versteckten — Plinius Satz: Res Graecorum nuda est gilt auch hier — nicht einem conventionellen, dogmatischen Gottesbegriff aufopferten und daher eben so, wie in der Politik, auch in der Religion die lehrreichsten Beispiele und interessantesten Aufschlüsse über die Genesis der Gottesvorstellung uns geben. „Alle Menschen, sagt Homer in der Odyssee, bedürfen der Götter." Was ist aber das Bedürfniß anders, als der pathologische Ausdruck der Abhängigkeit? Bemerken muß ich bei dieser Gelegenheit, daß der Anfang im „Wesen des Glaubens", deßgleichen im „Wesen des Christenthums" vom Gegensatz des Menschlichen und Göttlichen und der Anfang im „Wesen der Religion" vom Abhängigkeitsgefühl auf Eines hinausläuft, nur daß jener Gegensatz mehr der Reflexion, der Besinnung über das Abhängigkeitsgefühl seine Existenz verdankt. Wenn die Menschen der Götter bedürfen, so ist es ja eine nothwendige Folge, daß diese haben, was jenen mangelt, daß folglich die göttliche Bedürfnißlosigkeit den Gegensatz zur menschlichen Bedürftigkeit bildet — ein Gegensatz, welchen denn auch die spätere griechische Reflexion oder Philosophie ausdrücklich ausgesprochen hat, obgleich auch schon im Homer das göttliche Wesen als ätherisches, seliges, unsterbliches, allmächtiges dem beschwerlichen, elenden, sterblichen, unmächtigen Wesen des Menschen entgegengesetzt wird, aber freilich auf eine höchst gemüthliche oder poetische Weise, so daß der Gegensatz zwischen den blutlosen Göttern und den blutigen Menschen in dem klaren Safte der Götter völlig zu Wasser wird. Doch wieder zurück zur Odyssee! „Von Gott kommt, nach Voßens Uebersetzung, Anderes Andern, Gutes kommt und Böses von Zeus, denn er herrschet mit Allmacht" (wörtlich: denn Alles vermag er). „Es ist nicht möglich, daß schlaflos immer beharren Sterbliche, denn die Götter verordneten jegliches Dinges Maaß und Ziel den Menschen." Die Abhängigkeit des Menschen vom Schlaf, die Nothwendigkeit des Schlafs ist also eine Moira, ein göttliches Verhängniß

ober Schickſal. Ja der Schlaf iſt ſelbſt ein göttliches Weſen, „der Beherrſcher der Sterblichen und unſterblichen Götter." „So ändert der
Sinn der ſterblichen Erdbewohner, So wie andere Tag' herführt der
waltende Vater." In glücklichen Tagen iſt er übermüthig, in unglücklichen unmuthig, aber dieſe Tage hängen vom Vater der Götter und
Menſchen ab. „Oben im Himmel, heißt es in der Ilias, hängen des
Siegs Ausgäng' an der Hand der unſterblichen Götter." Als Odyſſeus
und Ajas einen Wettlauf machten und ſchon dem Ziele ſich naheten, da
legte Pallas Athene auf das Gebet des erſtern dem Ajas ein Hinderniß
in den Weg: er fiel über Ochſenmiſt und Odyſſeus gewann den erſten
Preis. Ob alſo der Menſch ſiegt oder unterliegt, ungehindert ans Ziel
kommt oder unterwegs ausgleitet, das hängt von den Göttern ab.
„Wenn, ſagt Heſiod, zur gehörigen Zeit die Schifffahrt geſchieht, ſo
wird dir nicht das Schiff zerbrochen, noch wird das Meer vernichten die
Menſchen, wenn nicht mit Vorbedacht der Erderſchüttrer Poſeidon oder
Zeus, der Unſterblichen König, beſchloſſen Verderben, denn in ihrer
Gewalt ſteht zugleich das Gute und Böſe." „Von dir, Verehrte! heißt
es in einer homeriſchen Hymne auf die Allmutter Erde, kommt Reichthum an Kindern und Reichthum an Früchten, von dir hängt es ab (bei
dir ſteht es, σεῦ δ' ἔχεται), das Leben zu geben oder zu nehmen den ſterblichen Menſchen; glücklich der, den du im Herzen ehreſt
gewogen, denn Alles hat er im Ueberfluſſe." „Bete zu den Göttern,
ſagt Theognis, denn groß iſt ihre Gewalt, und nichts geſchieht ohne die
Götter den Menſchen, weder Gutes, noch Böſes." „Eitel ſind unſre
Gedanken, wir Menſchen wiſſen nichts, Alles führen die Götter nach
ihrem Sinne aus." „Keiner iſt ſelbſt Urheber ſeines Schadens und
Nutzens, ſondern die Götter ſind die Geber von beidem. Und Keiner
der Menſchen wirket, im Geiſt erſchauend den Ausgang, ob gut, ob
übel er ſein wird." Wenn nun aber Alles von den Göttern abhängt,
Gutes und Böſes, Leben und Tod, Geſundheit und Krankheit, Glück
und Unglück, Reichthum und Armuth, Sieg und Niederlage, ſo iſt doch

offenbar das Abhängigkeitsgefühl der Grund der Religion — der Grund,
daß der Mensch sein Thun in Leiden, seine Wünsche und Vorsätze in
Gebete, seine Tugenden in Gaben, seine Fehler in Strafen, kurz sein
Heil aus einem Gegenstand der Selbstthätigkeit in einen Gegenstand
der Religion verwandelt. Doch geben wir noch speciellere Beweise.
„„Alle Menschen bedürfen der Götter,““ „aber nicht alle aller,“ sagt
Plutarch. „Nein! als Bauer z. B. rufe ich nicht, sagt Varro in seiner
Schrift von der Landwirthschaft, wie Homer und Ennius die Musen
an, sondern die zwölf größern Götter, aber doch nicht die städtischen,
deren vergoldete Statuen auf dem Forum stehen, sondern jene zwölf
Götter, welche hauptsächlich die Führer (oder Herren) der Bauern sind,
also zuerst den Jupiter und die Erde, denn Himmel und Erde begreifen
alle Früchte der Agricultur in sich, zweitens die Sonne und den Mond,
deren Zeiten beobachtet werden, wenn man etwas säet und in die Erde
steckt, hernach Ceres und Bacchus, weil ihre Früchte zum Lebensunter-
halt am nöthigsten sind, denn von ihnen kommt ja Speise und Trank,
dann den Brand und die Flora, denn wenn sie günstig sind, so verdirbt
nicht der Brand das Getreide und die Bäume und sie blühen zur rechten
Zeit, ferner verehre ich auch die Minerva und Venus, weil die eine dem
Oelbau, die andere den Gärten vorsteht. Endlich bete ich auch zum
Wasser und zum guten Erfolg, denn ohne Wasser ist der Ackerbau
trocken und elend, ohne Erfolg und guten Ausgang aber nur eine ver-
gebliche Mühe. Als Hirt oder Viehzüchter wende ich mich besonders
an die Gottheit Pales und bitte sie, wie es in den Fasten Ovid's heißt,
daß sie die Krankheiten verscheuche, Menschen, Heerden und Hunde bei
Gesundheit erhalte, den Hunger fern halte, Laub und Kräuter, Wasser
zum Trinken und Baden, Milch und Käse, Lämmer und Wolle gebe,
als Kaufmann aber an den Mercurius und bitte ihn um Gewinnst im
Handel.“ Also die Menschen bedürfen der Götter, aber nur derjenigen,
von denen eben ihre Existenz — sei's nun in der natürlichen oder bürgerlichen Welt — abhängt, und eben dieses Bedürfniß, diese Abhängig-

keit ihrer Existenz, ihres Schicksals von den Göttern ist der Grund der
Religion, der Grund, warum sie als Götter angeschaut und verehrt
werden. Die erste aus der Praxis, aus dem Leben geschöpfte
Definition Gottes ist daher nur die, daß er Das ist, was der Mensch
zu seiner Existenz bedarf und zwar zu seiner physischen, denn diese ist ja
die Grundlage seiner geistigen Existenz, daß also Gott ein physisches
Wesen ist; oder subjectiv ausgedrückt: der erste Gott des Menschen
ist das Bedürfniß und zwar das physische; denn nur von der Stärke
und Macht, die ein Bedürfniß über mich ausübt, hängt es ja ab, daß
ich den Gegenstand, der mir dieses Bedürfniß befriedigt, als Gott verehre. Wir haben, sagt der heilige Augustin in seinem Gottesstaat, das
Bild der göttlichen Dreieinigkeit an uns: „wir sind, und wissen,
daß wir sind, und lieben dieses unser Sein und Wissen — daher auch
die Eintheilung der Wissenschaft bei den Philosophen in Naturwissenschaft, Logik und Ethik oder Moral. Der heilige Geist ist die Güte, die
Liebe oder die Quelle derselben; die zweite Person ist das Wort, der
Verstand, oder die Quelle der Weisheit; die erste Person, der Gott
Vater, ist das Sein oder der Urheber des Seins." D. h. eben der
älteste erste Gott, der Gott vor und hinter dem moralischen und geistigen Gott ist der physische Gott; denn wie der heilige Geist nichts
ist, als das vergötterte Wesen der Moral, der Sohn Gottes nichts, als
das vergötterte Wesen der Logik, so ist der Gott Vater nichts, als das
vergötterte Wesen der Physik, der Natur, von welcher ja allein der Mensch
den abstracten Begriff und Ausdruck des Seins abgezogen hat. „Aus
einer gewissen Naturnothwendigkeit, sagt Augustin bei dieser Gelegenheit, ist das Sein selbst (oder das bloße Sein) angenehm, so daß
nur deßwegen allein selbst die Elenden nicht untergehen wollen; denn
warum anders fürchten sie den Tod und ziehen selbst das elende Leben
dem Tode vor, als weil die Natur das Nichtsein flieht? Daher auch die
unvernünftigen Thiere sein wollen und den Untergang auf alle mögliche
Weise fliehen, daher selbst auch die empfindungslosen Pflanzen und so-

gar die ganz leblosen Körper ihr Sein zu erhalten und behaupten suchen." Wir sehen hieraus, daß der abgezogene Begriff des Seins nur in der Natur Fleisch und Blut, Wahrheit und Wirklichkeit hat, daß folglich, wie das Sein der Weisheit und Güte, so auch der physische Gott dem geistigen und moralischen vorausgesetzt ist; wir sehen zugleich, daß das Band der Liebe, wodurch der Mensch mit sich selbst und dem Leben zusammenhängt, die Kette ist, · an der alle Götter hangen, daß nur deßwegen Jupiter der höchste und mächtigste Gott ist, weil das Verlangen zu sein, zu leben, das höchste und mächtigste Verlangen des Menschen ist, die Befriedigung dieses Verlangens, das Leben aber in letzter Instanz nur von Jupiter ·abhängt, daß folglich der Respect, den Jupiter mit seinem Donnergepolter einflößt, nur ein Effect der menschlichen Lebensliebe und Todesfurcht ist. So ist es also nur das „Zornfeuer", die Finsterniß der menschlichen Begierden, das Chaos der menschlichen Bedürfnisse, woraus sich die griechischen und christlichen Götter entwickelt haben. Wie könnte denn auch der Mensch das Brot heilig sprechen, wie die Ceres als eine göttliche Wohlthäterin preisen, wenn er nicht den Hunger als einen „schrecklichen Wütherich" empfände? Nein! wo kein Teufel, ist auch kein Gott, wo kein Hunger, auch keine Ceres, wo kein Durst, auch kein Bacchus. Nichts ist daher köstlicher, als wenn die gelehrten Herren, weil für sie die Religion namentlich der alten Völker nur noch ein theoretisches oder ästhetisches Interesse hat, nun auch die Religion selbst nur aus theoretischen oder idealen Motiven entspringen lassen, über den mythologischen Figuren und Schnörkeln, womit die Einbildungskraft den Herculesschild der Religion ausgeschmückt, vergessen, daß trotz dieses künstlerischen Apparates und Luxus, worüber sie sich noch heute den Kopf zerbrechen, der Schild doch eben keinen andern Zweck hatte, als das Leben des Menschen zu schützen.

Da Alles von den Göttern abhängt, die Götter aber ſubjective, d. h. perſönliche, ſelbſtiſche Weſen ſind, Weſen, die eben ſo denken und empfinden, wie der Menſch: — „Ich bin ein eiferſüchtiger Gott,“ ſagt Jehovah im A. T., „die Götter, ſagt die Venus bei Euripides, finden ein Vergnügen daran, wenn ſie von den Menſchen geehrt werden,“ „wir ſind, ſagen die Götter in Ovid's Faſten, ein ehrgeiziges Volk“ — da Alles alſo von der Gnade oder Ungnade, der Liebe oder dem Zorne der Götter abhängt, ſo werden ſie natürlich nicht nur aus Gründen des menſchlichen, ſondern auch des göttlichen Egoismus verehrt; nicht nur verehrt, weil ſie dem Menſchen Gutes thun, ſondern auch weil ſie verehrt ſein wollen, kurz nicht nur um des Menſchen, ſondern auch um ihrer ſelbſt willen verehrt. Ein ſubjectives oder perſönliches Weſen kann man nur dadurch ehren, daß man ihm thut, was ſeinem Sinne zuſagt, ſeinem Weſen entſpricht, alſo Alles beſeitigt, was ihm mißfällt. Einem vornehmen Gaſt zu Ehren legt man ab allen häuslichen Schmutz und Unrath, Kummer und Gram, Hader und Aerger, räumt man Alles aus den Augen, was einen unäſthetiſchen, unangenehmen Eindruck auf denſelben machen könnte. Eben ſo macht es der Menſch an den der Ehre der Götter geweihten Feſten; da enthält er ſich aller Geſchäfte, Handlungen und Genüſſe, die dem Weſen der Götter widerſtreiten; da vergißt er die eigenen Freuden und Schmerzen, um nur die Freuden und Schmerzen der Götter, wie z. B. an dem Feſte der Demeter, zu empfinden. Aber gerade dieſe Verehrung der Götter in ihrem Sinne und Intereſſe iſt zugleich auch die im Sinne und Intereſſe des Menſchen; denn nur durch dieſe keuſche, uneigennützige Verehrung erwerbe ich mir ihre Gunſt; habe ich aber ihre Gunſt, ſo habe ich Alles, was ich wünſche, ſo ſitze ich an der Quelle aller Güter. Eben ſo iſt es mit der Zornbeſchwichtigung, der Verſöhnung der Götter mit den Menſchen. Es iſt gleichgültig daher, ob ich ſie als Mittel oder Zweck faſſe, denn iſt der Zorn Gottes weg, ſo iſt auch alles Uebel weg, iſt der Grund gehoben, ſo fällt ja von ſelbſt die Folge. „Meine größte Strafe iſt, sagt Ovid in seinen Elegien aus Tomi, wohin ihn der Zorn des irdischen Jupiter, des Kaisers Augustus verbannt hatte, ihn (nämlich den August) beleidigt zu haben." "Wenn auch außer des Kaisers Zorn kein Uebel mich drückte, ist nicht des Kaisers Zorn selber schon Uebel genug?" "Alles Uebel ja bringt des Kaisers Ungnade mit sich." Daßselbe gilt von den himmlischen Göttern. Ihren Zorn stillen, heißt daher die Quelle alles Uebels verstopfen.

***

Da die Götter über Leben und Tod, Glück und Unglück gebieten, so knüpft sich auch an sie und ihre Verehrung die Moral, die theoretische und practische Unterscheidung zwischen Gut und Bös, Recht und Unrecht. Ich sage: anknüpft, denn an sich und ursprünglich haben Religion und Moral — wenigstens in dem Sinne, wie wir sie, die Moral, jetzt auffassen — nichts mit einander gemein, und zwar schon aus dem einfachen, einleuchtenden Grund, weil sich der Mensch in der Moral auf sich und seinen Nächsten, in der Religion aber auf ein anderes vom Menschen unterschiedenes Wesen bezieht. "Die ganze h. Schrift, sagt Bodin in seiner Dämonomanie, ist voll von Zeugnissen, daß Gott den größten Abscheu vor den Zauberern (d. h. vor Denen hat, welche Gott aufgeben und sich mit dem Teufel verbinden), daß sie weit verfluchungswürdiger sind, als die Vatermörder, Blutschänder und Sodomiten. Sollte auch ein Zauberer, sagt er später, gar keinen Schaden stiften, nichts Uebles Menschen und Vieh zufügen, so verdient er doch schon deßwegen, weil er Gott aufgegeben, sich mit dem Teufel verbunden, also die Majestät Gottes beleidigt hat, lebendig verbrannt zu werden". "Der Fürsatz zu tödten, sagt Luther, ist nicht so große Sünd, als nicht glauben, denn der Todtschlag ist eine Sünde wider das fünfte Gebot, aber der Unglaube ist eine Sünde wider das erste und größeste Gebot". "Ausgemacht ist, sagt Calvin, daß im Gesetz und den Propheten der Glaube und was sich auf den

Gottesdienst bezieht, den ersten Platz einnimmt, die Liebe unter den Glauben gestellt ist". Die katholische Kirche hat ausdrücklich den Satz, daß der kein Christ sei, welcher Glauben ohne Liebe habe, als einen ketzerischen Satz verworfen, folglich den Satz, daß man Christenthum, Glauben, Religion ohne Liebe, d. h. ohne Moral haben könne, sanctionirt. Und der fromme Russe, der letzte Anker unserer desperaten religiösen und politischen Absolutisten, hält so strenge auf seine Fasten, daß er sich eher einen Diebstahl oder Mord, als eine Uebertretung der Fastenzeit verzeiht. (Stäublin: Magaz. für Religionsgesch.) „Auch die armenischen Priester ertheilen eher Vergebung für begangenen Mord und andere grobe Verbrechen, als für einen Bruch der Fasten. Die verruchtesten Menschen unter den griechischen Christen beobachten die Fasten nicht weniger genau als die tugendhaftesten". (Meiners a. a. O. II. L.) Der Criminalist Carpzov war so fromm, so biblisch, so christlich, daß er alle Monate zum heiligen Abendmahl ging und nicht weniger als 53, schreibe dreiundfunfzig Mal die ganze Bibel durchlas, und doch oder vielleicht eben deßwegen verurtheilte dieser fromme Mann nicht weniger als 20,000, sage zwanzig Tausend Missethäter, d. h. armer Sünder zum Tode. (Stein: Geschichte des peinlichen Rechts.) Le connetable Anne de Montmorenci .... peut-être le seul chef du parti catholique qui aimât la religion pour elle même ..... c'étoit en disant son chapelet, si l'on en croit Brantome, qu'il ordonnoit des supplices, des meurtres, des incendies, sans se debaucher nullement de ses paters, tant il étoit consciencieux. (Dict. Univ. par Roliner Art. Ligue.) *) Was hat also der Glaube mit der Liebe, die Religion mit der Moral gemein?

*) Von dem Widerspruch zwischen moralischer und geistlicher Würde, zwischen Humanität und Religiosität, Sittlichkeit und Kirchlichkeit, wie ihn unsere protestantischen und katholischen Geistlichen im Leben darstellen, schweige ich, weil ich es für unmöglich und unwürdig halte, über Dinge zu schreiben, die selbst den stumpfen Sinnen unserer Bauern auffallen.

nichts, so wenig als Gott, worauf sich der Glaube, und der Mensch, worauf sich die Liebe bezieht, etwas mit einander gemein haben; denn Mensch und Gott sind sich ja, dem Glauben zufolge, aufs heftigste ent= gegengesetzt: Gott ist ein unsinnliches, der Mensch ein sinnliches, Gott ein vollkommenes, der Mensch ein elendes, erbärmliches, nichtswür= diges Wesen. Wie kann also aus dem Glauben Liebe folgen? so we= nig, als aus Vollkommenheit Erbärmlichkeit, aus Fülle Mangel ent= springen kann. Ja! Moral und Religion, Glaube und Liebe widersprechen sich geradezu. Wer einmal einen Gott liebt, der kann keinen Menschen mehr lieben; er hat den Sinn fürs Mensch= liche verloren; aber auch umgekehrt: wer einmal den Menschen liebt, wahrhaft von Herzen liebt, der kann keinen Gott mehr lieben, der kann nicht mehr sein heißes Menschenblut in dem leeren Raum einer unend= lichen Gegenstandlosigkeit und Unwirklichkeit umsonst verdunsten lassen. Die Religion schützt, sagt man, vor Sünden durch die Vorstellung eines allwissenden Wesens, allein schon die Alten sagten, daß man so zu Gott beten müsse, als hörten es die Menschen, und daß, „wer sich vor den Menschen nicht scheue, auch wohl Gott selbst betrüge"; die Re= ligion straft die Sünder, sagt man, ja; aber sie hat auch Mittelchen genug, sei's nun in dem Verdienst Christi, oder in Ablaßzetteln, oder im Kuhmist, oder im Waschwasser, den Menschen zu entsündigen, oder vielmehr, — denn wider die Sünde selbst vermag nichts oder wenig= stens sehr wenig der Glaube, wie die ehrlichen Gläubigen selbst einge= standen und ihr Charakter und Leben bewiesen — den Sünder zu ent= schuldigen, den Mohren selbst weiß zu waschen. Schon der heidnische Dichter Ovid, der freilich dem Zeitalter der Bildung, aber eben deß= wegen auch des Unglaubens angehört, kann sich in seinen Fasten, die doch selbst nur einer antiquarischen Begeisterung ihren Ursprung verdan= ken, nicht enthalten, sich darüber zu verwundern, daß seine frommen Vorfahren glauben konnten, alle Vergehen, selbst das furchtbare Ver= brechen des Mordes, könnten durch das Wasser eines Flusses getilgt werden. So sehr aber auch Glaube und Liebe, Religion und Moral sich widersprechen, so knüpft sich doch nicht nur, wie ich anfangs sagte, die Moral an die Religion an, sondern sie stützt sich auch wirklich auf dieselbe, aber aus einem ganz anderen Grunde, als man gewöhnlich vorgiebt. Die Religion ist allmächtig; sie gebietet über Himmel und Erde, über Lauf und Stillstand der Sonne, über Donner und Blitz, Regen und Sonnenschein, kurz über Alles, was der Mensch liebt und fürchtet, über Glück und Unglück, Leben und Tod, sie macht daher die Gebote der Liebe oder Moral zu Gegenständen der menschlichen Selbstliebe, des Glückseligkeitstriebes, indem sie ihre Erfüllung mit allen nur immer wünschbaren Gütern belohnt, ihre Nichterfüllung mit allen nur immer furchtbaren Uebeln bestraft. „Wenn du nicht gehorchen wirst, sagt der Gott Jehovah, der Stimme des Herrn, deines Gottes, daß du haltest und thust alle seine Gebote und Rechte, die ich dir heute gebiete, so werden alle diese Flüche über dich kommen und dich treffen. Verflucht wirst du sein in der Stadt, verflucht auf dem Acker u. s. w. Der Herr wird unter dich senden Unfall, Unrath und Unglück in allem, das du vor die Hand nimmst, das du thust, bis du vertilget wirst. Der Herr wird dich schlagen mit Schwulst, Fieber, Hitze, Brunst, Dürre, giftiger Luft und Gelbsucht und wird dich verfolgen, bis er dich umbringe. Der Herr wird dich schlagen mit Drüsen Aegyptens, mit Feigwarzen, mit Grind und Krätze, daß du nicht kannst heil werden. Der Herr wird dich schlagen mit Blindheit, Wahnsinn und Rasen des Herzens, und wirst tappen im Mittage, wie ein Blinder tappet im Dunkel und wirst auf deinem Wege kein Glück haben" u. s. w. „Siehe ich habe dir heute vorgelegt das Leben und das Gute, den Tod und das Böse, daß du den Herrn deinen Gott liebest und wandelst in seinen Wegen und seine Gebote, Gesetze und Rechte haltest und leben mögest und gemehret werdest. Der Herr dein Gott wird dir Glück geben in allen Werken deiner Hände, an der Frucht deines Leibes, an der Frucht deines Viehes, an der Frucht deines Landes,

25*

daß birs zu gute komme". Wir sehen aus dieser classischen Stelle, daß und wie die Religion die Liebe zur Tugend zur Liebe eines langen und glücklichen Lebens, die Furcht vor der Verletzung der Moralgebote *) zu einer Furcht vor ägyptischen Drüsen und Feigwarzen, Grind und Krätze, kurz allem möglichen Uhfall und Unglück macht, daß der Satz: die Moral stützt sich oder muß sich auf die Religion stützen, keinen an= deren Sinn hat, als die Moral muß sich auf den Egoismus, auf die Selbstliebe, auf den Glückseligkeitstrieb stützen, sonst hat sie keinen Grund. Der Unterschied zwischen dem Judenthum und Christenthum ist nur, daß dort sich die Moral auf die Liebe zum zeitlichen, irdischen, hier auf die Liebe zum ewigen, himmlischen Leben stützt. Der Grund, daß man nicht erkennt, daß das Geheimniß des Glaubens im Unterschiede von der Liebe, der Religion im Unterschiede von der Moral nur der Egoismus, liegt allein darin, daß der religiöse Egoismus nicht den S ch e i n des Egoismus hat, daß sich der Mensch in der Religion unter der Form der Selbstverneinung bejaht, sein Ich nicht in der ersten Per= son, seinen Willen nicht in befehlender, sondern bittender, nicht in thä= tiger, sondern in leidender Form geltend macht, sich nicht selbst liebt, sondern demüthig lieben läßt. So ist der Inhalt des Luther'schen Glau= bens im Unterschied von der Liebe oder Moral nichts Andres, als der Inhalt der Selbstliebe in der l e i d e n d e n Form, d e r Inhalt: Gott liebt mich, oder ich bin geliebt von Gott; aber, weil ich von Gott ge= liebt bin — dies ist der Zusammenhang des Glaubens mit der Moral — so liebe ich die Menschen; weil mein Egoismus in der Religion be= friedigt ist, so brauche ich ihn nicht in der Moral zu befriedigen; was ich in der Moral ausgebe und verliere, das bekomme ich wieder oder habe es schon hundertfältig im Glauben, in der Gewißheit des Geliebt=

---

*) Es ist in dieser Stelle nicht allein von den Moralgeboten die Rede, sondern auch von den religiösen Geboten, aber da es sich eben um den Unterschied von Moral und Religion hier handelt, so müssen wir natürlich nur jene hervorheben.

seins von dem allmächtigen Wesen, dem alle Schätze und Güter zu Gebote stehen. Doch wieder zurück zu unserer alttestamentlichen Stelle! Was gehört der Religion, was der Moral, was Gott, was dem Menschen an? Dem Menschen gehört an das Verbot des Mords, das Verbot des Ehebruchs, das Verbot des Diebstahls, das Verbot des falschen Zeugnisses, das Verbot des Gelüstens nach des Nächsten Weib, Haus, Acker u. s. w., denn wenn auch das Verbot des Diebstahls z. B. dem Dieb für ein unmenschliches gilt und im größten Widerspruch mit seinem Egoismus steht, so steht es doch im größten Einklang mit dem Egoismus des Besitzers. Moral und Recht beruhen überhaupt auf dem ganz einfachen Grundsatz: „was du nicht willst, daß dir die Leute thun, das thue ihnen auch nicht". Nun will aber kein Mensch, daß ihm sein Leben, sein Weib, sein Acker, sein guter Leumund genommen werde, es ist daher sehr natürlich, daß dieser Wille eines Jeden, denn selbst der Dieb will nicht das Gestohlene wieder sich stehlen, der Mörder nicht sein Leben sich nehmen lassen, ausdrücklich zu einem allgemeinen Gesetze gemacht und der Dawiderhandelnde bestraft werde. Was gehört also Gott oder der Religion an? einerseits die ägyptischen Feigwarzen, Grind und Krätze, Drüsengeschwülste und andere Uebel, die sie über die Bösen verhängt, andererseits langes Leben, Fruchtbarkeit des Leibes, des Viehs, des Ackers, die sie den Guten verheißt, denn weder diese Güter, noch jene Uebel stehen in der Macht des Menschen *). Aber beide sind Gegenstände des Glückseligkeitstriebes, jene auf bejahende, diese auf verneinende Weise, jene als Gegenstände der Liebe,

---

*) Die Götter sind allerdings insofern moralische Mächte, als sie das Unrecht, die Sünde bestrafen, das Rechte, die Tugend belohnen, aber gleichwohl ist das ihnen Eigene, das ihr Wesen Ausmachende nicht die Moral, sondern nur die Macht zu bestrafen und zu belohnen. „Gott verlangt von euch nicht nur christlichen Glauben, er verlangt auch, daß ihr gütig, menschenfreundlich und liebreich gegen den Nächsten seid". Ganz falsch; Gott verlangt nur den Glauben von euch, aber daß ihr gütig, menschenfreundlich und liebreich seid, das verlangt der Mensch, denn nur beim Glauben ist Gott, bei der Moral aber der Mensch

des Verlangens, diese als Gegenstände der Furcht, des Abscheus. Was
ist also das der Religion specifisch, eigenthümlich Ange=
hörende? Nur der Glückseligkeitstrieb, nur der Egois=
mus, und zwar der, dessen Befriedigung nicht in der Hand des Men=
schen steht. Mir, meinem Weibe, meinem Acker, meinem Vieh wünsche
ich allen nur erdenklichen Segen; Dem aber, der mein Weib, Vieh,
Leben angreift und verletzt, fluche ich alle nur erdenklichen Uebel an den
Hals, namentlich dann, wenn er nicht — und er ist es nicht immer —
in meiner Gewalt ist; aber beide Wünsche, sowohl die segnenden, als
die verfluchenden erfüllt oder kann erfüllen die Allmacht Gottes oder des
Glaubens. Die Religion hat also dadurch, daß sie über Leben und
Tod, Himmel und Hölle gebietet, daß sie die Gesetze zu Geboten eines
allmächtigen Wesens — des Begriffs aller menschlichen Wünsche und
Schrecken — macht, den Egoismus in ihrer Hand oder für sich, und
übt dadurch eine furchtbare Macht über den, namentlich rohen Men=
schen aus, eine Macht, vor der die Macht der Moral, namentlich der
abstracten, philosophischen, in Nichts verschwindet, und deren Verlust
daher ein unersetzlicher scheint. Allein es ist nicht zu übersehen, daß
die Religion diese Macht nur durch die Einbildungskraft ausübt oder
daß ihre Macht nur in der Einbildungskraft besteht; denn wäre ihre
Macht mehr als eine eingebildete, wäre die Religion wirklich der posi=
tive Grund und Halt des Rechts und der Moral, so müßten auch die
religiösen Verheißungen und Strafen zur Gründung und Erhaltung der
Staaten hingereicht haben, so würde es den Menschen nicht eingefallen
sein, so viele, so ausgesuchte, so grausame Strafen zur Verhinderung
von Verbrechen anzuwenden. Oder ja: man kann den Satz zugeben:
die Religion ist die Grundlage der Staaten, aber mit dem Zusatz: nur

---

interessirt. Was du glaubst, das ist mir ganz einerlei, aber nicht, was du bist,
was du thust. Dem Ich liegt freilich das Hemde des Glaubens näher an als der
Rock der Moral, aber dem Du ist der Rock näher als das Hemb, ja für das Du exi=
stirt nur mein Rock, aber nicht mein Hemb.

in der Einbildung, im Glauben, in der Meinung, denn in der Wirklichkeit stützen sich die Staaten, selbst die christlichen, statt auf die Macht
der Religion, ob sie gleich allerdings auch sie — natürlich nur den Glauben, die schwache Seite des Menschen — als Mittel zu ihren Zwecken
gebrauchen, auf die Macht der Bajonette und anderer Torturwerkzeuge.
In Wirklichkeit handeln überhaupt die Menschen aus ganz anderen
Gründen, als sie in ihrer religiösen Einbildung zu handeln glauben.
Der fromme Ph. de Commines in seiner Chronik vom König Ludwig XI. sagt: „alle Uebel oder Vergehen kommen vom Mangel an
Glauben, wenn die Menschen fest glaubten, was Gott und die Kirche
uns von den ewigen und schrecklichen Höllenstrafen sagen, so könnten
sie nicht thun, was sie thun". Aber woher kommt denn diese Schwäche
des Glaubens? Daher, daß die Glaubenskraft nichts Andres ist, als
die Einbildungskraft, und so groß auch die Macht der Einbildungskraft
ist, doch die Macht der Wirklichkeit eine unendlich größere und dem Wesen der Einbildung geradezu widersprechende Macht ist. Der Glaube
ist, wie die Einbildungskraft, hyperbolisch; er bewegt sich nur in Ex-
tremen, in Uebertreibungen; er weiß nur von Himmel und Hölle, von
Engeln und Teufeln; er will mehr aus dem Menschen machen, als er
sein soll, und macht eben deßwegen weniger aus ihm, als er sein kann;
er will ihn zum Engel machen und macht ihn dafür bei günstiger Gelegenheit zu einem wahren Teufel. So verkehrt sich das hyperbolische
und phantastische Wesen des Glaubens an dem Widerstand der prosaischen Wirklichkeit in sein directes Gegentheil! Es wäre daher schlecht
um das menschliche Leben bestellt, wenn Recht und Moral keine andere
Grundlage hätten, als den religiösen Glauben, welcher so leicht in sein
Gegentheil umschlägt, da er, wie die größten Glaubenshelden selbst eingestanden haben, dem Zeugniß der Sinne, dem natürlichen Gefühl
und dem den Menschen eingeborenen Hang zum Unglauben geradezu
Hohn spricht. Wie kann aber etwas Erzwungenes, auf die gewaltsame
Unterdrückung einer wohlbegründeten Neigung Gebautes, jeden Augen-

blick den Zweifeln des Verstandes und den Widersprüchen der Erfahrung
Ausgesetztes eine sichere und feste Grundlage abgeben? Glauben, daß
der Staat — ich meine natürlich den Staat überhaupt, nicht unsere
künstlichen supranaturalistischen Staatsgebäude, nicht ohne religiösen
Glauben bestehen könne, heißt glauben, daß die natürlichen Beine nicht
zum Stehen und Gehen hinreichend sind, daß der Mensch nur auf Stel-
zen gehen und stehen könne. Diese natürlichen Beine aber, worauf
Moral und Recht fußen, sind die Lebensliebe, das Interesse, der Egoismus. Nichts ist daher grundloser, als die Vorstellung und Furcht,
daß mit den Göttern auch der Unterschied zwischen Recht und Unrecht,
Gut und Böse sich aufhebe. Dieser Unterschied besteht und wird bestehen so lange, als ein Unterschied zwischen Ich und Du besteht, denn
nur dieser Unterschied ist der Quell der Moral und des Rechts. Wenn
auch mein Egoismus mir den Diebstahl erlaubt, so wird doch der
Egoismus des Andern sich ihn aufs strengste verbitten; wenn auch ich
aus mir selbst nichts von Uneigennützigkeit weiß und wissen will, so
wird doch stets der Eigennutz der Andern mir die Tugend der Uneigennützigkeit vorpredigen; wenn auch mein männlicher Egoismus einen
Hang zur Polygamie hat, so wird doch stets der weibliche Egoismus
diesem Hange sich widersetzen und der Monogamie das Wort reden;
wenn auch ich nicht die Balken in meinen Augen merke und fühle, so
wird doch jedes Splitterchen darin ein Dorn in dem Auge der Tadelsucht Anderer sein; kurz, wenn es auch mir gleichgültig ist, ob ich gut
oder schlecht bin, so wird es doch nie dem Egoismus der Andern gleichgültig sein. Wer war denn bisher der Regent der Staaten? Gott?
ach! die Götter regieren nur im Himmel der Phantasie, aber nicht auf
dem profanen Boden der Wirklichkeit. Wer also? nur der Egoismus,
aber freilich nicht der einfältige Egoismus, sondern der dualistische
Egoismus, der Egoismus, der für sich den Himmel, aber für Andere
die Hölle, für sich den Materialismus, aber für Andere den Idealismus, für sich die Freiheit, für Andere die Knechtschaft, für sich den

Genuß, aber für Andere die Resignation erfunden hat, der Egoismus, der in den Regierungen die eigenen, selbstbegangenen Verbrechen an den Unterthanen, in den Vätern die eigenen, selbstgezeugten Sünden an den Kindern, in den Ehemännern die eigenen, selbstverschuldeten Schwächen an den Weibern straft, überhaupt Alles sich verzeiht und sein Ich nach allen Dimensionen geltend macht, aber von den Andern verlangt, daß sie kein Ich haben, daß sie blos von der Luft leben, daß sie vollkommen und immateriell wie Engel sind; freilich nicht nur jener beschränkte Egoismus, auf den man gewöhnlich allein diesen Namen anwendet, der aber nur eine, obwohl die vulgärste Art des Egoismus ist, sondern der Egoismus, der eben so viel Arten und Gattungen in sich begreift, als es überhaupt Arten und Gattungen des menschlichen Wesens giebt, denn es giebt nicht nur einen singulären oder individuellen, sondern auch einen socialen Egoismus, einen Familienegoismus, einen Corporationsegoismus, einen Gemeindeegoismus, einen patriotischen Egoismus. Allerdings ist der Egoismus die Ursache alles Uebels, aber auch die Ursache alles Guten, denn wer anders als der Egoismus hat den Ackerbau, hat den Handel, hat die Künste und Wissenschaften hervorgebracht? Allerdings ist er die Ursache aller Laster, aber auch die Ursache aller Tugenden, denn wer hat die Tugend der Ehrlichkeit geschaffen? der Egoismus durch das Verbot des Diebstahls; wer die Tugend der Keuschheit? der Egoismus, der den Gegenstand seiner Liebe nicht mit Andern theilen will, durch das Verbot des Ehebruchs; wer die Tugend der Wahrhaftigkeit? der Egoismus, der nicht belogen und betrogen sein will, durch das Verbot der Lüge. So ist der Egoismus der erste Gesetzgeber und Ursacher der Tugenden, wenn auch nur aus Feindschaft gegen das Laster, nur aus Egoismus, nur deßwegen, weil für ihn ein Uebel ist, was für mich ein Laster, wie umgekehrt, was für mich eine Verneinung, für den Andern eine Bejahung seines Egoismus, was für mich eine Tugend, für ihn eine Wohlthat ist. Uebrigens sind die Laster zur Erhaltung der Staaten, wenigstens unserer verruchten, natur- und menschenfeindlichen Staaten, eben so nothwendig, wenn nicht noch nothwendiger, als die Tugenden der Menschen. Wenn z. B., um ein mir nahe liegendes Beispiel zu geben, weil ich auf baierischem Boden, wenn auch nicht im baierischen, freilich auch nicht preußischem oder österreichischem Geiste schreibe, das Christenthum bei uns mehr als eine bloße geistliche Phrase wäre, wenn sich der Geist der christlichen Ascetik und Unsinnlichkeit des baierischen Volks bemächtigte und dasselbe sich des Biertrinkens, selbst auch nur des unmäßigen, enthielte, wie stünde es dann mit der Existenz des baierischen Staates? Der russische Staat hat sogar trotz seiner „substanziellen Glaubenstreue" seine hauptsächliche finanzielle Lebensquelle in dem Gifte des Branntweins. Also ohne Bier kein Baiern, ohne Branntwein kein Rußland — selbst auch kein Bo—russia. Und Angesichts dieser und unzähliger anderer eben so populärer Thatsachen erdreistet man sich, dem Volke weis zu machen, daß die Religion das Band unserer nur durch die Zuchthausketten des Verbrechens an der menschlichen Natur zusammengehaltenen Staaten sei! Doch lassen wir die Gräuel der Politik! Die Moral, sagt man, muß sich auf die Religion, auf das göttliche, nicht auf das menschliche Wesen gründen, sonst verliert sie alle Autorität und Festigkeit. Was ist relativer, veränderlicher, unzuverlässiger als das menschliche Wesen? Wie kann sich darauf das Moralgesetz stützen? Heißt denn das aber nicht vom Regen in die Traufe kommen, vom Wesen des Menschen zum Wesen Gottes seine Zuflucht nehmen? Ist das Wesen des Menschen nicht bei aller unendlichen Verschiedenheit in seinen Grundtrieben etwas sich Gleiches, Zuverlässiges, selbst sinnlich Gewisses? Heißt es nicht selbst im Sprüchwort: „alle Welt hat nur einen Willen, daß es ihr wohlgehe?" Giebt es aber etwas Ungewisseres, Zweifelhafteres, Widersprechenderes, Schwankenderes, Unbestimmteres, Relativeres, als das Wesen Gottes? Ist es wenigstens nicht eben so veränderlich und verschieden, als die Zeiten und Menschen veränderlich und verschieden sind?

Ist der Grund, warum Gott zu einer bestimmten Zeit diese und keine anderen Gesetze, diese und keine anderen Offenbarungen den Menschen giebt, nicht das Wesen dieser Menschen, denen allein diese Gesetze und Offenbarungen entsprechen? Ist aber, wenn mir ein Gesetzgeber ein meinem Wesen entsprechendes Gesetz giebt — und nur ein solches ist ein wahres und gültiges — nicht mein Wesen das Gesetz des Gesetzes, das dem Gesetz Vorausgesetzte? Was ist also für ein Unterschied zwischen dem menschlichen und göttlichen Wesen als Grund der Moral? der Unterschied zwischen der schlichten Wahrheit und der religiösen Illusion oder Phantasie, welche das andere Ich, das Wesen des Menschen im Unterschiede von seinem Willen und Wissen als ein selbst wieder persönliches Wesen verselbstständigt. „Was böse ist, sagt z. B. ein orthodoxer Polyhistor des vorigen Jahrhunderts (Gundling), kann Gott nicht befehlen, alldieweil er höchst gütig und weise ist; folglich befiehlet er das Gute. Das Gute gehet in signo rationis vor, das Gebot folget; mithin gebietet er dem Menschen dasjenige, so ihm gut, und verbietet, was ihnen schädlich ist. Finis Dei noster quoque finis sit oportet, Gottes Zweck muß auch unser Zweck sein," natürlich; denn unser Zweck ist Gottes Zweck, was wir nicht wollen, das unserer Natur Widersprechende, das Böse, das Schädliche, das will auch Gott nicht. Obgleich aber in Wahrheit das göttliche Gesetz und Wesen das menschliche Wesen zur Voraussetzung und Grundlage hat, so kehrt doch die religiöse Phantasie dies um. — Derselbe Theist bemerkt bei dieser Gelegenheit, daß der Atheist wohl „die moralischen Wahrheiten, welche mit der menschlichen Natur eine Connexion haben, begreifen könne," daß aber zu ihrer „Ausübung, weil diese unserer Concupiscenz und Affecten zuwider," nur der Theismus die Mittel an die Hand gebe. „In der gegentheiligen Meinung — sagt derselbe im Einklang mit allen Theisten — bleibt nichts als utilitas oder die Nutzbarkeit übrig, welche mich abhalten soll, daß ich nicht stehle, nicht morde, oder Jemand beleidige. Nun setze man aber, fährt er fort, du träfest deinen Erbfeind an

einem einsamen Ort, wie Saul den David in der Höhle, ohne befürchten zu müssen, wegen der Befriedigung deines Rachegelüstes entdeckt und
folglich bestraft zu werden? Vor Gott fürchtest du dich nicht. ...
Du bist ein Atheiste. Was soll dich nun abhalten, deinen Feind zu
massacriren?" Dasselbe, was dich, ruhmrediger Theist! denn in solchen
casuistischen Fällen entscheidet nur, was du bist, aber nicht, was du
glaubst oder denkst; bist du ein boshafter, racheburstiger Mensch, so
wirst du trotz deines Gottesglaubens und trotz deiner Gottesfurcht die
Schandthat begehen, denn der günstige Moment, die Leidenschaft reißt
dich mit sich fort; bist du aber das Gegentheil, bist du keine gemeine,
sondern edle Natur, bist du wirklich ein Mensch, keine Bestie, so wirst
du auch ohne Gottesfurcht und Menschenfurcht genug Gründe in dir
finden, die dich von einer Schandthat abhalten. Ich nenne vor Allem
das Ehrgefühl, das Gefühl, das sich scheut, geheim zu thun, was man
sich schämt vor Andern zu thun — ein Gefühl, das aber leider! das
Christenthum über seinem Gottesglauben gänzlich vernachlässigt hat —
das Gefühl, das nicht Andere belügen will, demzufolge der Mensch auch
sein will, wofür er Andern gilt, in Beziehung aber auf den angeführten individuellen Fall das Gefühl, welches den Menschen, wenn er
nicht eine ganz gemeine Bestie ist, gerade in dem Moment, wo er des
Gegenstandes seiner Begierde Herr und Meister ist, zum Sieger über
seine Begierde macht; das Gefühl, welches der Triumph der höchsten
Macht, der Macht über Leben und Tod ist, aber eben deßwegen sich nicht
bis zu dem schimpflichen Handwerk des Henkers erniedrigt. Wie in der
Physik, hat man daher auch in der Ethik oder Moral nur aus Unwissenheit zur Theologie seine Zuflucht genommen, aber eben darüber die im
Menschen selbst liegenden Gründe und Elemente zur Tugend auszubilden versäumt, und daher das Volk bis auf den heutigen Tag in der
tiefsten sittlichen Roheit sitzen lassen. In Betreff des oben angeführten
Satzes, daß in dem Atheismus die Moralität nur von der Nutzbarkeit
und Schädlichkeit abhänge — ein Satz, den noch heute die Theologen

und ihre Nachtreter, die speculativen Bedienten der Theologie, wenn auch mit andern Worten und Phrasen im Munde führen, ist zu bemerken, daß dieser Gegensatz selbst vom Standpunkt des Theismus aus ein falscher ist. Es handelt sich in diesem Gegensatze nicht um Schaden und nicht Schaden, Nutzen und nicht Nutzen — darin sind beide einig — sondern um gewissen und ungewissen Schaden, gewissen und ungewissen Nutzen. Der Schaden des Atheisten ist ungewiß, der Schaden des Theisten, der Gegenstand seiner Furcht, der Zorn, die Strafe Gottes gewiß; aber umgekehrt ist auch der Nutzen des Atheisten ungewiß, der Nutzen des Theisten dagegen, die Liebe, der Lohn Gottes gewiß. Oder: der Gegensatz zwischen Theismus und Atheismus ist vielmehr nur der Gegensatz zwischen unendlichem und endlichem Egoismus. In der Gottesfurcht verschwindet zwar der Egoismus aus dem Gesichte, denn die Furcht ist das Beben des Ichs vor einer das Ich vernichtenden oder vernichten könnenden Macht; aber in dem gewissen und unendlichen Gotteslohn tritt der unendliche Egoismus auf sichtbare Weise wieder hervor. Der Atheist hat daher zwar den moralischen Nachtheil gegen den Theisten, daß er keine Gottesfurcht hat, aber auch den moralischen Vortheil vor jenem voraus, daß er keinen Gotteslohn im Auge hat. Uebrigens will ich damit nicht dem beschränkten, oberflächlichen Atheismus der frühern Zeit, namentlich der Franzosen, das Wort reden. So fern die wahre Republik von der Republik der Franzosen, so fern ist der wahre Atheismus von dem Atheismus der Franzosen. So liegt dem Glauben an die göttliche Strafgerechtigkeit auch der Glaube an die Nemesis, an den Untergang des Bösen, an den Sieg des Guten zu Grunde, wie ich schon anderwärts gezeigt, ein Glaube, der die Grundlage aller geschichtlichen Handlungen ist. Aber dieser Glaube ist ein vom Theismus, vom Gottesglauben unabhängiger Glaube, denn das Gute liegt in der menschlichen Natur, liegt selbst im menschlichen Egoismus; das Gute ist nichts Andres, als was dem Egoismus aller Menschen entspricht, das Böse nichts Andres, als was dem Egoismus einzelner Menschenklassen, folglich nur auf Kosten anderer, entspricht und zusagt, aber der Egoismus Aller oder auch zunächst nur der Majorität ist immer mächtiger als der Egoismus der Minorität. Man werfe doch nur einen Blick in die Geschichte! Wo beginnt in der Geschichte eine neue Epoche? Ueberall nur da, wo gegen den exclusiven Egoismus einer Nation oder Kaste eine unterbrückte Masse oder Mehrheit ihren wohlberechtigten Egoismus geltend macht, wo Menschenklassen oder ganze Nationen aus dem verächtlichen Dunkel des Proletariats durch den Sieg über den anmaßenden Dünkel einer patricischen Minorität ans Licht der geschichtlichen Celebrität hervortreten. So soll und wird auch der Egoismus der jetzt unterbrückten Mehrheit der Menschheit zu seinem Recht kommen und eine neue Geschichtsepoche begründen. Nicht der Adel der Bildung, des Geistes soll aufgehoben werden; o nein! nur nicht Einige sollen Adel, alle Andern Plebs sein, sondern Alle sollen — sollen wenigstens — gebildet werden; nicht das Eigenthum soll aufgehoben werden, o nein! nur nicht Einige sollen Eigenthum, alle Andern aber Nichts, sondern Alle sollen Eigenthum haben.

Das vom Menschen Unterschiedene und Unabhängige, wovon er aber gleichwohl abhängt, das ist der ursprüngliche Gegenstand der Religion. Dieses ist aber nichts Andres, als die Natur. Sehr lehrreich sind auch in Betreff dieses Punktes die Classiker. Also einige Beispiele. „Mögen die Götter, sagt Ovid zum Germanicus in seinen Episteln aus Pontus, dir nur Jahre, d. h. langes Leben geben, das Uebrige wirst du schon von dir selbst nehmen." Der junge Cäso Quinctius, sagt Livius, war von edler Geburt und großem und kräftigem Körperbau. Zu diesen Geschenken der Götter hatte er selbst noch hinzugefügt glänzende Beweise von Tapferkeit im Kriege und von Beredsamkeit auf dem Forum. Gleich darauf heißt er ein mit allen Gaben oder Gütern der Natur und des Glücks versehener oder ausgerüsteter Jüngling.

Vor der Schlacht mit dem Hannibal nach seinem Uebergang über die Alpen sagt Cornelius Scipio bei Livius unter Andern zu den Soldaten: „Ich fürchte nichts mehr, als daß es scheinen möchte: nicht Ihr, son= dern die Alpen hätten den Hannibal besiegt ob es gleich ganz in der Ordnung ist, daß die Götter selbst ohne alle menschliche Hülfe einen eidbrüchigen Heerführer bekämpfen und schlagen." „Ein durch so viele (menschliche) Gräuelthaten geschändetes Jahr (wie das Jahr 66 unter Nero) zeichneten auch die Götter durch Stürme und Krank= heiten aus," sagt Tacitus in seinen Annalen. Lucullus vertreibt in Plutarch's Biographien den Mithridates vom Meer durch den Bei= stand der Götter, indem ein Sturm seine Flotte vernichtete, aber bei Florus sind es nur die mit Lucullus gleichsam im Bunde stehenden Wogen und Stürme, welche diese Niederlage verursachen. Es ist aber auch ganz eins, ob man sagt: Natur oder Götter, denn die Götter sind ja selbst nur poetische Naturwesen. „Alle Menschen, sagt Cotta in Cicero's Schrift vom Wesen der Götter, halten dafür, daß sie die äußeren Annehmlichkeiten, Weinberge, Aecker, Oelgärten, Reich= thum an Feld= und Baumfrüchten, kurz Alles, was zum angenehmen und glücklichen Leben gehört, von den Göttern haben. Hat denn je einer den Göttern dafür gedankt, daß er ein tugendhafter Mann wäre? Nein! sondern nur dafür, daß er reich, daß er geehrt, *) daß er gesund war. Kurz es ist die Meinung aller Menschen, daß man das Glück von den Göttern erbitten, von sich selbst aber die Weisheit nehmen müsse". „Gebe mir Jupiter, sagt Horaz in seinen Episteln, nur Leben, nur Hab und Gut; heitern Geist (ruhiges Gemüth) will ich mir selbst verschaf= fen", und der Censor Metellus Numidicus sagt bei Gellius: „die Götter müssen die Tugend belohnen, aber nicht geben". „Wer kann daran zweifeln, schreibt Seneca in seinen Briefen, daß es ein Geschenk der

---

*) So sagt auch der persische Dichter Sadi: Reichthum und Macht erwerben wir nicht durch unsere Geschicklichkeit; nur die göttliche Allmacht ertheilt sie uns.

unsterblichen Götter ist, daß wir leben, ein Geschenk aber der Philosophie, daß wir gut (recht, moralisch) leben"? Wie deutlich ist hier ausgesprochen, wie unverkennbar, daß die Gottheit oder Götter nichts Andres bedeuten, als die Natur! Was außer der Macht des Menschen, was keine Wirkung der menschlichen Selbstthätigkeit ist, wie das Leben, das ist eine Wirkung Gottes, d. h. in Wahrheit der Natur.

Die Natur ist der Gott des Menschen; aber die Natur ist in beständiger Bewegung und Veränderung, und diese Naturveränderungen oder Naturbegebenheiten vereiteln oder begünstigen, hemmen oder fördern die menschlichen Wünsche und Absichten; sie sind es daher, die hauptsächlich das religiöse Gefühl erregen, die Natur zu einem Gegenstand der Religion machen. Ein günstiger Wind erhebt sich und bringt mich ans ersehnte Land: „mit Gott" bin ich dahin gekommen; ein Sturmwind wirbelt meinen Feinden den Staub ins Gesicht: Gott hat sie geblendet; ein Regen erfrischt mich plötzlich in großer Dürre: die Götter haben ihn geschickt; eine Pest entsteht, sei's nun unter Menschen oder Vieh: die Pest ist „Gottes Hand" oder Macht. Daß nun aber diese Naturereignisse gerade diesen und jenen menschlichen Wünschen ent= oder widersprechen, für den Menschen glückliche oder unglückliche sind, das ist in den meisten Fällen bloßer Zufall. Der Zufall — zumal der glückliche, ist daher der Hauptgegenstand der Religion. Es scheint sich zu widersprechen, daß das, was gerade, wie sich der ältere Plinius ausdrückt, den Menschen am Dasein eines Gottes zweifelhaft macht, selbst für einen Gott gehalten wird. Allein der Zufall hat das wesentliche und ursprüngliche Merkmal der Gottheit an sich, daß er etwas Unabsichtliches und Unwillkürliches, etwas vom menschlichen Wissen und Wollen Unabhängiges ist, wovon aber gleichwohl das Schicksal des Menschen abhängt. Was die Heiden der Fortuna oder dem Fatum, dem Schicksal zuschrieben, das schreiben die Christen Gott zu, aber nichtsdestoweniger vergöttern sie eben so gut den Zufall, als die Heiden, nur daß sie ihn nicht als eine besondere Gottheit vorstellen. Das generelle

Wort: Gott ist ein Sack, in dem man alles Mögliche unterbringen kann; aber die Sache in dem Sacke hört beswegen doch nicht auf Das zu sein, was sie auch außer dem Sacke ist; nur für mich verliert sie **ihre sichtbaren** Eigenschaften. Es ist daher der Sache, dem Inhalt nach ganz eins, ob ich sage: **Gott hat es gewollt**, oder: der **Zufall hat es gewollt**; Gott hat es anders gefügt, oder: Es hat sich anders gefügt; Gott gab, oder: Es gab eine reichliche Ernte; ganz eins, ob ich sage: „wenn's Gott will, so grünt ein Besenstiel", oder: „wer's Glück hat, dem kälbert ein Ochs"; „Gott ist der Dummen Vormund", oder: Glück ist der Dummen Vormund", „Gott giebt, Gott nimmt", oder: „es weht nicht allzeit derselbe Wind"; „es geht doch Alles, **wie Gott will**", oder: „es geht doch Alles, **wie es will**"; „Gott sorgt dafür", oder: „Es ist dafür gesorgt, daß die Bäume nicht in den Himmel wachsen"; „wen Gott naß macht, den macht er auch wieder trocken", oder: „auf Regen folget Sonnenschein". Gott ist das in das persönliche Er umgewandelte Es. Er ist gemüthlicher, erbaulicher, als das Es des Glücks oder Unglücks, aber das ist auch der einzige Unterschied. Der Unglücksfall bleibt derselbe, ob mich der Fall eines Schwalbenkothes oder ein muthwilliger Faustschlag meines Augenlichts beraubt, ob mich ein zufälliges Es vom Dache herunterstürzt oder ein launenhafter Er, etwa mein allergnädigster Landesvater zu seinem Plaisir vom Dache herunterschießt. Es ist daher nicht zu verwundern, daß schon bei den Griechen das Wort: Theos, Gott die Bedeutung von Tyche, Glück, Zufall hatte[*]), und daß selbst auch schon die fromme Einfalt unsrer christlichen Vorfahren die im „Wesen des Christenthums" zum

---

[*]) Statt unseres: „in Gottes Namen" begannen die Griechen ihre öffentlichen Documente und Beschlüsse mit den Worten: „mit gutem Glück". Auch die Römer sagen bald Gott statt Glück oder Zufall, bald Zufall statt Gott. Nisi qui deus vel casus aliquis subvenerit, schreibt z. B. Cicero an Tiro. Die Fortuna hatte in Rom nicht weniger als 26 Tempel. — Eben so wie bei uns: Es und Gott Aequivalente sind, heißt es auch bei den Römern: bene vertat Deus! oder: Quae mihi atque vobis res vertat bene!

Scandale der modernen Christen ausgesprochene Indentität des natürlichen und göttlichen Zufalls er- oder verräthen hat. So sagt der naiv
fromme Aventin: „Gott und die Natur und das Glück hatten ein ander beschlossen, da die Unsern meinten, sie hätten schon gewonnen". Und bei einer andern Gelegenheit, wo „die Ungarn von
Wind und Wetter in die Flucht geschlagen werden," sagt er: „da wurd
also jählings vielleicht aus Gnaden Gottes oder ungefehr
die Sonn verblichen" u. s. w.

***

Das vom Menschen unterschiedene und unabhängige Wesen, der
Gegenstand der Religion, ist keineswegs nur die äußere, sondern auch
die eigne, innere, aber von seinem Wissen und Wollen unterschiedene
und unabhängige Natur des Menschen. Mit diesem Satze sind wir an
den wichtigsten Punkt, an den eigentlichen Sitz und Ursprung der Religion gekommen. Das Geheimniß der Religion ist zuletzt nur das Geheimniß der Verbindung des Bewußtseins mit dem Bewußtlosen, des Willens mit dem Unwillkürlichen in
einem und demselben Wesen. Der Mensch will, und doch hat
er Willen ohne seinen Willen — wie oft beneidet er die willenlosen Wesen! — er ist bewußt, und doch ist er ohne Bewußtsein zum Bewußtsein
gekommen — wie oft bringt er sich selbst um sein Bewußtsein! und wie
gerne sinkt er am Schlusse des Tagwerks in die Bewußtlosigkeit zurück! —
er lebt, und doch hat er weder den Anfang, noch das Ende des Lebens
in seiner Gewalt; er ist geworden, und doch, wenn er einmal fertig dasteht, kommt es ihm vor, als wäre er durch eine generatio spontanea
entstanden, als wäre er plötzlich über Nacht wie ein Pilz aufgeschossen;
er hat einen Körper, er empfindet ihn bei jeder Lust, bei jedem Schmerz
als den seinigen, und doch ist er ein Fremdling im eignen Wohnhaus;
er bekommt mit jeder Freude einen Lohn, den er nicht verdient, aber
auch mit jedem Leiden eine Strafe, die er nicht verschuldet hat; er

empfindet das Leben in glücklichen Momenten als ein Geschenk, das er sich nicht erbeten, aber in unglücklichen als eine Last, die ihm wider seinen Willen aufgebürdet worden ist; er fühlt die Qual der Bedürfnisse, und doch befriedigt er sie, ohne zu wissen, ob er es aus eignem oder fremdem Antrieb thut, ob er sich oder ein fremdes Wesen damit befriedigt. Der Mensch steht mit seinem Ich oder Bewußtsein an dem Rande eines untergründlichen Abgrunds, der aber nichts Andres ist, als sein eignes bewußtloses Wesen, das ihm wie ein fremdes Wesen vorkommt. Das Gefühl, das den Menschen an diesem Abgrund ergreift, das in die Worte der Be- und Verwunderung ausbricht: was bin Ich? woher? wozu? ist das religiöse Gefühl, das Gefühl, daß Ich Nichts bin ohne ein Nichtich, welches zwar von mir unterschieden, aber doch mit mir innigst verbunden, ein anderes und doch mein eigenes Wesen ist. Aber was ist denn Ich, was Nichtich in mir? Der Hunger als solcher oder die Ursache desselben ist Nichtich; aber das peinliche Empfindniß oder Bewußtsein des Hungers, welches mich zugleich antreibt, alle meine Bewegungswerkzeuge nach einem Gegenstande zur Stillung dieser Pein auszustrecken, das ist Ich. Die Factoren des Ichs oder Menschen, des eigentlichen Menschen, sind also Bewußtsein, Empfindung, willkürliche Bewegung — willkürliche, denn unwillkürliche Bewegung gehört schon ins Jenseits des Ich, ins Gebiet des göttlichen Nichtich — daher man in Krankheiten, wie z. B. in der Epilepsie, und in den Zuständen der Ekstase, der Verrücktheit, des Wahnsinns Offenbarungen Gottes oder göttliche Erscheinungen erblickt hat. Was wir eben an dem Beispiel des Hungers zeigten, dasselbe gilt auch von höhern, geistigen Trieben. Ich empfinde nur den Trieb zum Dichten z. B. und befriedige ihn durch willkürliche Thätigkeit, aber der Trieb selbst in der Anlage zu dessen Befriedigung ist Nichtich; obgleich, was aber nicht hierher gehört, Ich und Nichtich so mit einander verwächst, daß eins für das andere gesetzt werden kann, indem das Nichtich eben so wenig ohne Ich ist, als das Ich ohne Nichtich; ja diese Einheit von Ich und Nichtich das Geheimniß, das Wesen der Indivibualität ist. Wie das Nichtich, so das Ich. Wo z. B. der Freßtrieb das überwiegende Nichtich, da ist auch das Ich oder die Individualität durch die überwiegende Ausbildung der Freßwerkzeuge gezeichnet. Auf dieses Nichtich paßt auch nur dieses Ich und umgekehrt. Wäre es anders, wäre nicht das Nichtich selbst schon individualisirt, so wäre ja die Erscheinung oder Existenz des Ich eine eben so unerklärliche, mirakulöse und monströse, als die Incarnation Gottes oder Vereinigung des Menschen und Gottes in der Theologie. Was nun der Grund der Individualität, dasselbe ist auch der Grund der Religion: die Verbindung oder Einheit von Ich und Nichtich. Wäre der Mensch ein bloßes Ich, so hätte er keine Religion, denn er wäre selbst Gott; aber eben so wenig, wenn er ein Nichtich oder ein sich nicht von seinem Nichtich unterscheidendes Ich wäre, denn er wäre dann eine Pflanze oder Thier. Allein der Mensch ist eben gerade dadurch Mensch, daß sein Nichtich Gegenstand seines Bewußtseins, Gegenstand selbst seiner Bewunderung, Gegenstand des Abhängigkeitsgefühles, Gegenstand der Religion ist, so gut als die äußere Natur. Was bin ich ohne Sinne, ohne Einbildungskraft, ohne Vernunft? Was hat ein äußerer glücklicher Zufall voraus vor einem glücklichen Einfall, der mich aus der Noth errettet? Was hilft mir die Sonne am Himmel, wenn nicht das Auge über meinen Schritten wacht? Und was ist der Glanz derselben gegen das Zauberlicht der Phantasie? was überhaupt das Wunder der äußern Natur gegen das Wunder der innern Natur, des Geistes? Ist aber das Auge ein Product meiner Hände, die Phantasie ein Product meines Willens, die Vernunft eine Erfindung, die ich gemacht? Oder habe ich alle diese herrlichen Kräfte und Talente, die mein Wesen begründen und von denen meine Existenz abhängt, mir selbst „gegeben"? Ist es also mein Verdienst, mein Werk, daß ich Mensch bin? Nein! ich anerkenne demüthig — so weit stimme ich vollkommen mit der Religion überein — daß ich weder das Auge, noch sonst ein Organ oder Talent selbst gemacht habe, sondern daß ich alle menschlichen Fähigkeiten — soll ich

aber fagen, wie die Religion, empfangen habe? nein! — hier komme
ich fchon mit der Religion in Collifion — daß fie und zwar gleichzeitig
mit mir fich aus dem Schoße der Natur entwickelt haben. Die Religion
macht nämlich, was **kein Product der menfchlichen Willkür**,
zu einem **Product der göttlichen Willkür**, was kein Verdienft,
kein Handwerk des Menfchen, zu einem Verdienft, einem Gefchenk,
einem Handwerk Gottes. Die Religion kennt keine andere hervorbringen-
gende Thätigkeit, als die willkürliche der menfchlichen Hand, fie kennt
überhaupt **kein anderes Wefen, als das menfchliche** (das
fubjective); das menfchliche Wefen ift ihr — und zwar **vor allen Göttern** — das **abfolute, das einzige Wefen, das ift**; aber gleichwohl ftößt fie zu ihrer größten Ueberrafchung felbft im Menfchen auf ein
Nichtich; fie macht daher das nichtmenfchliche Wefen im Menfchen felbft
wieder zu einem menfchlichen, das Nichtich felbft wieder zu einem Ich,
das eben fo gut Hände (überhaupt Werkzeuge oder Kräfte der willkürlichen Thätigkeit) hat, wie der Menfch, nur mit dem Unterfchiede, daß
die göttlichen Hände machen, was die menfchlichen **nicht** machen können. Zweierlei haben wir alfo an der Religion zu bemerken. Das
Eine ift die Demuth, womit der Menfch anerkennt, daß er Alles, was
er ift und hat, **nicht von fich**, felbft fein eignes Leben und Wefen
nur in Pacht, aber nicht in Befitz hat und daher jeden Augenblick von
Haus und Hof getrieben werden kann — wer bürgt mir dafür, daß ich
meinen Verftand verliere? — daß er alfo gar keinen Grund zu Eigen-
dünkel, Hoch- und Uebermuth hat. *) „Der Mann, fagt Sophokles im

---

*) Der Begriff des Ich, deffen überhaupt, was der Menfch fich zufchreibt, ift ein
fehr unbeftimmter und relativer, und in demfelben Maaße, als er diefen Begriff erweitert oder verengt, verengt oder erweitert fich auch der Begriff oder die Vorftellung der
göttlichen Thätigkeit. Ja der Menfch kann — freilich oft aus bloßer religiöfer Galanterie und Schmeichelei gegen die Götter — fo weit gehen, daß er fich Alles ab-
fpricht; denn daß ich empfinde, daß ich bewußt, daß ich Ich bin, das ift ja am Ende
auch ein Refultat von Prämiffen, die außer dem Ich liegen, ein Werk der Natur oder
Gottes. In der That: je tiefer der Menfch in fich eingeht, defto mehr fieht er den

Ajax Mastigophoros, und wenn er auch noch einen so gewaltigen Körper hat, muß stets daran denken oder fürchten, daß er auch durch den kleinsten Unfall stürzen kann." Wir Menschen sind nichts Andres, sagt er ebendaselbst, als wesenlose leichte Schatten. Daran wenn du denkst, wirst du nie ein übermüthiges Wort gegen die Götter vorbringen, noch dich aufblähen, wenn du stärker oder reicher als Andere bist, denn ein einziger Tag kann dir Alles, was du hast, wiedernehmen. Als Ajax das väterliche Haus verließ, sagte der Vater zu ihm: „Sohn! wolle siegen im Krieg, aber immer nur siegen mit Gott". Aber Ajax gab darauf die thörichte und übermüthige Antwort: „Vater! mit den Göttern kann auch einer, der Nichts ist, den Sieg davon tragen; ich aber hoffe auch ohne sie mir Kriegsruhm zuzuziehen". Diese Rede des wackern Ajax war allerdings nicht nur irreligiös, sondern auch unbesonnen, denn auch dem tapfersten und stärksten Mann kann ja über Nacht ein bloßer rheumatischer Unfall oder sonst ein zufälliges Malheur den Arm lähmen. Wenn also Ajax auch nichts mit den Göttern zu thun haben wollte, so hätte er doch wenigstens ein bescheidenes Wenn in seine Rede einschalten, sagen sollen: wenn mir nichts Widriges widerfährt, werde ich siegen. Die Religiosität ist daher gar nichts Andres, als die Tugend der Bescheidenheit, die Tugend der Mäßigung im Sinne der griechischen Sophrosyne — die Sephrones, sagt Sophokles, liebt Gott — die Tugend, kraft welcher der Mensch nicht die Gränzen seiner Natur überschreitet, nicht sich in seinen Gedanken und Verlangen über das Maaß des menschlichen Wesens und Vermögens erhebt, nicht sich anmaaßt, was nicht des Menschen, kraft welcher er daher sich den stolzen Titel eines Autors abspricht, die Werke, die er schafft, selbst die Werke

Unterschied zwischen Natur und Mensch oder Ich verschwinden, desto mehr erkennt er, daß er nur das oder ein bewußtes Bewußtloses, das oder ein Ich seiendes Nichtich ist. Daher ist der Mensch das allertiefste und tiefsinnigste Wesen. Aber der Mensch begreift und erträgt seine eigne Tiefe nicht und zerspaltet daher sein Wesen in ein Ich ohne Nichtich, welches er Gott, und ein Nichtich ohne Ich, welches er Natur nennt.

der Feuer- und Webekunst, nicht als Verdienst sich anrechnet, weil er die Anlagen, die Principien zu diesen Kunstfertigkeiten von Natur, aber nicht von sich hat. Sei religiös! heißt: bedenke, was du bist; — ein Mensch, ein Sterblicher! Nicht das sogenannte Gottesbewußtsein, sondern das Menschenbewußtsein ist ursprünglich oder an sich das Wesen der Religion (in ihrem bleibenden positiven Sinn) — das Bewußtsein oder Gefühl, daß ich Mensch, aber nicht die Ursache des Menschen bin, lebe, aber nicht die Ursache des Lebens, sehe, aber nicht die Ursache des Sehens bin. Die Religion in diesem Sinne aufheben wollen, wäre eben so unsinnig, als wenn man ohne Talent blos durch seinen Willen und Fleiß sich zum Künstler machen wollte. Ohne Talent und folglich ohne Beruf ein Werk beginnen, heißt es ohne Gott beginnen; mit Talent es beginnen, heißt es mit Erfolg, heißt es mit Gott beginnen. „In uns, sagt Ovid in seinen Fasten, wohnet ein Gott, wir erglühn, wenn er uns erreget". Dieser Gott des Dichters aber was ist er? die personifizirte Dichtkunst, das als göttliches Wesen vergegenständlichte dichterische Talent. „Alle Versuche, sagt vortrefflich Goethe, irgend eine ausländische Neuerung einzuführen, wozu das Bedürfniß nicht im tiefen Kern der eignen Nation wurzelt, sind thöricht und alle beabsichtigten Revolutionen solcher Art ohne Erfolg, denn sie sind ohne Gott, der sich von solchen Pfuschereien zurückhält. Ist aber ein wirkliches Bedürfniß zu einer großen Reform in einem Volk vorhanden, so ist Gott mit ihm und sie gelingt", Das heißt: was ohne Noth und folglich ohne Recht geschicht, denn das Nothrecht ist das Urrecht, das geschicht ohne Gott. Wo keine Nothwendigkeit zu einer Revolution, fehlt auch der wahre Trieb, das Talent, der Kopf zur Revolution und sie muß daher nothwendig scheitern. Ein gottloses oder, was eins ist, erfolgloses Unternehmen ist ein kopf- und tactloses Unternehmen. Das Andere, was an der Religion zu bemerken ist und wir auch bereits bemerkt haben, ist der Hochmuth, womit der Mensch, nur von sich selbst eingenommen, Alles verselbstet, vermenschlicht und so auch das vom Menschen unterschiedene Wesen im Menschen zu einem persönlichen Wesen macht, zu einem Wesen also, welches ein Gegenstand von Gebeten, von Danksagungen und Ehrbezeugungen ist. Die Religion hat dadurch, daß sie das Unwillkürliche zu etwas Willkürlichem, die Kräfte und Producte der Natur zu Gaben, zu Wohlthaten macht, welche den Menschen zur Dankbarkeit und Verehrung gegen ihre Urheber, die Götter verpflichten, den Schein einer tiefen Humanität und Bildung für sich, während die entgegengesetzte Anschauung, welche die Güter des Lebens als unfreiwillige Erzeugnisse der Natur ansieht und annimmt, den Schein der Unempfindlichkeit und Roheit gegen sich hat. Schon Seneca sagt in seiner Schrift von den Wohlthaten: „Du sagst: alle diese Güter kommen von der Natur. Siehst du aber nicht ein, daß du, indem du dieses sagst, nur einen andern Namen für Gott brauchst? Was ist denn anders die Natur als Gott? Also sagst du nichts, Undankbarster unter den Sterblichen, wenn du sagst, daß du nichts Gott zu verdanken hast, sondern nur der Natur, denn weder die Natur ist ohne Gott, noch Gott ohne die Natur, sondern beides ist dasselbe". Wir müssen uns aber durch diesen religiösen Heiligenschein nicht blenden lassen, sondern vielmehr erkennen, daß der Trieb des Menschen, alle Naturwirkungen aus einer persönlichen Ursache, die guten aus einem guten Willen oder Wesen, die schlimmen aus einem bösen Willen oder Wesen abzuleiten, in dem rohsten Egoismus seinen Grund hat, daß nur aus diesem Triebe die religiösen Menschenopfer und andere Gräuel der Menschengeschichte entsprungen sind; denn derselbe Trieb, der für das Gute, was er genießt, ein persönliches Wesen zum Danken und Lieben bedarf, derselbe bedarf auch für das Ueble, was ihm widerfährt, zum Hassen und Erwürgen ein persönliches Wesen, sei es nun ein Jude oder ein Ketzer oder ein Zauberer oder eine Hexe. Ein und dasselbe Feuer war es, welches zum Danke für die Güter der Natur zum Himmel emporloberte und welches zur Strafe für die Uebel der Natur die Ketzer, Zauberer und Hexen verbrannte. Ist es daher ein Zeichen von Bildung und Humanität, dem lieben Gott für einen wohlthätigen Regen zu danken, so ist es auch ein Zeichen von Bildung und Humanität, einen verderblichen Hagelschlag dem Teufel und seinen Genossen als Schuld aufzubürden. Wo alles Gute von der göttlichen Güte herkommt, da kommt nothwendig auch alles Uebel von der teuflischen Bosheit her. Eines läßt sich nicht vom Andern absondern. Nun ist es aber offenbar ein Zeichen der tiefsten Roheit, wenn der Mensch die seinem Egoismus widersprechenden Naturwirkungen einen bösen Willen schuld giebt. Wir brauchen nicht, um uns hiervon zu überzeugen, bis zum Xerxes uns zu versteigen, welcher nach Herodot den Hellespont aus Aerger, daß das Wasser keine Balken hat, mit 300 Peitschenhieben bestrafte, oder auf die Insel Madagascar uns zu versetzen, wo man die Kinder, welche während der Schwangerschaft und Geburt ihren Müttern Beschwerden und Schmerzen bereitet haben, erdrosselt, weil sie offenbar sehr böse sein müßten; wir sehen ja unter uns noch, wie unsere rohen und unwissenden Regierungen alle ihnen unangenehme geschichtlichen Nothwendigkeiten und Entwickelungen der Menschheit dem bösen Willen Einzelner aufbürden, wie der ungebildete Mensch sein Vieh, seine Kinder, seine Kranken nur deßwegen mißhandelt, weil er die Fehler oder Eigenthümlichkeiten der Natur als Wirkungen absichtlicher Verstocktheit ansieht, wie überhaupt der Pöbel mit Schadenfreude das, wofür der Mensch nichts kann, was er von Natur an sich hat, dem Willen zuschreibt. Folglich ist es auch ein Zeichen von Unbildung, von Roheit, von Egoismus, von Befangenheit in sich, wenn der Mensch die entgegengesetzten, die wohlthätigen Naturerzeugnisse einem guten oder göttlichen Willen zuschreibt. Unterscheidung: — Ich bin nicht Du, Du bist nicht Ich — ist die Grundbedingung, das Grundprincip aller Bildung und Humanität. Wer aber die Naturwirkungen dem Willen zuschreibt, der unterscheidet nicht zwischen sich und der Natur, zwischen seinem und ihrem Wesen, der verhält sich daher zu ihr auch nicht so, wie er sich verhalten soll. Das wahre Verhalten zu einem Gegenstande ist das seinem Unterschied von mir, seinem Wesen gemäße; dieses Verhalten ist allerdings kein religiöses, aber auch kein irreligiöses, wie der gemeine und gelehrte Pöbel sich vorstellt, welcher nur den Gegensatz von Glauben und Unglauben, von Religion und Irreligion, aber nicht ein Drittes, Höheres über beiden kennt. Sei so gut, liebe Erde, sagt der Religiöse, und gieb mir eine gute Ernte. Die „Erde mag wollen oder nicht, sie muß mir Früchte geben", sagt der Irreligiöse, der Polyphem; die Erde wird mir geben, sagt der wahre, weder religiöse, nach irreligiöse Mensch, wenn ich ihr gebe, was ihrem Wesen gebührt; sie will weder geben, noch muß sie geben — nur das Gezwungene, Widerwillige muß — sondern sie wird blos geben, wenn alle Bedingungen auch meinerseits erfüllt sind, unter denen sie etwas geben oder vielmehr hervorbringen kann; denn die Natur giebt mir nichts, ich muß mir selbst Alles, was wenigstens nicht unmittelbar mit mir zusammenhängt, sogar auf höchst gewaltthätige Weise aneignen. Wir verbieten unter uns kluger und egoistischer Weise den Mord und Diebstahl, aber in Beziehung auf andere Wesen, in Beziehung auf die Natur sind wir alle Mörder und Spitzbuben. Wer giebt mir das Recht auf den Hasen? Der Fuchs und der Geier haben eben so gut Hunger und Recht zu existiren, als ich. Wer das Recht auf die Birne? sie gehört eben so gut der Ameise, der Raupe, dem Vogel, dem Vierfüßler. Wem gehört sie also eigentlich? Dem, der sie nimmt. Und dafür, daß ich nur von Mord und Diebstahl lebe, soll ich noch den Göttern danken? Wie einfältig! Ich bin nur zu Dank gegen die Götter verpflichtet, wenn sie mir beweisen, daß ich wirklich nur ihnen mein Leben verdanke, und dieses beweisen sie mir nur dann, wann mir die Tauben unmittelbar aus dem Himmel gebraten ins Maul fliegen. Ich sage: gebraten? O! das ist viel zu wenig; ich muß sagen: zerkaut und verdaut, denn für Götter und ihre Gaben geziemen sich nicht die langweiligen und unästhetischen Operationen der Zerkauung und Verdauung. Wie kann ein Gott, der die Welt in einem Nu aus Nichts schafft, so viel Zeit und Mühe brauchen, bis er ein Bißchen

Speisebrei zu Stande bringt! Es zeigt sich daher auch wieder bei dieser Gelegenheit, daß die Gottheit so zu sagen aus zwei Bestandtheilen besteht, wovon der eine der Phantasie des Menschen, der andere der Natur angehört. Bete! sagt der eine Theil, der von der Natur unterschiedene Gott; Arbeite! sagt der andere Theil, der nicht von der Natur unterschiedene, der nur ihr Wesen ausdrückende Gott; denn die Natur ist eine Arbeitsbiene, die Götter sind aber Drohnen. Wie kann ich daher von den Drohnen das Bild und Gesetz der Arbeitsamkeit abziehen? Wer die Natur oder Welt von Gott ableitet, der behauptet: der Hunger kommt vom Sattsein, die Noth vom Ueberfluß, die Schwere von Gedankenleichtigkeit, das Arbeiten vom Faullenzen; der will aus Ambrosia Commißbrod backen, aus dem Nektar der Götter Bier brauen.

Die Natur ist der ursprüngliche Gott, der ursprüngliche Gegenstand der Religion; aber sie ist der Religion nicht Gegenstand als Natur, sondern als menschliches Wesen, als ein Gemüthswesen, ein Phantasiewesen, ein Gedankenwesen. Das Geheimniß der Religion ist „die Identität des Subjectiven und Objectiven", d. h. die Einheit des Menschen- und Naturwesens, aber im Unterschied von dem wirklichen Wesen der Natur und Menschheit. Mannigfaltig sind die Weisen, wie der Mensch das Naturwesen verwirklicht, und umgekehrt, denn beides ist untrennbar, sein Wesen vergegenständlicht, veräußert; wir beschränken uns jedoch hier nur auf zwei, auf die metaphysische und die practisch-poetische Form des Monotheismus. Die letztere ist es, die besonders das Alte Testament und den Koran auszeichnet. Der Gott des Korans ist, wie der Gott des Alten Testaments, die Natur oder Welt, das wirkliche, lebendige Wesen im Gegensatz gegen das künstliche, todte, gemachte Wesen des Götzen *), aber nicht ein Stück

*) Muhamed, erzählt Selaledin, hatte einen eifrigen Muhamedaner abgeschickt, um einen Ungläubigen zum Islam zu bekehren. Was für einer ist dein Gott? frug

Welt, ein Stück Natur, wie z. B. der Stein, den die Araber vor Muhameb anbeteten, sondern die ungetheilte ganze, große Natur. „Sprich, heißt es z. B. im Koran in der zehnten Sure nach Ullmann, wer versieht euch mit Speise des Himmels und der Erde? Oder wer hat Gewalt über Gehör und Gesicht? Wer bringt Leben aus Tod und Tod aus Leben? Wer ist Herr aller Dinge? Gewiß werden sie antworten: Gott. So spricht, wollt ihr ihn denn nicht fürchten"? „Gott läßt hervorsprossen, heißt es in der sechsten Sure, das Samenkorn und den Dattelkern .... Er ruft die Morgenröthe hervor und setzet die Nacht zur Ruhe ein und Sonne und Mond zur Zeitrechnung. Diese Einrichtung ist vom Allmächtigen und Allweisen. Er ist es, der Wasser vom Himmei sendet, durch dasselbe bringen wir hervor den Samen aller Dinge und alles Grüne und das in Reihen wachsende Korn, und Palmbäume, an deren Zweigen die Datteln gedrängt voll hängen, und Gärten mit Trauben, Oliven und Granatäpfeln aller Art. Sehet nur ihre Früchte an, wenn sie hervorwachsen und heranreifen. Wahrlich, hier sind Zeichen genug für gläubige Menschen". „Gott ist es, heißt es in der dreizehnten Sure, der die Himmel erhöhete, ohne sie auf sichtbare Säulen zu stützen ..... Er ist's, der die Erde ausgedehnt, und unwandelbare Berge hineinversetzt und Flüsse geschaffen und von jeder Fruchtart ein doppeltes Geschlecht hervorgerufen hat. Er macht, daß die Nacht den Tag bedecket ..... Er ist's, der euch in Furcht und Hoffnung den Blitz zeigt, und der die Wolken mit Regen schwängert. Der Donner verkündet sein Lob und die Engel preisen ihn mit Entsetzen. Er sendet seine Blitze und zerschmettert, wen er will, und bennoch streiten sie über Gott, der da ist der Allmächtige". Die Kennzeichen oder Wirkungen des wahren Gottes, des Originalgottes im Ge-

---

ihn der Ungläubige. Ist er von Gold, Silber oder von Kupfer? Der Blitz traf den Gottlosen und er war todt. Das ist eine sehr derbe, aber einleuchtende Lection, wie sich der lebendige und der gemachte Gott unterscheiden.

gensatze zu dem copirten Gott, dem Götzen sind also die Wirkungen der Natur. Ein Götzenbild kann keine lebendigen Wesen, keine wohlschmeckenden Früchte, keinen fruchtbaren Regen, keine erschrecklichen Gewitter hervorbringen. Das kann nur der Gott, der von Natur Gott ist, nicht erst von den Menschen zu Gott gemacht ist, und daher nicht nur den Schein, sondern auch das Wesen eines lebendigen, wirklichen Wesens hat. Ein Gott aber, dessen Wirkungen und Kennzeichen die Naturwirkungen, ist auch nichts weiter als die Natur, jedoch, wie gesagt, nicht ein Naturstück, das hier ist, dort aber nicht ist, heute ist, morgen aber nicht ist und eben deßwegen vom Menschen in einem Bilde vergegenwärtigt und verewigt wird, sondern das Naturganze. „Als die Dunkelheit der Nacht, heißt es in der sechsten Sure, ihn (den Abraham) beschattete, sah er einen Stern und er sprach: Das ist mein Herr. Als dieser aber unterging, sagte er: Ich liebe die Untergehenden nicht. Und als er den Mond aufgehen sah, da sagte er: wahrlich, das ist mein Herr. Als aber auch dieser unterging, da sagte er: wenn mein Herr mich nicht leitet, so bin ich auch wie dieses irrende Volk. Als er aber nun sah die Sonne aufgehen, da sagte er: Siehe, dies ist mein Gott, denn das ist das größte Wesen. Als aber auch die Sonne unterging, da sagte er: O mein Volk, ich nehme keinen Antheil mehr an eurem Götzendienst, ich wende mein Angesicht zu dem, der Himmel und Erde geschaffen". Immer- und Ueberallsein, Allgegenwart ist also ein Kennzeichen des wahren Gottes, aber auch die Natur ist überall. Wo keine Natur ist, da bin auch ich nicht, und wo ich bin, da ist auch Natur. „Wo soll ich hingehen" vor dir, Natur? „Und wo soll ich hinfliehen" vor deinem Wesen? „Führe ich gen Himmel, so ist die Natur. Bettete ich mir in die Hölle, siehe so ist Natur auch da". Wo Leben, da ist Natur, und wo kein Leben, da ist auch Natur; Alles ist voll Natur; wie willst du also der Natur entfliehen? Aber der Gott im Koran, wie im A. T. ist Natur und zugleich n i c h t Natur, sondern ein s u b j e c t i v e s, d. h. persönliches, wie der Mensch wissendes und denken-

des, wie der Mensch wollendes und wirkendes Wesen. Die Naturwir=
kungen, wie sie der Religion Gegenstand, sind zugleich Wirkungen
der menschlichen Unwissenheit und Einbildungskraft,
das Wesen oder die Ursache dieser Naturwirkungen zugleich das Wesen
der menschlichen Unwissenheit und Einbildungskraft.
Der Mensch ist durch die Kluft der Unwissenheit von der Natur geschie=
den; er weiß nicht, wie das Gras wächst, wie das Kind im Mutter=
leibe sich bildet, wie der Regen, wie der Blitz und Donner entsteht.
„Hast du vernommen, heißt es im Hiob, wie breit die Erde sei? Sage
an, weißt du solches alles? Hast du gesehen, wo der Hagel herkommt?
Wer ist des Regens Vater? Weißt du, wie der Himmel zu regieren
ist?“ Die Naturwirkungen als Erscheinungen, deren Grund, deren
Stoff, deren natürliche Bedingungen der Mensch nicht weiß, sind daher
für ihn Wirkungen einer schlechthin unbedingten und unbeschränkten Macht,
der nichts unmöglich ist, die selbst aus Nichts die Welt hervorgebracht,
weil sie noch heute aus Nichts, dem Nichts nämlich der menschlichen
Unwissenheit, die Naturwirkungen hervorbringt. Bodenlos ist die mensch=
liche Unwissenheit und grenzenlos die menschliche Einbildungskraft; die
Naturmacht, durch die Unwissenheit ihres Bodens, durch die Phantasie
ihrer Schranken beraubt, ist die göttliche Allmacht. Die Naturwirkun=
gen als Werke der göttlichen Allmacht unterscheiden sich nicht mehr von
den übernatürlichen Wirkungen, von den Wundern, von den Gegen=
ständen des Glaubens; es ist dieselbe Macht, welche den natürlichen
Tod und welche die übernatürliche Auferstehung von den Todten, die
nur ein Gegenstand des Glaubens, hervorbringt, dieselbe Macht,
welche den Menschen auf dem natürlichen Wege erzeugt, und welche
ihn aus Steinen oder aus Nichts, wenn sie will, hervorbringt.
„So wie wir, heißt es z. B. in der fünfzigsten Sure des Koran, da=
durch (durch Regen) eine todte Gegend neu beleben, ebenso wird auch
die einstige Auferstehung sein ... Sind wir etwa abgemattet durch die
erste Schöpfung (hat uns, nach der französischen Uebersetzung von Sa=

rath, die Erschaffung des Weltalls die geringste Anstrengung gekostet)?
Und dennoch zweifeln sie an einer neuen Schöpfung, d. h. an der Auferstehung". "Nach dem Winter, sagt Luther in seiner Kurtzen Erklärung über den 147. Psalm, läßt er folgen Sommer, sonst müßten wir,
so es immer an einander Winter wäre, für Frost sterben. Wie aber
oder wodurch giebt er den Sommer"? "Er spricht, so zuschmeltzet
es". "Durch das Wort schaffet er alles, er darff nicht mehr denn ein
Wort darzu; das mag ein Herr seyn". Das heißt: die göttliche Allmacht ist die mit der Macht der menschlichen Einbildungskraft identifi-
cirte, in Eins verschmolzene Naturmacht — die Naturmacht, die und
wie sie, im Unterschiede, in der Abtrennung von der Natur, zugleich
oder nur das Wesen der menschlichen Einbildungskraft
ausdrückt. Wie aber der Mensch die Natur, inwiefern sie schafft und
vernichtet, inwiefern sie überhaupt auf den Menschen den Eindruck einer
imponirenden Macht macht, zu einem allmächtigen Wesen vermenschlicht,
so vermenschlicht er die Natur, wiefern sie unzählige Genüsse schafft, inwiefern sie überhaupt als der Inbegriff aller Lebensgüter auf den Menschen den Eindruck des höchsten Gutes macht, zu einem allgütigen
Wesen, die Natur, inwiefern sie alles dies auf eine den menschlichen
Verstand in höchste Verwunderung setzende Weise hervorbringt, in ein
höchst weises oder allwissendes Wesen. Kurz das objective
Wesen als subjectives, das Wesen der Natur als von der Natur unterschiedenes, als menschliches Wesen, das Wesen des
Menschen als vom Menschen unterschiedenes, als nicht
menschliches Wesen — das ist das göttliche Wesen, das das
Wesen der Religion, das das Geheimniß der Mystik und Speculation,
das das große Thauma, das Wunder aller Wunder, worüber der
Mensch in tiefstes Staunen und Entzücken versinkt*). Gott hat Willen,

---

*) Diese Verschmelzung des Natur- und Menschenwesens in Ein Wesen, welches
eben deßwegen das höchste Wesen heißt, weil es der höchste Grad der Einbildungs-

wie der Mensch, aber was ist der Wille des Menschen gegen den Willen Gottes! gegen den Willen, der die großen Naturwirkungen hervor=bringt, der die Erde erbeben macht, der die Berge aufthürmt, der die Sonne bewegt, der dem tobenden Meer gebietet: bis hieher und nicht weiter! Was ist diesem Willen unmöglich? „Gott schafft, was er will", heißt es im Korau und im Psalm. Gott hat Sprache, wie der Mensch, aber was ist das Wort des Menschen gegen das Wort Gottes! „Will er, heißt es im Koran (nach Savary), daß Etwas sei? Er sagt: sei! und es ist". „Wenn er geben will die Existenz den Wesen, so sagt er: seib! und sie sind". Gott hat Verstand, wie der Mensch, aber was ist das Wissen des Menschen gegen das Wissen Gottes! Es umfaßt Alles, umfaßt das unendliche Weltall. „Er weiß, heißt es im Koran, was auf der Erde und im Grunde des Meeres ist. Es fällt kein Blatt ohne sein Wissen. Die Erde enthält kein Körnchen, das nicht in dem Buche der Augenscheinlichkeit aufgezeichnet wäre". Das göttliche Wesen ist das menschliche Wesen, aber das menschliche Wesen, wie es in der Phantasie das Weltall umfaßt, die Natur zu seinem Inhalt hat; dasselbe Wesen und doch ein ganz anderes, so weit von uns entfernt, als die Sonne vom Auge, der Himmel von der Erde; so unterschieden von uns, als es die Natur ist, ein ganz anderes und doch dasselbe Wesen — daher der ergreifende, mystische Eindruck dieses Wesens, daher die Erhabenheit des Korans und der Psalmen. Der Unterschied zwischen dem muhameda=nischen und jüdischen und zwischen dem christlichen Monotheismus besteht nur darin, daß dort die religiöse Einbildungskraft oder Phantasie nach Außen blickt, die Augen offen hat, sich an die sinnliche Naturanschauung unmittelbar anschließt, während sie im Christenthum die Augen zudrückt, das vermenschlichte Wesen der Natur gänzlich von dem Boden der sinnlichen

---

kraft, ist, wie sich von selbst versteht, eine unwillkürliche. Der Unwillkürlichkeit dieser Verschmelzung verdankt auch „der Instinct der Religion oder Gottheit" seinen Grund und Namen.

Anschauung abtrennt und so aus einem ursprünglich sinnlichen oder geistig sinnlichen Wesen zu einem abstracten, metaphysischen Wesen macht. Der Gott im Koran und A. T. ist noch ganz natursaftig, noch naßkalt von dem Ocean des Weltalls, woraus er entsprungen, aber der Gott des christlichen Monotheismus ist ein ganz aus- und abgetrockneter Gott, ein Gott, an dem bereits alle Spuren seiner Entstehung aus der Natur getilgt sind; er steht da, wie eine Schöpfung aus Nichts; er verbietet selbst die unabweisliche Frage: „was Gott gethan habe, ehe er die Welt geschaffen?" oder richtiger: gewesen ist vor der Natur? mit Ruthen, d. h. er verheimlicht, er verbirgt seinen physikalischen Ursprung hinter das abgezogene Wesen der Metaphysik. Wenn der erste Gott aus der Vermischung der weiblichen Denk- und Einbildungskraft mit der männlichen Kraft des materiellen Sinnes, so entspringt dagegen der metaphysische Gott nur aus der Verbindung der Denk-, der Abstractionskraft mit der Einbildungskraft. Der Mensch trennt im Denken das Adjectiv vom Substantiv, die Eigenschaft vom Wesen, die Form von der Materie, wie sich die Alten ausdrückten; denn das Subject selbst, die Materie, das Wesen kann er nicht in sich aufnehmen; das läßt er draußen im Freien stehen. Und der metaphysische Gott ist nichts als das Compendium, der Inbegriff der allgemeinsten von der Natur excerpirten Eigenschaften, welchen aber der Mensch und zwar eben in dieser Abtrennung von dem sinnlichen Wesen, der Materie der Natur vermittelst der Einbildungskraft wieder in ein selbstständiges Subject oder Wesen verwandelt. Die allgemeinsten Eigenschaften aller Dinge sind aber die, daß jedes ist und Was oder Etwas ist. Das Sein als solches, das Sein im Unterschied von dem Seienden aber selbst wieder als Seiendes, das Wesen im Unterschiede von den Wesen der Natur aber selbst wieder als ein Wesen vorgestellt oder personificirt — das ist der erste und zweite Theil der göttlichen Metaphysik oder Wesenheit. Der Mensch hat aber nicht nur Wesen und Sein mit allen andern Dingen und Wesen der Natur gemein; er hat auch ein unterschiedenes Wesen; er hat Ver-

nunft, Geist. Es gesellt sich also zu den beiden ersten Theilen der göttlichen Metaphysik noch ein dritter: die Logik; d. h. es verbindet sich im
Kopfe des Menschen mit dem von der Natur überhaupt abgezogenen
Wesen auch noch das vom Menschen insbesondere abgezogene Wesen.
Gott hat daher so viel Existenz oder Realität, als das Sein, als das
Wesen, als der Geist im Allgemeinen, also subjective, logische, metaphysische Existenz; aber wie thöricht ist es, die metaphysische Existenz zu
einer physischen, die subjective Existenz zu einer objectiven, die logische
oder abstracte Existenz wieder zu einer unlogischen, wirklichen Existenz
machen zu wollen! Aber freilich wie bequem, wie gemüthlich ist es
auch, das gedachte, abgezogene Wesen, das man stets mit sich im Kopfe
herumträgt und mit dem man machen kann, was man will, für das wahre
Wesen zu halten, und so auf das unzugängliche, widerspänstige wirkliche Wesen selbst mit Verachtung herabblicken zu können! Allerdings
„ist das Gedachte", aber nicht als Gedachtes; Gedachtes ist und bleibt
Gedachtes, Seiendes Seiendes; du kannst nicht Eins in Andere pfuschen.
„Also ist ein ewiger Riß und Widerspruch zwischen Sein und Denken?"
Allerdings im Kopfe; aber in der Wirklichkeit ist er längst gelöst, frei-
lich nur auf die der Wirklichkeit, nicht deinen Schulbegriffen entsprechende
Weise, und zwar gelöst durch nicht weniger als fünf Sinne.

3) Ein Vogel z. B. fliegt vorbei; ich folge ihm und komme an
eine köstliche Quelle; also ist dieser Vogel ein Glück verkündender; eine
Katze läuft mir quer über den Weg, wie ich eben meine Reise antrete;
die Reise mißglückt; also ist die Katze eine Unglücksprophetin. Das
Gebiet des religiösen Aberglaubens ist ein schlechthin unbegränztes und
unendliches, denn sein Causalzusammenhang ist der bloße Zufall. Und
es kann daher ein Thier oder sonst ein Naturwesen Gegenstand des religiösen Glaubens oder Aberglaubens werden, ohne daß irgend ein ob-

jectiver Grund dazu vorhanden ist oder nachgewiesen werden kann*).
Aber dadurch hebt sich nicht der angegebene Grund des Thiercultus auf,
denn was ein Ding nicht in der Wirklichkeit hat oder ist, das hat oder
ist es im Glauben. Ist die Spinne giftig? nein; aber der Glaube hat sie
vergiftet. Ist Euphrasia officinalis ein Augenmittel? nein; aber der
Glaube hat sie zum „Augentrost" gemacht. Bringt die Schwalbe Glück
ins Haus? nein, aber der Glaube legt seine Gänseeier selbst in Schwal-
bennester. Wenn man deßwegen, weil die Menschen Thiere ohne Nutzen
oder Schaden verehrten, das angegebene Princip der Thierverehrung
verwerfen will, so ist das gerade so viel, als wenn man deßwegen, weil
das Abracadabra und andere Amuletworte sinnlose Worte und daher
eigentlich gar keine Worte seien, läugnen wollte, daß die Menschen Kräfte
und Wirkungen solchen Worten hätten zuschreiben können. Uebersinnlichkeit, das heißt Unsinn, Uebervernünftigkeit, das heißt Unvernunft, ist
ja gerade das Wesen des religiösen Glaubens oder Aberglaubens.
Uebrigens kommen allerdings auch im Thiercultus die übrigen angegebenen Momente der Religion zum Vorschein. Wir haben ja bereits
gesehen, wie die religiöse Thierliebhaberei selbst Wanzen, Flöhen und
Läusen den Menschen zum Opfer bringt. — Bancroft in seiner Geschichte
der Vereinigten Staaten von Nordamerika sagt sehr schön und richtig

---

*) Allerdings knüpft sich der Aberglaube meist an eine besondere, auffallende
Eigenschaft oder Eigenthümlichkeit eines Gegenstandes an, aber der Sinn, die Bedeu-
tung, die er in sie hineinlegt, ist eine rein willkürliche oder subjective. Pauw in seinen
Récherches philos. sur les Egyptiens et les Chinois (1774) erzählt da, wo er vom
Thiercultus handelt, daß vor einigen Jahren französische Bauern eine Art religiösen
Cultus den Puppen der auf der großen Brennnessel lebenden Raupe erwiesen hätten,
weil sie in ihnen deutliche Spuen der Gottheit zu erblicken glaubten. Diese Zeichen
der Gottheit waren offenbar nichts Andres als die glänzenden Goldpunkte, die sich auf
der Puppe des Brennnesselfalters befinden. Mit Recht schickt daher Pauw dieser Erzählung den Satz voraus: l'esprit du petit peuple peut étre fortement frappé par de
petites choses. Dieser petit peuple im Menschen ist aber das sogenannte religiöse
Gefühl, d. h. das Gemüth, das sich sogar auch von dem Scheine der Goldpunkte einer
Puppe bezaubern und mystificiren, auf deutsch: vorn Narren halten läßt.

von bem Natur= unb Thiercultus des Indianers: „Der Vogel, der ge=
heimnißvoll bie Luft spaltet, in welche er (der Mensch) sich nicht
erheben kann, der Fisch, der sich in den Tiefen der klaren kühlen
Seen verbirgt, welche der Mensch nicht zu ergründen vermag, bie
Thiere des Waldes, beren untrüglicher Instinkt weit sicherer als sein
Verstand ihm eine Offenbarung zu sein scheint — biese sind bie äußern
Zeichen (?) der Gottheit, welche er anbetet". Wenn er aber vorher
sagt: „seine Götter sind nicht bie Frucht bes Schreckens .... ber In=
bianer verehrt, was sein Erstaunen erregt ober seine Einbildungskraft
in Anspruch nimmt", so ist bagegen zu bemerken, baß bas bloße Stau=
nen, bie bloße Einbildungskraft keine Gebete unb Opfer produ=
cirt. Er selbst sagt weiter: „die Frömmigkeit bes Wilben war nicht
blos bas Gefühl passiver Ergebung — er suchte bie unbekannten Mächte
sich geneigt zu machen unb´ihren Zorn abzuwenden .... überall unter
ben Rothhäuten war eine Art Opfer unb Gebet gebräuchlich. Wenn
bie Ernte reichlich ausfiel, wenn bie Jagd Gewinn brachte, so sahen sie
barin ben Einfluß eines Manitou unb schrieben auch einen ganz gewöhn=
lichen Unfall bem Zorne eines Gottes zu. O Manitou! rief ein In=
bianer bei Tagesanbruch, als er mit seiner Familie ben Verlust eines
Kindes beklagte, bu bist böse auf mich; wenbe beinen Zorn von mir
unb verschone meine übrigen Kiuber". Das erst ist ber Kern ber Reli=
gion. Der Mensch ist kein theoretisches, sondern praktisches Wesen,
kein Wesen der ätherischen Einbildungskraft, sondern ein Wesen der
leibeskräftigen hunger= unb kummervollen Wirklichkeit. Kein Wunder
baher, baß, wie Loskiel berichtet, bie Indianer selbst einem gewissen
Freßgeist zu Ehren, der nach ihrer Meinung nicht satt werden kann,
ein Opferfest halten. Hat boch selbst „der größte Geist bes heibnischen
Norbens" Eywind Skallbaspillir „einen glücklichen Heringsfang, der
ihn aus seiner Noth befreite", im Liebe verewigt! — Wahrhaftig albern
ist es übrigens, wenn bie Theisten ben Wilben bie biplomatische theo=
logische Unterscheibung in ben Munb legen, sie sagen laffen, baß sie nicht

die Thiere selbst, sondern „in denselben eigentlich Gott verehren". Was kann man denn in den Thieren anders verehren, als eben die thierische Natur oder Wesenheit? Plutarch sagt in seiner Schrift: Isis und Osiris bei Gelegenheit der ägyptischen Thierverehrung: „wenn die besten Philosophen in den seelenlosen Dingen selbst Bilder der Gottheit erblickten, wie viel mehr sind diese in den fühlenden und lebendigen Wesen aufzusuchen. Aber die allein sind zu loben, die nicht diese Wesen und Dinge selbst, sondern durch sie (διὰ τούτων) oder mittels derselben das Göttliche verehren. Es ist billig einzusehen, daß nichts Seelenloses besser als das Seelenvolle, nichts Fühlloses vortrefflicher als das Fühlende; denn nicht in Farben oder Figuren oder Glattheiten ist die göttliche Natur, denn das Lebloseste ist das Schlechteste. Was aber lebt, sieht, sich bewegt und unterscheidet das Nützliche und Schädliche, hat einen Theil der Vorsehung in sich, welche das Universum regiert, wie Heraklit sagt". Liegt der Grund der Verehrung der Thiere nicht also doch in ihnen selbst? Ist das göttliche Wesen wesentlich unterschieden von der thierischen Natur, so kann ich es nicht in oder vermittelst derselben verehren, denn ich finde keine Bilder der Gottheit, keine Gottähnlichkeiten in ihr; ist aber das Gegentheil der Fall, so ist auch der gemachte Unterschied gleichgültig. Wer die Götter thierisch vorstellt und abbildet, der verehrt unbewußt die Thiere selbst, wenn er es gleich vor seinem Bewußtsein und Verstand läugnet.

---

4) Schön ist auch die Lobrede des Plinius in seiner Naturgeschichte auf die Sonne. „In der Mitte der sogenannten Irrsterne läuft die Sonne von ungeheurer Größe und Macht, nicht nur der Zeiten und Länder, sondern auch selbst der Gestirne und des Himmels Regiererin. Diese müssen wir, wenn wir ihre Wirkungen erwägen für die Seele, bestimmter für den Geist der ganzen Welt, diese für die vorzüglichste Regentin und Gottheit der Natur halten. Diese liefert das Licht der Welt

und schafft die Finsterniß weg; diese verdunkelt die übrigen Gestirne, diese ordnet den Wechsel der Zeiten und das stets sich wiedererzeugende Jahr zum Besten der Natur; diese erheitert den trüben Himmel und verscheucht auch die Wolken des menschlichen Gemüthes. Diese leiht ihr Licht auch den übrigen Gestirnen, vor allen hervorleuchtend und ausgezeichnet, Alles sehend und Alles hörend, wie es bei Homer heißt." Hier haben wir alle Momente der Religion in Kurzem beisammen.

---

5) Der Satz, daß den Griechen nur die griechischen Götter für Götter galten, daß das Heidenthum, wie ich früher behauptete, Patriotismus, das Christenthum dagegen Kosmopolitismus sei, bedarf eines Nota bene, denn er scheint der anerkannten Toleranz und liberalen Receptivität des Polytheismus geradezu zu widersprechen. Der gelehrte Barth sagt sogar in seiner Schrift: „Die altdeutsche Religion" oder „Hertha" (2. Aufl.): „wenn auch jede Religion etwas von der nationellen Farbe annimmt, gleichwie jede Nation etwas von der religiösen, so sind die Religionen doch nicht geschieden, wie Völker und Staatenvereine, und so wenig wir heutzutage eine spanische, schwedische, russische Religion haben, sondern eine christliche, in Sekten, eben so wenig bestand eine Scheidung dieser Art in der Vorzeit". Wenn jedoch daraus, daß die modernen Völker insgesammt Christen sind oder heißen, auf die Einheit der Religion der Vorzeit geschlossen werden soll, so sieht es schlecht mit derselben aus, denn ob wir gleich nicht von einer deutschen oder russischen Religion reden, so existirt doch in der That ein eben so großer Unterschied zwischen der deutschen und russischen Religion, als zwischen dem deutschen und russischen Wesen überhaupt. Die Frage von der Einheit oder Differenz der Religionen ist die Frage von der Einheit oder Differenz der Menschen überhaupt. Und die Antwort auf diese Frage wird so lange verschieden lauten, als die Menschen selbst verschieden sind und verschieden denken, die Einen überall das Gleiche und Gemeinschaft-

liche, die Andern das Unterschiedene und Individuelle heraussehen und hervorheben. Was jedoch unsere specielle Frage betrifft, so war bei den Römern und Griechen das Politische und Religiöse so innig verbunden, daß von ihren Göttern, wenn man sie aus dieser Verbindung herausreißt, eben so viel oder eben so wenig überbleibt, als wenn ich aus dem Römer den Römer, aus dem Griechen den Griechen herausreißen und blos den Menschen übrig lassen will. „Jupiter, der seiner allgemeinen Natur nach ein Gott für jedes Verhältniß war, stellte alle Arten der Verwandtschaft und der bürgerlichen Beziehungen dar, so daß man mit Creuzer sagen kann, sein Begriff sei zu einem idealen Rechtskörper ausgebildet worden. Er ist Polieus (Beschützer der Stadt), Metoikios, Phratrios (Beschützer der Brüderschaften), Herkeios" u. s. w. (E. Platner: Beiträge zur Kenntniß des attischen Rechts.) Was bleibt mir denn nun aber vom Jupiter übrig, wenn ich dieses Corpus juris, diese politischen Beiworte oder Rechtstitel weglasse? Nichts oder eben so viel, als mir übrig bleibt, wenn man mir als Athenienser alle die Rechte nimmt, die sich eben auf jene Prädicate gründen, wenn man mich also einen Kopf kürzer macht*). So gut das geistige Athen an das örtliche Athen gebunden war, das geistige Rom an das örtliche Rom. — an die unversetzbare Fortuna loci, wie sich Camillus bei Livius ausdrückt in der Rede, worin er die Römer ermahnt, Rom nicht zu verlassen —, so gut, so nothwendig waren auch die römischen und griechischen Götter Territorial- oder Localgötter. Der capitolinische Jupiter ist zwar in dem Kopf jedes Römers auch außer Rom, aber seine wirkliche Existenz, seinen „Sitz" hat er nur auf dem Capitolium in Rom. Alle Plätze in dieser Stadt, sagt Camillus in der erwähnten Rede, sind voll von Göttern und gottesdienstlichen Gebräuchen (religiösen Beziehungen). Und alle diese Götter wollt ihr verlassen? Hier ist das Capitolium, wo einst ein menschlicher Kopf gefunden und geantwortet wurde, daß an

---

*) Regulus capitis minor.

dieſer Stelle das Haupt der Weltherrſchaft ſein werde. H i e r ließen ſich, als der Platz des Capitoliums frei gemacht und mehrere frühere Altäre weggeräumt wurden, die Jugend und der Grenzgott zur größten Freude unſerer Väter nicht von der Stelle rücken. H i e r ſind der Veſta Feuer, h i e r die vom Himmel herabgefallenen Schilde, h i e r alle euch, wenn ihr bleibt, gewogenen Götter. Als daher die Soldaten des Vitellius das Capitolium in Brand geſteckt hatten, verbreitete ſich ganz im Einklang mit den römiſchen und heidniſchen Vorſtellungen überhaupt der Glaube unter den Galliern und Germanen, wie Tacitus in ſeinen Hiſtorien erzählt, daß das Ende des römiſchen Reichs gekommen ſei. Einſt ſei die Stadt von den Galliern eingenommen worden, aber die Herrſchaft ihr geblieben, weil der Sitz des Jupiter nicht verletzt worden. Der jetzige verhängnißvolle Brand aber ſei ein Zeichen des göttlichen Zorns und verkünde den Völkern über den Alpen die Herrſchaft der Welt. Wenn die Römer eine Stadt einnehmen wollten, ſo riefen ſie bekanntlich vorher durch Zauberformeln die Schutzgötter derſelben heraus, weßhalb ſie auch, wie Macrobius in ſeinen Saturnalien ſagt, den Gott, in deſſen Schutz Rom war, wie ſelbſt auch den lateiniſchen Namen der Stadt Rom geheim hielten. Sie glaubten alſo, daß die Schutzkraft der Götter an den Ort gebunden wäre, daß ſie nur da wirkten, wo ſie räumlich, leiblich wären. Kein Wunder daher, daß der Polytheismus, namentlich wenn er bei ſeinen heimiſchen, vaterländiſchen Göttern keine Hülfe findet, nach fremden Göttern ſeine Arme ausſtreckt und ſie bereitwillig in ſich aufnimmt, um ihre Heil- und Schutzkraft zu verſuchen. Selbſt Cicero noch lobt in ſeiner Schrift von den Geſetzen die Griechen und Römer, daß ſie nicht wie die Perſer dieſe ganze Welt den Göttern zum Tempel und Wohnhaus anwieſen, ſondern glaubten und wollten, daß ſie d i e ſ e l b e n S t ä d t e m i t i h n e n bewohnten.

6) Bei Herobot heißt es zwar nur, daß ein Bock sich mit einem Weibe öffentlich vermischt habe, so daß es nach diesen Worten unentschieden ist, ob das Weib ein frei- oder unfreiwilliges Opfer thierischer Geilheit war. Wenn man aber hinzunimmt, daß dieses in Mendes geschah, wo man die Ziegen, besonders die Böcke verehrte, wo der Gott Pan mit einem Ziegengesichte und Bocksfüßen abgebildet wurde und selbst den Namen: Mendes, d. i. Bock, hatte, wenn man ferner hinzunimmt, daß diese Begattung des Bocks mit dem Weibe für eine glückliche Vorbedeutung galt — so übersetzen und erklären wenigstens Manche das allerdings unbestimmte Herodotische ἐς ἐπίδειξιν ἀνθρώπων — so unterliegt es keinem Zweifel, daß das Weib lediglich aus religiösem Enthusiasmus, d. i. Suprahumanismus und Supranaturalismus den egoistischen und exclusiven Trieb des menschlichen Weibes, sich nur mit einem menschlichen Manne zu begatten, überwunden, folglich aus demselben Grunde, aus welchem der Christ dem göttlichen Unsinn des Glaubens seine menschliche Vernunft aufgeopfert — credo quia absurdum est — ihre menschliche Natur und Würde dem heiligen Bocke zum Opfer gebracht habe.

---

7) Uebrigens hat die christliche Kirche, wie bekannt, ihrem Glauben oder, was eins ist, ihrem Gotte auch genug blutige Menschenopfer gebracht. Und wenn der „christliche Staat", folglich auch die christliche peinliche Halsgerichtsordnung nur eine Creatur des christlichen Glaubens ist, so bringen noch heute die Christen in jedem armen Sünder, den sie aufs Schaffot schleppen, ihrem Glauben oder, was, wie gesagt, eins ist, ihrem Gotte blutige Menschenopfer. Hat doch ausdrücklich, wenigstens den Zeitungen zufolge, der „christliche" König von Preußen nur aus religiösen Gründen die Abschaffung der Todesstrafe verweigert!

8) Als z. B. Anno 356 in Rom eine anstectende Krankheit wü= thete, da wurde, wie Livius im fünften Buche erzählt, das erste Lecti= sternium, d. h. Göttermahl, und zwar acht Tage lang gefeiert, um die Götter zu versöhnen. Und diese Freigebigkeit erstreckte sich nicht nur auf die Götter, sondern auch auf die Menschen. In der ganzen Stadt standen die Thüren offen, Alles bot man zum öffentlichen Gebrauch an, Bekannte und Unbekannte lud man zu Tische, enthielt sich aller Processe und Streitigkeiten, unterhielt sich selbst freundlich mit seinen Feinden, nahm den Gefangenen ihre Fesseln ab. Als dagegen Anno 359 nach Rom die Nachricht kam, daß endlich Veji nach einer zehnjährigen Be= lagerung erobert sei, so war darüber, wie Livius in demselben Buche er= zählt, eine solche außerordentliche Freude, daß noch vor dem Senatsbe= schluß alle Tempel voll waren von römischen Müttern, welche den Göt= tern dankten, und der Senat verordnete, daß man vier Tage lang — mehr Tage als in den bisherigen Kriegen — zu den Göttern beten und ihnen danken solle.

---

9) „Es ist, sagt der gelehrte Forscher E. Röth ganz in Ueberein= stimmung mit meinen eignen, nur auf anderem Wege gefundenen Resul= taten in der schon angeführten Schrift über die ägyptische und zoroastrische Glaubenslehre, es ist eine allgemeine Erscheinung in allen alten Reli= gionen, daß die Götternamen zuerst nichts als einfache Gemeinnamen waren, weil sie nur Sachen bezeichneten: Wasser, Wind, Feuer u. drgl. und der Begriff eines persönlichen Wesens noch gar nicht mit ihnen ver= bunden war. Dieser letztere entwickelte sich erst spät und allmählig aus den Eigenschaften, die man dem Götterwesen beilegte, und so entstand dann auch sein Eigenname aus einem jener Beinamen, welche dem Göt= terwesen zur Bezeichnung seiner verschiedenen Eigenschaften ursprünglich in größerer Zahl beigelegt wurden. Je näher daher ein Götterbegriff seinen Anfängen, um so unbestimmter wird er, so daß ein Göttername

sich zuletzt in einen bloßen Sachnamen oder in ein Eigen-
schaftswort auflöst".

---

10) Die hier angeführte Stelle ist den Noten Dionys. Vossii zu
Maimonides Schrift de idololatria entnommen. Der Sinn, in dem ich
sie hier genommen habe, findet sich zwar dort nicht wörtlich so ausge-
brückt, aber wenn man diese Stelle mit andern, z. B. den im Wesen
des Christenthums aus Eisenmenger's Entdecktem Judenthum angeführten Stellen zusammenhält, wo es ausdrücklich heißt: daß die Welt nur
der Juden wegen besteht, so wird man sich überzeugen, daß sie doch den
angegebenen Sinn hat.

---

11) So wenig man aus dem monotheistischen Gott als einem wesentlich von der Natur unterschiedenen Wesen die Mannigfaltigkeit und
Verschiedenheit der Natur überhaupt, so wenig kann man aus ihm auch
die Mannigfaltigkeit und Verschiedenheit der menschlichen Natur insbesondere und deren Consequenz, die Berechtigung der verschiedenen
Religionen ableiten. Aus der Einheit des monotheistischen Gedan-
kenwesens folgt nur die Einheit und Gleichheit der Menschen,
also auch die Einheit des Glaubens. Die Verschiedenheit und Mannigfaltigkeit des Menschenwesens, worauf die religiöse Toleranz und
Indifferenz sich gründen, stammt nur aus dem polytheistischen
Princip der sinnlichen Anschauung. Daß Ich nicht der einzige Mensch bin, daß noch andere Menschen außer mir sind, das sagt
mir ja nur der Sinn, nur die Natur; aber das innere Quäkerlicht, der
von der Natur unterschiedene Gott, das von den Sinnen abgesonderte
Vernunftwesen sagt mir nur, daß Ich, dieser Eine bin, und fordert
daher von dem Andern, wenn sich einer finden sollte, daß er denken und
glauben soll wie Ich, denn vor der Realität der monotheistischen Ein-

heit verschwindet die Realität des Unterschieds, die Realität des An=
dern, sie ist eine bloße Sinnenillusion: Tout ce qui n'est pas Dieu
n'est rien, d. h.: tout ce qui n'est pas Moi n'est rien. Wenn sich
daher mit dem Glauben an Einen Gott die Toleranz gegen Andersgläu=
bige verknüpft, so liegt diesem Gott das mannigfaltige und tolerante
Wesen der Natur zu Grund. „Der Naturalismus, sagt C. F. Bahrdt
in seiner „Würdigung der natürlichen Religion" vom Jahre 1791,
führt seiner Natur nach zur Toleranz und Freiheit. Er ist ja selbst
nichts Andres, als Glauben an subjective Wahrheit" u. s. w. „Aber
der Positivist hält n u r s e i n e n Glauben für wahr, weil ihn Gott be=
fohlen haben soll, und kann also auch k e i n e V e r s c h i e d e n h e i t mit
Gleichgültigkeit betrachten, weil ihm jede Verschiedenheit Abweichung
von dem Einzigen ist, was Gott, wie er wähnt, zu glauben befohlen
hat". „Kann ich den noch lieben, den mein Gott haßt und den mein
Gott auf ewig dem Teufel übergeben hat"? Was oder wer ist aber
der Gott der natürlichen Religion? Der „Gott der Liebe, welcher im
Wohlthun und Beseligung seiner Geschöpfe seine eigene Seligkeit fin=
det." ... „Ist Gott Liebe .... so muß der Menschenfreund das Eben=
bild Gottes sein". Wer aber ein Wesen liebt, anerkennt seine Indivi=
dualität. Wer die Blumen liebt, liebt alle Blumen, erfreut sich an
ihrer unendlichen Verschiedenheit, und giebt jeder, was ihrer individuel=
len Natur zusagt. Was ist aber das Princip oder die Ursache dieser
unendlichen Verschiedenheiten und Individualitäten, die uns die Sinne
offenbaren? Die Natur, deren Wesen eben die Verschiedenheit und In=
dividualität, weil sie kein geistiges, d. h. abstractes, metaphysisches We=
sen ist, wie Gott. Gott wird freilich auch als eine „unendliche Menge
von Verschiedenheiten" vorgestellt", aber sie ist nur von der Natur und
ihrer Anschauung abgezogen. Was ist also der Gott der natürlichen
Religion? Nichts Andres, als die Natur, aber vorgestellt als ein per=
sönliches, empfindendes, wohlwollendes Wesen, nichts Andres also, als
ein Anthropomorphismus der Natur. Bemerken muß ich auch bei die=

ser Gelegenheit, daß nicht nur die Heiden, soudern auch die Christen —
keineswegs etwa nur die Pantheisten — Natur und Gott stets ver=
binden und selbst identificiren, d. h. Natur statt Gott
setzen. Nur einige Beispiele: In istorum populorum moribus, sagt
J. Barclajus in seinem Icon Animorum, licet .... Naturae divitias
numerare, quae tot habitus mentiumque variarum impetus una mem-
brorum similitudine obtexit. Selbst Melanchthon sagt in seinem
Liber de anima: Sapienter cavit architectatrix natura bei
der Gallenblase, ferner bei der Lunge: Quo consilio natura cir-
cumdederit cordi pulmonem, officia ejus declarant. Und Erasmus
erklärt in seinen Adagien die Redensart cum Diis pugnare also: Quid
enim gigantum more bellare cum Diis nisi naturae repugnare?

12) Dies zeigt sich insbesondere an der Vorstellung vom Tode
überhaupt, dem größten Uebel in den Augen des ungebildeten Menschen.
Der Mensch weiß ursprünglich nicht, was der Tod ist, noch weniger,
was sein Grund. Der Mensch ist ein absoluter Egoist; er kann sich
keine Verneinung seiner Wünsche, folglich kein Ende seines Lebens den=
ken; denn er wünscht ja zu leben. Er weiß überhaupt nichts von der
Natur, nichts von einem vom menschlichen Wesen und Willen unter=
schiedenen Wesen; wie sollte er also den Tod als etwas Natürliches oder
gar Nothwendiges faffen können? Der Tod hat daher für ihn einen
menschlichen, persönlichen, willkürlichen Grund; aber der Tod ist ein
Uebel, etwas Böses, also ist seine Ursache der Neid der Götter, welche
dem Menschen kein Glück, keine Freude gönnen — „Neidisch bist du
Hades!" heißt es in einem Epigramm der Erinna — oder der Zorn der
Götter wegen irgend einer ihnen angethanen Beleidigung, — so glau=
ben z. B. die Tongainsulaner nach W. Mariner: „Nachrichten über
die freundschaftlichen oder die Tongainseln", daß jedes menschliche
Ungemach von den Göttern wegen Vernachläffigung einer religiösen

Pflicht ihnen zugefügt wird — oder die bloße Bosheit der Geister und der mit ihnen in Verbindung stehenden Menschen, der Zauberer *). So wird z. B. von den Khands in Gondvana „den magischen Kräften einzelner Personen und Götter der Tod zugeschrieben, denn der Tod ist nach dem Glauben derselben nicht das nothwendige Loos des Menschen, der eigentlich unsterblich ist (gerade wie bei den Christen), und welchen der Tod nur erreicht, wenn er entweder eine Gottheit beleidigt hat, oder weil übelwollende mit übernatürlichen Kräften versehene Personen denselben über ihn verhängen. Alle Todesfälle z. B. durch den Ueberfall von Tigern werden solchen Personen zugeschrieben, denn der Tiger ist nach dem Glauben der Khands (auch der Christen, wenigstens der rechtgläubigen) zum Nutzen der Menschen geschaffen, wird aber von erzürnten Göttern oder Zauberern zu deren Zwecken benützt." (Ausland, 1849 Januar.) Aus diesen Vorstellungen von dem Grund und Wesen des Todes und aller andern Uebel ergeben sich auch die Menschenopfer**) und alle andern Uebel, die sich oder Andern der Mensch in der Religion anthut. Gott hat Wohlgefallen an dem Tod des Menschen, sei es nun aus Neid oder Rachegefühl oder sonst einem persönlichen Grunde, also muß man ihm zu Ehren und Gefallen Menschen tödten. Am augenfälligsten ergötzt sich aber der Kriegsgott am Blute des Menschen, denn nur vom Tode des Feindes hängt der Sieg, das Gnadengeschenk des Kriegsgotts ab; also kein Wunder, daß man besonders diesem

---

*) Die Lulles (in der Provinz Chaco) schrieben nach Charlevoix (Gesch. von Paraguay I. Bd.) alle Krankheiten, mit Ausnahme der Kinderblattern, der Bosheit eines unsichtbaren Thieres zu, das sich übrigens nicht von einem „Geiste" unterscheidet, die Chiquitos dagegen glaubten nach demselben (II. Bd.), daß die Weiber die Ursache aller Krankheiten seien. Wenn bei den Kaffern der über die Elemente gebietende Zauberer keinen Regen zu Stande bringt, so muß an diesem Regenmangel irgend ein Mensch schuld sein, der dann von dem Zauberer bezeichnet und ermordet wird. (Ausland, 1849 Mai.)

**) Freilich nicht allein aus ihnen, denn wie unzählig viele Menschen hat nicht allein der Unsterblichkeitsglaube mit Feuer und Schwert vertilgt!

Menschenopfer brachte. Gott hat überhaupt Wohlgefallen an den Leiden und Qualen des Menschen, der Grund desselben mag nun sein, welcher er wolle, also muß man, um ihm zu gefallen, um seine Gunst zu erwerben, durch freiwillige Opfer und Qualen den unfreiwilligen zuvorkommen.

---

13) Wörtlich heißt es übrigens nach A. Schlegel's Uebersetzung: Ego sum tempus aeternum (le temps infaillible nach Wilkins in der französischen Uebersetzung von 1787), altor ego omnituens et mors cuncta rapiens, ego et ortus futurorum.

---

14) „Du trittst also der unsinnigen Meinung der Nominalisten bei, welche keine andere Allgemeinheit anerkennen, als die Begriffe und Namen? Ja, aber ich glaube einer sehr vernünftigen Meinung beizutreten; denn ich bitte dich um Himmelswillen! du, der du allgemeine Wesen und zwar als existirend annimmst, was nimmst du in der Welt wahr, was nicht einzeln wäre? Einzelnster ist Gott (singularissimus est Deus),*) einzeln sind alle seine Wesen, dieser Engel, diese Sonne, dieser Stein, kurz es giebt Nichts, was nicht einzelnes Wesen ist. Du sagst, es gebe z. B. eine menschliche Natur, welche allgemein sei. Aber wo zeigt sich denn diese allgemeine Natur? Ich wenigstens sehe diese menschliche Natur Plato's, jene menschliche Natur Sokrates', aber alle diese Naturen sind einzelne. Wenn du scharfsichtiger bist, sage mir doch, wo du die andere, die allgemeine siehst. Da es so viele einzelne giebt, sagst du, so findet sich also in allen eine gemeinsame. So? wie beweist du es aber? Mir wenigstens ist es genug, daß ich eine einzelne habe, und auch dir genügt, du magst sagen, was du willst, eine

---

*) Dieser Gedanke findet sich übrigens auch bei Andern, z. B. Scaliger.

einzelne; was mich betrifft, ich sehe keine Natur, welche uns beiden gemein, in dir und mir dieselbe wäre. Du hast deinen Körper, deine Seele, deine eignen Theile und Gaben, ich habe auch meine eignen. Was ist also diese Natur, die in mir und dir gleich wäre? ..... Du sagst und zwar mit großem Beifall: ist nicht, auch wenn Niemand denkt, die menschliche Natur in Vielen? welche aber in der That in Vielen ist, ist das nicht in der That eine allgemeine? Ich gestehe allerdings, daß die menschliche Natur, auch wenn Niemand denkt, in Vielen ist, aber ich setze hinzu: vielfach. Du wolltest sagen, daß sie eine ist, um ihre Allgemeinheit zu behaupten, aber ich sage, daß sie vielfältig ist, um die Existenz der einzelnen Naturen zu behaupten..... Ich bitte dich, wenn gesagt wird: Plato ist Mensch, ist der Mensch in diesem Satze Plato selbst oder ein anderer? Gewiß kein andrer als er selbst; eben so, wenn es heißt: Sokrates ist Mensch, so ist hier der Mensch kein audrer, als (oder nicht verschieden von) Sokrates selbst; weil daher die menschliche Natur diesen beiden zukommt, so ist sie nicht ein-, sondern zweifach. Also, wirst du mir einwenden, ist es ein leerer und identischer Satz, wenn gesagt wird: Plato ist Mensch, denn dasselbe wird von sich selbst ausgesagt. Ich antworte, daß jeder Satz, um ein wahrer zu sein, ein identischer sein müsse, weil nämlich nichts von einer Sache ausgesagt werden soll, was nicht eben sie selbst oder in derselben ist". Gassendi in seinen paradoxen Uebungen. Allerdings existirt das Allgemeine, aber wie es existirt, nicht bloßes Gedankenwesen ist, ist es nicht Allgemeines, sondern Einzelnes, Individuelles, so daß man eben so gut mit den Realisten sagen kann, daß es existirt, als mit den Nominalisten, daß es nicht existirt. Die Menschheit existirt in den Menschen, Jeder ist Mensch; aber Jeder ist ein eigner, von Andern unterschiedener, individueller Mensch. Und du kannst nur in Gedanken, aber nicht in der Wirklichkeit Das, wodurch ich mich von Andern unterscheide, von dem, worin ich ihnen gleiche, also das Individuelle vom Allgemeinen absondern, ohne mich in Nichts aufzulösen. Das Wirkliche ist ein absolutes, ununterscheidbares Eins, kein Punkt, kein Atom ist in mir, das nicht individuell wäre. *) Was die Theologen von Gott sagen, daß in ihm Subject und Prädicat, Sein und Wesen identisch sei, daß nichts von ihm ausgesagt werden könne, als was er selbst sei, das gilt in Wahrheit von der Individualität, der Wirklichkeit. Aber das Denken trennt das, worin ich Andern gleiche, von dem, wodurch ich mich von ihnen unterscheide, Individuum bin, also das Prädicat vom Subject, das Adjectiv vom Substantiv und macht es selbst zum Substantiv, aus dem einfachen Grunde, weil sowohl für seine Natur, denn das Individuum, das Subject kann es nicht in sich aufnehmen, als für seine Aufgabe das Adjectiv die Hauptsache ist. Daher ist auch Gott für das abstracte Denken die Hauptsache, das Hauptwesen, ob er gleich, wie ich in diesen Vorlesungen und anderwärts gezeigt habe, nichts Andres ist, als ein Thesaurus Eruditionis Scholasticae, ein Lexicon philosophicum, ein Catholicon seu lexicon ex diversis rebus contractum, d. h. eine Sammlung von Namen, Beiwörtern, Adjectiven ohne Wesen, ohne Materie, ohne Substanz, die aber trotzdem zu einer, und noch dazu zur höchsten Substanz gemacht wird. — Vom Standpunkt des abstracten, mit Allgemeinheiten bereits erfüllten Denkens aus erscheint die Ableitung des Allgemeinen vom Einzelnen als vernunftlos, als unsinnig; denn mit dem Allgemeinen verbindet sich im Denken der Begriff des Wesentlichen und Nothwendigen, mit dem Einzelnen der Begriff des Zufälligen, Exceptionellen, Gleichgültigen. Das Denken subsumirt z. B. unendlich viele beisammenliegende Sandkörner unter dem Gemein- oder Collectivbegriff: Sandhaufen. Indem ich diesen Begriff bilde, werfe ich die Sandkörner, ohne sie zu unterscheiden, mit e i n e m Blicke auf einen Haufen zusammen, und bestimme nun im Gegensatz zu diesem Haufen, als wäre er für sich etwas Selbstständiges, die Sandkörner, die ich in

---

*) Richtig sagt daher schon Leibniz in seiner scholastischen Dissertation de principio individui: omne individuum s u a t o t a e n t i t a t e individuatur.

Gedanken oder mit den Händen eins nach dem andern wegthue, als einzelne, zufällig daseiende, unwesentliche, weil sie weggenommen werden können, ohne daß der Haufe aufhört Haufe zu sein. Aber sind denn nicht auch die übrigen einzelne? was ist denn der Haufe anders, als eben eine Vielheit Einzelner? wird er nicht selbst aufgehoben, wenn ich der Hinwegnahme einzelner Sandkörner keine Gränze setze? Wo ist aber diese Gränze? Da, wo es dem Denker zu langweilig wird, sich auf's Einzelne einzulassen. Er springt mit einem willkürlichen Satz von den Sandkörnern auf den Sandhaufen, d. h. überhaupt vom Einzelnen auf das Allgemeine über. Allgemein ist das Unendliche, das Absolute des Gedankens, Einzeln das Unendliche, das Absolute der Sinnlichkeit, der Wirklichkeit, denn es ist nicht nur dieses Einzelne, sondern alles Einzelne, aber alles Einzelne ist unfaßbar, denn es hat sein Dasein nur in der Unendlichkeit der Zeit und des Raums. Beschränkt ist dieser Ort, aber außer ihm giebt es unzählige andere Orte, welche seine Beschränktheit aufheben; beschränkt ist diese Zeit, aber diese Schranke verliert sich im Strome der vergangnen und zukünftigen Zeiten. Wie hebt aber das Denken, wenigstens das abstracte, diese Schranken auf? durch eine μετάβασις εἰς ἄλλο γένος; es setzt der Beschränktheit dieses Ortes die Allgegenwart, d. h. das raumlose Sein, der Beschränktheit dieser Zeit die Ewigkeit, d. h. das zeitlose Sein, entgegen. So springt überhaupt das Denken ohne Weiteres vom Einzelnen zum Allgemeinen über und macht es zu einem von jenem wesentlich verschiednen, selbstständigen Wesen. „Die Menschen vergehen, aber die Menschheit bleibt". Wirklich? wo bleibt denn aber die Menschheit, wenn keine Menschen sind? Wer sind also „die Menschen, die vergehen"? die bereits verstorbenen und lebenden. Wer ist aber die Menschheit, die bleibt? die kommenden Menschen. Aber das Denken oder der Mensch im Denken nimmt überall, wie wir an diesem Beispiel sehen, eine bestimmte beliebige Summe für die ganze Summe, einige Individuen für alle und setzt daher an die Stelle dieser ausgelassenen zukünftigen, in Gedanken aber bereits ab=

gethanen, weggeschafften Individuen die Gattung, die Menschheit. Der
Kopf ist das Repräsentantenhaus des Weltalls, der Gattungsbegriff
der Repräsentant, der Stellvertreter der Individuen, die in ihrer unend=
lichen Wirklichkeit keinen Platz im Kopfe finden. Aber eben deswegen,
weil der Gattungsbegriff der Repräsentant der Individuen und weil wir
bei den Worten: Individuen, Einzelne nur an diese oder jene Einzelne
denken, so erscheint uns, wenigstens wenn wir bereits den Kopf voll von
Gattungsbegriffen und der Anschauung der Wirklichkeit uns entfremdet
haben, nichts natürlicher und vernünftiger, als das Einzelne vom Allge=
meinen, d. h. das Wirkliche vom Abstracten, das Seiende vom Gedach=
ten, die Natur von Gott abzuleiten. Gleichwohl hat es mit dieser Ab=
leitung dieselbe Bewandtniß, wie mit der mittelalterlichen staatsrechtli=
chen Fiction, welche die Spitze des Staats zum Fundament desselben
macht, welcher zufolge der Kaiser — der Kaiser ist ja der Gattungsbe=
griff auf dem politischen Gebiete, in Rom war und hieß sogar allein der
Kaiser die öffentliche Person, alle Andern Privatpersonen — der Ursprung
und Grund alles Rechts, aller Macht, alles Adels ist, während doch
ursprünglich oder der wirklichen Entstehungsgeschichte nach gerade das
Umgekehrte stattfand, die Potestas multorum, die „Macht der Massen,
d. h. nach den Begriffen der alten Zeiten der Freien" dem monarchischen
Princip voranging.

15) Im Denken und Reden, wo man schon der Succession der Ge=
danken zufolge Alles auseinander reißt und verselbstständigt, so auch
dem Individuum den Magen aus dem Leibe, das Herz aus der Brust,
das Hirn aus dem Kopfe reißt, und so die fixe Idee einer abgesönderten
Individualität, d. h. eines bloßen Gespenstes, eines scholastischen Ge=
dankenwesens sich bildet, gilt freilich auch das Umgekehrte, nämlich, daß
das Individuum den Allgemeinbegriff voraussetzt; denn was ist ein
Individuum ohne Inhalt, ohne die Eigenschaften, Talente oder Kräfte,

die den Menschen zum Menschen machen, die wir aber eben in Gedanken
vom Individuum unterscheiden und als Gattungsbegriffe verselbstftän=
digen? Daffelbe, was das Meffer, wovon man in der Abstraction
die Klinge weggelaffen. — Allerdings geht die Idee oder Sache, der
ich lebe, nicht mit mir zu Grunde, allerdings hört nicht die Ver=
nunft auf, wenn ich zu denken aufhöre, aber nur weil andere Indivi=
duen diese Sache ergreifen, andere Individuen statt meiner denken. „Es
bleiben die Intereffen, es wechfeln die Individuen", aber nur, weil die
Andern daffelbe Intereffe haben, wie ich, eben fo wie ich, gebildete,
freie, glückliche Menschen fein wollen.

16) Ueber meine in diefen Vorlefungen ausgefprochenen politischen
Ansichten nur diefe kurze Bemerkung. Schon Aristoteles fagt in feiner
Politik, die faft alle Fragen der Gegenwart behandelt, aber, wie fich
von felbft verfteht, im Geifte des Alterthums, daß man nicht nur die
befte Staatsverfaffung kennen, fondern auch wiffen müffe, für welche
Menschen fie paffe, denn auch das Befte paffe nicht für Alle. Wenn man
mir daher vom hiftorischen, d. h. an Zeit und Raum gebundnen Stand=
punkt aus die conftitutionelle Monarchie, verfteht fich: die wahre,
als die für uns allein paffende, thunliche und deswegen vernünftige
Staatsform conftruirt, fo ftimme ich vollkommen bei. Wenn man aber
abgefehen von Raum und Zeit, d. h. diefer beftimmten Zeit (auch
Jahrtaufende find nur eine beftimmte Zeit), diefem beftimmten Orte (auch
Europa ift nur ein Ort, ein Punkt der Welt) die Monarchie als die einzig
oder abfolut vernünftige Staatsform demonftrirt, fo proteftire ich dage=
gen und behaupte, daß vielmehr die Republik, verfteht fich die demo=
kratische, die Staatsform ift, welche unmittelbar der Vernunft als die dem
Menschenwefen gemäße und folglich wahre einleuchtet, daß die conftitutio=
nelle Monarchie das ptolemäische, die Republik aber das copernikanische
Syftem der Politik ift, und daß daher in der Zukunft der Menschheit

Copernikus eben so in der Politik über den Ptolemäus siegen wird, als er bereits in der Astronomie über ihn gesiegt hat, obgleich das ptolemäische Weltsystem einst von den Philosophen und Gelehrten auch für eine unumstößliche „wissenschaftliche Wahrheit" ausgegeben wurde.

---

17) Dasselbe gilt übrigens nicht nur von den Heiden, sondern auch von den alten Israeliten. Als die Daniter dem Micha sein Götterbild genommen hatten, schrie er ihnen nach: „Ihr habt meine Götter (oder nach Andern meinen Gott) genommen, die ich gemacht hatte". Uebrigens ist keineswegs nur der plastische Bildmacher, sondern auch und zwar vor Allen der geistige Bildmacher, der Dichter ein Gottmacher. Man denke nur an Homer und Hesiod! Ovid sagt ausdrücklich im vierten Buch seiner Episteln aus Pontus: „Götter auch werden gemacht in (oder durch) Gedichte" (oder von den Dichtern). Di quoque carminibus (si fas est dicere) fiunt. — Wenn man behauptet, daß der Religiöse nicht das Bild oder die Statue selbst als Gott, sondern nur Gott in ihnen verehre, so ist diese Unterscheidung nur in sofern begründet, als der Gott auch außer der Statue und dem Bilde, nämlich im Kopfe, im Geiste des Religiösen existirt, nur in sofern also, als überhaupt zwischen einem Wesen als sinnlichem, wirklichem und demselben als vorgestelltem, geistigem ein Unterschied besteht. Außerdem aber ist diese Unterscheidung grundlos. Das eben, worin der Mensch Gott verehrt, das ist sein wahrer, wirklicher Gott, der drüber und draußen seiende Gott ist nur ein Gespenst der Vorstellung. So findet und verehrt der Protestantismus, wenigstens der alte, positive, Gott in der Bibel, d. h. er verehrt die Bibel als Gott. Der Protestant verehrt freilich nicht das Buch als Buch, wie der König der Aschantis in Afrika den Koran, ob er gleich keinen Buchstaben davon versteht; er verehrt den Inhalt derselben, das Wort Gottes, das Wort, in dem er sein Wesen ausgesprochen, aber dieses Wort existirt ja nur wenigstens unent-

stellt in der Bibel.*) „Es ist nun alles darum zu thun, sagt Luther in einer 1530 in Coburg am Ostermondtage gehaltenen Predigt, daß wir den Nutzen und Brauch der Schrift wissen, nemlich, daß sie sey ein Zeugniß aller Artikel von Christo, und dazu das höchste Zeugniß, das weit über alle Wunderzeichen gehet, wie es Christus anzeigt von dem reichen Mann Luc. 16, 29—31: Sie haben Mosen und die Propheten, gläuben sie denen nicht, so werden sie wahrlich viel weniger gläuben, wenn einer von den Todten auferstünde. Die Todten mögen uns trügen, das kann die Schrift nicht thun. Das ist nun der Punkt, der uns bringet, die Schrift so hoch zu halten und zwar Er hält sie selbst hier für das beste Zeugniß. Also wollt er sagen: Leset ihr die Propheten und gläubet dennoch nicht? Es ist wahr, es ist Papier und Dinten, aber es heißt gleichwohl das fürnehmste Zeichen. So will auch Christus selbst mehr drauf pochen, als auf seine Erscheinung" u. s. w. Wer sollte sich daher darüber wundern, daß in der protestantischen Kirche „die Kraft des göttlichen Wortes" oder „die göttliche Kraft der heil. Schrift" ein Hauptgegenstand der theologischen Streitigkeiten wurde, daß man über die „moralische, natürliche, übernatürliche, physische, physisch-ähnliche, objective, subjective Kraft des göttlichen Wortes" sich hin und her zankte, daß man z. B. lehrte: „die göttliche und übernatürliche Kraft, woburch der Mensch erleuchtet und bekehrt werde, sey nicht bey der heil. Schrift, sondern in derselben (non adesse scripturae, sed inesse) und der Mensch werde durch die nicht coeristirende, sondern ineristirende Kraft der Schrift bekehrt" (J. R. Schlegel's Kirchengeschichte des 18. Jahrhunderts), daß man ausdrücklich die Gottheit der heiligen Schrift behauptete. So schrieb der Generalsuperintendent und Pastor Primarius G. Ritsche im ersten Viertel des vorigen Jahrhunderts: „Frage, ob die heilige Schrift Gott selbst" und „Rettung dieser Frage".

---

*) Gottes Wort ist auch Gottes Gedanke, Gottes Wille, Gottes Gesinnung, also Gottes Wesen, der Inhalt der heil. Schrift daher der Inhalt, das Wesen Gottes.

Freilich ist ein Gott, wie hinlänglich gezeigt wurde, auch ein Bild der Natur, das eingebildete Wesen derselben — die Natur ist ja der erste, ursprüngliche, als Hintergrund bleibende Gegenstand der Religion — aber der Mensch, namentlich auf dem Standpunkt der Religion, bildet sich ja ein, stellt sich vor die Natur nur nach dem Maaßstab seines Wesens, so daß das eingebildete Wesen der Natur nur das vergegenständlichte Wesen des Menschen ist.

Zum Verbrennen gehört freilich auch ein nach der Verschiedenheit des Brennstoffs verschiedener Temperaturgrad, aber auch zur Poesie gehört ein bestimmter, nach der Verschiedenheit des Individuums sich richtender Temperaturgrad — innere und äußere Wärme, um das Feuer der Begeisterung zu erzeugen. So wie wir in geistiges Feuer kommen, so erzeugt sich auch physisches Feuer; es wird uns heiß selbst bei ruhiger Stellung in kalter Stube. Umgekehrt versetzt uns aber auch physisches Feuer in poetisches. Wo das Blut vor Kälte erstarrt, schlägt auch die poetische Ader nicht mehr.

20) „Den phantastischen Visionen eines Fieberkranken (drückt sich über diesen Gegenstand G. Bancroft in seiner Geschichte der Ver.-Staaten von Nordamerika aus) gehorcht ein ganzes Dorf oder ein ganzer Stamm, und die ganze Nation würde eher ihre Ernten, ihre kostbaren Pelze, ihre Jagdbeute und alles Andere darbringen, als der Erfüllung des Traumes entgegen sein. Der Traum muß befolgt werden, wenn er verlangte, daß die Weiber einer allgemeinen Umarmung preisgegeben würden. Der Glaube an eine Geisterwelt, die sich durch Träume offenbarte (richtiger: an Träume, die dem Menschen als Geister, Götter, übermenschliche Wesen erschienen), war allgemein. Am obern See hatte dem Neffen einer Chippewa-Indianerin

geträumt, er sehe einen französischen Hund, und das Weib reiste mitten im Winter über Schnee und Eis vierhundert Meilen weit, um sich einen zu verschaffen". Welch ein Heldenmuth! und doch galt er nur einem Traume!

---

21) So wird auch in der schon öfter angeführten Geschichte von Paraguay von den Guaranis erzählt, daß oft welche aus bloßer Furcht vor Zauberei starben. Auch die Brasilianer „fürchten die bösen Geister so sehr, daß einige durch den Anblick einer eingebildeten Erscheinung getödtet worden sind". (Bastholm, histor. Nachr. zur Kenntniß des Menschen in seinem wilden und rohen Zustand. IV. Th.)

---

22) Gott erfüllt, was der Mensch wünscht; er ist ein den Wünschen des Menschen entsprechendes Wesen; er unterscheidet sich nur dadurch vom Wunsche, daß in ihm Wirklichkeit, was in diesem nur Möglichkeit ist; er ist selbst der erfüllte oder seiner Erfüllung gewisse Wunsch *), oder: das vergegenständlichte und verwirklichte Wesen des Wunsches. „Jene (die Götter), sagt ein griechischer Dichter (Pindar) bei Plutarch, sind ohne Krankheiten, sie altern nicht, sie kennen keine Mühen, sie sind der dumpftönenden Ueberfahrt des Acheron überhoben". Wie kann es deutlicher ausgesprochen werden, daß die Götter die Wünsche der Menschen sind? „Nichts, sagt Vellejus Paterculus, können die Menschen von den Göttern wünschen (optare), nichts die

---

*) Cudworth frägt in seinem Intellectualsystem: „wenn es keinen Gott giebt, woher kommt es denn, daß alle Menschen einen Gott haben wollen?" Aber man muß vielmehr gerade umgekehrt fragen: wenn ein Gott ist, wozu und warum brauchen ihn denn die Menschen zu wünschen? Was ist, das ist kein Gegenstand des Wunsches, der Wunsch, daß ein Gott sei, ist gerade der Beweis, daß keiner ist.

Götter den Menschen gewähren (praestare) .... was nicht Augustus ... dem römischen Staat darstellte". „Das zu Erlernende, sagt
Sophocles (Plutarch: über das Glück), lerne ich, das zu Findende
suche ich, das zu Wünschende (oder Erwünschte, Wünschenswerthe,
τὰ δ᾽ εὐκτὰ) erflehe ich von den Göttern". „Hanna hatte keine
Kinder, der Herr hatte ihren Leib verschlossen", d. h. sie war unfrucht-
bar. „Da stand Hanna auf und betete zum Herrn: wirst du deiner
Magd einen Sohn geben, so will ich ihn dem Herrn geben sein Leben-
lang. Und der Herr gedachte an sie. Der Herr hat meine Bitte gegeben, die ich von ihm bat (d. h. meine Bitte gewährt). Sie ward
schwanger und gebar einen Sohn und hieß ihn Samuel, denn ich habe
ihn von dem Herrn gebeten", d. h. den Gotterflehten, Theaiteton, wie
Josephus Samuel übersetzt. (Clericus, Commentar zu Samuel.) Clericus bemerkt zu dieser Stelle, daß man bei den Worten: „der Herr
verschloß ihren Leib" nicht an ein Wunder d. h. eine besondere Wirkung
der Allmacht Gottes zu denken habe, daß folglich auch die Oeffnung
ihres Leibes kein Wunder gewesen sei. Allein was ist denn Gott, was
das Gebet, wenn es keine andere Kraft und Bestimmung hat, als die
präformirten Keime der Natur zu entwickeln? Der Glaube läßt sich auf
keine anatomisch physiologischen Fragen und Untersuchungen ein. Dem
Glauben zufolge war Gott oder die göttliche Kraft des Gebetes, des
frommen Wunsches die Ursache von Hanna's Empfängniß. Ein
Gott, der nicht erschaffen, der nur die vom Naturalismus gelegten
Eier ausbrüten kann, ist kein Gott. Ein Gott ist so über der Natur,
so frei, so wenig gebunden an anatomisch physiologische Bedingungen,
als der Wunsch, als die Phantasie des Menschen. Odysseus, um noch
mehrere Beispiele und Beweise von dem Zusammenhang zwischen Gott
und Wunsch zu geben, sagt z. B. zum Eumäus: „Zeus gewähre
dir, Freund, und die andern unsterblichen Götter, was du am meisten begehrst, dieweil du so gütig mich aufnimmst". Und im ein-
undzwanzigsten Gesang der Odyssee sagt der Oberhirte der Rinder zu

Odysseus: „Vater Zeus, o wenn doch diesen Wunsch du gewähr=
test, daß heimkehrte der Held und ihn ein Unsterblicher führte!" Ju=
piter sagt in Ovid's Fasten zu dem böotischen Bauern Hyrieus, der ihn
nebst seinem Bruder Neptun und Mercurius gastfreundlich bewirthet
hatte: „Wenn du etwas begehrest (oder wünschest), so wünsche; Alles
sollst du bekommen, oder sei dir gewährt". Der Greis antwortete: ich
hatte eine theure Gattin, aber sie deckt jetzt die Erde. Ihr habe ich bei
Eurem Namen geschworen, kein Weib außer ihr zu berühren. Ich halte
mein Wort; aber mein Herz ist getheilt, ich möchte gern Vater sein und
mag doch nicht Gatte sein. Die Götter bewilligten insgesammt seinen
Wunsch; sie pißten in eine Ochsenhaut und aus dem Götterurin ent=
stand nach Verlauf von zehn Monden ein Knäblein. Sehen wir von
den wässerigen Zusätzen dieser Fabel ab, so sagt sie uns dasselbe, was
bei einer ähnlichen Gelegenheit das Alte. Testament sagt: „sollte dem
Herrn etwas unmöglich sein?" d. h. sollte der Einbildungskraft des
menschlichen Herzens und Wunsches etwas unmöglich sein?

23) Folgende wegen ihrer Einfachheit und Innigkeit höchst inter=
essante indische Hymne an das Wasser aus dem Rig=Veda (Colebrooke's
Abhandl. über die h. Schriften der Inder. Uebers. v. L. Poley. Nebst
Fragmenten der ältesten religiösen Dichtungen der Inder) kann ich mich
nicht enthalten, diesen Anmerkungen einzuverleiben. „Die Gewässer,
die Göttinnen, die unsere Kühe tränken, rufe ich an, den Flüssen müssen
wir Opfer bringen. Im Wasser ist Unsterblichkeit (Nektar), im Wasser
ist Heilkraft, ihr Priester seid unverdrossen im Preise des Wassers.
Soma hat mir verkündet, daß im Wasser alle Heilmittel seien, daß
Agnis (das Feuer) Alles beglückt und daß das Wasser Alles heilt. Ihr
Wasser! erfüllet meinen Körper mit Krankheit vernichtenden Heil=
mitteln, auf daß ich lange der Sonne Licht erblicke. Ihr Wasser!
nehmt hinweg von mir Alles, was böse in mir ist, was ich Gewaltiges

verübt und allen Fluch oder Lüge, die ich gesprochen. Heute habe ich die Wasser verehrt, mit der Wasser Wesenheit habe ich mich verbunden (im Baden), komm du mit dem Wasser begabter Agnis, umgieb mich mit Glanz".

---

24) Insofern die Eltern Privatwesen, die Götter aber öffentliche, den ganzen Staat, alle Bürger betreffende und umfassende Wesen sind, so stehen allerdings jene diesen nach, denn das Haus oder die Familie (d. h. diese oder jene) kann, wie Valerius Maximus sagt, vernichtet werden, ohne daß der Staat zu Grunde geht, aber der Untergang der Stadt oder des Staats zieht nothwendig den Untergang aller Penaten nach sich. In der Rangordnung der Pflichten weist daher Cicero den Pflichten gegen die Götter den ersten Platz an, den Pflichten gegen das Vaterland den zweiten, den Pflichten gegen die Eltern den dritten. Aber Grad oder Rangunterschiede machen keinen Wesensunterschied. Ueberdem ist das Erste in der Gedankenordnung nicht das Erste in der Naturord=nung. Der Ursprung der Heiligkeit des Vaterlands ist die Heiligkeit des eigenen Herdes *), der Penaten, der Väter, und der Ursprung der Heiligkeit der Götter die Heiligkeit des Vaterlands, denn der Haupt=grund ihrer Verehrung liegt ja darin, daß sie die Götter des Vaterlands, daß sie Di Romani sind, aber ehe Rom war, gab es auch keine römischen Götter.

---

*) Quid est sanctius, sagt Cicero oder der Verfasser der Oratio pro domo, quid omni religione munitius, quam domus uniuscujusque civium? .... hoc perfugium est ita sanctum omnibus, ut inde abripi neminem fas est. Welch ein Contrast zwischen diesem Respect des heidnischen Staates vor der Heiligkeit des Hausrechts und der Roheit, der Unverschämtheit, womit der christliche Staat und noch dazu aus den leichtfertigsten Verdachtsgründen, wie ein Dieb über Nacht ins Haus bricht und den Eigenthümer ins Gefängniß schleppt!

25) Da die alten Heiden, namentlich die Griechen, alle nicht nur körperlichen, sondern auch geistigen Güter und Kräfte als Götter oder Gaben der Götter betrachteten, und einsahen, daß ohne Tugend und Verstand oder Weisheit es kein Glück giebt — „verderblich, sagt z. B. Hesiod, ist dem armen Sterblichen die Ungerechtigkeit", und Solon: „Reichthum wünsche ich wohl zu haben, aber nicht auf ungerechte Weise" — so waren allerdings nicht nur materielle, sondern auch geistige Güter Gegenstände ihrer Wünsche und Gebete. Beginnen ja die Dichter stets ihre Gesänge mit Gebeten an die Götter! Aber sie kannten allerdings keine von den äußerlichen Gütern unabhängige Tugend — daher die Klage der Dichter über das Unglück der Armuth, weil sie die Menschen verderbe, zu niedriger Gesinnungs- und Handlungsweise zwinge, — „o Plutos (Reichthum)! schönster und liebenswürdigster aller Götter, heißt es z. B. bei Theognis, mit dir werde ich, bin ich gleich schlecht, ein guter Mann" — eben so wenig eine von den körperlichen Gütern unabhängige Glückseligkeit. So heißt es z. B. in einem griechischen Skolion, einem Gebet an die Hygiea, die Göttin der Gesundheit: „ohne dich ist Niemand glücklich!" Kennt doch selbst noch Aristoteles keine von den äußern „zeitlichen Gütern" unabhängige Tugend und Glückseligkeit.

———

26) Allerdings vergötterten die Heiden auch die Armuth, das Unglück, die Krankheit. Aber der Unterschied ist nur der: das Gute ist etwas Erwünschtes, das Uebele oder Böse etwas Verwünschtes. So heißt es z. B. beim Theognis: O elende Armuth! warum willst du nicht zu einem andern Manne gehen, warum liebst du mich wider meinen Willen? Geh doch weg von mir!

———

27) Weil ich im „Wesen des Christenthums" und anderwärts nicht moralisirt, nicht über die Sünde geheult, nicht einmal ihr ein be-

sonderes Kapitel mit ihrer ausdrücklichen Namensüberschrift gewidmet
habe, so haben mir meine Kritiker vorgeworfen, daß ich das Christen=
thum nicht begriffen hätte. Wie aber in andern Cardinalpunkten —
was freilich nur eine Behauptung ohne Beweis ist, aber ich habe nun
einmal keine Zeit und keine Lust zu derartigen Beweisen, zu wesen= und
gegenstandlosen Kritiken *) — wie also in andern Cardinalpunkten meine
scharfsinnigen Gegner mir gerade meinen richtigen Blick und Tact zum
Vorwurf machten, so auch in diesem Punkte. So wenig die Tugend
oder Moral für sich selbst Ziel und Gegenstand der christlichen Liebe, so
wenig ist das Laster oder die Sünde für sich selbst Gegenstand des christ=
lichen Hasses. Gott ist das Ziel des Christen; aber Gott ist nicht, we=
nigstens nicht nur ein moralisches Wesen; ein nur moralisches Wesen
ist eine bloße Abstraction, ein bloßer Begriff, und ein Begriff hat keine
Existenz. Gott aber ist, dem Glauben nach, ein Wesen, ein existirendes,
wirkliches Wesen. Gott ist freilich heilig, gut, sündlos; er begreift die
moralische Güte oder Vollkommenheit in sich, aber nur, weil er der In=
begriff aller Güter ist; er ist ja nichts Andres, als das personificirte
und vergegenständlichte Wesen der mit allen Schätzen, allen Gütern und
Vollkommenheit der Natur und Menschheit erfüllten und ausgeschmück=
ten Einbildungskraft. Die moralische Vollkommenheit oder Tugend in
Gott ist nicht die Kantische, die Tugend im Widerspruche mit der Nei=
gung, mit dem Glückseligkeitstrieb; Gott, als der Inbegriff aller Gü=
ter, ist die Seligkeit; wer daher Gott zu seinem Ziele hat, der hat aller=
dings die Sündlosigkeit, die moralische Vollkommenheit, aber unmittel=
bar, ununterscheidbar zugleich die Seligkeit zu seinem Ziele. Indem ich,
sagt z. B. Augustin im zehnten Buche seiner Confessionen, dich meinen
Gott suche, suche ich das selige Leben. Gott heißt bei den Christen das
höchste Gut, aber eben so heißt auch die Vita aeterna, das ewige oder

---

*) Die unwillkürlich groß gewordene Anmerkung zu dieser Anmerkung stehe am
Schlusse nach Nummer: 28.

felige Leben das höchste Gut. Der Chrift beanftandet keineswegs die Sünde allein oder für fich felbft, fondern zugleich ihre Bedingungen, ihre Urfachen, ihre Complicen, beanftandet den ganzen Zufammenhang, in welchem die Sünde nothwendig mit begriffen ift: die Welt, die Na= tur, das Fleifch. Ift Freien Sünde? Nein; aber gleichwohl freien fie nicht im Himmel, dem Ziel der chriftlichen Wünfche. Ift Effen und Trinken eine Sünde? Nein; aber etwas Ungöttliches, vom Ideal des Chriftenthums daher Ausgefchloffenes. Das Wefen des Chriftenthums, wie ich es in der diefen Titel führenden Schrift mit einem philofophi= fchen Ausbruck ganz richtig bezeichnete, ift die Subjectivität im guten und fchlimmen Sinne des Worts – die Subjectivität, d. h. die von den Schranken der Natur emancipirte, damit freilich von den Lüften, aber auch den Laften des Fleifches erlöfte Seele oder Perfönlichkeit des Menfchen, oder vielmehr der vergötterte uneingefchränkte, übernatür= liche Glückfeligkeitstrieb.

-----

28) So fagt z. B. ein altes chriftliches Gefangbuch: „Wilt du mich auf das Siechbett legen? Ich will. Soll ich in Mangel feyn? Ich will ..... Und giebft du mich dem Tod? Ich will; dein Will gefcheh o Gott! Wilt du mich in dem Himmel haben? Herr dieß ift meiner Wünfche Füll. Soll ich dann zur Hölle traben? Ich weiß Herr, dieß ift nicht dein Will. Daß dein Will fo nicht wollen follt, Hat dei= nes Sohnes Tod gewollt." In einem andern Liede von Chr. Titius heißt es: „Hülfe, die er aufgehoben, Hat er drum nicht aufgefchoben, Hilft er nicht zu jeder Frift, Hilft er doch, wanns nöthig ift." „Es hat kein Unglück, heißt es in einem andern Liede, nie fo lang gewährt, Es hat doch endlich wieder aufgehört." In einem andern: „Wies Gott gefällt, fo laufs hinaus, Ich laß die Böglein forgen, Kommt mir das Glück heut nicht zu Haus, So wird es doch feyn morgen. Was mir ift b'fchert, Bleibt unverwehrt, Ob fichs fchon thut verziehen, Dank

Gott mit Fleiß, Solls seyn, so seys, Er wird mein Glück wohl fügen." Und in einem Liede von N. Hermann heißt es: „Sey Gott dem Herrn ergeben, Er machs, wies ihm gefällt, Es thut ihm nichts gefallen, Dann was uns nützlich ist, Er meint's gut mit uns allen." Endlich in einem Liede von P. Gerhard: „Es ist herzlich gut gemeint Mit der Christen Plagen: Wer hier zeitlich wohl geweint, Darf nicht ewig klagen, Sondern hat vollkommne Lust Dort in Christi Garten, Dem er einig recht bewußt, Endlich zu gewarten."

(Zu Anm. 27.) Wesenlos, geistlos, nutzlos, langweilig, widerlich sind Antikritiken, weil die Kritiken in ihrem Eifer, den Schriftsteller nicht zu begreifen, sondern zu widerlegen, den Schein für das Wesen nehmen, ohne Kritik Sprachliches zum Sächlichen, Locales zum Universellen, Particuläres zum Charakteristischen, Zeitliches zum Bleibenden, Relatives zum Unbedingten machen, nicht Zusammengehörendes verknüpfen, nothwendig Verbundenes aber trennen, kurz willkürlich Alles kunterbunt durch und unter einander werfen und daher der Antikritik keine philosophische, sondern nur eine philologische Citatenthätigkeit überlassen. Oder vielmehr ihr die Nothwendigkeit auferlegen, die Kritiker erst das Lesen zu lehren, namentlich das Lesen von Büchern, die mit Geist geschrieben; denn die geistreiche Schreibart besteht unter Anderem darin, daß sie Geist auch in dem Leser voraussetzt, daß sie nicht Alles ausspricht, daß sie die Beziehungen, Bedingungen und Einschränkungen, unter welchen allein ein Satz gültig ist und gedacht wird, den Leser sich selbst sagen läßt. Wenn daher der Leser, sei es nun aus Stumpfsinn oder Tadelsucht, diese Auslassungen, diese leeren Zwischenräume nicht ausfüllt, wenn er den Autor nicht selbstthätig ergänzt, wenn er nur gegen, aber nicht für ihn Geist und Verstand hat, so ist es kein Wunder, daß die ohnedem wehr- und willenlose Schrift von der kritischen Willkür jämmerlich zu Grunde gerichtet wird. So macht, um dieses mein Urtheil durch einige Proben zu rechtfertigen, der Professor v. Schaden zum wesentlichen, definitiven Ausgangspunkt seiner Kritik über meinen „Begriff des Denkens" ein Moment aus meiner Entwickelung — eine Recension vom Jahre 1838; und verknüpft dann damit, aber auf die willkürlichste und kritikloseste Weise, Sätze entgegengesetzten Inhalts aus meinen spätern Schriften. Was soll z. B. auf S. 47 der §. 24 aus den Grundsätzen, der mit den Worten eingeleitet wird: „zwar wird noch zugestanden, daß die Seele die Identität mit sich selbst empfinde". Das organische Mittelglied zwischen den Gedanken von 1838 und den spätern „Erweiterungen, die in jeder Beziehung etwas Verwunderliches? und den früheren Bestimmungen mehr oder minder Widersprechendes an sich erkennen lassen", ist erstlich die theils directe, theils indirecte Kritik jener Recension und ihres Standpunkts in dem Aufsatz „wider den Dualismus", wo ich die psychologische Genesis der Vorstellungen der Uebersinnlichkeit, der Immaterialität, der Seele gebe, wo ich erkläre, wie es kommt, daß der Mensch den Denkact nicht mit dem Hirnact zusammenreimen kann, ist ferner der an unzähligen Beispielen und Gegenständen gelieferte Beweis, daß das übersinnliche Wesen nichts Andres ist, als das unsinnliche (abgezogene oder eingebildete) Sinnliche, ist endlich das Thema aller meiner spätern Schriften: der Mensch als das Subject des Denkens, während mir früher das Denken selbst Subject war, für sich selbst von mir fixirt und betrachtet wurde. Aber alle diese Mittelglieder überspringt der kritiklose Kritiker, abstrahirt sich aus einigen beliebig zusammengeworfenen Sätzen den Gegensatz von Geist und Materie, und baut nun darauf das Luftschloß seiner Kritik über „den Begriff des Denkens". Eben so willkürlich und kritiklos ist seine Kritik „über den Begriff des Seins". So heißt es z. B.: das Sein „wird (bei F.) zu einem Schatten .... sinkt zu einem Theil des Denkenden, der Ichheit herab. Es wird unaufhaltsam die Thesis zur Nothwendigkeit: die Materie kann man nicht aufgeben, ohne die Vernunft aufzugeben, nicht anerkennen, ohne die Vernunft anzuerkennen." Wie paßt um Himmelswillen dieser Satz hierher! Er ist ja nur ein verallgemeinertes historisches Factum. Und wie soll aus ihm die Verflüchtigung des Seins ins Denken gefolgert werden? „Man sagt zwar noch, fährt der Kritiker fort: „„Sein heißt Gegenstand sein"", aber man fügt augenblicklich hinzu: „„setzt also Bewußtsein voraus. Das Etwas ist erst als Object des Bewußtseins ein wirkliches Etwas .... also das Bewußtsein das Maaß aller Existenz."" Wie kann der „gewissenhafte" Kritiker übersehen, daß dieser Satz ein in der Entwickelung, im Sinne des Fichte'schen Idealismus ausgesprochener Satz ist, da es doch sogleich in dem nächstfolgenden Satz heißt: „So verwirklicht sich im Idealismus das Wesen der Theologie"! Wie gänzlich verfehlt seine Kritik ist, das geht übrigens schon daraus hervor, daß er den Inhalt meiner Schriften auf die abstracten Begriffe von Sein und Denken reducirt, da doch nach mir alle Philosophie über das Denken ohne das denkende Wesen, über das Sein ohne das seiende Wesen, welches nur der Sinn offenbart, alle Philosophie überhaupt, welche die Dinge nicht in flagranti ergreift, eitle und unfruchtbare Speculation ist, da ich doch ausdrücklich an die Stelle des Seins die Natur, an die Stelle des Denkens den Menschen setze und eben deßwegen auch nicht die abstracte, sondern die dramatische Psychologie, d. h. die Psychologie nur in Verbindung mit den Gegenständen, worin sich die Psyche des Menschen in ihrer Totalität offenbart, also nur in ihren gegenständlichen Aeußerungen, ihren Thaten zu meinem Thema habe. Herr v. Schaden glaubt sicherlich, mich widerlegt, wenigstens kritisirt zu haben; ich sage ihm aber, daß er nur von mir geträumt hat und noch dazu sehr wüste. Nun auch einige Worte über die „Kritik" des Herrn Prof. Schaller. Auch dieser „Kritik" könnte ich nur, wenn ich mich auf eine förmliche Antikritik einlassen wollte, mit einer philologischen Zergliederung meiner eignen Schriften antworten; denn ihr Verfasser hat so wenig einen, auch nur einiger Maaßen treffenden Blick in mein selbst nur formelles Wesen geworfen, daß von seinen Urtheilen und Ausstellungen immer gerade das Gegentheil das Richtige ist, und geht in seiner kleinlich kritischen Malice so weit, daß er selbst die einfachsten, sonnenklarsten Säße von mir, Säße, die nur in Worte verwandelte historische Thatsachen sind, Säße, die sogar allgemein anerkannte Wahrheiten aussprechen, wie z. B., daß die Naturreligion die erste oder ursprüngliche Religion ist, negirt oder doch bekrittelt. Doch ich abstrahire von allen einzelnen Vorwürfen, von allen den Widersprüchen, Gedankenlosigkeiten und Unsinnigkeiten, die mein Kritiker aus meinen Gedanken theils folgert, theils unmittelbar in ihnen ausgesprochen findet. Ich hebe nur e i n e n Punkt hervor; aber er ist der Cardinalpunkt, um den sich Alles dreht. Es ist der Begriff des I n d i v i d u u m s. Die wesentliche Differenz zwischen meinem Standpunkt und dem Standpunkt, den mein Kritiker repräsentirt, besteht darin: er unterscheidet die Gattung oder das Allgemeine vom Indivi= duum, setzt es diesem als „ein sich selbst setzendes“, d. h. selbstständiges, objectives Wesen entgegen, das Individuum ist ihm daher das Negative, Endliche, Relative, Zufällige, die Position des Individuums folglich die Position der „Willkür, der Unsittlichkeit, der Sophistik“; ich dagegen identificire die Gattung mit dem Individuum, individualisire das All= gemeine, generalisire aber eben deßwegen das Individuum, d. h. er= weitere den Begriff des Individuums, so daß das Individuum mir das wahre, das absolute Wesen ist. Nach dem Standpunkt des Herrn Sch. hat also der Mensch oder das Individuum in sich „eine sich s e l b s t setzende, in sich nothwendige Allgemeinheit“, wodurch das Individuum practisch und theoretisch über sich hinaus kann, eine „principielle All= gemeinheit des Ich“, welche der Grund der Sprache, eine „wesentliche Allgemeinheit, wodurch das Individuum über seine i n d i v i d u e l l e n N e i g u n g e n hinaus gesetzt wird,“ „seine i n d i v i d u e l l e W i l l k ü r überwindet“, wie in der Sittlichkeit, wodurch es, wie z. B. „in der künstlerischen Begeisterung von der Idee und nicht von seinen e i g e n e n, i n d i v i d u e l l e n Vorstellungen getrieben wird“, wodurch, wie im Wissen, meine Gedanken „nicht blos meine sind, sondern das Wesen ausdrücken, Energie der Vermittelung in sich sind". Wir haben also hier zwei Wesen im Menschen: ein allgemeines und ein individuelles, während nach mir die Individualität den ganzen Menschen umfaßt, das Wesen des Menschen nur Eines, das allgemeine Wesen selbst indivi= duelles Wesen ist. Allerdings unterscheidet sich der Mensch in sich selbst — er ist ja selbst sichtbarlich zusammengesetzt aus unterschiedenen, ja entgegengesetzten Organen und Kräften — aber das, was er von sich unterscheidet, gehört eben so zu seiner Individualität, ist eben so gut ein Bestandtheil derselben, als das, wovon er es unterscheidet. Wenn ich eine Neigung bekämpfe, ist diese Kraft, wodurch ich sie bekämpfe, nicht eben so gut eine Kraft meiner Individualität, als meine Neigung, nur eine Kraft einer andern Art *)? Der Kopf, der Sitz der Intelligenz, ist etwas ganz anderes, als der Bauch, der Sitz der materiellen Triebe und Bedürfnisse. Aber erstreckt sich mein Wesen nur bis an den Nabel, nicht bis an den Kopf? ist nur der Inhalt meines Bauches der Inhalt meiner Individualität? bin ich im Kopfe nicht mehr Ich? bin ich nicht vielmehr da erst recht Ich? Ist das Denken keine individuelle Thätig= keit, kein „individueller Zustand"? Warum strengt es mich denn dann so sehr an? Ist der Kopf des Denkers, d. h. Menschen, welcher die individuelle Thätigkeit des Denkens zu seiner hauptsächlichen und charakterisirenden Aufgabe macht, nicht unterschieden von dem nicht denkenden Kopfe? Glauben Sie wohl, Herr Professor, daß Fichte im Widerspruch mit seiner individuellen Neigung philosophirte, Göthe im Widerspruch mit seiner individuellen Neigung dichtete, Raphael im Wi= derspruch mit seinen individuellen Neigungen malte? Was machte denn

---

*) Die Redensart: über sich hinausgehen, sich selbst überwinden, findet in anderen Redensarten, wie z. B. sich selbst übertreffen, ihre Erklärung. Kann wirk= lich ein Individuum sich selbst übertreffen? Ist das Uebertreffende nicht meine nur jetzt erst gezeitigte, entwickelte, individuelle Kraft und Anlage? Aber die meisten Men= schen machen Redensarten zu Wesensarten.

den Künstler zum Künstler, als daß eben seine individuellen Neigungen, Vorstellungen und Anschauungen künstlerische sind? Und was ist denn die Idee des Künstlers, von der er getrieben wird, anders, als „ein mehr oder weniger unbestimmtes Bild eines anderen Individuums", d. h. hier Kunstwerks „oder eines anderen individuellen Zustandes" der Kunst, als der bisherige war? Was sind denn überhaupt „individuelle Neigungen und Vorstellungen"? Es sind Vorstellungen und Neigungen, die nicht zu diesem Berufe, zu diesem Standpunkt, zu dieser Sache gehören, die aber an sich eben so wesentlich, eben so positiv als andere sind. Z. B. ich mache ein erhabenes Gedicht, während dessen fallen mir allerlei komische Scenen ein, wozu ich eine besondere Neigung habe, und unterbrechen mich in meinem Flug; diese Vorstellungen sind „individuelle", die ich fern halten, abweisen muß, wenn ich mein Thema erfüllen will; sie sind es aber nicht mehr, so wie ich sie selbst zum Gegenstand eines eigenen Kunstwerks mache, so wie ich ihnen den gehörigen Platz einräume. Dieser Mensch ist ein Maler; er hat an seiner Kunst den Grund und Haltpunkt seiner materiellen und geistigen oder moralischen Existenz; außer dieser seiner aus Neigung erwählten und öffentlich anerkannten Gattin hat er aber noch andere Passionen; er ist auch ein Liebhaber der Musik, der Reitkunst, der Jagd u. s. w.; er vernachlässigt darüber seine eigentliche Kunst und stürzt dadurch sich und seine Familie ins Verderben. Diese Passionen sind allerdings hier „individuelle Neigungen"; sind sie aber an sich verwerfliche? haben sie nicht anerkannte, objective Existenz in andern Individuen? giebt es keine Reiter, keine Musiker, keine Jäger aus Neigung und von Profession? Dieses Dienstmädchen findet zufällig das Schmuckkästchen ihrer Gebieterin geöffnet; sie erblickt darin eine Menge kostbarer Ringe; es entsteht in ihr der Wunsch: ach! wenn ich nur auch meine leeren Finger mit solcher Herrlichkeit schmücken könnte. Die verführerische Gelegenheit macht den Wunsch zur That — das arme Geschöpf stiehlt und kommt in das Strafarbeitshaus. Ist diese Neigung zu einem Edelstein oder goldenen Ring an sich eine „individuelle" und, was eins ist in dem Sinne unserer speculativen Philosophen, eine zu überwindende, sündhafte, strafbare? Nein; denn diese Neigung gilt in der Besitzerin für eine rechtmäßige, indem der Gegenstand derselben als unverletzliches Eigenthum anerkannt ist. Ja aus dem Gold und den Edelsteinen, womit sich die Krone des Staatsoberhauptes schmückt, funkelt uns die „individuelle Neigung" des unglücklichen Dienstmädchens zu Putz und Staat selbst als eine „allgemeine Macht" entgegen. Jeder Mensch überhaupt hat eine Menge Wünsche, Neigungen, Gelüste, die er nicht kann aufkommen lassen, weil sie mit seinem öffentlichen Wesen, seinem Beruf, seiner Existenz, seinen Verhältnissen in Widerspruch stehen, Wünsche und Neigungen, die daher in ihm nur eine ephemere, mikroskopische, spermatozoische Existenz haben, weil es ihm eben zu ihrer Befriedigung an Raum und Zeit oder andern Mitteln fehlt, aber in andern Individuen die großen Herren oder Thiere spielen. Der Schluß aber von der Negation dieser Wünsche und Neigungen auf eine „sich selbst setzende Allgemeinheit", auf ein Gedankengespenst ohne Neigung, ohne Wünsche, ohne Individualität ist nichts Andres, als der alte, nur in logische Formen oder Phrasen verhüllte dualistische und phantastische Sprung oder Schluß von der Welt auf ein nicht weltliches, von der Materie auf ein immaterielles, von dem Leibe auf ein leibloses Wesen; denn das Wesen, dem ich diese Neigungen und Wünsche aufopfere, ist selbst nichts Andres, als eine individuelle oder vielmehr die individuellste Anlage und Neigung, die ich vor andern bevorzugt, durch Fleiß und Uebung bis zur Meisterschaft ausgebildet und eben dadurch auch zur öffentlichen Anerkennung gebracht habe, der Unterschied überhaupt zwischen „Individuell" und Allgemein ein relativer, verschwindender, indem, was in mir nur eine Privatperson, im Andern eine öffentliche, allgemeine Person ist. Waren Sie, Herr Professor! nicht früher selbst ein Privatdocent? Was ist aber ein Privatdocent? Ein Individuum, dessen Verlangen zu dociren die „allgemeinen" Universitäts=„Mächte" aus gelehrtem Dünkel und Hochmuth als eine unberechtigte „individuelle Neigung" nicht zu Wort kommen lassen wollen? Nun sind Sie aber Gottlob! Professor und ihre ehemalige Privatneigung ist jetzt sogar für Sie zur Amtspflicht, zur „sittlichen Nothwendigkeit" geworden. Aber freilich welch ein Unterschied zwischen Einst und Jetzt! So wenig der Professor davon etwas wissen will, daß er einst Privatdocent gewesen, so wenig will die Pflicht, wenn sie sich einmal vom Leben abgesondert und auf den Katheder der abstracten Moral emporgeschwungen, davon etwas wissen, daß auch sie aus einer „individuellen Neigung" des Menschen hervorgegangen ist. Woher stammt denn aber z. B. das Gesetz und folglich die Pflicht, nicht zu tödten? aus dem „kategorischen Imperativ". Ja; aber dieser kategorische Imperativ lautet: ich mag nicht sterben, ich will leben, und was Ich will, das sollst du, nämlich mich leben lassen. Woher das Gesetz und folglich die Pflicht, nicht zu stehlen? aus der sich selbst setzenden Allgemeinheit? Warum nicht lieber aus dem sich selbst setzenden Poder? Besitzen heißt ja worauf sitzen und sitzen kann man nicht ohne das Gesäß. Du sollst nicht stehlen heißt in der That nichts Andres, als Du sollst mir nicht den Sitz meiner individuellen Neigung und Willkür, sei dieser nun ein Sopha oder ein Strohsack, ein königlicher Thron oder ein päpstlicher Nachtstuhl, unter meinem Hintern, dem letzten Argument und Fundament des Eigenthumsrechts, hinwegziehen! Woher kommt es, daß in den Gesetzen der Deutschen die Jagd eine so wichtige Rolle spielt, daß der Diebstahl oder die Tödtung eines abgerichteten Hirsches höher sogar als die Ermordung eines Sclaven gebüßt wurde? Aus der „individuellen Neigung" der Deutschen zur Jagd. Was ist aber das Ungerechte, das Barbarische in den deutschen Jagdgesetzen? die Neigung zur Jagd? nein! sondern dies, daß die großen Herren nur ihre Neigung als eine legitime Macht geltend machten, in allen Andern aber dieselbe als eine nur individuelle Neigung im Sinne unsrer Philosophen verdammten. „Die Fürsten und Edlen, sagt Seb.

Münster in Wirth's deutscher Geschichte, hangen gemeiniglich an dem Jagen und meinen, es gehör ihnen allein zu aus langwierigem Brauch und gegebener Freiheit, aber den andern verbieten sie zu fahen Hirsche, Rehe, Hasen und Hinner bei Verlierung der Augen, ja an etlichen Orten ist es verboten bei Kopfabhauen". Woher stammt aber die „speculative Philosophie" mit ihrer Polemik gegen individuelle Willkür, individuelle Neigungen, individuelle Vorstellungen oder Gedanken? sie stammt direct aus der Kaserne oder — es ist ziemlich eins, die Kasernen sind ja nichts Andres als die säkularisirten Klöster des Mittelalters — aus dem Jesuitencollegium. Der Kasernenmensch, sei er nun ein militärischer oder geistlicher, katholischer oder protestantischer, darf nicht essen, trinken, gehen, schlafen, nicht handeln, fühlen, denken, wie er will und seiner Individualität gemäß soll; nein! alle individuelle Willkür ist aufgehoben, d. h. alles Denken, alles Fühlen, alles Wollen ist aufgehoben; denn wer mir meinen eignen oder individuellen Willen nimmt, der läßt mir gar keinen Willen, und wer mir das Recht auf eigene Gedanken, das Recht auf meine individuelle Vernunft abspricht, der spricht mir überhaupt das Recht auf Gedanken und Vernunft ab, sintemal und allbieweil es eben so wenig eine allgemeine Vernunft, als einen allgemeinen Magen giebt, obgleich Jeder eben so gut einen Magen hat, als er ein Denkorgan oder Denkvermögen hat. Lassen wir den Jesuiten selbst reden, um uns zu überzeugen, daß der Jesuitismus das unbewußte Original und Ideal unserer speculativen Philosophen, gleichwie er das bewußte Ideal und Original unserer desperaten conservativen Staatskünstler ist. Der Jesuit, heißt es in den Regulae Societatis Jesu, widersteht der natürlichen Neigung (naturali propensioni), welche allen Menschen eingepflanzt ist, ihr eigenes Urtheil zu haben und zu befolgen (de Obedient. Virt. Epist. Ignatii); er muß alle eigene Meinung und Ueberzeugung mit blindem Gehorsam aufgeben; er muß sein, wie ein Stock (baculus), der ein willenloses Werkzeug unserer Hand ist oder wie ein Leichnam, mit dem man machen kann, was man will (se ferri ac regi … sinere debent perinde ac si cadaver essent, Summarium Constit. Nr. 35. 36.). — Vollkommen richtig! Die Aufhebung der „individuellen Willkür", die Aufhebung folglich der willkürlichen Bewegung ist die Aufhebung des Lebens. Der speculative Philosoph ist, wie der Jesuit, wie der Monarchist, ein Todfeind des Lebens, denn er liebt über alle Maßen die „Ordnung und Ruhe", um nicht in seinen Gedanken gestört zu werden; aber das Leben ist wesentlich unruhig, unordentlich, anarchisch, so wenig durch die beschränkten Begriffe des Philosophen zu fassen als durch die beschränkten Gesetze des Monarchen zu beherrschen. Was ist denn nun aber das Allgemeine, dem der Jesuit seine individuelle Neigung, Willkür und Vernunft opfert, was das Gleiche, Identische — Idem sapiamus, idem dicamus omnes, heißt es in den angeführten Regeln — in den einzelnen jesuitischen Individuen? Dieses Idem, dieses Allgemeine ist nichts Andres, als der Wille, die „individuelle Willkür" des Superiors, welcher dem Jesuiten der Stellvertreter Gottes, d. h. Gott selbst ist, wie der Monarch dem Monarchisten. Der Jesuit muß, sagt der heilige Ignatius, nicht nur dasselbe wollen, sondern auch dasselbe fühlen (oder denken, sentiat), was der Superior und dessen Urtheil das seinige unterwerfen. Sehen Sie Herr Professor! wie die Verneinung einer Individualität nur die Bejahung einer andern, wie überhaupt das Allgemeine ein Individuelles ist, das aber die Macht hat andere Individuen zu beherrschen, weil es entweder gewaltsam ihre Individualität unterdrückt oder ihrer individuellen Neigung zusagt, denn selbst der Jesuitismus setzt eine besondere Anlage und Neigung zu sich voraus. Die „heilige Schrift", um ein anderes Beispiel zu geben, ist dem Christen die Schrift schlechtweg; „der Geist redet, sagt Luther zu dem Vers des 40. Psalms: „„im Buch ist von mir geschrieben"", als wüßte er von keinem Buch (so doch derselben die Welt voll ist), ohne allein von diesem Buch der heiligen Schrift". Aber ist die heilige Schrift, welcher der Christ seine subjective oder „indivibuelle" Vernunft aufopfert, nicht auch ein individuelles Buch? Sind die Vorstellungen der Bibel die Vorstellungen des Korans, der Vedas, des Zendavesta? Ist, was in Beziehung auf den Christen allgemein, nicht in Beziehung auf den Mohamedaner oder Hindu individuell? Ist, was unseren gläubigen Vorfahren für „Gotteswort" galt, nicht längst als Menschenwort erkannt? Wie relativ ist auch hier der Unterschied zwischen Allgemein und Individuell! Was an diesem Ort und zu dieser Zeit für „individuelle Willkür" gilt, das ist an einem andern Ort und zu einer andern Zeit allgemeines Gesetz. Und was heute oder hier eine subjective, ketzerische Meinung ist, das ist dort oder morgen heiliger Glaubensartikel. Bei uns ist jetzt Republik und anarchische Willkür, Königthum und Gesetzlichkeit identisch; aber bei den Römern war kö- niglich ein Prädikat der Gesetzlosigkeit, der Willkür, der Unzucht, des Hochmuths — regia libido, regii spiritus, superbia regia, — da hieß es: Regia res scelus est. Und ist dieser Ausspruch nicht von der Ge- schichte, selbst auch der deutschen, bestätigt? Ist nicht auch bei uns die Monarchie, wenn gleich im Einklang mit den Wünschen und Interessen der Menge im Gegensatz zu den Uebeln aristokratischer Polyarchie, aus individueller Herrsucht, individueller Habsucht, indi- dueller Mordsucht hervorgegangen? Ist nicht bei uns die Todes- strafe, wenigstens gegen zahlungsfähige Freie, nur mit dem Kö- nigthum entsprungen? (Wirth: Deutsche Geschichte.) Und ist nicht in der Monarchie, wenigstens der wahren, der absoluten, die indivi- duelle Willkür des Monarchen allgemeines Gesetz, die individuelle Neigung desselben allgemeine Sitte? Heißt es hier nicht: l'Etat, c'est moi und qualis rex, talis grex? *) Allerdings giebt es einen und zwar sehr reellen Unterschied zwischen Allgemein und Individuell, aber keineswegs im Sinne und zu Gunsten unserer politischen und speculati-

---

*) ... Multitudinem quoque, quae semper ferme regenti est similis. Livius. Lib. V.

ven Absolutisten. Individuell ist nämlich — darauf hat die Sprache dieses Wort eingeschränkt — was nur dieses oder einige Individuen mit Ausschluß anderer Individuen haben und wollen, allgemein ist, was jeder Einzelne, aber einzeln, jedes Individuum, aber auf individuelle Weise hat und will, denn es hat Jeder z. B. Kopf, aber einen eigenen .individuellen Kopf, Jeder Willen, aber einen eignen, individuellen Willen*). Wir unterscheiden den Staat — ich meine nicht den modernen Staat, der nur in den staatsuniformirten Individuen seine Existenz hat, sondern den Staat überhaupt — wir unterscheiden die Nation von den Individuen. Aber was ist denn der Staat, was die Nation, wenn ich die Individuen, die diesen Staat, diese Nation ausmachen, weglasse? Der Staat ist nichts Andres, als was Alle wollen, die Nation nichts Andres, als was Alle sind, oder wenigstens die Mehrheit will und ist, denn nur die Majorität entscheidet, nur dieses, obgleich völlig unbestimmte und relative Maaß gilt uns — bewußt und unbewußt — für das Maaß der Allgemeinheit. Kein Gesetz, sagt Cato bei Livius in seiner Rede für die Lex Oppia, ist Allen vollkommen recht; darum nun handelt es sich, ob es der Majorität (majori parti) und fürs Ganze nützlich ist". Welches Verbrechen, sagt Cicero, oder wer sonst der Autor der Schrift ad Herennium, kann mit dem Verbrechen des Staats- oder Landesverraths verglichen werden? Bei allen andern Verbrechen erstreckt sich die Verletzung nur auf Einzelne (singulos) oder Wenige

---

*) Auch das Allgemeine ist daher ein Einzelnes, ein Individuelles, aber, weil es jeder Einzelne hat, so abstrahirt es das Denken von den Einzelnen, identificirt es und stellt es als eine Sache für sich, aber allen gemeinsame Sache vor — eine Vorstellung, woraus sich dann alle die weitern peinlichen scholastischen und idealistischen Difficultäten und Quästionen über das Verhältniß des Allgemeinen und Einzelnen ergeben. Kurz das Denken setzt das Discrete der Wirklichkeit als ein Continuum, das unendliche Vielmal des Lebens als ein identisches Einmal. Die Erkenntniß der wesentlichen, unauslöschlichen Differenz zwischen dem Denken und dem Leben (oder der Wirklichkeit) ist der Anfang aller Weisheit im Denken und Leben. Nur die Unterscheidung ist hier die wahre Verbindung.

(paucos), aber dieses Verbrechen verhängt über alle Bürger (universis
civibus) das schrecklichste Unglück, zerstört das Glück Aller (omnium).
Die alten Germanen kannten kein Majestätsverbrechen, sondern nur
„ein Verbrechen gegen die Nation". (Eichhorn: deutsche Staats= und
Rechtsgeschichte.) Wer war denn aber diese Nation? Alle freien Deutsche.
„Ueber geringfügigere Dinge berathen sich die Vornehmsten oder Fürsten,
über die wichtigeren Alle". (Tacitus.) „Bei manchen Fragen hatte jeder
einzelne Rechtsfähige außer dem Mitberathungsrecht sogar ein absolu=
tes Veto". (Wirth a. a. O.) Ich werde nicht davon abstehen, schreibt
Brutus an Cicero, unfern Staat (civitatem nostram) aus der Scla=
verei herauszuziehen. Wenn mir dieses Unternehmen gelingt, so werden
wir uns alle freuen, wo nicht, so werde ich doch mich freuen, denn mit
welchen Handlungen oder Gedanken sollte ich dieses Leben hinbringen,
als mit solchen, die die Befreiung meiner Mitbürger (liberandos
cives meos) zum Zwecke haben? Also auch, wer der Idee der Frei=
heit lebt und stirbt, der denkt nur an freie Menschen, an freie
Individuen, wenn er auch nicht gerade an dieses oder jenes Indi=
viduum denkt. Aber glauben Sie denn, mein bester Herr Professor!
daß ich, wenn ich das Einzelne im Gegensatze gegen das Allgemeine der
Philosophie, das Individuum im Gegensatz gegen die Gattung geltend
mache, ich nur dieses Einzelne mit Ausschluß des andern Einzelnen,
diese Individuen mit Ausschluß der andern im Sinne habe, daß ich also
dem monarchischen und aristokratischen Princip, welches bis=
her sich als das Allgemeine geltend gemacht und die Welt beherrscht hat,
das Wort rede? Wie können Sie mir eine solche Absurdität zutrauen!
Mein Princip umfaßt alle Individuen: vergangene, gegenwärtige,
zukünftige: der Standpunkt der Individualität ist der
Standpunkt der Unendlichkeit und Universalität, im
Sinne des dünkelhaften und neidischen Begriffs allerdings der „schlech=
ten", im Sinne des Lebens aber sehr guten, weil allein schöpfe=

rifchen und zeugungskräftigen Unendlichkeit und Universalität. *) Zum Schluß nur noch ein Wort über die Gattung in naturhiftorifcher Beziehung. „Die Thiere demonstriren zur Zeit der Brunft ad oculos die Gattungsallgemeinheit als eine Realität". Nicht doch! die Brunft der Thiere, die Heftigkeit des Geschlechtstriebes felbft im Menfchen demonstrirt uns gar nichts Andres, als was jeder andere heftige Trieb uns auch demonstrirt. Der Zorn, der verletzte Selbsterhaltungstrieb, der unbefriedigte Nahrungstrieb, der Hunger haben diefelben Wirkungen, als der unbefriedigte Geschlechtstrieb, daß sie nämlich Thiere und Menfchen in wahre Wuth und Raferei verfetzen. Heißt es denn nicht fchon im Homer vom Hunger:

> Denn unbändiger ift und fchrecklicher nichts denn der Hunger,
> Welcher ftets mit Gewalt an fich die Menfchen erinnert;
> Auch dem Bekümmerten felbft, dem Gram die Seele belaftet.
> So ift mir auch belaftet mit Gram die Seele; doch immer
> Fordert er Speife und Trank der Wütherich; und ich vergeffe
> Alles Leid, das ich trug, bis feine Begier ich gefättigt.

Wenn daher die Brunft die Realität der Gattungsallgemeinheit, d. h. des Allgemeinbegriffs demonstrirt, fo demonstrirt auch die Wuth des Hungers die Gattungsallgemeinheit meines Magens, die Wuth des Zorns über irgend eine mir zugefügte Beleidigung oder Verletzung die Gattungsallgemeinheit meines Ich. Der Geschlechtstrieb ift aber fo wenig ein Freund der Philofophie, insbefondre der fpeculativen, und fpricht fo wenig zu Gunsten der Realität der Allgemeinbegriffe, daß er vielmehr die auf die äußerfte Spitze getriebene Realität der Individualität ausdrückt, denn erft in ihm vollendet fich die Individualität, wühlt

---

*) In praktifcher Beziehung ift der Individualismus Socialismus, aber nicht im Sinne des franzöfifchen, die Individualität oder, was eins, was nur ein abftracterer Ausdruck derfelben ift, die Freiheit aufhebenden Socialismus.

sie sich vollends in Fleisch ein. Die Geschlechtsbifferenz ist die Blüthe, der Culminationspunkt der Individualität, der empfindlichste Punkt, der Point d'honneur der Individualität, der Geschlechtstrieb der ehrgeizigste und hoffärtigste Trieb, der Trieb, Schöpfer, Autor zu sein. Das höchste Selbstgefühl hat der Mensch geistig wie physisch nur an dem Punkt, wo er Autor ist, denn nur da liegt sein Unterschied von Andern, nur an dieser Stelle bringt er Neues hervor, außerdem ist er nur ein geistloser, selbstloser, mechanischer Repetent. Je mehr ein Mensch ist, desto mehr ist er Individuum. Je geistloser Individuen sind, je tiefer sie stehen, desto weniger unterscheiden sie sich, desto weniger sind sie überhaupt Individuen. Daß der Geschlechtstrieb zu seinem Gegenstand ein Wesen hat, das genau diesem meinem individuellen Trieb, Bedürfniß und Wesen überhaupt entspricht, auch das hat er mit andern Trieben gemein. Die Natur wird überhaupt nur durch sich selbst, d. h. nur durch das Gleiche, Verwandte erfaßt und aufgenommen: die Luft durch die Lunge, das, so zu sagen, luftigste Organ, das Licht durch das Auge, das Lichtorgan, der Schall durch die elastischen, schwingenden Gehörwerkzeuge, das Feste, Materielle durch das grobe Handwerkzeug des materialistischen Tastorgans, das Eßbare, Nahrhafte durch das Speiseorgan. Der Athmungsproceß ist daher der Begattungsproceß der Lunge mit der Luft, respective dem Sauerstoff derselben, das Sehen der Begattungsproceß des Auges oder Sehnerven mit dem Lichte. Und diese Begattung der Lunge mit der Luft, des Auges mit dem Lichte, der übrigen Triebe oder Organe mit ihren Gegenständen ist eben so fruchtbar, als die eigentliche, sogenannte Begattung, nur daß jeder Trieb ein sich und seinem Gegenstand entsprechendes Product liefert. Productivität ist ja das Wesen der Natur, das Wesen des Lebens. Die Lunge als Lufticus zeugt Feuer, das Auge als Lichtfreund zeugt Lichtbilder, der Geschlechtstrieb aber als ein männlicher und weiblicher Trieb zeugt auch nur Männleins und Weibleins. Aber ist denn das Individuum productiv? Ist es denn nicht

Gott oder die Gattung, welche die Kinder macht oder schafft? Warum gehen denn aber dann so viele Individuen über der Kinder- erzeugung und Gebährung zu Grunde? Woher das: omne animal post coitum triste, wenn nicht mein eigenes Wesen dabei betheiligt ist? Woher die individuelle Aehnlichkeit der Kinder mit ihren Eltern, wenn die Gattung, „die sich selbst setzende Allgemeinheit", nicht die In- dividualität das Zeugungsprincip ist? Allerdings kann ich keine Kinder zeugen, wenn mir irgend eine sei's nun bekannte oder unbekannte orga- nische Bedingung oder Fähigkeit dazu fehlt; aber ich kann auch nicht sehen, nicht hören, nicht gehen, nicht essen, nicht pissen, *) wenn mir die dazu nöthigen organischen Bedingungen und Anlagen fehlen, ich kann überhaupt nichts und bin nichts als ein Name, wenn man den andern Theil von mir, das Nichtich, die Natur von mir wegläßt. Ich habe mich indeß hierüber schon früher ausgesprochen; will aber, wie sich von selbst versteht, Niemandem die Freiheit nehmen, den Begriff des Individuums nach Belieben zu beschränken, die Eingeweide demselben aus dem Leibe zu nehmen und dann hintendrein den hohlen Balg mit einem Gotte, einer

---

*) Ἀγαθῇ τύχῃ τεχνοποιῶμεν, sagte Karneades zu seiner Neuvermählten, aber eben so gut können wir, namentlich wenn wir an Harnbeschwerden leiden, sagen: ἀγαθῇ τύχῃ οὐροποιῶμεν (sit venia verbo!). Als Luther, der am Stein litt, in Folge einer Reise Wasser lassen konnte, sagte er: sic laetitia cogit etiam hanc aquam numerare alias vilissimam, mihi vero pretiosissimam, und schrieb die Ursache davon der Kraft der Thränen und Gebete, oder was eins ist, der göttlichen Barmherzigkeit zu. „Gott hat Wunder an mir gethan diese Nacht und thuts noch durch frommer Leute Fürbitt". Mögen die speculativen, religiösen und politischen Feinde der mensch- lichen Individualität in diesem köstlichen, ja göttlichen Wasser Luther's sich den Kopf waschen lassen, und entweder behaupten, daß das Urinmachen eben so gut als das Kindermachen eine Wirkung der Gattung oder sonst eines Allgemeingespenstes sei, oder erkennen, daß nur deswegen die Natur Zeugen und Pissen an ein und dasselbe Organ gebunden hat, um auf eine recht augenfällige Weise zu zeigen, daß das Zeugen eben so gut als das Pissen eine Sache des Individuums ist.

namenlofen Subſtanz oder ſonſt einem Ungeheuer der ſpeculativen Phantaſie wieder auszuſtopfen. Eben ſo wenig will ich durch dieſe Bemerkungen meinen Gegnern und ihrem Publikum die Freude nehmen, zu
glauben, daß ihr Bild von mir mein Weſen, ihre Carricatur von mir
mein Portrait ſei.